EL EXPOSITOR BÍBLICO

para el MAESTRO O LÍDER DE GRUPO

El Programa de Educación Senda de Vida se produce originalmente en castellano.

QUINTO CICLO

VOLUMEN 2

Año 30

2016-2022

Primer ciclo 1988-1995
Segundo ciclo 1996-2002
Tercer ciclo 2003-2009
Cuarto ciclo 2009-2016
Quinto ciclo 2016-2022

Senda de Vida Publishers, Co.
Miami, Florida

ITEM 15018 y 15019

Escritores y Editores
de las Series Senda de Vida

En este volumen

Lecciones originales: Wilfredo Calderón
Coordinador temático: Fernando Rojas

Edición, revisión y corrección
José Sifonte

Ilustraciones
Miguel A. Paredes Bejarano

Diseño
Marlen Montejo
Luis Hernández
Ana María Ulloa

Ventas y distribución
Niurka Ávalos
Ana C. González
Deborah Calderón
Mónica Veranez
Mynor Rodríguez
Yamil Zabaleta
Álvaro Hernández
Juan F. Moncada

Marco T. Calderón
PRESIDENTE

SENDA de VIDA PUBLISHERS, CO.
Miami, Florida

ISBN 978-1-928686-40-8

EDITORIAL

Marco T. Calderón
Presidente

¡Hasta lo último de la tierra!

...Y me seréis testigos en Jerusalén, en toda Judea, en Samaria, y hasta lo último de la tierra (Hechos 1:8).

Jesús resucitó dando cumplimiento a cada una de las profecías; ahora, partía para entrar en su gloria. Sus discípulos estaban totalmente convencidos que Él era el Mesías prometido, su Rey y Señor; pero había algo que todavía no estaba muy claro para ellos: *"Señor, ¿restaurarás el reino a Israel en este tiempo?"*. Jesús no corrige esta idea con relación al reino que, seguramente, vendría; pero les amonesta en cuanto al tiempo de su llegada: *"No os toca a vosotros saber los tiempos o las sazones, que el Padre puso en su sola potestad"*, es decir, todo se iría desarrollando según el plan predeterminado de Dios. Antes precederán ciertos acontecimientos: La venida del Espíritu Santo y la predicación universal del evangelio. *"Recibiréis poder, cuando haya venido sobre vosotros el Espíritu Santo y me seréis testigos en Jerusalén, en toda Judea, en Samaria, y hasta lo último de la tierra"*.

El libro de los Hechos nos narra esta gloriosa manifestación de su Espíritu, empoderando, capacitando y comisionando a sus discípulos a llevar el evangelio a toda criatura. Vemos a Pedro y a los discípulos en Jerusalén predicando la Palabra, y grandes multitudes son añadidas (2:41; 4:4). Pero, había que salir de Jerusalén y expandir "las buenas nuevas" también en Judea y Samaria". A partir del capítulo 8, el Señor permite la persecución y la iglesia se extiende más allá de sus fronteras (8:4,5; 11:19,20). Había que ir a las naciones, y es con el llamamiento del Apóstol Pablo, que a partir del capítulo 13, la fe se expande por toda Asia, Grecia, Europa y África. De aquí en adelante vemos a una iglesia pujante y con paso firme conquistando el mundo. Se estima que hacia el año 300 d.C., el número de creyentes ascendía a un 30 % de la población del Imperio, calculada en unos cien millones de habitantes.

Pero la situación cambió y vemos hoy con gran preocupación que aquellos pueblos que una vez fueron evangelizados por el apóstol Pablo (Siria, Líbano, Jordania, Turquía, Arabia), hoy día son bastiones rendidos al islam. Grecia, Italia, España, lugares donde el insigne apóstol sembró también la semilla, los templos son convertidos en discotecas, y centros de diversión.

Sólo un 15% de la población mundial es cristiana evangélica, confesando a Jesucristo como su único Señor y Salvador. El reto es enorme para la iglesia. El islam está saliendo con mucha más energía a todas las partes del mundo añadiendo convertidos a su fe, que los que está ganando la iglesia cristiana hoy. Debemos orar al Señor para llegar al corazón del islam con el poder libertador del Evangelio. Demostrarles a los musulmanes y al mundo que el más grande no es Mahoma; sino Jesucristo. Y que no es un profeta más; sino que es el Hijo de Dios, el Salvador del mundo.

Hoy más que nunca la iglesia debe continuar esforzándose por alcanzar a los perdidos y completar así su misión. La Editorial Senda de Vida sigue comprometida en el cumplimiento de la "Gran Comisión" y así esperar el pronto regreso del Señor en gloria ¡Amén!

PLAN ACADÉMICO

Año	Enero-Marzo	Abril-Junio	Julio-Septiembre	Octubre-Diciembre
2009			Paradigmas de la familia cristiana	Con los salmos se canta y se vive para Dios
2010	Respuestas bíblicas a inquietudes serias	Los Hechos del Espíritu Santo	Versión marcopetrina del evangelio de Jesucristo	El origen de un pueblo indestructible
2011	El Evangelio se extiende a las naciones	Actitudes del cristiano frente al mundo	Lucas describe el ministerio de Cristo	Hechos y vivencias de los jueces de Israel
2012	Enseñanzas de actualidad en los libros poéticos	Instrucciones prácticas en las epístolas de Pablo I	Juan expone evidencias de la divinidad de Jesucristo	Las obras portentosas de Dios en el reino unido
2013	Profecías preexílicas en orden cronológico	Verdades prácticas de la teología paulina	Hebreos y la preeminencia de Jesucristo	Dos reinos y un solo pueblo
2014	Justicia y misericordia de Dios en el exilio	Exhortaciones pastorales para el crecimiento	El Espíritu Santo, su persona y ministerio	Daniel y Apocalipsis, Un panorama escatológico
2015	La experiencia cristiana en las epístolas generales	Mensajes de restauración de los profetas postexílicos	Grandes enseñanzas de la Biblia, Parte I	Grandes enseñanzas de la Biblia, Parte II
2016	Aspectos prácticos de la vida cristiana	Principios básicos en la carta a los Efesios		

SENDA de VIDA 2009-23

Año	Enero-Marzo	Abril-Junio	Julio-Septiembre	Octubre-Diciembre
2016			Estudiando la carta del apóstol San Pablo a los Gálatas	El mandato urgente a evangelizar al mundo
2017	Discipulado y servicio cristiano	Las misiones en el plan de Dios	El plan supremo de Dios en las misiones en el Nuevo Testamento	Hombres y mujeres ejemplares de la Biblia
2018	Enfoque de la divinidad de Jesucristo en Hebreos	El triunfo a través de la guerra espiritual	Introducción a la Biblia: Antiguo Testamento	1 y 2 de Pedro, cristianismo práctico
2019	La soberanía de Dios a la luz de los libros históricos	El Espíritu Santo y la conducta cristiana	Los evangelios y la iglesia de Jesucristo	Mensajes imperecederos de los libros poéticos
2020	Los milagros de la Biblia se manifiestan en la actualidad	Evidencias apocalípticas en el siglo veintiuno	El enfoque bíblico a la familia cristiana de todos los tiempos	Tipología y la vida en el espíritu
2021	Vida cristiana práctica	Parábolas de Jesús en Mateo	Fundamentos cristianos básicos	Una perspectiva del evangelio según Romanos y Gálatas
2022	Mensajes de actualidad según los profetas menores	Enseñanzas de la epístolas pastorales	Frutos, talentos y dones del Espítitu Santo	Vida cristiana en las cartas generales
2023	Grandes personajes del Antiguo Testamento	Grandes personajes del Nuevo Testamento		

ÍNDICE

Primer Trimestre 2017
Discipulado y servicio cristiano

Estudio 1. Un líder eficaz es un discípulo fiel 9
Estudio 2. La fe del líder es probada 17
Estudio 3. El discípulo debe distinguir y obedecer la voz de Dios 25
Estudio 4. Unción y habilidad para una vida de servicio 33
Estudio 5. Dios siempre tiene un sucesor para su obra 41
Estudio 6. Jesús, el modelo del discipulado 49
Estudio 7. El llamado al discipulado es un privilegio 57
Estudio 8. El discipulado promueve la unidad 65
Estudio 9. El discipulado y el reino de Dios 73
Estudio 10. Jesús, ejemplo de oración para sus discípulos 81
Estudio 11. El discípulo es una persona transformada 90
Estudio 12. El discipulado, una vida de testimonio 99
Estudio 13. Discípulos, ¡a cumplir la misión! 108

Segundo Trimestre 2017
Las misiones en el plan de Dios

Estudio 14. El plan de Dios para las naciones 117
Estudio 15. La misión de la iglesia es rescatar al mundo 125
Estudio 16. La misión de Israel entregada a la iglesia 133
Estudio 17. Un plan misionero de alcance mundial 141
Estudio 18. La rebeldía de un misionero 149
Estudio 19. Las sorpresas de un misionero 157
Estudio 20. El gran misionero de Dios 165
Estudio 21. Las misiones un ministerio transcultural 173
Estudio 22. La iglesia y su misión en las naciones 181
Estudio 23. El Espíritu Santo en las misiones 189
Estudio 24. La iglesia local es la base de las misiones 197
Estudio 25. Actitudes correctas de un misionero 205
Estudio 26. El sostenimiento de las misiones 213

INTRODUCCIÓN AL PRIMER TRIMESTRE

Los grandes retos que enfrentamos actualmente nos obligan a reflexionar, seriamente, en un tema crucial y determinante para la vida de cada creyente y para la continuidad de la iglesia: "El discipulado y servicio cristiano". No desconocemos la complejidad de la época en que vivimos y sin duda vemos que cada día se torna más difícil la educación de nuestros hijos, la estabilidad de la familia, la seguridad de nuestras escuelas y comunidades y cada vez se ve más distante que las naciones sean gobernadas por dirigentes justos e íntegros.

Pero Dios ha provisto recursos de valor incalculable e incomparable para el desarrollo de su misión en el mundo y la preparación de discípulos: Su Palabra, la Biblia, el Espíritu Santo y la comunidad de fe, la iglesia. El camino del discipulado es un proceso educativo, formativo y transformador que no se lleva a cabo de la noche a la mañana ni de manera solitaria; no es un programa ni un curso de seminario que al finalizarlo se obtiene un diploma y hasta allí.

El discipulado, de acuerdo al modelo de Jesús, es un estilo de vida de santidad, obediencia, sumisión y fidelidad a Dios, cuya trayectoria y crecimiento es incontenible porque nuestro andar diario es con Jesús. En la vida de los discípulos no hay espacio para el egoísmo, los vicios, rivalidades o competencias. El que está en Cristo nueva criatura es y no existe mejor testimonio y mejor prueba del poder del evangelio, que una persona transformada por el poder del Espíritu Santo, transformada en su mente y en su conducta. Nuestros hogares, círculo de amigos, compañeros de trabajo y la comunidad en general serán impactados por aquellos seguidores de Jesús para quienes cada experiencia, vivencia, circunstancia, prueba o dificultad sea una oportunidad de reflejar la vida de Cristo en el poder del Espíritu Santo. El discipulado es uno de los aspectos ministeriales de mayor importancia en la iglesia cristiana. Todo creyente deben considerarse discípulo de Jesucristo desde el momento de su conversión.

En este trimestre, Senda de Vida presenta trece estudios bíblicos del discipulado cristiano, empezando con casos, ejemplos y pasajes del Antiguo Testamento relacionados con el adiestramiento al discipulado. En el Nuevo Testamento nos encontramos con un inmenso caudal de información y de recursos para el establecimiento del discipulado cristiano. Jesús es nuestro ejemplo supremo en ese sentido. Las enseñanzas de los evangelios están saturadas de detalles acerca de este ministerio. Esperamos que estas lecciones puedan iluminar un poco más a los departamentos de desarrollo espiritual y educativo de la iglesia. Nuestro anhelo es que, con esta y muchas otras ayudas que puedan ser provistas, nuestras congregaciones regresen al modelo inicial del dinámico y palpitante estilo de vida de los creyentes.

FECHAS SUGERIDAS

Número del estudio	Tema del estudio	Fecha sugerida
Estudio bíblico 1	Un líder eficaz es un discípulo fiel	1 enero 2017
Estudio bíblico 2	La fe del líder es probada	8 enero 2017
Estudio bíblico 3	El discípulo debe distinguir y obedecer la voz de Dios	15 enero 2017
Estudio bíblico 4	Unción y habilidad para una vida de servicio	22 enero 2017
Estudio bíblico 5	Dios siempre tiene un sucesor para su obra	29 enero 2017
Estudio bíblico 6	Jesús, el modelo del discipulado	5 febrero 2017
Estudio bíblico 7	El llamado al discipulado es un privilegio	12 febrero 2017
Estudio bíblico 8	El discipulado promueve la unidad	19 febrero 2017
Estudio bíblico 9	El discipulado y el reino de Dios	26 febrero 2017
Estudio bíblico 10	Jesús, ejemplo de oración para sus discípulos	5 marzo2017
Estudio bíblico 11	El discípulo es una persona transformada	12 marzo2017
Estudio bíblico 12	El discipulado, una vida de testimonio	19 marzo2017
Estudio bíblico 13	Discípulos, ¡a cumplir la misión!	26 marzo2017
Estudio bíblico 14	El plan de Dios para las naciones	2 abril 2017
Estudio bíblico 15	La misión de la iglesia es rescatar al mundo	9 abril 2017
Estudio bíblico 16	La misión de Israel entregada a la iglesia	16 abril 2017
Estudio bíblico 17	Un plan misionero de alcance mundial	23 abril 2017
Estudio bíblico 18	La rebeldía de un misionero	30 abril 2017
Estudio bíblico 19	Las sorpresas de un misionero	7 mayo 2017
Estudio bíblico 20	El gran misionero de Dios	14 mayo 2017
Estudio bíblico 21	Las misiones un ministerio transcultural	21 mayo 2017
Estudio bíblico 22	La iglesia y su misión en las naciones	28 mayo 2017
Estudio bíblico 23	El Espíritu Santo en las misiones	4 junio 2017
Estudio bíblico 24	La iglesia local es la base de las misiones	11 junio 2017
Estudio bíblico 25	Actitudes correctas de un misionero	18 junio 2017
Estudio bíblico 26	El sostenimiento de las misiones	25 junio 2017

UN LÍDER EFICAZ ES UN DISCÍPULO FIEL

ESTUDIO BÍBLICO 1

Base bíblica

Números 27:16-23; Josué 1:1-11

Objetivos

1. Entender que el discipulado es parte integral del propósito de Dios para los líderes.
2. Desarrollar el carácter de cada discípulo de acuerdo al carácter de Cristo.
3. Considerar la conducta de Josué como un buen modelo para imitar.

Pensamiento central

La iglesia necesita líderes eficientes, que se hayan destacado como discípulos obedientes y esforzados.

Texto áureo

Mira que te mando que te esfuerces y seas valiente; no temas ni desmayes, porque Jehová tu Dios estará contigo en dondequiera que vayas

(Josué 1:9).

Fecha sugerida:___/____/____

LECTURA ANTIFONAL

Números 27:18 Y Jehová dijo a Moisés: Toma a Josué hijo de Nun, varón en el cual hay espíritu, y pondrás tu mano sobre él;

19 y lo pondrás delante del sacerdote Eleazar, y delante de toda la congregación; y le darás el cargo en presencia de ellos.

20 Y pondrás de tu dignidad sobre él, para que toda la congregación de los hijos de Israel le obedezca.

22 Moisés hizo como Jehová le había mandado, pues tomó a Josué y lo puso delante del sacerdote Eleazar y de toda la congregación;

23 y puso sobre él sus manos, y le dio el cargo, como Jehová había mandado por mano de Moisés.

Josué 1:7 Solamente esfuérzate y sé muy valiente, para cuidar de hacer conforme a toda la ley que mi siervo Moisés te mandó; no te apartes de ella ni a diestra ni a siniestra, para que seas prosperado en todas las cosas que emprendas.

8 Nunca se apartará de tu boca este libro de la ley, sino que de día y de noche meditarás en él, para que guardes y hagas conforme a todo lo que en él está escrito; porque entonces harás prosperar tu camino, y todo te saldrá bien.

9 Mira que te mando que te esfuerces y seas valiente; no temas ni desmayes, porque Jehová tu Dios estará contigo en dondequiera que vayas.

DATOS GENERALES ACERCA DEL TEMA

- **Enseñanza:** Cada creyente es un discípulo y como tal debe ser fiel y obediente a las enseñanzas de Jesús.
- **Autor:** Moisés y Josué
- **Personajes:** Moisés, Josué y el pueblo de Israel.
- **Fecha:** Aproximadamente 1370 a.C.
- **Lugar:** Las llanuras de Moab, lado oriental del río Jordán.

BOSQUEJO DEL ESTUDIO

I. Intercesión de un líder para designar a un sucesor (Números 27:16-23)
   A. Oración de un líder responsable (27:16,17)
   B. Dios designa al sucesor y su preparación (27:18-23)
II. Dios es quien asigna la misión (Josué 1:1-5)
   A. El discípulo debe escuchar y comprender cuál es su misión (1:1-3)
   B. El éxito de la misión depende de la compañía del Señor (1:4,5)
III. Características de un discípulo (Josué 1:6-11)
   A. La conquista exige esfuerzo, valor y obediencia (1:6-9)
   B. El discípulo sabe dirigir porque es dirigido por Dios (1:10,11)

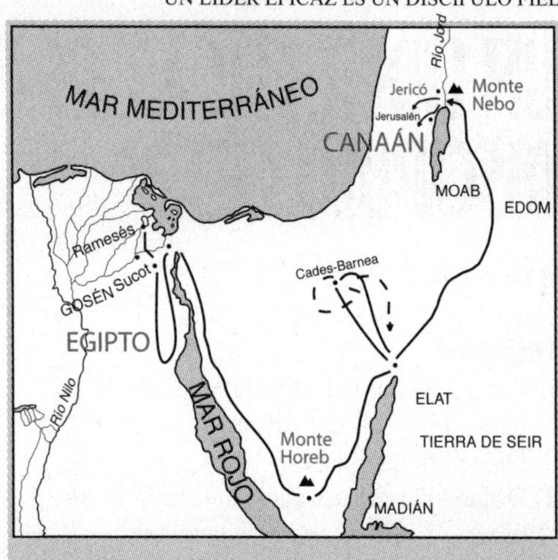

Después de cuarenta años de peregrinar por el desierto, el pueblo se encuentra en la antesala de la tierra prometida.

LECTURAS DEVOCIONALES DIARIAS

Lunes: Un eficiente servidor de su líder y del pueblo (Éxodo 17:8-16).
Martes: Escogido para ser sucesor de su jefe (Números 27:18-23).
Miércoles: Dirigido en su cargo oficial directamente por Jehová (Josué 1:1-11).
Jueves: Instrucciones para conquistar la tierra prometida (Josué 3:1-17).
Viernes: El que quiera ser grande tiene que ser un servidor (Mateo 20:20-27).
Sábado: El discípulo no es superior a su maestro (Lucas 6:37-42).

INTRODUCCIÓN

Desde el origen mismo de la humanidad el interés de Dios ha sido que el hombre aprenda a vivir de acuerdo a las más elevadas normas morales y espirituales. De acuerdo a la narración de Génesis 2, Dios tomó un poco de polvo y formó al hombre, después sopló en su nariz y con el aliento divino le dio vida. Lo puso en un hermosísimo jardín que Él había preparado y allí el hombre recibió la instrucción de que lo cultivara y lo cuidara, y la orden de que podía comer de todos los árboles menos del árbol del conocimiento del bien y del mal. Es desde el principio que Dios, el Señor y Creador, el primer instructor, le brinda a su criatura la oportunidad de vivir una vida plena en un contexto de libertad y obediencia. La actitud humana, por su parte, debe ser la obediencia y fidelidad a la Palabra de su Creador como único camino para la libertad y la vida.

El "discipulado" no fue una práctica extraña sea cual fuere la época o la cultura (china, judía, griega, persa o romana), aunque el término no se haya usado como tal. El discipulado se desarrolló entre los griegos unos cuatro siglos antes de la era cristiana. Los filósofos y maestros se hacían rodear de un grupo de seguidores que además de aprender las ideas y destrezas de sus maestros, abrazaban el compromiso de seguir a su líder transmitiendo e inculcando sus valores, impartiendo sus enseñanzas y reclutando a otros como discípulos. Entre los fundadores de escuelas filosóficas podemos mencionar a Sócrates, Platón, Aristóteles, Pitágoras, y también Epicuro y Zenón de Citio, cuyas doctrinas aún se practicaban en el primer siglo de nuestra era (Hechos 17:18). Sin embargo, no fue sino hasta los tiempos del Nuevo Testamento cuando el nombre griego *mathetes*, "discípulo" o "aprendiz" vino a ser de uso común. El discipulado fue parte del programa del reino que Jesús vino a establecer. Sus discípulos y seguidores impactaron y transformaron el mundo de su época con la comisión de ir por todo el mundo y hacer nuevos discípulos a todas las naciones.

DESARROLLO DEL ESTUDIO

I. INTERCESIÓN DE UN LÍDER PARA DESIGNAR A UN SUCESOR (NÚMEROS 27:16-23)

Ideas para el maestro o líder

(1) Señale en un mapa la ruta del Éxodo: La salida de Egipto, su travesía por el desierto y ahora su ubicación frente al río Jordán para tomar posesión de la tierra.

(2) Pregunte a la clase: ¿Cómo reconocer cuando debemos ceder o compartir el liderazgo con otros siervos del Señor?

Definiciones y etimología

* *Josué*. Su nombre original fue Hoshea, "Salvación"; pero Moisés le añadió a su nombre un prefijo divino para venir a formar el nombre de Yehoshua, "Jehová salva". Ese fue el mismo nombre que Dios designó para su Hijo y se lo reveló a María: "Y llamarás su nombre JESÚS, porque él salvará a su pueblo de sus pecados" (Mateo 1:21).

* *No entrarás*. (Números 20:12; 27:12-14; Deuteronomio 32:52). Dios se disgustó con Moisés y Aarón en Meriba, por su rebeldía y por no haberlo honrado delante del pueblo. El castigo fue que no entrarían en la tierra prometida.

A. Oración de un líder responsable (27:16,17)

Después de una jornada de cuarenta años de peregrinar por el desierto, por fin, el pueblo de Israel está en las llanuras de Moab, la antesala de la tierra prometida. Una vez más, Moisés se reúne con Dios, y a pesar de la severidad de las palabras del Señor hacia su siervo (Números 27:12-14), esto no impide que olvidemos la grandeza de este extraordinario personaje cuya vida, ministerio y liderazgo marcaron la historia del pueblo de Israel. Desde su nacimiento, Moisés fue un elegido, separado y preparado por Dios para cumplir con la misión de liberar de la opresión y esclavitud a un pueblo cuyo grito de dolor y sufrimiento había llegado a los oídos del Señor. El antiguo juramento estaba por cumplirse, en el reloj de Dios la promesa hecha a Abraham unos siglos antes "que de su descendencia haría una gran nación", era inminente.

Moisés, con la vara de Dios se presenta ante faraón y le exige, que deje ir a su pueblo para que sirva y adore a Jehová en el desierto. La resistencia, dureza y crueldad del gobernante no se dejan esperar. Pero Moisés sabe, confía y afirma que quien lo envió sacará al pueblo con mano fuerte y señales portentosas. Llega el final de ese episodio. La noche de la Pascua, el ángel del Señor mata a los primogénitos egipcios, pero pasa por alto los hogares en cuyos dinteles de las puertas ha sido puesta la señal de la sangre del cordero.

El pueblo sale con urgencia, llegó la hora en que el Señor le probará a esta multitud que Él es su libertador, protector y sustentador, y que su andanza en el desierto será un lugar de prueba y enseñanza. Aquí Israel aprenderá a confiar en Dios y a conocer y esperar pacientemente en la gracia divina. El pueblo cruza el mar Rojo; el enemigo sediento de venganza y presto a esclavizar de nuevo, ve truncados sus esfuerzos y queda sepultado bajo el mar de la justicia de Dios, del Dios que aborrece la injusticia y la crueldad. Israel es un pueblo liberado de la esclavitud de Egipto. La fidelidad en Dios se expresará al proveer al pueblo de agua, carne y pan, sombra y luz; ni la ropa ni las sandalias se desgastarán. El pueblo tendrá la oportunidad de probar el valor y resistencia, la lealtad y confianza absoluta en el Señor, aunque será castigado duramente por su rebeldía y obstinación. Después de cientos de años de esclavitud, la nación aprenderá a saber qué significa ser verdaderamente libre, en el desierto recibirá toda la enseñanza de Dios, las leyes y mandamientos y aprenderá a sobrevivir en toda circunstancia, a crear su identidad como pueblo de sacerdotes y nación santa, a ser el pueblo de Dios.

Pero el líder no está exento de la prueba, y en un arrebato de ira Moisés por la rebeldía del pueblo, "golpeó la peña con su vara dos veces" (Números 20:7-12) y esto trajo como consecuencia la sentencia divina de que no serían ellos, Moisés y Aarón, los que meterían al pueblo en la tierra prometida. Ahora el líder debe preparar un sucesor, y a la sombra del caudillo y libertador, comienza a levantarse un discípulo, futuro líder y conquistador, fiel, dócil y leal a su maestro y protegido de Dios, Josué.

Y allí está Moisés, en el monte Abarim, contemplando la tierra prometida y en un momento de solemne intimidad con su Dios, su plegaria es profunda y sentida. La experiencia le permite ver un futuro promisorio, pero reconoce los enormes retos y obstáculos que están al otro lado del Jordán. Su fin como caudillo ha llegado. Quien único puede elegir un sucesor es Dios mismo y por eso su clamor y su oración es reverente y confiada e intercede porque Dios dé a los israelitas un líder que los guíe por dondequiera que vayan y que no deje a su pueblo como un rebaño sin pastor.

B. Dios designa al sucesor y su preparación (27:18-23)

Con la muerte de Moisés recibimos una gran lección: debemos aprender a morir y hacernos a un lado para abrirle paso y espacio a una nueva generación de líderes. Necesitamos un liderazgo nuevo y creativo y no debemos usar nuestras energías en asegurar un lugar para nuestro liderazgo y defenderlo en vez de formar nuevos "Josués". Dios le pidió a Moisés que instruyera y animara a Josué porque él guiaría a Israel en la conquista de aquel territorio.

Dios mismo definió a Josué como un hombre valiente y obediente. Moisés se encargó de que Josué aprendiera muy bien que la fidelidad absoluta de Israel a Jehová es el corazón de toda declaración de fe y de toda la obediencia de fe. Josué aprendió de primera mano que Israel tenía un solo Dios y Señor, y que todo su ser debía estar entregado a ese Dios. Este líder reconoció que él representaba la continuación de una misión y que el gran protagonista de la historia en realidad era Jehová de los ejércitos. La tierra a conquistar era una promesa de Dios, era palabra antes de ser un hecho, y se convertiría en realidad porque Dios lo había prometido. La valentía de Josué se funda y consolida por la asistencia divina. Dios lo nombra y lo elige y el pueblo ni duda ni deja de reconocer ese nombramiento.

Josué fue el aguerrido jefe del ejército israelita que derrotó a los amalecitas, cuando Israel apenas llevaba semanas de camino por el desierto (Éxodo 17:8-16). Acompañó a Moisés al Monte Sinaí y como servidor, nunca se apartaba de en medio del tabernáculo" (Éxodo 33:11). Junto con Caleb dieron un buen informe a su regreso de la expedición de reconocimiento de la tierra prometida (Números 14:6-9). Siempre estuvo atento a su deber, valiente contra el enemigo, sumiso a su maestro y muy familiarizado con los métodos divinos, además de ser un siervo fiel y dócil a le Ley. Moisés cumple con el rito de iniciación y frente al sacerdote Eleazar y todo el pueblo de Israel pone las manos sobre la cabeza de Josué, lo constituye como jefe principal del pueblo pero es el sacerdote quien debe indicarle lo que debe hacer como jefe del ejército israelita. Todos estos elementos son esenciales en el discipulado de hoy: el apoyo de los líderes, la unción del Espíritu Santo, el otorgamiento de autoridad y la entrega de todo lo que un corazón maduro en el servicio puede dar a alguien que ha de tomar su lugar.

Afianzamiento y aplicación

(1) Pregunte a la clase desde cuándo se empieza a oír acerca de Josué, y cuáles eran las funciones de ese joven (Éxodo 17: 8,9; 33:11; Números 14:6-9).

(2) ¿Qué opinión merece la actitud de Moisés al adiestrar a quien habría de ocupar su lugar?

(3) Comente que las promesas de Dios no excluyen los retos y obstáculos en el camino.

II. DIOS ES QUIEN ASIGNA LA MISIÓN (JOSUÉ 1:1-5)

Ideas para el maestro o líder

(1) Señale en un mapa del Antiguo Testamento el "monte Nebo" en "la cumbre del Pisga" frente a Jericó, al otro lado del Jordán, donde murió Moisés (Deuteronomio 34:1).

(2) ¿Cuáles podrían ser las razones para que Dios no dejara que nadie viera dónde sepultó a Moisés? (Deuteronomio 32:48-52).

Definiciones y etimología

* *Servidor de Moisés* (Josué 1:1). La relación de este discípulo "servidor" con su maestro, Moisés, aunque había terminado físicamente, seguía en su carácter espiritual.

* *Pasa este Jordán* (1:2). El cruce del Jordán se realizó durante la primavera, cuando el río estaba "desbordado" (Josué 3:15) debido a las aguas del deshielo que descendían desde las cumbres nevadas, lo cual aumentaba su caudal.

* *Todo lugar que pisare.* Es decir que la posesión de la tierra es un hecho ya realizado por fe, solo deberían mostrar obediencia y valentía.

A. El discípulo debe escuchar y comprender cuál es su misión (1:1-3)

El libro de Josué se inicia con la muerte de Moisés, el hombre que siempre estuvo al servicio de Dios. Sí, Moisés murió, pero el Señor continuó hablando con el sucesor, Josué, y su Palabra siguió resonando viva, actual, desafiante y confirmando el llamado y la misión del nuevo líder.

El pasado era historia. Toda una generación terca y obstinada había pagado el precio de su rebelión muriendo en el desierto. Una nueva generación se abría paso con dos retos por delante: conquistar la tierra prometida y preparar a las nuevas generaciones de acuerdo a las enseñanzas de Ley para que supieran (a) cuál debía ser su conducta y proceder con su Dios, (b) las relaciones entre ellos como pueblo y (c) el trato con las naciones que debían expulsar. Tres generaciones. La de ayer, fracasada y mal ejemplo; la de hoy, a prueba y como referencia para las de mañana. De Josué, el discípulo de Moisés y ahora líder, y de esa generación de israelitas dependía la fidelidad y la obediencia de los hijos, los discípulos y líderes del porvenir. El triunfo o el fracaso dependería de ellos; del pueblo, de cada tribu, cada familia, de los padres, todos serían absolutamente responsables de cumplir con la misión sagrada de que todos los pueblos de la tierra reconocieran a Israel como un pueblo de sacerdotes y una nación santa, el pueblo del Pacto, el pueblo de Dios.

La primera instrucción para Josué es categórica: "te toca a ti, tú eres quien debe guiar al pueblo de Israel". El eco del cambio de su nombre de Hoshea, "Salvación", a Yehoshua, "Jehová salva", le recuerda que no es por su capacidad ni valentía sino porque el verdadero guía es Jehová, el Todopoderoso que va delante de él. La escena del mar Rojo vuelve a su memoria, el milagroso cruce de antaño se actualiza. Esta vez no son perseguidos por un poderoso y descomunal ejército y no es un mar lo que está enfrente. Es un río, el Jordán, pero hay que cruzarlo y la fe y la confianza del líder es puesta a prueba. El discípulo es ahora el comandante, pero actúa bajo el mismo poder y protección que operó en su predecesor. Como siervo del Señor sabe de quién depende, escucha instrucciones, está dispuesto a ejecutarlas y tiene la capacidad de conocer el tiempo de Dios para empezar la acción. La tierra está al alcance y junto a la instrucción, Dios recuerda lo que una vez dijo a Moisés: "Yo os he entregado... todo lugar que pisare la planta de vuestro pie". Poner el pie significa posesión; tomar la tierra es poseer el don de Dios para su pueblo.

B. El éxito de la misión depende de la compañía del Señor (1:4,5)

El territorio es amplio. Los límites geográficos de la herencia que Dios estaba otorgando a su pueblo escogido abarcaban desde el desierto del Negueb hasta el Líbano y desde el río Éufrates hasta el Mediterráneo. Josué es un guerrero, curtido en el desierto y habituado a los prodigios, señales y milagros del Señor. Su experiencia como parte del comando de espías que Moisés envió para reconocer la tierra y sus habitantes (cuarenta años antes), trae a su memoria gente de gran estatura y ciudades amuralladas aparentemente inexpugnables. No olvida los hermosos frutos y la tierra fértil, que de acuerdo al dicho antiguo, de ella brota leche y miel. Pero también tiene presente que la tierra está habitada por grupos de gente cruel y despiadada, terratenientes que han hecho de las ciudades amuralladas lugares para protegerse de sus maldades e injusticias. A estos señores de la tierra les llegó su turno. La justicia de Dios toca a su puerta y las murallas caerán una por una. El pueblo de Israel ha aprendido en el desierto lo que es la justicia divina; no importa el rango ni la alcurnia, la nación o el imperio. Por eso, Dios juzgará a los cananeos y el pueblo de Israel poseerá la tierra. Por supuesto, Israel nunca deberá olvidar la sentencia deuteronómica del castigo al pueblo si es desobediente (Deuteronomio 28:15-44). Pero llegó el momento, el Señor que peregrina con su pueblo está aquí haciendo compañía a Josué y le asegura que nadie podrá derrotarlo jamás: "Nadie te podrá hacer frente en todos los días de tu vida". Él, el "YO SOY" que se reveló a Moisés, el que siempre estuvo con su siervo desde Sinaí hasta Moab, está al lado de este nuevo líder y le garantiza que nunca lo abandonará ni le fallará. Qué más prueba de amor y protección necesita alguien que está a punto de empezar una nueva jornada. Qué más respaldo y afirmación desea el discípulo que está por enfrentar gigantes y ciudades amuralladas, ahora con ropajes diferentes como pruebas, dificultades y tentaciones, o conflictos disfrazados de incomprensiones, frustraciones o desánimo. Pero el reto principal es a ser fieles al Señor, obedientes a su Palabra y determinados a seguir sus instrucciones. El Señor promete y cumple; instruye y respalda; da fuerza cuando nos debilitamos y sabiduría a la hora de tomar decisiones. Nada ni nadie podrá derrotarnos si Dios es nuestro compañero del camino.

Afianzamiento y aplicación

(1) Comente que no es el talento o la habilidad personal, lo más importante en la obra del Señor, sino la dependencia y la guía de Espíritu de Dios.

(2) Comente acerca de los riesgos que se cometen al pretender adelantarse a los planes de Dios, y no esperar el momento oportuno para ejercer un ministerio.

III. CARACTERÍSTICAS DE UN DISCÍPULO Y UN LÍDER (JOSUÉ 1:6-11)

Ideas para el maestro o líder

(1) ¿Cuántas veces le expresa Jehová a Josué el mandato de esforzarse y ser muy valiente, y por qué insiste tanto en ello?

(2) ¿Por qué le exigió Jehová a Josué la lectura, el estudio, la meditación y la obediencia de la Palabra?

Definiciones y etimología

* *"Esfuérzate y sé valiente"* (Josué 1:6). Estos dos verbos en hebreo son muy parecidos y podrían ser traducidos: "Sé fuerte y vigoroso". La triple repetición de este mensaje denota lo serio de la misión que Josué iba a iniciar.

* *"Nunca se apartará de tu boca"* (1:8). Este detalle indica que no sólo se debe leer, oír y meditar la Palabra sino que también se debe convertir en parte de nuestro vocabulario y, por supuesto, de nuestro estilo de vida.

A. La conquista exige esfuerzo, valor y obediencia (1:6-9)

Ser discípulo es ser seguidor, es renunciar a una manera de vivir para ser formado y transformado de acuerdo al propósito, la misión y la meta del que lo llama. Convertirse en discípulo implica una decisión responsable, resuelta y permanente; es aceptar los riesgos, pruebas y retos si se quiere ser merecedor del galardón que su fidelidad conlleva.

La Biblia narra ejemplos extraordinarios de hombres y mujeres que cumplieron fielmente con su llamado, así como, de muchos que jamás honraron al que los llamó. Dios es el Señor de la misión, la misión de que toda la tierra esté llena de su gloria y conozca su Nombre. El interés del Altísimo es que todo ser humano lo reconozca como el Dios que salva y que redime, que perdona y santifica. Así que el discípulo, el siervo del Señor debe entender que es un eslabón de la cadena de redención que une el pasado, el presente y el porvenir. Esa es la situación de Josué en este pasaje. Moisés se encargó de que su sucesor tuviera una bien elaborada memoria histórica. Era el heredero y llevaba sobre sus hombros la gran responsabilidad de que se cumpliera una promesa, la promesa hecha por Dios a Abraham que de su descendencia haría una gran nación, con una tierra propia y con Jehová de los ejércitos como Dios y Soberano. Pero la conquista requiere ciertas condiciones y Dios es enfático. Tres veces le dice a Josué que se esfuerce y sea valiente. La primera porque esas dos virtudes son indispensables para guiar al pueblo en su conquista de la tierra prometida. La segunda, para obedecer y cumplir con todas las demandas de la ley dada por Moisés.

Y la tercera, debe ser fuerte y valiente para que jamás se desanime ni tenga miedo. Todo discípulo y fiel servidor debe tener estas virtudes. Valentía y espíritu de lucha para cruzar ríos, montañas, desiertos, valles y vencer gigantes y derribar murallas; Valentía y espíritu de lucha para vivir de acuerdo a la Palabra de Dios, meditar en ella y practicarla cada día de su vida, atesorar sus dichos para no pecar contra Dios y utilizarla como una lámpara a sus pies y una lumbrera en su camino. El discípulo debe poseer valentía y espíritu de lucha para vencer al miedo y derrotar al desánimo. No temer morir por lo que cree y mantenerse firme frente a las ofertas tentadoras de este mundo.

B. El discípulo sabe dirigir porque es dirigido por Dios (1:10,11)

Josué está listo para la conquista. Ahora es él quien da las órdenes. Él es el comandante del ejército de la nación israelita, pero reconoce que su guía e instructor es el Señor. Hay confianza, valor, entusiasmo y claridad. Ha aprendido el método correcto. Para saber dirigir, hay que ser bien dirigido. Para experimentar la verdadera libertad, hay que saber estar bajo autoridad. Sus instrucciones son firmes y seguras. El pueblo está atento. Ninguno olvida las palabras que dijo Dios a través de Moisés al momento de ungir a Josué: "que toda la congregación de los hijos de Israel le obedezca". El líder habla con los jefes de las tribus para que hagan correr la voz por todo el campamento. Deben prepararse y pone un límite, tres días y cruzarán el río. Por fin llega el gran día (Josué 3). El pueblo avanza hasta llegar al río. Josué sabe que nada puede detenerlos. La Palabra, una vez pronunciada por Dios es incontenible e invencible, se cumple al pie de la letra. No hay obstáculo que valga ni corriente que lo impida. Josué establece el orden. Primero el arca del pacto, la presencia del Señor irá adelante. Todo el pueblo se moverá detrás de ella. Es Dios quien va a trazar la ruta, es Él quien va a dirigir la trayectoria para que todos sepan por donde deben caminar. El pueblo no conoce el camino, así que debe ser obediente. Hay otra instrucción, crucial, determinante: el pueblo debe santificarse, prepararse para presentarse ante Dios. Nada inmundo ni contaminado, sucio o corrompido puede entrar. Esto tiene eco y sabor escatológico, sombra y figura del reino de Dios que Jesús vendrá a establecer.

Esa es la única manera en que el pueblo será testigo de las maravillas que hará Dios entre ellos. El Señor se manifiesta con señales y prodigios portentosos, pero quiere un pueblo limpio, obediente y fiel, leal y confiado en sus promesas.

Afianzamiento y aplicación

(1) Animar a los líderes a seguir adelante en el ministerio en que el Señor les ha puesto.
(2) Insistir en la importancia del conocimiento bíblico y crecimiento espiritual de todo líder en la iglesia.
(3) Depender de Dios en todo sin olvidar que nuestra misión exige confianza, dependencia, esfuerzo y valor.

RESUMEN GENERAL

Josué fue un digno sucesor de su maestro y mentor Moisés. Supo imitar las virtudes de humildad, paciencia, amor por el pueblo y dependencia divina. Fue un extraordinario servidor y por eso, se convirtió en un gran líder. No podemos pretender que Dios nos use con poder y autoridad si no reconocemos que todo lo que somos viene de Él.

Nuestro ejemplo es nuestro Señor y Maestro Jesús, el discipulador y siervo fiel, que nos hace un llamado radical para que seamos sus discípulos y seguidores. "Si alguno quiere venir en pos de mí, niéguese a sí mismo, y tome su cruz, y sígame" (Mateo 16:24). La época ha cambiado, pero el llamado es el mismo. Él se entregó completamente. Tuvo la humildad para despojarse del ser igual a Dios y se hizo siervo; y se humilló a sí mismo y fue obediente hasta la muerte y muerte de cruz (Filipenses 2:6-8). Qué gran ejemplo de humildad, servicio y obediencia. Qué gran lección para nuestro tiempo en que muchos líderes buscan el reconocimiento y la alabanza, prestigio y títulos. Si el siervo no es mayor que su Señor, seamos fieles a nuestro llamado y al ejemplo que nos da el Rey de reyes y Señor de señores.

Ejercicio de clausura

(1) Permita que los alumnos expresen sus conceptos acerca del discipulado, para ver si puede ayudar a alguien a tomar la mejor dirección.

(2) Terminen la clase suplicándole al Señor que llame al discipulado a los que aún no lo han sido, y que les haga saber con qué propósito los está llamando.

PREGUNTAS Y RESPUESTAS

1. ¿Por qué Dios no le permitió a Moisés entrar en la tierra prometida?

Porque en un arrebato de ira, "golpeó la peña con su vara dos veces", cuando debía haber hablado solamente.

2. ¿Qué lección aprendemos con la muerte de Moisés respecto al liderazgo?

Que debemos aprender a hacernos a un lado para darle paso a nuevas generaciones de líderes.

3. ¿Qué virtudes le pide Dios a Josué que debe poseer para la conquista de la tierra?

Tres veces le dice a Josué que se "esfuerce y sea valiente".

4. ¿Qué es lo que un discípulo debe entender respecto al programa de redención?

El discípulo, debe entender que es un eslabón en la cadena de redención que une el pasado, el presente y el porvenir.

5. Aunque Josué es quien da las ordenes, ¿De qué él está consciente?

Está consciente de que su guía e instructor es el Señor.

PARA LA PRÓXIMA SEMANA

El cruce del Jordán representó para los israelitas el inicio de una nueva vida. Aprenderemos a través de la experiencia de Israel, como ser victoriosos en nuestra vida cristiana. Invite a los participantes a leer Josué, capítulos 3 al 5 y las lecturas diarias correspondientes.

LA FE DEL LÍDER ES PROBADA

Base bíblica

Josué 3:14-4:18; 5:13-15

Objetivos

1. Reconocer la importancia de seguir las instrucciones divinas.
2. Entender que no hay obstáculos que detengan el plan de Dios.
3. Responder al llamado de Dios con fidelidad y obediencia.

Pensamiento central

Todo siervo del Señor es probado y capacitado para ser un instrumento eficaz.

Texto áureo

Para que andéis como es digno del Señor, agradándolo en todo, llevando fruto en toda buena obra, y creciendo en el conocimiento de Dios

(Colosenses 1:10).

Fecha sugerida:___/____/____

LECTURA ANTIFONAL

Josué 3:14 Y aconteció cuando partió el pueblo de sus tiendas para pasar el Jordán, con los sacerdotes delante del pueblo llevando el arca del pacto,

15 cuando los que llevaban el arca entraron en el Jordán, y los pies de los que llevaban el arca fueron mojados a la orilla del agua (porque el Jordán suele desbordarse por todas sus orillas todo el tiempo de la siega),

16 Las aguas que venían de arriba se detuvieron como en un montón bien lejos de la ciudad de Adám, que esta al lado de Saretán, y las que descendían al mar del Araba, al mar Salado, se acabaron y fueron divididas; y el pueblo paso en dirección de Jericó.

4:5 Y les dijo Josué; Pasad delante del arca de Jehová vuestro Dios a la mitad del Jordán y cada uno de vosotros tome una piedra sobre su hombro, conforme el numero de las tribus de los hijos de Israel,

6 para que esto sea señal entre vosotros; y cuando vuestros hijos preguntaren a sus padres mañana diciendo: ¿Que significan estas piedras?

7 les responderéis: Que las aguas del Jordán fueron divididas delante del arca del pacto de Jehová; cuando ella pasó el Jordán, las aguas del Jordán se dividieron; y estas piedras servirán de monumento conmemorativo a los hijos de Israel para siempre.

14 En aquel día Jehová engrandeció a Josué a los ojos de todo Israel; y le temieron, como habían temido a Moisés, todos los días de su vida.

17 Y Josué mandó a los sacerdotes, diciendo: Subid del Jordán.

18 Y aconteció que cuando los sacerdotes que llevaban el arca del pacto de Jehová subieron de en medio del Jordán, y las plantas de los pies de los sacerdotes estuvieron en lugar seco, las aguas del Jordán se volvieron a su lugar, corriendo como antes sobre todos sus bordes.

DATOS GENERALES ACERCA DEL TEMA

- **Enseñanza:** Cruzar el río Jordán simboliza el inicio de la vida en Cristo y la oportunidad de depender de Él para una existencia victoriosa.
- **Autor:** Josué.
- **Personajes:** Josué, los sacerdotes y el pueblo de Israel
- **Fecha:** 1370 a. C.
- **Lugar:** El río Jordán.

BOSQUEJO DEL ESTUDIO

I. Dios promete, pero la conquista debe realizarse (Josué 3:14-17)
   A. Cruce del Jordán, milagro y obediencia (3:14-16).
   B. El arca, símbolo de la presencia divina (3:17).
II. Para conquistar lo prometido el pueblo debe estar unido (Josué 4:1-13).
   A. Las piedras del Jordán, testigos permanentes (4:1-5).
   B. La solidaridad y la unidad, valores claves para la victoria (4:12, 13).
III. Los milagros engrandecen a Dios y a sus siervos (Josué 4:14-18).
   A. Dios engrandece a los que confían en Él (4:14).
   B. Después de la conquista viene el culto y la adoración (4:15-18).

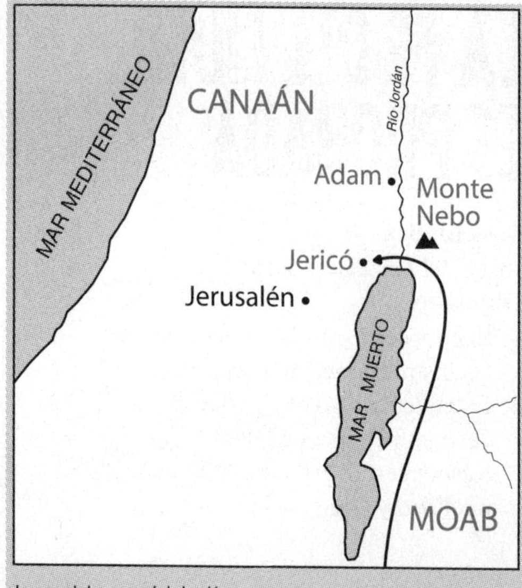

Lugar del cruce del Jordán para entrar a tomar posesión de la tierra prometida.

LECTURAS DEVOCIONALES DIARIAS

Lunes: Los espías enviados por Josué (Josué 2: l-15)
Martes: Israel se prepara para cruzar el Jordán (Josué 3: l-12)
Miércoles: Israel cruza el río Jordán (Josué 3:13-17)
Jueves: El testimonio de un gran milagro (Josué 4:1-18)
Viernes: La circuncisión y la Pascua en Gilgal (Génesis 5:1-12)
Sábado: Josué y el varón con la espada desenvainada (Génesis 5:13-15)

INTRODUCCIÓN

La peregrinación del desierto había terminado y era el momento de poseer la tierra. Dios continuaría enseñando a su pueblo para que entendiera que la obediencia y la fidelidad a Él son condiciones básicas para mantener una relación armoniosa con el Señor. Nuevos retos, pruebas y dificultades habrían de venir. También grandes triunfos seguirán a la tarea de conquista, siempre y cuando la nación cumpla con las demandas divinas. Esa es la clave del triunfo de ayer y de hoy. El milagro de la apertura del río Jordán para que el pueblo pasara en seco es un hecho extraordinario que debe destacarse, Es la temporada de la siega, alrededor del mes de abril, época de verano, los deshielos del monte Hermón y las colinas nevadas del norte hacían que el Jordán creciera y se desbordara. Sólo con la intervención divina es que el pueblo entero podría pasarlo. Muchos de los israelitas que estaban a punto de entrar a la tierra prometida, o no habían visto, o eran una generación muy joven para recordar el cruce del mar Rojo. Así que Dios los sorprendió con este gran milagro y una vez más mostró al pueblo su poder y su cuidado. Moisés lo había advertido y Josué estaba consciente. Lo que les esperaba era difícil, arduo, complicado y no era una misión de un día para otro. Los reyes del este del Jordán habían sido derrotados por Moisés y las tierras las habían recibido las tribus de Rubén, Gad y la media tribu de Manasés. Ahora tenían que enfrentar al cananeo, al filisteo, al jebuseo, al heteo y a los otros reinos al poniente del Jordán. Muchas historias se habían empezado a escribir en el camino; Rahab, la prostituta de Jericó y los espías enviados por Josué, y otras estaban por escribirse. Cada una de ellas de gran significado para el pueblo en su formación y establecimiento en la tierra prometida.

En todo este trayecto la presencia de Dios nunca se apartó del pueblo, su fidelidad y su amor se dejaron sentir en cada paso que la nación dio hacia adelante. El gran reto para Israel es que debía valorar su existencia como nación, e importancia en el proyecto de Dios para la humanidad, a partir de lo que el Señor hacía por ellos y no por lo que iban a poseer. Josué sería probado de diferentes maneras, de su fidelidad y obediencia dependía que Dios lo confirmara y respaldara hasta el final de sus días.

DESARROLLO DEL ESTUDIO

I. DIOS PROMETE, PERO LA CONQUISTA DEBE REALIZARSE (JOSUÉ 3:14-17)

Ideas para el maestro

(1) Utilice los mapas correspondientes de la serie Senda de Vida para que el grupo conozca dónde se realizaron los eventos de esta lección.
(2) Que la clase discuta las estrategias de conquista utilizadas por Josué.
(3) Que analicen los elementos usados por Josué que fueron imprescindibles para lograr los objetivos.

Definiciones y etimología

* *La orilla del agua.* Se sabe que en épocas de desborde puede haber hasta un kilómetro desde una orilla del Jordán hasta la otra, en las partes anchas del valle.

* *Suele desbordarse.* Esto se debe a los deshielos en toda la región montañosa del norte, de donde vienen todos los afluentes del río Jordán.

* *El tiempo de la siega.* Puede referirse a la época alrededor de abril.

* *Lejos de la ciudad de Adam* (3:16). La ciudad de Adam ubicada a unos veinticinco kilómetros al norte de Jericó, y a dos kilómetros de la ribera oriental del Jordán, cerca de Saretán (1 Reyes 7:46).

A. Cruce del Jordán, milagro y obediencia (3:14-16)

El pueblo está por dejar la parte oriental del valle del Jordán. Han permanecido en territorio ya habitado por israelitas y las dos tribus y media han jurado acompañar a sus hermanos en la conquista que está por iniciarse. De acuerdo con la Escritura, "partió el pueblo de sus tiendas para pasar el Jordán". El desfile debe haber lucido impresionante. El Jordán es la frontera de entrada a la tierra prometida. Por instrucciones divinas los sacerdotes que llevaban el arca encabezaban la marcha, atrás marchará todo el pueblo. Sin embargo, será Dios quien abra milagrosamente la puerta de Canaán. En esta ocasión no habrá vara ni se la dará ninguna orden al río. La multitud que cruzará no es un tumulto de gente desordenada sino doce tribus en perfecta formación. No hay ejército enemigo ni ningún acoso por la retaguardia. La nube ha desaparecido y ahora es el arca del pacto la que cumple esa función de guía y protección. Ahora no hay nada que ocultar. Es de día y del otro lado del Jordán una extranjera, Rahab, ha confesado y asegurado que un gran temor ha caído sobre los moradores del país. Las hazañas de Israel han llegado a sus oídos y los hombres han desmayado y han quedado sin aliento. La causa: "porque Jehová vuestro Dios es Dios arriba en los cielos y abajo en la tierra". Que confesión más extraordinaria, qué interpretación teológica más acertada de los hechos pasados y el próximo futuro. La marcha continúa, "los pies de los sacerdotes que llevaban el arca fueron mojados a la orilla del agua" y empezó a realizarse el gran milagro. El Jordán, parte de la creación divina, ahora se detiene al sentir en sus aguas las pisadas de su Creador: "las aguas que venían de arriba se detuvieron como en un montón". Y así, como el río obedeció deteniendo su cauce, el pueblo obedeció marchando, sin detenerse, haciendo su parte para completar el gran milagro que ya Dios había realizado. Qué gran enseñanza para el pueblo del Señor de hoy. Cuantas cosas extraordinarias pueden ocurrir si marchamos obedientes a la orden de la voz y dirección de nuestro Señor. Jesús instruyó a sus discípulos para que enseñaran a los nuevos convertidos a obedecer todo lo que Él les había mandado a ellos. Seguir esta instrucción aseguraba la compañía permanente del Señor, hasta el fin del mundo.

B. El arca, símbolo de la presencia divina (3:17)

La próxima instrucción que dio Jehová fue que los sacerdotes permanecieran de pie con el arca en medio del río y este acto sirve para preparar la orden de recoger las piedras de en medio del Jordán. El cofre sagrado que representa la presencia de Dios en medio de su pueblo se convierte en una lección objetiva, concreta, visible e incuestionable para la nación israelita. Todos son testigos oculares del poder sin límite que posee su Creador. Lo que es imposible para el hombre es posible para Dios. Quien está en medio del río es el Dios vivo, que actúa para salvar y proteger la vida de su pueblo. Isaías lo dirá siglos después con palabras hermosísimas: "Cuando pases por las aguas, yo estaré contigo; y si por los ríos, no te anegarán. Cuando pases por el fuego, no te quemarás, ni la llama arderá en ti. Porque yo Jehová, Dios tuyo, el Santo de Israel, soy tu Salvador" (Isaías 43:2,3). El verdadero Dios es Señor de la vida, se mueve, crea, transforma. No es inerte como los ídolos de Canaán y todo está sometido a su autoridad. El pueblo de Dios obedece porque cree, y cree porque es Jehová de los ejércitos quien ha dado la instrucción. Esta debe ser otra gran lección para nosotros. La obediencia es una demostración palpable de nuestra fe y esa es la manera de agradar a Dios.

La vida del desierto quedó atrás, los cuarenta años de peregrinación son cosa del pasado. Llegó el momento de aprender nuevos métodos de vida y enfrentar experiencias inéditas. Es hora de luchar y sufrir, pero también de disfrutar y jamás olvidar la advertencia que les hizo Dios a través de Moisés: "Cuando Jehová tu Dios te haya introducido en la tierra que juró a tus padres Abraham, Isaac y Jacob que te daría, en ciudades grandes y buenas que tú no edificaste, y casas llenas de todo bien, que tú no llenaste, y cisternas cavadas que tú no cavaste, viñas y olivares que no plantaste, y luego que comas y te sacies, cuídate de no olvidarte de Jehová, que te sacó de la tierra de Egipto, de casa de servidumbre" (Deuteronomio 6:10-12). Moisés había muerto, pero Dios había levantado en su lugar a Josué, un hombre íntegro, esforzado, valiente, fiel y obediente a la Palabra divina. La promesa recibida por el nuevo caudillo es que el Señor, así como había estado con Moisés *estaría con él* en todo momento. Debía esforzarse y ser valiente y vivir en integridad delante de Dios y la nación Israelita. La clave de la victoria en la vida de todos los siervos del Señor en la Biblia es que Dios siempre estuvo con ellos.

Afianzamiento y aplicación

(1) Reflexionen sobre la relación fe-obediencia
(2) Mediten sobre la importancia del seguimiento en el liderazgo
(3) Opinen sobre la importancia de que Dios esté con nosotros en todo momento.

II. PARA CONQUISTAR LO PROMETIDO EL PUEBLO DEBE ESTAR UNIDO (JOSUÉ 4:1-13)

Ideas para el maestro

(1) Que un alumno lea el pasaje bíblico correspondiente.
(2) Pida a los estudiantes que comenten acerca de la importancia que tuvo para el pueblo de Dios, la acción de tomar las piedras del río.
(3) Pregunte por qué tuvieron que sacar las doce piedras del centro del río.

Definiciones y etimología

* *Tomad... doce hombres.* Estos ya habían sido escogidos, de acuerdo con las instrucciones de 3:12.

* *Doce piedras.* El número 12 es muy significativo: Jacob tuvo doce hijos, hubo doce tribus, Jesús escogió doce discípulos. El símbolo comunica el significado de que el pueblo es una unidad delante de Dios. La acción de las doce personas se entiende colectivamente con la totalidad de la nación. El monumento representa una unidad que debe ser indisoluble.

A. Las piedras del Jordán, testigos permanentes (4:1-5)

El número doce tiene mucho significado en la Biblia. Dios ordenó que Josué tomara "doce hombres de las tribus de Israel, uno de cada tribu" (3:12). Cada elegido tenía que tomar del fondo del río una piedra (4:5). Aunque esto tiene mucho de simbólico, también es una prescripción y un gesto ritual. Las piedras serán un memorial, un recordatorio que refresque la memoria de las generaciones por venir. Esto es muy importante si se toma en cuenta que recordar un hecho como este es actualizarlo, es traerlo al presente, es mantener vigente un acontecimiento del pasado para que nunca pierda la carga de significado que contiene. La base de la responsabilidad es la memoria y según la historia, ese fue uno de los grandes defectos de los que adoleció el Israel, un pueblo desmemoriado. Esta experiencia fijaría en la mente de los israelitas su llamado y vocación de constituir una confederación indisoluble de doce tribus, el pueblo de Dios. Era necesario afirmar en el pueblo la necesidad de permanecer unidos en las luchas para gozar de los beneficios cuando llegara el momento de reposo. Cada uno de los doce hombres debía llevar "una piedra sobre su hombro". Este es un llamado a la participación unida, responsable y activa de todos los creyentes para la realización de la obra en el reino de Dios. Las acciones individuales afectan a toda la colectividad, especialmente, en lo que se refiere a testimonio y obediencia. En su oración sacerdotal Jesús ora a su Padre por la unidad de sus discípulos. "Para que todos sean uno; como tú, oh Padre, en mí, y yo en ti, que también ellos sean uno en nosotros; para que el mundo crea que tú me enviaste" (Juan 17:21). La unidad tiene que ver con perfección y propósito: "Yo en ellos, y tú en mí, para que sean perfectos en unidad, para que el mundo conozca que tú me enviaste, y que los has amado a ellos como también a mí me has amado" (Juan 17:23). Esta unidad debe ser un signo inequívoco del reino de Dios. La unidad debe darse en la iglesia para bendición del mundo y como testimonio de la misión que Jesús vino a cumplir a esta tierra. La unidad del pueblo de Dios es una señal decisiva de la presencia del Espíritu y excluye todo lo que exalte a un director humano que pretenda tomar el lugar que sólo corresponde a Jesucristo. Dios quería que las doce tribus estuvieran unidas para la conquista de su reino temporal. Los del oriente no podían quedarse en Transjordania mientras las otras tribus estuvieran en guerra. Romper o atentar contra la unidad sería otro de los grandes retos para los israelitas; no mantenerla sería traicionar a Dios.

B. La solidaridad y la unidad, valores claves para la victoria (4:12, 13)

El pueblo se apuró para cruzar el río, y cuando todos lo habían pasado, también lo hicieron los sacerdotes llevando el arca del pacto y poniéndose de nuevo al frente. Y ocurrió lo que Moisés había ordenado. Las tribus de Rubén y Gad, y la media tribu de Manasés cruzaron antes que el resto e iban armados para la batalla. Eran como cuarenta mil hombres en pie de guerra, marchando delante del arca, símbolo de la presencia de Dios. Esta acción solidaria, de unidad y cooperación, no es producto del entusiasmo por la conquista ni un arranque de valentía momentáneo. Para entenderlo, vale la pena volver por un momento nuestros ojos al pasado, al nacimiento del pueblo de Israel con el llamado de Abraham. La familia de Abraham era un pequeño clan, rodeado por diferentes comunidades y pueblos a los que él estaba llamado a ser de «bendición». Con Abraham, Dios empieza a formar una comunidad cuyo estilo de vida, valores y relaciones interpersonales serían un modelo para la humanidad entera. La forma de organización social de los patriarcas, el clan, era en sí una escuela en la cual sus miembros aprendían a ser responsables unos de otros y la unidad, solidaridad y el amor fraternal debían extenderse a la vida comunitaria. La familia es el lugar, la escuela de entrenamiento para el establecimiento de todos los principios que darán una identidad única a quien los posea. Es exactamente ese valor, esa fuerte conciencia de solidaridad y unidad, lo que encontramos en el pueblo israelita que cruzó el Jordán. La cooperación entre las tribus hermanas fue factor importantísimo y determinante en la marcha del pueblo de Dios hacia la ocupación de la tierra prometida. En estos versículos se da testimonio de la forma en que los israelitas, que habían recibido como herencia la tierra del oriente, cumplieron su promesa (Números 32:28-30) y ya lo había corroborado Josué (1:12-15). Aquí aprendemos que la solidaridad y la unidad son valores que se cultivan, son el producto de una muy bien intencionada formación que empieza desde la cuna. El interés de Dios es que su pueblo sea educado de acuerdo a los valores morales, espirituales y éticos que nos enseña la Escritura. Jesús es nuestro modelo de solidaridad. Se hizo hombre por nosotros e hizo palpable su interés por los que sufren, los necesitados, los débiles, los marginados y los pecadores. Se hizo hombre para que nosotros fuésemos hechos hijos de Dios. Se encarnó para cruzar con nosotros el río de la vida, darnos ánimo en medio de las tormentas. Jesús nos invitó a ser sus discípulos para enviarnos a continuar la obra iniciada por Él. La lección de hoy nos invita a imitar la actitud de obediencia y cooperación de estos hombres, su unidad y solidaridad. Dios ha puesto una gran responsabilidad misionera sobre nuestros hombros. El llamado y el discipulado empiezan con la formación de una familia que se va convirtiendo en una comunidad de creyentes que viven de acuerdo a los principios y valores enseñados y ejemplificados por Jesús.

Afianzamiento y aplicación

(1) Mencione algunos monumentos históricos de su país y expliquen la importancia de los mismos.

(2) ¿Qué memoria nos han quedado como testimonio de la obra salvadora de Jesús?

(3) ¿Estamos cumpliendo con el deber de guardar la unidad como testimonio de nuestra fe en Cristo para alcanzar a las generaciones que no conocen el evangelio?

III. LOS MILAGROS ENGRANDECEN A DIOS Y A SUS SIERVOS (JOSUÉ 4:14-18)

Ideas para el maestro

(1) Reflexionen sobre la correspondencia entre la fidelidad de Dios a su Palabra y la fidelidad y obediencia de los líderes a Dios.

(2) Dé la oportunidad para que compartan alguna experiencia acerca del respaldo de Dios a un siervo contemporáneo.

Definiciones y etimología

* *Asera o Astoret,* era el nombre de la principal deidad femenina venerada en el antiguo Canaán, Fenicia y Siria. Era una diosa de la fertilidad y del amor sexual.

* *Baal, hijo de Ilul y Ashera;* (significa, “amo”, “dueño”, “poseedor”, “esposo”); es una antigua divinidad de varios pueblos situados en Asia Menor. Era el dios de la lluvia, el trueno y la fertilidad.

A. Dios engrandece a los que confían en Él (4:14)

El pueblo cruzó el Jordán. Este momento culminaba con la travesía que empezó con la salida de Egipto, marcaba el fin de un pueblo seminómada, dedicado al pastoreo, y el inicio de una nación sedentaria, agrícola y urbana. Comenzaba la conquista de la tierra prometida, pero el reto no era derrotar solo a los fieros enemigos y derribar murallas. La tarea más difícil era mantenerse fieles a Dios y no adquirir costumbres paganas ni contaminarse con los cultos idolátricos practicados por los habitantes de esas tierras. La misión de Israel, que llegaba acompañada de su Dios, Jehová, era poner en evidencia que Baal, Astarté, Asera y Mammón eran deidades vacías, sin vida, sin poder y sin capacidad de defender a los que habían puesto su confianza en ellos. Israel tenía la responsabilidad de demostrar que Dios es el creador del universo y como tal, su soberanía lo abarca y lo juzga todo. Las señales portentosas con que el Señor se había manifestado durante esos cuarenta años de peregrinación ahora debían ser correspondidas por el pueblo con una conducta obediente, fiel y leal hacia Aquel que los redimió y liberó de tierras de esclavitud. Dios no los dejaría ni los desampararía, pero esperaba que la nación entera lo amara con todo el corazón, con toda la mente y con todas las fuerzas. La enorme trascendencia del milagro de cruzar el Jordán fue el respaldo de Dios a un siervo fiel, obediente y entregado a su servicio. Josué fue el primero en someterse a la voluntad de Dios, y por esa misma razón pudo demandar del pueblo obediencia a lo establecido por el Señor mostrándose a todos como ejemplo. Todos los israelitas lo reconocieron como un gran líder por lo que Dios hizo ese día. Lo respetaron durante toda su vida, como antes habían respetado a Moisés.

Dios nos ha llamado para que le sirvamos y pongamos a su disposición nuestra vida entera. Para el Señor no hay diferencia de rango, inteligencia o educación formal. Lo que Él mide es nuestra obediencia y fidelidad. Solo así podremos contar con el respaldo de su Espíritu y todas las manifestaciones de su poder y autoridad para el cumplimiento de la misión que nos ha delegado.

B. Después de la conquista viene el culto y la adoración (4:15-18; 5:13-15)

Dios habló en el pasado y prometió que daría a los descendientes de Abraham una tierra de la que manaba leche y miel. La promesa se ha cumplido, el Jordán se ha detenido para que el pueblo de Dios cruce en seco. Es un hecho extraordinario, pero el gran milagro es que quien hizo la promesa fue Dios mismo, y cuando el Señor habla, Él está presente para que su Palabra se cumpla. El río es tan solo un instrumento en las manos del Señor. Es Dios quien maneja los eventos y a la naturaleza; es Él quien en cada enfrentamiento con los enemigos de Israel realiza las hazañas y sale victorioso. Esa será la constante en todo lo que sigue a la entrada de Canaán. El pueblo que atesora la Palabra del Señor está confiado, protegido y seguro, y mientras obedezca a la voz de su Señor será invencible. Guardar la Palabra y vivir de acuerdo a ella es el secreto de una vida victoriosa. En cambio, para los que confían en sus dioses, en su poderío bélico y en sus murallas protectoras la historia es diferente. La noticia de que Dios secó las aguas del Jordán se propagó de sur a norte y de oriente a occidente; los reyes amorreos y los cananeos se llenaron de temor y no querían enfrentarse a los israelitas. El pueblo acampa en Gilgal, se erige un monumento que recordará que cruzaron el río sobre un terreno seco. Será una enseñanza para las generaciones futuras, sabrán que Jehová es poderoso y deberán honrarlo siempre. Ahora procede la consagración del pueblo. Dios ordena a Josué que haga la circuncisión a los israelitas que nacieron en el desierto; esta representa la continuidad entre la nueva generación y la que fue circuncidada en Egipto. También será señal de que el oprobio, la vergüenza sufrida por la esclavitud ha sido quitada, Israel es un pueblo libre y con tierra propia, el pacto que Dios hizo con Abraham sigue vigente. Este es el pueblo del Señor y jamás debe olvidar que Jehová es su Dios, el único a quien deben rendir culto y adoración. Ahora están listos para festejar la pascua, el mismo día y mes en el que la celebraron en Egipto. Al día siguiente, se alimentaron por primera vez de lo que producía la tierra de Canaán. El maná no cae más y muchas cosas cambiarán. Ya están en territorio cananita, muy cerca de Jericó. Un día, Josué ve delante de él a un hombre con una espada en la mano. El líder no tiene miedo, se le acerca y le pregunta si es amigo o enemigo. La respuesta es impresionante, "como Príncipe del ejército de Jehová he venido ahora". El mismo Ángel que los sacó de Egipto y los acompañó en el desierto está allí con él. Josué se postra, y rostro en tierra lo adora. El momento sube de intensidad y Josué pregunta cuál es el mensaje. La respuesta es gloriosa, "Quita el calzado de tus pies, porque el lugar donde estás es santo. Y Josué así lo hizo". La tierra a la que el pueblo entra es un santuario, la presencia del Señor así lo afirma. A la conquista militar debe precederla el culto y la adoración al Dios verdadero. La Escritura enseña que somos templo del Señor, somos objeto de su amor y le pertenecemos. Por lo tanto, debemos consagrarnos solo a Él. Si es así, Dios transformará nuestras acciones cotidianas y habituales en algo milagroso y extraordinario.

Afianzamiento y aplicación

(1) Qué nuevos retos enfrentamos a partir del momento de nuestra decisión de seguir a Jesús.

(2) Por qué se espera que el líder sea un ejemplo en todos los aspectos de su vida.

(3) Si Dios maneja los eventos y a la naturaleza, ¿qué parte nos corresponde a nosotros?

RESUMEN GENERAL

A través de este estudio hemos podido reconocer la importancia de escuchar la voz de Dios y el valor de seguir sus instrucciones para realizar con éxito la misión que él nos ha encomendado. El pueblo de Israel, bajo el liderazgo de Josué, experimentó en carne propia las consecuencias positivas de la fe y la obediencia como marcas que distinguen a un pueblo llamado para dar a conocer la gloria de Dios a todas las naciones de la tierra. El Arca del pacto simbolizaba la presencia del Señor entre su pueblo. No había enemigo poderoso, nación numerosa o ciudad amurallada que pudiera detener al pueblo del Señor. Los milagros, las señales y los portentos hechos por Dios durante la trayectoria de la conquista de la tierra prometida fueron testimonio suficiente para que el temor y el desconcierto se apoderaran de las comunidades del lado occidental del Jordán. Resulta interesante comparar este momento con el informe que dieron los diez espías que cuarenta años atrás había enviado Moisés para inspeccionar la tierra. El informe de estos diez rebeldes fue que, aunque la tierra era buena estaba habitada por gigantes y las ciudades protegidas por murallas. El valor que se le dio al enemigo fue influenciado por el temor y la ausencia de fe que hizo presa de estos espías. Ahora la historia pintó muy diferente. El valor y el poder de los pueblos que debían conquistarse estaban por debajo del prestigio de Jehová de los ejércitos y de una nación que había entendido y confiando que la conquista militar debía ser precedida por una vida de adoración y entrega total al Señor. Esa fue la clave del éxito de Josué y del pueblo de Israel, la dependencia total de Dios y de su gracia. El reto para la iglesia de hoy es que sus miembros sean hombres y mujeres de fe, ungidos por el poder del Espíritu Santo, auténticos discípulos de Cristo, cuyo valor no se mida por los logros, títulos o reconocimientos sino por su dependencia y obediencia al Señor.

Ejercicios de clausura

(1) Pida a los alumnos que se pongan en pie y hagan una oración a Dios aceptando el desafío como siervos de Dios, de ser transformados, formados y capacitados para hacer la obra del Señor.

(2) Pueden entonar un cántico de rendición al Señor.

PREGUNTAS Y RESPUESTAS

1. En el cruce del Jordán, ¿qué instrumento sagrado cumple la función de guía y protección?

El Arca del pacto

2. ¿Cuál fue la causa por la cual los vecinos de Rahab, al escuchar las hazañas de Israel, desmayaron y quedaron sin aliento?

Ellos dijeron: "Porque Jehová vuestro Dios es Dios arriba en los cielos y abajo en la tierra".

3. ¿Cuál fue el elemento clave para que se realizara el milagro del cruce del Jordán?

La obediencia de los sacerdotes.

4. ¿Cuál era la razón principal para que cada tribu sacara una piedra del Jordán y qué lección aprendemos?

Era un acto conmemorativo y también es una lección de unidad.

5. ¿A qué se debe la acción solidaria de unidad y cooperación de miles de hombres en el cruce del Jordán?

A la instrucción recibida en la familia. La forma de organización social de los patriarcas, era en sí una escuela de formación.

PARA LA PRÓXIMA SEMANA

En el siguiente estudio consideraremos otro gran ejemplo de discipulado; un joven a quien Dios llamó desde muy temprano y lo usó por el resto de su vida. Pida a los participantes que lean 1 Samuel capítulo 3, además de los pasajes seleccionados para esta semana.

EL DISCÍPULO DEBE DISTINGUIR Y OBEDECER LA VOZ DE DIOS

ESTUDIO BÍBLICO 3

Base bíblica
1 Samuel 2:34-36; 3:1-21

Objetivos

1. Distinguir la voz de Dios entre muchas otras voces que se oyen a diario.
2. No dejarse confundir por voces extrañas e impulsos engañosos.
3. Estar dispuestos a obedecer el mandato de Dios con presteza y exactitud.

Fecha sugerida:___/____/____

Pensamiento central
La Palabra de Dios transforma la vida de individuos y comunidades cuando se disponen seriamente a vivir de acuerdo a ella.

Texto áureo
Y vino Jehová y se paró, y llamó como las otras veces: ¡Samuel, Samuel! Entonces Samuel dijo: Habla, porque tu siervo oye (1 Samuel 3:10).

LECTURA ANTIFONAL

1 Samuel 3:7 Y Samuel no había conocido aún a Jehová, ni la palabra de Jehová le había sido revelada.
8 Jehová, pues, llamó la tercera vez a Samuel. Y él se levantó y vino a Elí, y dijo: Heme aquí; ¿para qué me has llamado? Entonces entendió Elí que Jehová llamaba al joven.
9 Y dijo Elí a Samuel: Ve y acuéstate; y si llamare, dirás: Habla, Jehová, porque tu siervo oye.
10 Y vino Jehová y se paró, y llamó como las otras veces: ¡Samuel, Samuel! Entonces Samuel dijo: Habla, porque tu siervo oye.
11 Y Jehová dijo a Samuel: He aquí haré yo una cosa en Israel, que a quien la oyere, le retiñirán ambos oídos.
17 Y Elí dijo: ¿Qué es la palabra que te habló? Te ruego que no me la encubras; así te haga Dios y aun te añada, si me encubrieres palabra de todo lo que habló contigo.
18 Y Samuel se lo manifestó todo, sin encubrirle nada. Entonces él dijo: Jehová es; haga lo que bien le pareciere.
19 Y Samuel creció, y Jehová estaba con él, y no dejó caer a tierra ninguna de sus palabras.
20 Y todo Israel, desde Dan hasta Beerseba, conoció que Samuel era fiel profeta de Jehová.
21 Y Jehová volvió a aparecer en Silo; porque Jehová se manifestó a Samuel en Silo por la palabra de Jehová.

DATOS GENERALES ACERCA DEL TEMA

- **Enseñanza:** El discípulo efectivo en el ministerio es aquel que aprende a escuchar la voz de Dios, diferenciándola de los llamados que hace el mundo.
- **Autor:** Samuel
- **Personajes:** Samuel, Elí, el pueblo de Israel
- **Fecha:** Aproximadamente 1100 años a.C.
- **Lugar:** Silo, lugar donde se colocó el tabernáculo, luego de la conquista de la tierra, al norte de Betel en el territorio de Efraím.

BOSQUEJO DEL ESTUDIO

I. El Señor llama al discipulado a los que se empeñan en agradarlo (1 Samuel 2:34-36; 3:1-6)
   A. Dios juzga a quienes lo deshonran (2:34-36)
   B. Dios llama y prepara al sucesor (3:1-6)

II. La importancia de distinguir y percibir el mensaje de Dios (1 Samuel 3:7-14)
   A. El llamamiento de Dios es persistente e inconfundible (3:7-10)
   B. El mensaje de Dios es siempre claro y firme (3:11-14)

III. Virtudes de un discípulo llamado al ministerio (1 Samuel 3:15-21)
   A. Una actitud de sumisión a su maestro y jefe en el servicio (3:15-17)
   B. Una actitud de sinceridad e integridad en su misión (3:18-21)

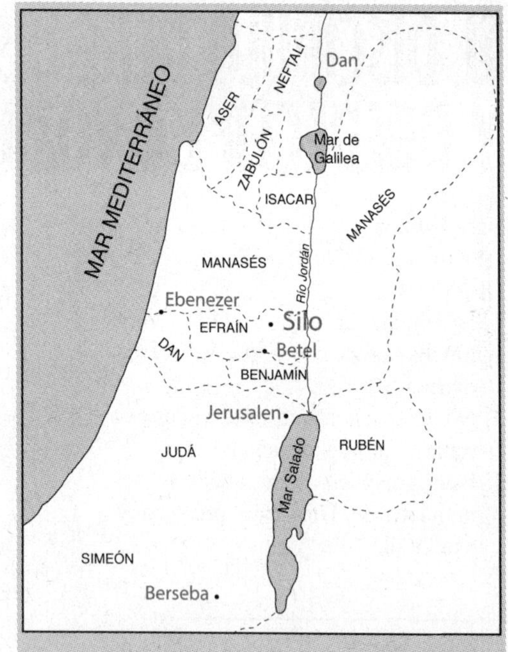

Silo, centro de adoración de Israel, lugar donde estaba el tabernáculo y donde Samuel creció.

LECTURAS DEVOCIONALES DIARIAS

Lunes: La oración abnegada y profunda da resultados (1 Samuel 1:9-18).
Martes: Una ofrenda de agradecimiento para el servicio de Dios (1 Samuel 1:22-28).
Miércoles: El llamamiento de Dios a un joven inexperto (1 Samuel 3:1-10).
Jueves: Un discípulo que entendió cuál fue su llamamiento (1 Samuel 3:11-18).
Viernes: Un discípulo que se preparó para lo que fue llamado (1 Samuel 3:19-21).
Sábado: Una vida digna del testimonio de su pueblo (1 Samuel 12:1-5).

INTRODUCCIÓN

Desde la misma creación Dios se ha empeñado en que el ser humano tenga un compromiso de obediencia y de fidelidad con Él, que no solo debe reflejarse en el rechazo de todo dios falso y de toda idolatría, sino en repudiar todas aquellas voces falsas que tienden a distorsionar y a disfrazar las instrucciones que el Señor da para que el hombre pueda vivir una vida larga y plena. A través de la narración de Génesis 3 entendemos hasta dónde puede caer el ser humano cuando permite que la palabra del Señor sea echada a un lado, manipulada o tergiversada. En cambio, los ejemplos de Abraham, Moisés, Josué y Samuel enseñan que, en la relación del ser humano con Dios, la obediencia y fidelidad a su Palabra es el mejor camino para la libertad, la vida y el cumplimiento de la misión que se nos ha encomendado.

Ahora empezamos un nuevo episodio, un tiempo conocido como "el período de los jueces". Algunos fueron jefes militares, hubo una profetisa, un nazareo y entre ellos unos cuantos "salvadores" llenos del Espíritu del Señor para liberar a los israelitas de los invasores, de los enemigos y opresores. Jueces relata la historia y el asentamiento de las tribus en el territorio de Canaán en uno de los períodos de mayor crisis y dificultades de los israelitas en la tierra prometida, los años oscuros antes de la monarquía. Hasta tal punto había llegado el deterioro moral y espiritual del pueblo de Dios que el libro de los jueces termina diciendo: "En estos días no había rey en Israel; cada uno hacía lo que bien le parecía" (Jueces 21:25). En este ambiente empieza el libro de Samuel. En ese entonces, Elí era el sumo sacerdote y había llegado a su ocaso después de haber juzgado a Israel por "cuarenta años" (1 Samuel 4:18). Sus dos hijos, Ofni y Finees habían heredado el oficio sacerdotal en la ciudad de Silo, donde estaba el tabernáculo y el arca. Pero estos jóvenes se corrompieron, no escucharon consejos ni reprensiones y abusaron de su posición, provocando con ello la ira de Dios y trajeron como consecuencia la condenación irrevocable de Elí y su familia. En esos días vivía en Ramá, un pueblo en los cerros de Efraín, un hombre llamado Elcana que tenía dos esposas, una se llamaba Penina y la otra Ana. Ana era estéril y sufría mucho porque era objeto de burla de parte de Penina. Un día, Ana acudió al santuario de Silo y oró a Dios porque le concediera un hijo, prometiendo que se lo entregaría para que lo sirviera todos los días de su vida. Dios le concedió su deseo y Ana tuvo un hijo y fue llamado Samuel, nombre hebreo que significa "su nombre es Dios". En este estudio analizaremos las consecuencias que derivan de oír o desoír la voz de Dios y cómo un discípulo y servidor debe reaccionar ante los retos que enfrenta diariamente. Esperamos que los discípulos cristianos de hoy estén más que convencidos de esta realidad, de que el esplendor de nuestra vida deriva de ser portadora y hacedora de la Palabra de Dios y que debemos proceder con cautela recordando que nuestro compromiso con Él y con los demás es transmitirla con integridad y sin distorsiones.

DESARROLLO DEL ESTUDIO

I. EL SEÑOR LLAMA AL DISCIPULADO A LOS QUE SE EMPEÑAN EN AGRADARLO (1 SAMUEL 2:34-36; 3:1-6)

Ideas para el maestro o líder

(1) Señalar en un mapa de las doce tribus la ciudad de Silo, el territorio de Efraín, donde estaba el tabernáculo.

(2) Asignar a los alumnos que indiquen de qué linaje era Samuel, además de provenir de una familia efraimita, según 1 Crónicas 6:26,33.

(3) Pedir a los alumnos que opinen acerca de la conducta de los hijos de Elí.

Definiciones y etimología

* *"El joven Samuel"* (1 Samuel 3:1). La palabra hebrea náar significa niño, joven, muchacho y abarca una edad que va desde la infancia hasta la adolescencia.

* *"No había visión con frecuencia".* Esto confirma la opinión de muchos, de que Samuel fue el fundador de la categoría de "profetas", pues antes de él no eran frecuentes las visiones.

* *"Eben-ezer"* (1 Samuel 4:1 y 7:12). La palabra hebrea Eben jaéser significa "roca de ayuda", pero en esta ocasión fueron derrotados los israelitas.

A. Dios juzga a quienes lo deshonran (2:34-36)

La muerte de los dos hijos de Elí ha sido decretada (2:34). El pecado de estos irreverentes ha llegado hasta el Señor. Los reclamos y señalamientos de su padre no habían hecho mella en el corazón de estos muchachos. Su excesiva confianza en la promesa de que su familia ejercería el sacerdocio en Israel perpetuamente, no les hizo reparar en que no se puede confundir la promesa con el derecho a la impunidad; que Dios honra a quienes lo honran pero a los que lo desprecian los tiene en poco. La sentencia de muerte se cumple cuando los filisteos atacaron a Israel en Eben-ezer (4:1-22). El nombre de este lugar que significa "roca de ayuda", ahora será un lugar de destrucción y mortandad. Se ha despreciado a la "Roca de la salvación" y ahora esta los desmenuzará (ver Mateo 21:44).

La primera batalla se torna cruenta. Israel fue vencido y murieron cuatro mil hombres (4:2). Los filisteos son vencedores y el pueblo se pregunta: ¿Por qué permitió Dios que los filisteos nos derrotaran? La alternativa está a la vista y la decisión se toma con urgencia. Los israelitas creen que viajar a Silo y traer el arca del pacto será la solución para que Dios los salve de sus enemigos. Y aquí se presenta otra grave equivocación: confundir religiosidad con honrar a Dios. El pueblo no ha tomado en cuenta que toda expresión religiosa que no proviene de un corazón rendido al Señor y que no se demuestra en el comportamiento cotidiano es abominación a Dios. El verdadero culto y la adoración auténtica no se logran mediante ritos sagrados. Lo dirá Isaías cientos de años después: "¿Para qué me sirve, dice Jehová, la multitud de vuestros sacrificios? Hastiado estoy de holocaustos de carneros y de sebo de animales gordos; no quiero sangre de bueyes, ni de ovejas, ni de machos cabríos" (Isaías 1:11). Por fin el arca llega al campamento. Los sacerdotes Ofni y Finees la acompañan desde la ciudad de Silo. El pueblo se emociona, según ellos, la presencia de Jehová de los ejércitos está asegurada. El Dios que los guardó en el desierto y les ayudó a conquistar la tierra está allí. Los gritos y las alabanzas resuenan por doquier; la tierra tiembla y al escuchar semejante algarabía, ahora son los filisteos quienes se llenan de angustia y de pavor. No ignoran las historias del Dios que destruyó a los egipcios con toda clase de castigos ni los muchos ejércitos que fueron derrotados por Josué. Pero ahora la historia es distinta, Dios ha abandonado a su pueblo y el juicio se consuma. Los filisteos derrotan a Israel causando una gran matanza. Más de treinta mil soldados israelitas mueren, el resto del ejército huye a sus casas, Ofni y Finees son liquidados y la peor, inconcebible e impensable desgracia se produce, los enemigos capturan el arca del pacto. El informe de la batalla llega a Silo y ante la noticia muere Elí, también muere su nuera, cuyo parto se adelanta por la noticia pero logra ponerle nombre al recién nacido, Icabod, "Traspasada es la gloria de Israel".

Esta historia sería suficiente para que tomemos muy en serio el ministerio que Dios nos ha dado. Debemos tener presente que Dios no pasa por alto ni tolera ninguna acción ofensiva de parte de los que se ocupan de su servicio. La raza, el rango, las capacidades y los derechos de los hombres no sirven de nada cuando no se sirve a Dios con integridad.

B. Dios llama y prepara al sucesor (3:1-6)

Dios es Dios de la historia y de las naciones. Él conoce el curso de los acontecimientos y en su proyecto salvador tiene el plan para su pueblo, que a través de él, la humanidad pueda conocerlo y alabar su nombre. Para el pueblo de Dios siempre estuvo claro que si el ser humano necesita a Dios, Él requiere de personas fieles y dispuestas para ser parte de su programa redentor y para este fin los escoge, los forma, los transforma y los capacita para que cumplan con su vocación y su llamado. El nacimiento de Samuel, como de muchos otros personajes relevantes de la Biblia, fue ciertamente milagroso. Su vida fue un regalo de Dios para una mujer, Ana, estigmatizada por la esterilidad. El niño fue pedido en oración y concedido por la misericordia de Dios, con la promesa que sería dedicado al servicio del Señor para toda la vida (véase 1 Samuel 1:11). Dios envió la bendición y la madre cumplió su promesa. Así que Samuel fue llevado desde niño a la casa de Dios. (1:24,25). Sin embargo, los primeros años de su vida estuvo en el hogar con sus padres, que eran gente piadosa. De acuerdo a la enseñanza deuteronómica, los padres eran los responsables directos de la fe de los hijos y de ellos dependía que los hijos se mantuvieran fieles y obedientes a Dios y a su Palabra. El hogar era la primera escuela del niño, Así que Ana debe haber aprovechado bien los primeros años de vida de Samuel para instruirlo en el temor de Dios. La llegada de Samuel a Silo tiene un valor trascendental, pues no solo afectará el presente sino también el porvenir. El segundo capítulo del libro establece las grandes diferencias entre la conducta del muchacho y los hijos de Elí que eran perversos y no respetaban ni obedecían a Dios. Su pecado era triple, contra el culto, contra las mujeres que servían en el santuario y contra su padre. Samuel, por el contrario, servía fielmente a Dios. Elí reprendía a sus hijos y les pedía cuentas de sus acciones, mencionándoles que todo el pueblo estaba enterado de sus maldades, pero no hacían caso a los regaños de su padre. Samuel, por su lado, seguía creciendo, y Dios y todo el pueblo lo querían mucho. La Biblia no da tanta información que nos permita pensar mucho de la vida personal del sacerdote y juez de Israel, Elí, excepto lo blando y la falta de rigor para evitar la perversión de sus hijos con lo cual se hizo cómplice de ellos. Todo esto provocó que cayeran sobre él y su familia los terribles castigos descritos anteriormente. Tampoco se nos dan detalles de la relación que hubo entre Elí y Samuel a lo largo de los años, pero si se narra la actitud de Elí hacia Samuel cuando se dio cuenta que era Dios quien estaba hablándole al muchacho. Elí estaba consciente del deplorable estado militar del pueblo. También es de suponer que las condiciones civiles estaban por el piso, y por supuesto, lo más lamentable de todo era la situación espiritual de la nación. "La palabra de Jehová escaseaba en aquellos días; no había visión con frecuencia"; el pueblo estaba envuelto en una oscura nube de ignorancia por la decadencia espiritual y la falta de guianza de su maestro y jefe en el servicio en la casa de Dios. Una noche el joven discípulo de Elí dormía "en el templo de Jehová, donde estaba el arca de Dios", y allí, Jehová llamó a Samuel; y él respondió: Heme aquí" (1 Samuel 3:3,4). Esta triple voz nocturna marca el principio del fin de una dinastía de sacerdotes. Hasta ese momento Samuel ha sido obediente a las órdenes de Elí. A partir de allí, escuchará la voz de Dios para obedecerla, cumplirla y transmitirla. Hasta ese día, Samuel no tenía trato personal con Dios. A partir de ese momento se establece un trato familiar, íntimo con el Señor cuya presencia hará que el joven sea investido con el poder único de la Palabra de Dios. Dos puntos debemos subrayar aquí que tienen mucho que ver con nosotros hoy: Primero, a pesar de que Samuel ya estaba sirviendo a Dios en el tabernáculo, era necesario que Dios lo llamara y lo comisionara directamente. Segundo, que Samuel necesitaba la actualización de la fuerza del Espíritu para distinguir la voz de Dios de la de su maestro Elí.

Afianzamiento y aplicación

(1) Permita que los participantes presenten un breve resumen de las crisis por las que estaban pasando Israel y Elí en ese tiempo.

(2) ¿Qué enseñanzas podemos extraer de la manera en que Dios le dio a Elí el trabajo de discipular a Samuel para que fuera su sucesor?

II. LA IMPORTANCIA DE DISTINGUIR Y PERCIBIR EL MENSAJE DE DIOS (1 SAMUEL 3:7-14)

Ideas para el maestro o líder

(1) Discutan: Sí "Samuel no había conocido aún a Jehová" (3:7) ¿Cómo "ministraba a Jehová en presencia de Elí"? (3:7).

(2) Pregunte: ¿Por qué no utilizó Jehová otro método para llamar a Samuel, a fin de que no confundiera su voz con la de Elí?

Definiciones y etimología

* *"Ni la palabra de Jehová le había sido revelada"* (1 Samuel 1:7). Esta segunda cláusula del versículo siete explica la primera: Samuel nunca había oído físicamente la palabra de Dios; sólo la había leído y oído de parte de su maestro.

* *"Y vino Jehová y se paró, y llamó"* (1:10). Esto demuestra que hubo una teofanía, una manifestación visible de su presencia; no fue una simple visión.

A. El llamamiento de Dios es persistente e inconfundible (3:7-10)

Samuel no había conocido a Jehová como el Dios que viene en persona y habla de manera audible y clara con sus siervos. Lo que conocía de Jehová se debía a la tierna experiencia de su abnegada madre, a la lectura de la Palabra de Dios y a las enseñanzas del juez y sacerdote de Israel, Elí, que ya llevaba cuarenta años dirigiendo el destino de su pueblo. Que Dios haya llamado personalmente a este joven siervo cuando este ya llevaba tanto tiempo ocupado en la casa de Dios tiene mucho que decirnos. Nos enseña que el discípulo cristiano, al igual que Samuel, tiene la oportunidad de recibir experiencias más reveladoras y patentes del plan de Dios para su obra y para el servicio que las que se tienen en el proceso de salvación y dedicación. De ahí la insistencia en que el creyente se profundice más y alcance una relación más directa con el Señor por medio de la santificación, la plenitud del Espíritu Santo y la recepción de dones espirituales para su uso en la iglesia.

Es cierto que Elí estaba ya en la recta final y que pronto iba a desaparecer del ministerio sacerdotal; sin embargo, todavía tenía que darle algunas lecciones a su alumno. Es probable que él mismo no haya oído la voz audible de Jehová; no obstante, sabía bien que si Dios le había hablado al joven, la visión se iba a repetir. Por lo tanto, después de asegurarle por tercera vez que no era él quien lo llamaba, lo instruyó para que supiera cómo recibir la revelación que Dios quería darle. Exactamente, como dijo el sacerdote: El Señor vino la cuarta vez, "se paró" frente a Samuel y le habló. Era necesario que Dios oyera alguna respuesta de parte de su joven siervo para darle su palabra. Esta es una indicación de que no habrá comunicación con Dios hasta que el corazón se prepare y esté dispuesto a escuchar el mensaje.

B. El mensaje de Dios es siempre claro y firme (3:11-14)

Primero, el Señor no deja a medias la comunicación. Elí tenía razón: era Jehová quien rompía el silencio que había mantenido al pueblo incomunicado, y verbalizaba una vez más su voluntad justiciera en contra del pecado del liderazgo espiritual de Israel. Este experimentado religioso sabía que la voz divina volvería a oídos del joven, porque Dios nunca deja a medias la comunicación de su voluntad.

Segundo, el mensaje era una confirmación del anterior. Realmente, el mensaje no era para el joven discípulo sino para su maestro; y si Elí hubiera sabido de qué se trataba quizás habría actuado de otra manera con el joven. El breve mensaje, registrado en los versículos 11 al 14 no era más que un resumen de las nefastas predicciones que con anterioridad le habían sido dadas al anciano sacerdote por intermedio de un mensajero enviado por Dios, según 2:27-36. Aplicar juicio es parte del plan de Dios en el trato con los humanos, tanto como la manifestación de su amor. En el versículo 12 leemos: "Aquel día yo cumpliré contra Elí todas las cosas que he dicho sobre su casa, desde el principio hasta el fin". La razón de todo esto se expresa en el versículo 13: "Porque sus hijos han blasfemado a Dios, y él no los ha estorbado." La advertencia para todos nosotros aquí es que si no podemos hacer que los nuestros desistan de sus maldades, por lo menos debemos hacer todo lo esté a nuestro alcance para estorbarlos. ¡Cuánta falta hace el evangelio de Jesucristo!

Tercero, las últimas palabras del versículo 14 son una declaración incontrovertible de Dios mismo, desahuciando totalmente a Elí y los suyos, para quienes no habría expiación, "ni con sacrificios ni con ofrendas". No es que queramos altercar con Dios, porque no nos serviría para nada (Romanos 9:20-22). Sin embargo, si hubiera habido demostraciones genuinas de arrepentimiento en los hijos de Elí, la misericordia de Dios los habría cubierto. Pero ni a su padre ni al profeta que vino a reprenderlos les prestaron atención. Gracias al Señor que hoy, por medio del evangelio de la gracia, cualquier pecador, como Ofni o Finees, o aun peor que ellos, puede ser limpio, si se arrepiente y confía plenamente en el poder de la sangre del Cordero de Dios. Él se presentó como la ofrenda perfecta, capaz de redimir al más vil pecador, si se acoge con fe a su sacrificio de puro amor.

Afianzamiento y aplicación

(1) ¿Qué tipo de conocimiento de Dios tenía Samuel, y por qué no pudo entender que era Él quien lo llamaba, y no Elí?
(2) En resumen, ¿cuál fue el mensaje que Dios le dio a Samuel; y ¿para quién era en realidad?
(3) ¿Por qué se culpó a Elí de las faltas de sus hijos, y qué aprendemos de ello?

III. VIRTUDES DE UN DISCÍPULO LLAMADO AL MINISTERIO (1 SAMUEL 3:15-21)

Ideas para el maestro o líder

(1) Haga que los alumnos señalen, por lo menos, tres virtudes de Samuel que sobresalen en este pasaje.
(2) ¿Qué se da a entender con la expresión "desde Dan hasta Beerseba"?

Definiciones y etimología

* *"No dejó caer en tierra".* Esta frase significa que Dios cumplió cada una de las palabras de la sentencia que había pronunciado dos veces contra Elí y su casa.

* *"Desde Dan hasta Beerseba".* Con este dicho común entre los hebreos se daba a entender: "en todo el país", "de norte a sur".

A. Una actitud de sumisión a su maestro y jefe en el servicio (3:15-17)

Su tierno corazón se llenó de angustia. La severidad de la sentencia de Dios contra su maestro debe de haberle causado un enorme dolor a Samuel. Los años que habían pasado juntos, no cabe duda de que habían hecho que se desarrollara entre ellos una estrecha amistad. Por otra parte, el joven estaba agradecido de los cuidados que el sacerdote le había brindado desde cuando era a penas un niño recién destetado. Se puede decir que el afecto que guardaba en su corazón hacia el anciano siervo de Dios era el de un hijo hacia su padre espiritual. Los problemas que Elí enfrentaba no tenían nada que ver con la integridad de su vida personal, ni mucho menos con el trato y la enseñanza práctica que daba a su joven discípulo. Por lo menos, nunca Samuel expresó por su parte ninguna crítica a la conducta íntima de Elí. Su única falla había sido dejar que la vida de sus hijos transcurriera sin que él mostrara rigor y disciplina severa, como lo exigía su cargo.

"Samuel temía descubrir la visión a Elí". El mismo versículo 15 nos informa que la mayor pena que el joven sentía en su alma era tener que decirle a Elí lo que Jehová le había revelado acerca de él. Por eso "estuvo acostado hasta la mañana" (3:15), como quien no quiere que amanezca para no tener que pasar el duro momento de la verdad. Esto nos recuerda el caso de Daniel ante el rey Nabucodonosor, cuando este le contó el sueño del árbol frondoso que fue cortado repentinamente por mandato divino (véase Daniel 4:19). Daniel, con mucho dolor, tuvo que explicarle al gran monarca que el momento de su juicio había llegado.

Así se sintió Samuel, el virtuoso joven profeta, cuando su maestro lo llamó para inquirir de él acerca de "la visión". Las expresiones del versículo 17 revelan la sospecha que Elí sentía en cuanto al mensaje que Dios había traído. Su angustia se refleja en el juramento bajo el cual pone a su discípulo: "¿Qué es la palabra que te habló? Te ruego que no me la encubras; así te haga Dios y aun te añada, si me encubrieres palabra de todo lo que habló contigo". ¿No se ha visto usted en momentos como ese, cuando se ve obligado a descubrir un secreto que usted sabe que va a causar dolor; pero que tampoco puede seguir ocultando?

B. Una actitud de sinceridad e integridad en su misión (3:18-21)

El versículo 18 dice que: "Samuel se lo manifestó todo, sin encubrirle nada". Cualquiera esperaría otra reacción en Elí: una actitud de dolor y arrepentimiento, seguida de una lucha frenética en busca de perdón y restauración. Pero, tal parece que ya estaba resignado a aceptar la decisión de Dios, sin ningún gesto de inconformidad.

Samuel dedica los tres últimos versículos de su capítulo 3 para contarnos cómo fue testigo del fiel cumplimiento de cada una de las palabras de la visión. En el versículo 20 se dice que "desde Dan hasta Beerseba"; es decir, desde el norte hasta el sur, todas las tribus reconocieron "que Samuel era fiel profeta de Jehová". Sus largos años de discipulado no fueron en vano; estaban ahora dando fruto en abundancia. No fue sino hasta veinte años más tarde cuando Dios levantó a Samuel para encabezar un gran avivamiento religioso (1 Samuel 7:2-6). El Señor le concedió la victoria sobre los filisteos (1 Samuel 7:5-14) y desde entonces fue líder de todo su pueblo (1 Samuel 7:15-17).

Afianzamiento y aplicación

(1) ¿Cómo probamos que a Samuel le causó mucho dolor la ruina de su maestro Elí?

(2) ¿Cuál otro profeta pasó por la misma pena de Samuel al tener que revelarle a un monarca la sentencia divina?

(3) ¿Por qué fue aceptado Samuel como profeta desde Dan hasta Beerseba?

RESUMEN GENERAL

La vida de Samuel es toda una lección de la obra de Dios en el plan del discipulado para el servicio. Nació en respuesta a la oración de su madre, quien lo dedicó desde niño al servicio en el tabernáculo bajo el cuidado del sacerdote Elí. Aquel era un tiempo de crisis en todos los aspectos para el pueblo de Israel. "La palabra de Dios escaseaba en aquellos días; no había visión con frecuencia". El pueblo estaba envuelto en una oscura nube de ignorancia por la decadencia espiritual y la falta de guianza de los líderes y jefes en el servicio en la casa de Dios. Pero, precisamente, cuando Dios decide enviar juicio contra Elí por la mala conducta de sus hijos, Samuel surge como un discípulo fiel, sumiso e íntegro delante de Dios. La iglesia hoy necesita líderes íntegros, comprometidos, que estén dispuestos a pagar el precio de fidelidad y obediencia por servir a aquel que los llamó al ministerio. Como discípulos de Cristo debemos considerar la vida de Samuel como un verdadero modelo de integridad y dedicación. ¡Que el Señor nos ayude a imitarlo!

Ejercicios de clausura

(1) Reflexione sobre qué tan importante es para sus vidas pasar tiempo en comunión con Dios.

(2) Invite a la clase a buscar más al Señor para tener una experiencia más profunda y real por medio de la adoración y la plenitud del Espíritu de Dios.

PREGUNTAS Y RESPUESTAS

1. ¿En qué período de la historia de Israel sucedieron los eventos analizados hoy?

Durante el período de los Jueces, una de las épocas más obscuras en la historia de Israel.

2. ¿Cuál fue la causa de la muerte de los hijos de Elí, Ofni y Finees?

La falta de reverencia a las cosas de Dios, y su excesiva confianza de que jamás serían removidos del sacerdocio.

3. Mencione la condición espiritual en la que se encontraba el pueblo en aquellos días.

El pueblo estaba envuelto en una oscura nube de ignorancia por la decadencia espiritual. "La palabra de Jehová escaseaba en aquellos días; no había visión con frecuencia".

4. Cual fue la reacción del sacerdote Elí ante el mensaje de juicio que le trasmitió Samuel?

Al parecer no hubo muestras de dolor ni de arrepentimiento, sino una actitud resignada.

5. ¿Qué podemos aprender del surgimiento de Samuel en momentos de decadencia de Elí y sus hijos?

Que Dios honra a quienes lo honran, pero a los que lo desprecian los tiene en poco.

PARA LA PRÓXIMA SEMANA

La próxima semana consideraremos algunos cuadros iniciales de la vida de David. Veremos situaciones en que el insigne joven de Belén dio muestras de ser un verdadero discípulo en camino a la cumbre en el servicio de Dios. Pida que lean 1 Samuel capítulos 16 y 17.

UNCIÓN Y HABILIDAD PARA UNA VIDA DE SERVICIO

ESTUDIO BÍBLICO 4

Base bíblica

1 Samuel 16 y 17

Objetivos

1. Reconocer el plan de Dios para la selección de sus siervos.
2. Contribuir al alivio y la liberación de los que sufren opresiones malignas.
3. Ejercer fe y confianza en Dios cuando se trata de combatir al enemigo.

Pensamiento central

A los que el Señor escoge para su servicio, les da la unción de su Espíritu y habilidades para ministrar a los amenazados por el hombre y oprimidos por el diablo.

Texto áureo

Y Samuel tomó el cuerno del aceite, y lo ungió en medio de sus hermanos; y desde aquel día en adelante el Espíritu de Jehová vino sobre David (1 Samuel 16:13).

Fecha sugerida:___/____/____

LECTURA ANTIFONAL

1 Samuel 16:11 Entonces dijo Samuel a Isaí: ¿Son éstos todos tus hijos? Y él respondió: Queda aún el menor, que apacienta las ovejas. Y dijo Samuel a Isaí: Envía por él, porque no nos sentaremos a la mesa hasta que él venga aquí.

12 Envió, pues, por él, y le hizo entrar; y era rubio, hermoso de ojos, y de buen parecer. Entonces Jehová dijo: Levántate y úngelo, porque éste es.

13 Y Samuel tomó el cuerno del aceite, y lo ungió en medio de sus hermanos; y desde aquel día en adelante el Espíritu de Jehová vino sobre David. Se levantó luego Samuel, y se volvió a Ramá.

22 Y Saúl envió a decir a Isaí: Yo te ruego que esté David conmigo, pues ha hallado gracia en mis ojos.

23 Y cuando el espíritu malo de parte de Dios venía sobre Saúl, David tomaba el arca y tocaba con su mano; y Saúl tenía alivio y estaba mejor, y el espíritu malo se apartaba de él.

17:45 Entonces dijo David al filisteo: Tú vienes a mí con espada y lanza y jabalina; mas yo vengo a ti en el nombre de Jehová de los ejércitos, el Dios de los escuadrones de Israel, a quien tú has provocado.

46 Jehová te entregará hoy en mi mano, y yo te venceré, y te cortaré la cabeza, y daré hoy los cuerpos de los filisteos a las aves del cielo y a las bestias de la tierra; y toda la tierra sabrá que hay Dios en Israel.

DATOS GENERALES ACERCA DEL TEMA

- **Enseñanza:** No hay acción humana que trunque los planes de Dios, Él siempre tiene el recurso que dará continuidad a su proyecto salvador.
- **Autor:** Samuel
- **Personajes:** Samuel, Isaí y sus hijos, David, Saúl, Goliat.
- **Fecha:** Aproximadamente año 1050 a.C.
- **Lugar:** Belén de Judea

BOSQUEJO DEL ESTUDIO

I. El llamamiento y la unción distinguen a un siervo de Dios (1 Samuel 16:1-13)
  A. El profeta unge y discípula a un nuevo líder (16:1-5)
  B. Dios no escoge a sus siervos por las apariencias (16:6-13)

II. Un discípulo ungido y talentoso (1 Samuel 16:14-23)
  A. Contraste entre el servidor ungido y el que ha sido desechado (16:14-17)
  B. La búsqueda de un discípulo ungido (16:18-23)

III. Una actitud de fe y valor conduce a la victoria (1 Samuel 17:32-50)
  A. El lugar de la fe en el Señor y la confianza en sí mismo (17:32-44)
  B. Confiar en el Señor y depender de Él asegura la victoria (17:45-58)

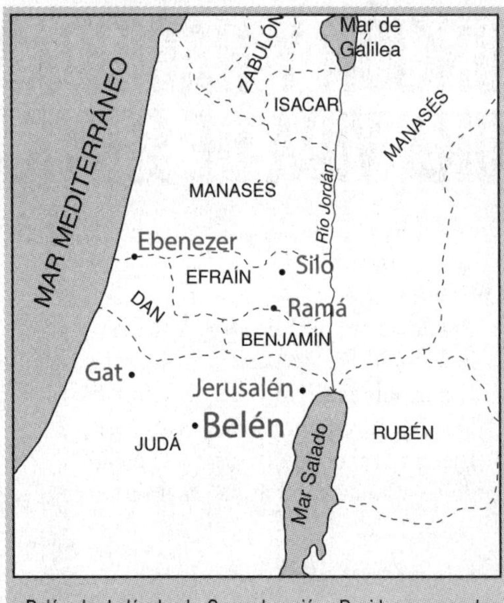

Belén de Judá, donde Samuel ungió a David como rey de Israel.

LECTURAS DEVOCIONALES DIARIAS

Lunes: Un joven escogido para el servicio, no por su apariencia (1 Samuel 16:10-13)
Martes: El talento terapéutico de un discípulo virtuoso (1 Samuel 16:14-23)
Miércoles: El ánimo de un joven que valía más que un ejército (1 Samuel 17:12-26)
Jueves: El enfrentamiento contra el enemigo de la obra de Dios (1 Samuel 17:48-58)
Viernes:
El buen discípulo vence con el bien el mal (1 Samuel 18:6-16)
Sábado: Dios honra la integridad y el valor de su siervo (1 Samuel 18:20-30)

INTRODUCCIÓN

La Biblia nos enseña que Dios actúa en la historia humana. Los personajes más destacados de la Escritura tuvieron conciencia de su elección divina. Esto fue lo que les dio la certidumbre de que su llamado y vocación procedían de Dios y a su vez constituyó el gran secreto de su eficacia espiritual en el cumplimiento de su misión histórica. No obstante hubo otros, como Saúl, también conscientes de que Jehová los había escogido para cumplir una misión específica y sin embargo, fracasaron. Sus acciones los descalificaron y aunque conquistaron reinos y sometieron reyes, fueron conquistados y sometidos por su impaciencia, desobediencia o rebeldía. Eso es una lección para el pueblo de Dios del día de hoy. El Señor nos puede escoger o llamar para cumplir una misión dentro de su reino pero nunca debemos olvidar que la auténtica espiritualidad no se mide por la belleza, el valor, el prestigio, la inteligencia o el conocimiento que tenga una persona. Se mide por una absoluta obediencia y fidelidad a la Palabra de Dios. La otra cosa que debemos tener clara es que no hay acción humana que trunque los planes de Dios, Él siempre tiene el recurso que dará continuidad a su proyecto salvador.

Samuel, es una vez más el instrumento de Dios en un momento cumbre en la historia de Israel. La transición entre los jueces y la monarquía; el final de una época de grandes crisis entre las tribus y el nacimiento de una nueva era que marcará el presente y el futuro del pueblo de Dios. La nación le pide al profeta un rey. La Biblia lo narra así: “He aquí tú has envejecido, y tus hijos no andan en tus caminos; por tanto, constitúyenos ahora un rey que nos juzgue, como tienen todas las naciones. Pero no agradó a Samuel esta palabra que dijeron … Y Samuel oró a Jehová. Y dijo Jehová a Samuel:

Oye la voz del pueblo en todo lo que te digan; porque no te han desechado a ti, sino a mí me han desechado, para que no reine sobre ellos" (1 Samuel 8:5-7). Dios cede ante la petición del pueblo pero insta a su profeta a que les advierta las consecuencias de esa decisión (1 Samuel 8:10-22). Saúl, un apuesto joven de la tribu de Benjamín, fue el elegido para reinar y en una ceremonia muy privada, pero muy solemne, el profeta derrama el aceite de la unción sobre la cabeza del benjaminita. Este rito tiene gran significado, pues el aceite que protege la piel y vigoriza los tejidos, simboliza la llenura del poder del Espíritu divino que capacita a quien lo recibe para una misión específica. Pero hay un detalle importante, aunque Saúl cuenta con el apoyo divino, sigue subordinado al profeta quien es el portador de la Palabra de Dios. Los capítulos siguientes narran la historia del primer rey, sus triunfos y derrotas y su gran fracaso en la prueba de su fe (1 Samuel 13:10-14). Saúl fue incapaz de cumplir con la orden del Señor. Samuel expresa que Dios ya tiene un sucesor: David, uno de los personajes más carismáticos e importantes en la vida de Israel y del cristianismo.

DESARROLLO DEL ESTUDIO

I. EL LLAMAMIENTO Y LA UNCIÓN DISTINGUEN A UN SIERVO DE DIOS (I SAMUEL 16:1-13)

Ideas para el maestro o líder

(1) Trace, en un mapa de la Palestina en la época de los jueces, el viaje de Samuel, desde su casa en Ramá de Benjamín hasta Belén de Judá, donde ungió a David.

(2) Pregunte, ¿por qué tuvo Samuel que ir en secreto a realizar el ungimiento de David?

Definiciones y etimología

* *Te enviaré a Isaí de Belén* (1 Samuel 16:1). La distancia entre Ramá y Belén era de más de veinte kilómetros.

* *A ofrecer sacrificio a Jehová he venido* (16:2). Samuel no quería despertar sospechas en Saúl. En este viaje el profeta ungiría al nuevo rey, una traición que el rey Saúl jamás perdonaría.

* *No mires a su parecer* (16:7). La elección divina no depende de las apariencias exteriores.

A. El profeta unge y discipula a un nuevo líder (16:1-5)

El ungimiento de David es una prueba fehaciente de la intervención de Dios en el desarrollo de su pueblo a través de la historia. Desde el mismo origen de la humanidad, Dios quiso que el hombre disfrutara de una vida larga y plena, y en el Edén, el Señor lo instruyó dando una orden. Adán y Eva podían comer el fruto de todos los árboles del jardín, menos del árbol de la ciencia del bien y del mal. El hombre tenía la oportunidad de vivir una vida plena en el contexto de la libertad, un don de Dios que mal utilizado lo encaminaría al dolor y a la muerte, a la separación entre la criatura y el creador. Los primeros padres optaron por el camino contrario a la orden divina y el pecado y la muerte irrumpieron en el mundo. Pero Dios tenía un proyecto salvador, un plan que redimiera al hombre del pecado y de la muerte eterna y su misión salvífica empezó. Dios escogería hombres y mujeres para realizar su plan y levantaría un pueblo que lo confesara como Dios y Señor. La Biblia nos relata ese proyecto y todas sus narraciones, historias, dramas, poemas, cartas, etc., tienen el propósito de revelar ese propósito. Samuel, Saúl y David, son parte de esa historia, eslabones que de una forma u otra contribuyeron a que el plan de Dios llegara a su momento cumbre, su encarnación en la persona de Jesucristo. La Biblia también cumple otro objetivo. Que tengamos testimonio de los triunfos y derrotas, los éxitos y fracasos, obediencia y desobediencia y todas las virtudes y defectos de los protagonistas en esta historia de la salvación. Saúl fue reprobado y desechado. Dios, tenía preparado al guía y al discípulo y futuro líder. El Señor había elegido e instruido a Samuel como profeta y había encontrado un joven, pastor de ovejas y cantor, conforme al corazón de Dios. No era de estatura descomunal, pero era humilde y reverente. No adquirió su fuerza y valor en el campo de batalla, sino cuidando a las ovejas de su padre, pastoreándolas en pastos verdes y junto a aguas cristalinas, o defendiéndolas de morir en las fauces de los leones, osos o los lobos.

B. Dios no escoge a sus siervos por las apariencias (16:6-13)

El rechazo de Saúl había provocado gran tristeza a Samuel. El afecto del profeta por el primer rey de Israel y el sufrimiento por los fallos del monarca habían calado hondo en el corazón del siervo de Dios. Parecía una obra inconclusa, algo que empezó y se quedó a medias, y en efecto, eso fue lo que ocurrió con la vida de Saúl. Por no obedecer la orden del Señor, su reino no duraría para siempre. Pero la infidelidad humana no detiene el plan divino, así que Dios exhorta a su profeta a que deje la tristeza y siga hacia adelante, al cumplimiento de su próxima misión, ungir al próximo rey de Israel que saldría de la familia de Isaí. El lugar, Belén, donde había un santuario y un altar. Samuel obedeció, descendió a Belén y será el Señor quien le indique quién será el elegido. La llegada del profeta causó conmoción. La gente sale a recibirlo con temor, ansiosa, piensan que puede haber algún problema, una palabra de Dios, un anuncio de algo bueno o una denuncia por algún pecado. El profeta explica que viene a ofrecer un sacrificio como Jehová le había aconsejado; les pide que se santifiquen y los invita al sacrificio. Hay un hecho relevante, Samuel mismo santifica a Isaí junto con sus hijos y también los invita al sacrificio. La escena es dramática, sube de intensidad. Cuando Isaí llega al santuario con sus hijos y Samuel mira a Eliab se impresiona. Como en Saúl, en Eliab resalta la corpulencia y se olfatea la valentía, para el profeta ese es el elegido. De inmediato recibe una gran lección de parte del Señor: Samuel, no te fijes en su apariencia ni en su gran estatura. Este no es mi elegido. Yo no me fijo en las apariencias sino en el corazón. Pasa el segundo, Abinadab y este corre la misma suerte que el primero, él no es. Samá, el tercero, pasa al frente ante Samuel y tampoco es el elegido. Uno por uno van quedando descalificados. La tensión aumenta, la expectativa llega al límite, si no es uno de los presentes, ¿esos son todos los muchachos?, pregunta el profeta. Hay uno más, responde el padre, el más pequeño, que precisamente está cuidando las ovejas. Samuel da una orden. Hay que ir por él, pues nadie se sentará a la mesa hasta que él no llegue. El tiempo pasa, y por fin llega el muchacho; el enviado del Señor lo hace entrar. Es de hermosa apariencia pero lo mejor es su corazón. Dios le dice al profeta: Levántate y úngelo, porque éste es. Y Samuel tomó el cuerno del aceite y lo ungió delante de sus hermanos; y desde aquel día en adelante el Espíritu de Jehová vino sobre David (16:12, 13). Esta lección debe tomarse en cuenta el día de hoy. Nuestro mundo está a merced de falsos líderes aclamados por sus seguidores que han quedado deslumbrados por las apariencias o por teologías promotoras de una prosperidad que engañosamente utiliza la Escritura para promoverla.

Afianzamiento y aplicación

(1) Mencionen algunas razones por las cuales el rey Saúl fue descalificado (1 Samuel 13:8-14; 15:9-11).
(2) ¿Por qué tuvo que hacerse en secreto el ungimiento de David en Belén de Judá?

II. UN DISCÍPULO UNGIDO Y TALENTOSO (1 SAMUEL 16:14-23)

Ideas para el maestro o líder

(1) Con la ayuda de los participantes, haga una lista de las cualidades de David, mencionadas en 1 Samuel 16:18.
(2) Comente sobre algunos casos de enfermedades mentales, podrían ser producto de una opresión demoniaca.

Definiciones y etimología

* *Un espíritu malo.* En la Biblia, especialmente en el Nuevo Testamento, podemos encontrar que hay una clara diferencia entre lo que es posesión demoniaca, alguien que está poseído por un poder maligno que lo supera, y una enfermedad que puede ser diagnosticada por los síntomas que presenta.

* *De parte de Jehová.* Dios siempre está en control de todas las cosas; todas, sin excepción están a su servicio, sea personas, ejércitos enemigos, pestes, el diablo, etc., para la ejecución de sus planes.

A. Contraste entre el servidor ungido y el que ha sido desechado (16:14-17)

Lo que fue anunciado por Samuel se empieza a cumplir, el Espíritu de Jehová ha venido sobre

David y ha abandonado a Saúl. ¿Por qué ocurrió esto? ¿Qué provocó este giro tan drástico? El primer rey de Israel fue desechado porque sus acciones fueron equivocadas. Precipitado por su impaciencia realizó un sacrificio usurpando la función del sacerdote. Contradiciendo la orden del Señor de aniquilar a los amalecitas, perdonó al rey y se quedó con lo mejor del ganado y los objetos de valor del pueblo conquistado. Frente a semejantes acciones la sentencia no tardó en pronunciarse: Porque como pecado de adivinación es la rebelión, y como ídolos e idolatría la obstinación. Por cuanto tú desechaste la palabra de Jehová, él también te ha desechado para que no seas rey (1 Samuel 15:24). El rey pide perdón pero es muy tarde, Samuel le dice: Jehová ha rasgado hoy de ti el reino de Israel, y lo ha dado a un prójimo tuyo mejor que tú (1 Samuel 15:28). El Espíritu de Dios está ahora con David y un espíritu malo atormenta a Saúl. Empieza el ascenso del nuevo elegido y la decadencia y el sufrimiento del desechado. Ahora el corazón del rey es vulnerable y está expuesto a que lo malo lo posea. La primera manifestación es la depresión y ataques violentos de ira. Este mal se irá incrementando y acompañará a Saúl hasta el final de sus días. Y aquí está el puente que Dios utilizará para unir las vidas de David y de Saúl. Por un lado el poseído del espíritu maligno, por el otro, el que ha sido ungido por el Espíritu de Dios, que con su música será capaz de serenar el ánimo y tendrá poder sobre el mal espíritu que abate al rey.

B. La búsqueda de un discípulo ungido (16:18-23)

Dios siempre tiene la persona idónea para el momento en que debe continuar su obra, Él va tejiendo los hilos de la historia para consumar sus propósitos y encarrilar los acontecimientos presentes y futuros dentro del puro afecto de su voluntad. David es uno de los personajes más extraordinarios en la historia de Israel; una figura militar, política y religiosa. Pero lo más importante, es que su vida marca el principio de una monarquía estable y perpetua, él y su descendencia, será la raiz de la esperanza mesiánica. El Hijo de Dios, el Hijo de David, será el salvador del mundo. Volvamos con Saúl, cuya conducta causa alarma y preocupación. Hay que buscar una solución para sus crisis y uno de los criados del rey sugiere que se busque a alguno que sepa tocar arpa. Para él, este es el sedante terapéutico que aliviará los tormentos del monarca. Para Dios, David es el instrumento en formación para ocupar el trono de Israel. Otro sirviente dice conocer al hijo de Isaí de Belén, y asegura que el muchacho toca el arpa, que es valiente y vigoroso, hombre de guerra, prudente en sus palabras y hermoso, y lo más importante, que Jehová está con él. La orden del rey no se hace esperar. Al oír todas estas recomendaciones Saúl envió mensajeros a Isaí, diciendo: Envíame a David tu hijo, el que está con las ovejas" (16:19). Para Isaí y su talentoso hijo, este era el segundo llamado de Dios para David. El padre, preparó obsequios y los envió con su hijo al rey Saúl que estaba en la ciudad de Gabaa, de Benjamín (16:20). La conexión fue inmediata. Cuando Saúl vio al joven, le amó mucho, y le hizo su paje de armas (16:21); David se convertía en "escudero", un cargo de mucha importancia y de grandes oportunidades. El salto es enorme, de los campos de Belén, cuidando ovejas, al palacio del rey como escudero. De una vida familiar y rutinaria, a una vida cortesana con la gran responsabilidad de tocar el arpa para calmar al rey en sus arrebatos provocados por el espíritu malo que lo poseía. La excelente relación maestro-discípulo que se entabló entre Saúl y David, al principio, se ve en que el rey le pidió a Isaí que le diera a su hijo permanentemente, "pues ha hallado gracia en mis ojos" (16:22). Pero lo más importante para David en el palacio fue su victoria sobre el demonio: "Cuando el espíritu malo de parte de Dios venía sobre Saúl, David tomaba el arpa y tocaba con su mano; y Saúl tenía alivio y estaba mejor, y el espíritu malo se apartaba de él" (16:23).

Afianzamiento y aplicación

(1) ¿Cómo se puede responder a los que creen que lo que tenía Saúl era una simple "enfermedad mental"?

(2) Enumere las cualidades de David mencionadas por uno de los siervos de Saúl.

(3) ¿Qué influencia ahuyentaba al "espíritu malo" del rey y le proporcionaba alivio?

III. UNA ACTITUD DE FE Y VALOR CONDUCE A LA VICTORIA (1 SAMUEL 17:32-50)

Ideas para el maestro o líder

(1) Señale en un mapa el punto en que se reunieron los ejércitos filisteos e israelitas, entre Soco, Azeca y Ela, a unos 40 kilómetros al suroeste de Jerusalén.

(2) Comente ¿Por qué Saúl no conoció a David y pidió información acerca de Él después de la muerte de Goliat (17:58)?

Definiciones y etimología

* *Tú eres muchacho* (17:33). Se cree que para esa fecha, David, si acaso, andaba por los veinte años de edad.

* *Fuese león, fuese oso, tu siervo lo mataba* (17:36). Estas hazañas de la vida pastoril de David eran conocidas por la gente. A eso se refirió el criado de Saúl en 16:18.

A. El lugar de la fe en el Señor y la confianza en sí mismo (17:32-44)

Las guerras entre los israelitas y los filisteos eran frecuentes. Con Saúl al frente del ejército, se habían logrado grandes victorias y el territorio perdido en el pasado se iba recuperando poco a poco. Una vez más, los filisteos están en pie de guerra y reúnen su ejército en Soco, territorio que era de Judá. También Saúl junta a sus hombres y se dispone a presentar batalla. Los israelitas acampan en el valle de Ela y así queda preparado el escenario para la guerra. De pronto, ocurre algo inesperado, un soldado filisteo gigantesco, Goliat, sale de entre sus filas y desafía al ejército de Saúl. Su figura es descomunal, intimidante y arrogante. La diferencia de tamaño y una armadura proporcional a su estatura le da el valor y la seguridad de triunfo. Por eso, dando voces contra los escuadrones de Israel los desafía a que escojan un valiente que pelee contra él. La recompensa será grande, si él es vencedor, los israelitas serán siervos de los filisteos. Saúl y sus hombres lo escuchan y se turban, sienten gran temor. En el pasado Josué venció a los gigantes de Anac, estaba poseído por el Espíritu de Dios, pero ahora la historia es diferente. Es imperativo que aparezca en el escenario el adalid que cambiará el lamento en baile, la derrota en triunfo. Por cuarenta días, el ejército de Israel, incluyendo al rey, estuvieron escuchando las blasfemias y los insultos de Goliat, el gladiador filisteo. El elegido de Dios, David, llegó al campamento israelita a dejar provisiones a sus hermanos. Al enterarse de la amenaza del gigante, sintió un toque de Dios en su corazón y dijo: ¿quién es este filisteo incircunciso, para que provoque a los escuadrones del Dios viviente? Los guerreros de Saúl le hicieron saber lo que había dicho el muchacho y él mandó a llamarlo. Cuando lo llevaron ante el rey, David le dijo que no se preocupara porque él mataría al filisteo. Saúl trata de disuadirlo, tú eres un muchacho y él ha sido un guerrero toda su vida. David le relató sus enfrentamientos contra osos y leones, exaltando su experiencia y valentía de pastor. Está seguro que Dios lo libraría también del filisteo. Ante semejante determinación el rey dio la instrucción que le pusieran su armadura al joven pero este no podía sostenerse en pie. David se la quitó, cogió su vara y su honda, puso en su bolsa cinco piedras del río y se dirigió a donde estaba Goliat.

B. Confiar en el Señor y depender de Él asegura la victoria (17:45-58)

El pastor está frente al guerrero. La pelea luce desigual. Uno es gigantesco, bien armado y soldado desde joven. El rival es un jovencito, defensor de ovejas y pequeño. Aquí hay un detalle relevante y altamente simbólico. El que debe fungir como pastor y defensor del ejército israelita, Saúl, ha tenido miedo, ha fallado en su misión, no ha salido a enfrentar al enemigo. El pastor que cuida sus ovejas y las defiende de los leones, sale, respaldado por Jehová de los ejércitos, a defender al rey, al ejército y el honor del pueblo del Señor. Qué ejemplo tan maravilloso de confianza y dependencia divinas. Si muchas veces somos derrotados es porque nuestra confianza está puesta en la fuerza y el valor humanos, en el recurso bélico o el poder que da el dinero. Empieza el desafío que se lanzan los dos desiguales paladines. El blasfemo y arrogante guerrero mostraba sus relucientes armas: espada, lanza y jabalina, menospreciando con insultos humillantes a David y maldiciéndolo en nombre de sus dioses. Por su parte, un hombre joven, sin las armas tradicionales ni los títulos y atributos de un militar, respondía a las blasfemas y amenazadoras palabras del gigante sin temor: Tú vienes a mí con espada y lanza y jabalina; mas yo vengo a ti en el nombre de Jehová de los ejércitos, el Dios de los escuadrones de Israel, a quien tú has provocado (1 Samuel 17:45). El desenlace es espectacular. Avanzan uno contra el otro y David, poniendo una piedra en la honda, la lanzó en contra del gigante clavándosela en medio de la frente. El guerrero cae rostro en tierra, herido de muerte, ante el asombro de ambos ejércitos. El joven pastor no se detiene, continúa su vertiginosa carrera y poniéndose sobre el filisteo, toma la espada del gladiador y lo remata; la victoria de David es inobjetable, el triunfo del pastor que sin tener espada venció al filisteo. De un solo golpe, le corta la cabeza y la presenta como trofeo de guerra. Los filisteos ven muerto a su adalid y huyen despavoridos. Los hombres de Israel y de Judá, lanzando gritos de batalla, son ahora ellos los que persiguen a sus enemigos hasta la entrada de Gat y Ecrón. Todo el trayecto quedó lleno de cadáveres y una vez más, Jehová de los ejércitos ha guiado a su pueblo a la victoria. No existe enemigo por grande que sea que se burle de Dios y quede impune. El Señor nos ha dado una armadura (Efesios 6:11-17) que no solo es para defendernos sino para atacar, para deshacer la obras del diablo con el poder de Jesucristo (1 Juan 3:8). El triunfo no depende de la fuerza humana ni de las armas convencionales, no importa cuán sofisticadas sean estas. Qué gran ejemplo recibimos de David. No necesitó ni la ropa ni las armas del rey; utilizó aquello en lo que era diestro, la confianza de que Dios lo respaldaba. Podemos resumir que las palabras que David dirigió al filisteo expresan su fe y seguridad para ser más que vencedor en el campo de batalla. Yo vengo en el nombre del Dios todopoderoso; hoy mismo Dios me ayudará a vencerte; todo el mundo sabrá lo grande que es el Dios de Israel; es Dios quien da la victoria en las batallas; Dios nos dará la victoria sobre nuestros enemigos; Dios no necesita de espadas ni de flechas para triunfar. Ese debe ser nuestro testimonio y confesión.

Afianzamiento y aplicación

(1) ¿Qué le reprocharon a David sus hermanos cuando llegó al campo de batalla?

(2) ¿Cuáles eran las razones por las que Saúl no quería que David interviniera en el conflicto?

(3) Señale, por lo menos, cinco razones por las cuales David venció al gigante.

RESUMEN GENERAL

Algunos pensarán que no existen puntos de contacto entre el discipulado cristiano y los sucesos del Antiguo Testamento. No obstante, como lo hemos venido comprobando, hay ejemplos y enseñanzas escondidas en las páginas de la historia sagrada que, si las interpretamos y aplicamos debidamente, aprenderemos mucho de las narraciones bíblicas

Varias enseñanzas podemos retomar de este glorioso episodio. (1) Existe un enemigo gigantesco que se burla de Dios y está haciendo estragos en el mundo. Alguien tiene que tomar la armadura de Dios (Efesios 6:11-17) y deshacer las obras del diablo con el poder de Jesucristo (1 Juan 3:8). (2) El éxito no depende de la fuerza humana ni de las herramientas materiales. David no pudo usar la ropa ni las armas del rey; utilizó lo que estaba acostumbrado a usar en su lucha por cuidar su rebaño (1 Samuel 17:38-40). Los métodos que copiemos, los recursos intelectuales que poseamos y los equipos de computación que compremos no tienen la respuesta final; la victoria viene de nuestra entrega de fe y valor por la causa del reino de Dios (Zacarías 4:6). (3) David dio a Dios la gloria antes y después de su triunfo (1 Samuel 17:37,45-47). Muchos ministerios han desaparecido y miles de líderes han fracasado porque ha sido el egoísmo lo que los motivaba, su búsqueda era la gloria personal y los beneficios que se perseguían eran para satisfacer sus propios intereses y delirios de grandeza. La lección de hoy es un llamado de atención a que de una vez por todas pongamos nuestra vida al servicio del Señor, que seamos discípulos fieles y servidores incondicionales en la construcción de su reino.

Ejercicios de clausura

(1) Permita que cada uno de sus alumnos dé una razón por la que desea imitar alguna de las cualidades de David.

(2) Pidan al Señor la capacidad de enfrentarse al enemigo con el valor de David.

PREGUNTAS Y RESPUESTAS

1. Mencione las causas por las cuales el rey Saúl fue desechado por Dios.

Por haber pecado llevado por su impaciencia, desobediencia y rebeldía.

2. ¿De quién era hijo David y cuantos hermanos más tenía?

Era hijo de Isaí de Belén y tenía siete hermanos más.

3. Mencione ¿Cómo fue que David llegó al palacio y terminó siendo el escudero de Saúl?

La crisis de Saúl, llevó a David al palacio y un criado sugiere que se busque a alguno que sepa tocar arpa.

4. ¿Qué cualidades vieron en David que lo calificaron para calmar la crisis del rey?

Sabe toca el arpa, es valiente y vigoroso, hombre de guerra, prudente en sus palabras, es hermoso, y lo más importante, que Jehová está con él

5. ¿Cómo respondió David al gigante que venía contra el con espada y lanza?

Tú vienes a mí con espada y lanza y jabalina; más yo vengo a ti en el nombre de Jehová de los ejércitos, el Dios de los escuadrones de Israel, a quien tú has provocado.

PARA LA PRÓXIMA SEMANA

El próximo estudio destaca el principio que dice: “Dios siempre tiene un sucesor para su obra”, enfatizando que la obra de Dios no se detiene. Motive a los participantes a leer su guía de estudio y las lecturas semanales.

DIOS SIEMPRE TIENE UN SUCESOR PARA SU OBRA

ESTUDIO BÍBLICO 5

Base bíblica

1 Reyes 19:1-21; 2 Reyes 2:1-15.

Objetivos

1. Saber que somos llamados a ser parte del Gran proyecto de Dios.
2. Valorar el llamado y estar dispuesto a transmitir en otros lo que Dios nos ha dado.
3. Dar pasos pertinentes en la preparación de una nueva generación de siervos.

Fecha sugerida:___/____/____

Pensamiento central

Se requieren discípulos fieles, comprometidos y dispuestos a seguir la misión iniciada por su maestro.

Texto áureo

Y se volvió, y tomó un par de bueyes y los mató, y con el arado de los bueyes coció la carne, y la dio al pueblo para que comiesen. Después se levantó y fue tras Elías, y le servía (1 Reyes 19:21).

LECTURA ANTIFONAL

1 Reyes 19:1 Acab dio a Jezabel la nueva de todo lo que Elías había hecho, y de cómo había matado a espada a todos los profetas.

2 Entonces envió Jezabel a Elías un mensajero, diciendo: Así me hagan los dioses, y aun me añadan, si mañana a estas horas yo no he puesto tu persona como la de uno de ellos.

3 Viendo, pues, el peligro, se levantó y se fue para salvar su vida, y vino a Beerseba, que está en Judá, y dejó allí a su criado.

4 Y él se fue por el desierto un día de camino, y vino y se sentó debajo de un enebro; y deseando morirse, dijo: Basta ya, oh Jehová, quítame la vida, pues no soy yo mejor que mis padres.

5 Y echándose debajo del enebro, se quedó dormido; y he aquí luego un ángel le tocó, y le dijo: Levántate, come.

6 Entonces él miró, y he aquí a su cabecera una torta cocida sobre las ascuas, y una vasija de agua; y comió y bebió, y volvió a dormirse.

7 Y volviendo el ángel de Jehová la segunda vez, lo tocó, diciendo: Levántate y come, porque largo camino te resta.

8 Se levantó, pues, y comió y bebió; y fortalecido con aquella comida caminó cuarenta días y cuarenta noches hasta Horeb, el monte de Dios.

9 Y allí se metió en una cueva, donde pasó la noche. Y vino a él palabra de Jehová, el cual le dijo: ¿Qué haces aquí, Elías?

19 Partiendo él de allí, halló a Eliseo hijo de Safat, que araba con doce yuntas delante de sí, y él tenía la última. Y pasando Elías por delante de él, echó sobre él su manto.

20 Entonces dejando él los bueyes, vino corriendo en pos de Elías, y dijo: Te ruego que me dejes besar a mi padre y a mi madre, y luego te seguiré. Y él le dijo: Ve, vuelve; ¿qué te he hecho yo?

DATOS GENERALES ACERCA DEL TEMA

- **Enseñanza:** Los discípulos del Señor deben ser obedientes a las instrucciones divinas, fieles y comprometidos con el proyecto de Dios.
- **Autor:** Desconocido
- **Personajes:** Elías y Eliseo
- **Fecha:** Aproximadamente años 870-850 a.C.
- **Lugar:** Berseba, Monte Horeb y desierto del Jordán.

BOSQUEJO DEL ESTUDIO

I. Peligros, tribulaciones y vindicación del siervo del Señor (1 Reyes19:1-9)
   A. Fe, debilidad y huida (19:1-6)
   B. El siervo reprendido y devuelto a la misión (19:7-9)
II. La identificación del maestro y el discípulo (1 Reyes 19:19-21)
   A. El maestro encuentra al discípulo (19:19)
   B. El discípulo renuncia a su pasada manera de vivir (19:20,21)
III. Dios bendice al que anhela grandes cosas (2 Reyes 2:1-15)
   A. El maestro prepara al discípulo para continuar el ministerio (2:1-10)
   B. El discípulo está listo lleno de poder (2:11-15)

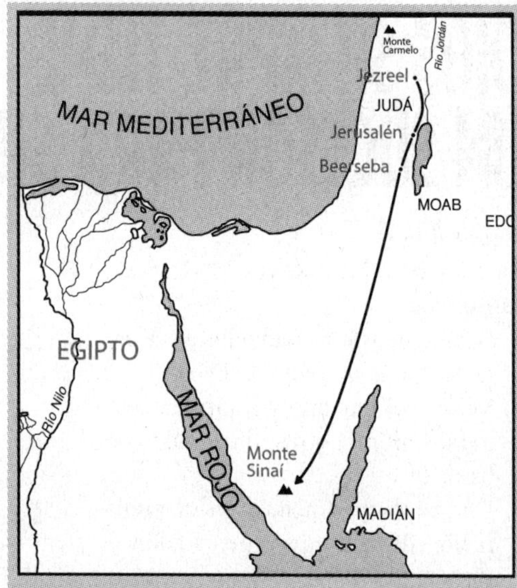

Ruta de la huida de Elías después de matar a los profetas de Baal.

LECTURAS DEVOCIONALES DIARIAS

Lunes: El profeta verdadero escucha la voz de Dios y la comunica (1 Reyes 17:1-7)
Martes: Dios socorre al necesitado aun en medio de sus juicios (1 Reyes 17:8-24)
Miércoles: El profeta destruye lo que se opone a Jehová (1 Reyes 18:20-45)
Jueves: El éxito del siervo de Dios depende de Dios (2 Samuel 7:9; 1 Reyes 18:46)
Viernes: La vida del siervo del Señor es amenazada (1 Reyes 19:1-18)
Sábado: El siervo de Dios reconoce la importancia de preparar a otros (2 Reyes 2)

INTRODUCCIÓN

Nuestra historia nos remonta a una época posterior a Salomón en que el reino ya había sido dividido; el reino del sur, Judá, con su capital Jerusalén, y el reino del norte Israel, cuya capital era Samaria. Gobernaba a Israel el rey Acab, un monarca perverso que según la Escritura desobedeció a Dios y lo hizo enojar mucho más que todos los reyes anteriores. Acab estaba casado con Jezabel, hija de Et-baal, rey y sacerdote de Tiro y de Sidón, matrimonio realizado para ratificar la alianza entre sidonios e israelitas para equilibrar la fuerza del reino del norte en sus hostilidades contra Damasco. Acab fue influido por su esposa Jezabel y la autorizó para que construyera un templo y un altar para ese dios en Samaria. Es en ese ambiente que surge la figura misteriosa del profeta Elías, oriundo de Tisbé, un pueblo situado en la región de Galaad. Un día se presenta Elías ante el rey Acab y le anunció: "Vive Jehová Dios de Israel, en cuya presencia estoy, que no habrá lluvia ni rocío en estos años, sino por mi palabra" (1 Reyes 17:1). Y la lluvia dejó de caer. Esto trae a la memoria que la lluvia en la tierra prometida, era señal de bendición de Dios, mientras que su ausencia representaba un juicio del Señor. La segunda cosa importante es que siempre, sobre la autoridad del rey estaba la autoridad de Dios, ejercida a través del profeta. La vida y trayectoria de Elías tiene ciertas similitudes con Moisés, y podría mencionarse que surge como el campeón de las demandas éticas y morales de la fe deuteronómica. Además, va a mantener una lucha frontal contra el culto a Baal y desafía a sus sacerdotes, en el mismo corazón del culto a esa deidad, para demostrar quién es el verdadero Dios. Como solía hacerlo el profeta, en forma espectacular demuestra la supremacía de Jehová al invocar que descienda fuego del cielo (1 Reyes 18:20-40). Pero como ocurrió con Moisés, cuyo ministerio llegó a su fin cuando Josué lo sucedió, ahora Elías buscará a un sucesor, Eliseo, un discípulo y servidor a quien delegarle la responsabilidad profética de continuar siendo la portavoz de Dios en medio de una sociedad decadente y pagana. Así, Eliseo se convierte en el próximo eslabón para el cumplimiento de la misión salvífica de Dios y uno de los llamados a mantener vivo el espíritu de la ley de Moisés en Israel.

DESARROLLO DE LA LECCIÓN

Ideas para el maestro o líder

(1) En un mapa de los reinos de Israel y Judá, trace el viaje de Elías de Jezreel hacia el sur, a Beerseba, 200 kilómetros, y de allí al monte Horeb, otros 300 kilómetros.

(2) Mencione que después de su encuentro con Dios en Horeb regresó a Judá y, tomando el camino del valle del Jordán, pasó por la ciudad de Abel-meholna, donde se encontró con Eliseo y lo llamó al discipulado.

Definiciones y etimología

* *Profeta.* Del hebreo nabí, hombre inspirado. Persona a la que Dios reviste de su autoridad para que comunique su voluntad a los hombres y los instruya.

* *Profetas* falsos. Son los que mienten invocando el nombre del Señor. Están conscientes de su engaño, los seduce el deseo de ser objeto del reconocimiento, su popularidad se debe a que su mensaje se acomoda a lo que la gente quiere oír.

I. PELIGROS, TRIBULACIONES Y VINDICACIÓN DEL SIERVO DEL SEÑOR (1 Reyes 19:1-18)

A. Fe, debilidad y huida (1 Reyes 19:1-7)

Israel estaba hundido en la apostasía. La poderosa influencia de Jezabel, una mujer dominante y terca, esposa del rey Acab (matrimonio que había sido arreglado para confirmar la alianza entre Tiro e Israel), había hecho los arreglos para continuar adorando a su dios Baal en Samaria, su nuevo hogar. Como castigo por semejante idolatría, Elías oró para que no lloviese sobre Israel por tres años y medio (capítulo 17) y así ocurrió. Pasado el tiempo, el profeta se encuentra con Acab y al verlo el rey le dijo: ¿Eres tú el que turbas a Israel? De allí surge una respuesta que hasta el día de hoy desenmascara a los que no quieren aceptar que han ofendido a Dios y lo culpan de sus calamidades: "Yo no he turbado a Israel, respondió Elías, sino tú y la casa de tu padre, dejando los mandamientos de Jehová, y siguiendo a los baales". Por tanto, dijo el profeta, ordena que los israelitas se reúnan en el monte Carmelo, que vayan también los cuatrocientos cincuenta profetas de Baal y los cuatrocientos profetas de la diosa Astarté a quienes Jezabel les da de comer y probaremos quien es el verdadero Dios. Acab no demoró en dar la orden y convocó a todo Israel en el monte Carmelo. Pero Elías, antes de enfrentar a los profetas de Baal, confrontó al pueblo con su triste y miserable realidad religiosa, se acercó a todos y les dijo: "¿Hasta cuándo claudicaréis vosotros entre dos pensamientos? Si Jehová es Dios, seguidle; y si Baal, id en pos de él. Y el pueblo no respondió palabra". Ayer, como hoy, la gente juega a la religión, buscan lo que les satisface y cuando les conviene. Se ha vuelto una moda ir de templo en templo persiguiendo líderes que no son más que falsos dioses, apóstoles o profetas, que prometen grandes cambios o una prosperidad ficticia basada en el modelo de una cultura y un sistema económico ateo, materialista y de consumo. Pero como ocurrió a los servidores de Baal, llegará el momento en que tendrán que rendir cuentas al Dios vivo. Elías invocó el nombre del Señor y cayó fuego del cielo. Ante esta señal tan poderosa, el pueblo cayó rostro en tierra reconociendo que el único Dios verdadero es Jehová. Todo el sacrificio fue consumido y no escapó ninguno de los profetas de Baal. Enseguida, el profeta liquidó a los ochocientos cincuenta profetas de Baal y Asera. Pero faltaba otro milagro. Sí, el juicio había caído; pero ahora llegaría la bendición: Elías oró y Dios volvió a enviar lluvia al país. Pero el enemigo nunca se queda de brazos cruzados. Jezabel, la fanática devota de Baal, ante la matanza de sus sacerdotes y profetas no solo aumentó su celo idólatra, en lugar de disminuirlo, sino que juró que mataría al profeta de Jehová. La fe y el valor de este poderoso profeta se ven ahora amenazados. De inmediato huye hacia el sur para alejarse de Jezabel y de Samaria y recorre cerca de 500 kilómetros hasta "Horeb, el monte de Dios". Huye de la muerte y se dirige al lugar donde lo encontrará el Dios de la vida.

B. El siervo reprendido y devuelto a la misión (1 Reyes 19:8-18)

Dios encuentra a Elías refugiado en una cueva, deprimido, y lo llama por su nombre. Elías, ¿Qué estás haciendo acá? El profeta se ha sentido hastiado de la vida, cansado de luchar, ha sentido la tentación de retirarse y hasta ha deseado la muerte. La pregunta del Señor lo hace volver en sí, a desahogarse y confesarse. Elías se queja, señala al pueblo apóstata y asegura que de todos los profetas solo él ha quedado vivo. El Señor lo manda a salir y a ponerse en pie. Esto es literal y metafórico. Le ordena que salga de la cueva, pero también del encierro de su alma agobiada y turbada que le impide pensar con claridad en el propósito de su vida y ministerio. El Señor se le revela, y en esta teofanía, huracán, terremoto y fuego, el profeta puede percibir el poder y la fuerza que pueden transformar y conmover hasta lo más estable. Pero el profeta, acostumbrado a las señales portentosas no descubre la presencia santa en ninguna de estas manifestaciones. Entonces, después del fuego, vino un silbo apacible y delicado. Elías entendió que allí estaba la presencia de Dios, y se cubrió el rostro con su capa y salió a la entrada de la cueva. Qué lección tan importante podemos aprender de esta odisea de Elías. Algunas veces debemos alejarnos de lo cotidiano, atravesar nuestro desierto (los momentos de sequía, temores y frustración) y subir al monte a conversar con nuestro Dios. Allí tendremos el reposo, la confianza, la respuesta y la fortaleza necesaria para seguir cumpliendo con las demandas divinas. Eso le ocurrió al profeta, y en aquel encuentro, el Señor le asigna a su siervo tres encargos: ungir a Hazael rey de Siria, a Jehú rey de Israel y a Eliseo que será su sucesor. Elías obedece el mandato divino, regresó al norte, y al pasar por Abel-mehola, una ciudad del valle del Jordán, encontró a Eliseo, hijo de Safat que estaba arando en compañía de sus siervos con la última yunta de bueyes. Cuando Eliseo pasó por donde estaba Elías, el siervo del Señor le puso su capa encima indicándole con este gesto que él sería su sucesor como profeta.

Afianzamiento y aplicación

(1) Revisemos los momentos en que hemos buscado solución a nuestros problemas de manera equivocada.

(2) Qué lección obtenemos de la experiencia de Elías y cómo podemos aplicarlo a nuestra vida.

II. LA IDENTIFICACIÓN DEL MAESTRO Y EL DISCÍPULO (1 REYES 19:19-21)

Ideas para el maestro o líder

(1) Señale en un mapa los lugares mencionados aquí: Gilgal, Bet-el, Jericó y el Jordán.

(2) Explique que las escuelas de profetas que habían sido fundadas por Samuel funcionaban ahora bajo la dirección del profeta Elías, y luego estarían a cargo de Eliseo.

(3) Indague si la clase tiene una idea de la forma en que "los hijos de los profetas" se enteraron de que ese día Elías sería quitado de la tierra.

Definiciones y etimología

* *Elías venía con Eliseo de Gilgal* (2 Reyes 2:1). Esta ciudad, situada al este entre Jericó y el Jordán había sido escenario de innumerables acontecimientos de importancia en la vida del pueblo de Israel.

* *Vive Jehová y vive tu alma.* Este dicho era usado entre los hebreos para garantizar una promesa o hacer un juramento.

* *Los hijos de los profetas.* Bet-el era una de las ciudades del circuito que visitaba periódicamente Samuel. Se cree que desde entonces fundó allí una escuela de profetas, la cual era supervisada por Elías.

* *Doce yuntas de bueyes.* Era costumbre que trabajaran varias yuntas de bueyes en hilera, cada una con su arado y conductor.

A. El maestro encuentra al discípulo (1 Reyes 19:19)

En la Biblia sobran los ejemplos de hombres y mujeres que en medio de sus ocupaciones y afanes cotidianos, son interrumpidos por Dios que los invita para que participen y se unan a su proyecto salvador. En todos estos personajes vemos obediencia, renuncia a su habitual manera de vivir, disposición para acudir al llamado de Dios sin importar los riesgos, la oposición, las pruebas y una entrega total al Señor en su servicio y fidelidad en el cumplimiento de la misión que el Señor les encargó. Ahora le corresponde el turno a Eliseo. Este agricultor, que estaba arando, dejó los bueyes, corrió detrás de Elías y le rogó que lo dejara despedirse de sus padres y después seguirlo. Elías accedió diciéndole: ve a despedirte y no olvides lo que he hecho contigo. La reacción de Eliseo es como el inicio del programa del que va a continuar la extraordinaria labor de Elías, y un ejemplo de cuál debe ser la actitud del discípulo y seguidor de Cristo. Dejó todo lo que estaba haciendo y esa decisión indica que entendió que el llamado recibido era a cumplir una misión muy superior al trabajo ordinario al que estaba acostumbrado. Eso es lo que hizo Jesús al llamar a sus seguidores. Los invitó a vivir una realidad más allá de sus límites humanos para ser partícipes de un Reino eterno.

Eliseo vino corriendo en pos de Elías. El profeta no se detuvo, cubrió al discípulo con su manto y siguió andando. Eliseo se percató que el Camino del Señor no se detiene, es incontenible. La obra no espera, es urgente, el llamado es para hoy no para mañana.

Pidió permiso para despedirse de su familia. Eliseo sabe lo que significa recibir el manto. No sólo representa la dignidad profética, sino que el que lo recibe es el sucesor de quien lo da. Qué gran privilegio y qué enorme responsabilidad. Eliseo es valiente, acepta el reto, pero no olvida el valor de la familia y el calor humano que esto significa, comparado con la vida solitaria y arriesgada del profeta.

Luego te seguiré. Esta expresión está cargada de contenido y es fundamental comprender su magnitud. El manto no solo simboliza la personalidad y el derecho del dueño, sino que el que lo recibe es el sucesor. Eliseo ha entendido claramente las implicaciones del acto realizado por Elías. Por eso da la vuelta, agarra la yunta de bueyes y los ofrece en sacrificio. Al utilizar la madera del yugo para el sacrificio, Eliseo expresa que rompe y renuncia a su manera de vivir anterior y ahora el profeta Elías tiene derecho sobre él. Esta escena cargada de valor y significado ejemplifica lo que todos debemos hacer al aceptar el llamado del Señor a ser sus discípulos y siervos y convertirnos en sus seguidores para proclamar su Palabra y discipular a otros. Renunciamos a nuestra pasada manera de vivir para darle el derecho de nuestra existencia al que murió y resucitó por nosotros, Jesús, nuestro Señor y Salvador.

B. El discípulo renuncia a su pasada manera de vivir (1 Reyes 19:20,21)

No existe duda de que Eliseo será ante todo quien continúe el ministerio del profeta Elías. Por eso es importante comprender que como sucesor debe completar lo que el profeta dejó pendiente y saber con claridad lo que significa ser portador del ministerio profético. Este es un detalle fundamental en nuestra comprensión del proyecto histórico de Dios, pues tanto el llamado, la elección y el poder para realizar la misión son privilegios que dependen de Dios. Es su soberanía sobre toda la tierra, los reinos y los poderes humanos lo que debe manifestarse y para eso usará a sus siervos, en este caso a los profetas, para hacer conocer Su nombre. Por eso, el profeta además de hacer milagros realiza acciones políticas, que en el caso de Eliseo se extenderán hasta los monarcas de Israel, Judá y Damasco, y en alguna forma al rey de Moab. En el desarrollo de la historia de estos dos voceros de Jehová se demuestra con hechos que su relación fue muy cercana e íntima. No era para menos. Eliseo aprendió de Elías que el auténtico profeta es un ungido del Señor, su actitud con respecto a la ley de Dios es intachable y la enseñanza que le comunica al pueblo es bajo el poder y la autoridad del Espíritu de Jehová. El profeta estará presente y pendiente de la vida de la nación. Siempre estará atento a que se cumpla la justicia y será un fiel intérprete de la historia a la luz de la moral. El profeta es un embajador de Dios, advierte de sus juicios sobre el pecado y le recuerda al pueblo la importancia de la obediencia y la fidelidad. El profeta, es el hombre de Dios, su mensajero, pastor del rebaño, centinela e intérprete de los pensamientos divinos. Y ahora está preparado el sucesor.

Afianzamiento y aplicación

(1) Mencione los lugares relacionados con las últimas actividades que realizaron juntos Elías y Eliseo.

(2) ¿Qué quería hacer Elías cuando le pedía a Eliseo que lo dejara ir solo a los lugares que tenía que visitar el día de su partida al cielo?

III. DIOS BENDICE AL QUE ANHELA GRANDES COSAS (2 REYES 2:1-15)

Ideas para el maestro o líder

(1) Señale la orilla oriental del Jordán, a la altura de Jericó, donde se efectuó la ascensión de Elías.

(2) Indague si ellos entienden lo que quería Eliseo al referirse a "una doble porción de tu espíritu".

Definiciones y etimología

* *Tomando entonces Elías su manto* (2:8). Los estudiosos del Antiguo Testamento aseguran que el manto de los profetas era de piel de oveja y que formaba una capa con la que se cubrían los hombros.

* *Una doble porción de tu espíritu* (2:9). Esta idea de Eliseo viene de la ley divina que estipulaba que se diera una doble porción al hijo primogénito (Deuteronomio 21:17).

A. El maestro prepara al discípulo para continuar el ministerio (2 Reyes 2:1-10)

El versículo 1 nos introduce al plan de Dios de "alzar a Elías en un torbellino al cielo". Lo que deseó Elías en 19:4, que Dios le quitara la vida, está a punto de realizarse, pero de una forma diferente. El Señor tomará al que es suyo y se lo llevará en el lugar que Él quiere y en el momento que Él ha determinado. El momento de la despedida ha llegado. Mientras Elías y su ayudante caminaban hasta la orilla del río Jordán, cincuenta de los jóvenes alumnos "se pararon delante a lo lejos". Hay quienes sugieren que en Elías existió siempre el deseo de seguir el camino de Moisés. Un tiempo atrás, huyendo de Jezabel, había viajado 500 kilómetros para ir al monte de Dios donde y, al igual que Moisés, estuvo cuarenta días sin comer y tuvo una experiencia gloriosa cuando el Señor lo visitó y lo envió a culminar la misión que le había dado. Ahora está frente al Jordán, no es una vara sino un manto, pero el poder del Dios que lo acompaña es el mismo. Así que, recordando el milagro del mar Rojo, Elías dobló su manto y "golpeó las aguas, las cuales se apartaron a uno y otro lado, y pasaron ambos en seco" (2:8). "Pide lo que quieras que haga por ti, antes que yo sea quitado de ti," dijo Elías a Eliseo, y este hecho tiene enorme relevancia en el contexto de la misión que tiene que cumplir el discípulo que ha sido llamado al servicio. Este momento nos recuerda cuando Dios se le reveló a Salomón y le dijo: "Pídeme lo que quieras". El joven rey de Israel pidió sabiduría, a Dios no sólo le agradó la petición y se la concedió (1 Reyes 3:3-15). El diálogo entre maestro y discípulo continúa: "Y dijo Eliseo: Te ruego que una doble porción de tu espíritu sea sobre mí. Él le dijo: Cosa difícil has pedido. Si me vieres cuando fuere quitado de ti, te será hecho así; mas si no, no" (2:9,10). Eliseo estaba claro que lo que había aprendido de su maestro era una forma de vida. No era una actividad de tiempo parcial ni limitada sino una misión para toda la vida, y por eso necesitaba el poder y la autoridad para cumplirla. La evidencia y la señal más importante que daría Eliseo con respecto a la enseñanza que había recibido con Elías era la continuidad fiel y obediente de la obra de Dios en Israel, con el mismo poder de lo alto con que la realizó el maestro. Eliseo había estado con Elías y recibió el ejemplo de su maestro, pudo verlo tal cual era, con sus fortalezas y sus debilidades y fue testigo de su obediencia y fidelidad a Dios. Esa fue la clave del discipulado de Jesús con sus discípulos. Jesús invirtió tiempo, se dedicó intensa y diariamente a instruir a sus discípulos porque sabía que esa era la única manera en que producirían fruto y que serían fieles para siempre. Esa es la gran deficiencia de la iglesia actual. No hay discipulado y si no hay discípulos no hay verdaderos seguidores de Cristo.

B. El discípulo está listo lleno de poder (2 Reyes 2:11-15)

Elías y Eliseo caminan y conversan, y un grupo de profetas los siguen a cierta distancia. Después quedan solos maestro y discípulo, en un momento íntimo y singular en la rivera oriental del Jordán. De pronto, un torbellino los separó y Elías subió al cielo en un carro tirado por caballos de fuego. Eliseo lo ve y grita cuán importante fue su maestro para Israel, mucho más que los carros de combate y que todos los soldados del ejército de Israel, y nunca más lo vio. El discípulo se quedó sin el maestro y sabe que este nunca volverá; rasga sus vestidos en señal de duelo y de tristeza, pero sabe que no está solo. En el suelo quedó el manto de su maestro, que representa la dignidad profética y es el instrumento del poder para hacer milagros (como lo fue la vara para Moisés). Lo levanta, se lo pone, vuelve al río decidido y sin temor, lo enrolla en su brazo y golpea el agua. Los profetas que están del otro lado contemplan la escena, el momento es intenso, dramático. Llegó la hora de la prueba, el momento de iniciación para el nuevo profeta. Se cumple el tiempo de poner en práctica la enseñanza que recibió y el ejemplo que vio. No está allí por casualidad es un elegido para cumplir una misión. La pregunta sacude las aguas y conmueve los cielos: ¿Dónde está Jehová, el Dios de Elías? Qué muestra más palpable de su aprendizaje. Sabía a quién clamar y de quién podía esperar respuesta a la hora de una prueba. El cielo respondió, la naturaleza obedeció y el milagro ocurrió. El río se dividió en dos y dejando el paso libre, Eliseo cruzó por tierra seca. Cuando los profetas de la ciudad de Jericó vieron a Eliseo al otro lado del río, dijeron: "Ahora Eliseo es el sucesor de Elías". Le salieron al encuentro y se inclinaron delante de él en señal de respeto. Una de las cualidades más destacadas de todo maestro o discipulador es ver en los discípulos un modelo terminado. Este hecho nos recuerda el ejemplo de Jesús al escoger a sus discípulos, a quienes dijo que haría de ellos pescadores de hombres. El Señor los convocó, los informó, los formó y los transformó e invirtió todo el tiempo necesario para que vivieran de acuerdo al modelo que Él mismo les trazó. Jesús nunca se desanimó por las actitudes negativas de ellos. Tampoco rebajó el nivel de sus enseñanzas y demandas, aunque en algunas ocasiones se sintieron atemorizados, incapaces, incompetentes o desalentados. Jesús siempre supo cual era el final, que se convirtieran en proclamadores de la buena noticia de salvación y discipuladores de otros, y lo logró. Los discípulos no sólo aprendieron a creer en las palabras de Jesús, sino que vivieron de acuerdo a ellas.

Afianzamiento y aplicación

(1) La clase puede comentar la importancia que tiene la petición hecha por Eliseo a su maestro.

(2) Enfatice en los alumnos que lo que transmitimos como discipuladores es un estilo de vida.

(3) Anímelos a estar listos tanto para delegar funciones a otros como para recibir la orden de sucesión.

RESUMEN GENERAL

Vivimos tiempos en que el valor de una persona se demuestra por su estatus social, títulos académicos, éxitos financieros, etc., y en el ámbito religioso un líder alcanza mayor prestigio por el número de miembros de su congregación, por las dimensiones de los templos que construye, por el reconocimiento público que logra o por el "título con el que se le reconoce, sea este "apóstol", "profeta", "salmista", etc. El tiempo en que vivieron Elías y Eliseo reinaba en Israel el rey Acab, un monarca que si hubiera sido juzgado por sus logros materiales y políticos, y en algunos casos religiosos, sería uno de los campeones de la Biblia. Pero todos sabemos que este no es el secreto del éxito, al menos en lo que entendemos de la economía de Dios. Acab era un rey perverso que según la Escritura desobedeció a Dios y lo hizo enojar mucho más que todos los reyes anteriores. Su esposa Jezabel, mujer cruel y sanguinaria, y apasionada adoradora de Baal, había influido en Acab quien la autorizó para que construyera un templo y un altar para ese dios en Samaria. Pero ni el rey ni ninguna otra autoridad tienen la última palabra. Es Dios quien a través de sus profetas Elías y Eliseo haría cumplir su justicia y el pueblo de Israel reconocería que hay un solo y único Dios verdadero. Elías, el tisbita, aparece en la corte de Acab y anuncia que la lluvia va a cesar. Después se enfrenta a los profetas y sacerdotes de Baal y Asera y los derrota espectacularmente en el monte Carmelo al demostrar con una señal poderosa, que estas deidades son falsas y no tienen ningún poder. Pero hay un momento de tribulación en la vida del profeta. Amenazado por la reina Jezabel huye por el desierto hasta llegar al monte de Dios. Elías era un ser humano como nosotros (Santiago 5:17) y tuvo sus momentos de sequía, temores y frustración. Pero Dios le habló, lo animó y lo envió a ungir a Hazael rey de Siria, a Jehú rey de Israel y a Eliseo que sería su sucesor. Así, Eliseo se convirtió en el próximo eslabón para el cumplimiento de la misión salvífica de Dios y uno de los llamados a mantener vivo el espíritu de la ley de Moisés en Israel. Eliseo aprendió con Elías a ser un discípulo fiel, comprometido y dispuesto a seguir la misión iniciada por su maestro. Pero si algo lo distinguió fue su dependencia de Dios y su obediencia a la voluntad divina. El discípulo de ayer como el de hoy se caracteriza por su relación con Jesucristo, su meta y su sueño es llegar a tener el carácter de su Señor y Maestro.

Ejercicios de clausura

(1) Concluya haciendo una oración a Dios.

(2) Pida a los alumnos que mediten en la lección de hoy y que respondan a Dios definiendo su posición de discípulos, dispuestos para obedecer los mandatos de su Señor.

PREGUNTAS Y RESPUESTAS

1. ¿Qué palabras le dijo Elías al pueblo antes de desafiar a los profetas de Baal?

"¿Hasta cuándo claudicaréis vosotros entre dos pensamientos? Si Jehová es Dios, seguidle; y si Baal, id en pos de él.

2. ¿Cómo respondió el Eliseo al llamado de Elías?

Lo dejó todo y le siguió.

3. ¿Qué dijo Elías a Eliseo que hiciera antes de que él fuera quitado?

"Pide lo que quieras que haga por ti..."

4. Mencione una de las cualidades más destacadas de todo maestro.

Ver en sus discípulos un modelo terminado.

5. ¿Que debe caracterizar al discípulo de ayer como al de hoy?

Su relación con Jesucristo, su meta de llegar a tener el carácter de su Señor y Maestro.

PARA LA PRÓXIMA SEMANA

Solo la sumisión y dependencia completa a Dios nos harán verdaderos discípulos. La unión de Jesús con el Padre, son nuestro mejor ejemplo a seguir. Ese será el tema de la próxima semana: "Jesús, el modelo del discipulado". Motive a los participantes a estudiar sus expositores.

JESÚS, EL MODELO DEL DISCIPULADO

ESTUDIO BÍBLICO 6

Base bíblica

Juan 6:38-46; Filipenses 2:5-8; Lucas 9:57-62

Objetivos

1. Conocer la relación que existe entre Jesús y el Padre, como un modelo de discipulado.
2. Evaluar la actitud de sumisión y obediencia frente a la mentalidad de Jesús.
3. Tomar la firme decisión de continuar el ministerio de Jesús hasta el final.

Fecha sugerida:___/____/____

Pensamiento central

Jesús es enviado para dar a conocer al Dios verdadero, sus discípulos son llamados para dar a conocer a Jesús.

Texto áureo

Y esta es la vida eterna: que te conozcan a ti, el único Dios verdadero, y a Jesucristo, a quien has enviado
(Juan 17:3).

LECTURA ANTIFONAL

Juan 6:38 Porque he descendido del cielo, no para hacer mi voluntad, sino la voluntad del que me envió.
39 Y esta es la voluntad del Padre, el que me envió: Que de todo lo que me diere, no pierda yo nada, sino que lo resucite en el día postrero.
40Y esta es la voluntad del que me ha enviado: Que todo aquel que ve al Hijo, y cree en él, tenga vida eterna; y yo le resucitaré en el día postrero.
45 Escrito está en los profetas: Y serán todos enseñados por Dios. Así que, todo aquel que oyó al Padre, y aprendió de él, viene a mí.
Filipenses 2:5 Haya, pues, en vosotros este sentir que hubo también en Cristo Jesús,
6 el cual, siendo en forma de Dios, no estimó el ser igual a Dios como cosa a que aferrarse,
7 sino que se despojó a sí mismo, tomando forma de siervo, hecho semejante a los hombres;
8 y estando en la condición de hombre, se humilló a sí mismo, haciéndose obediente hasta la muerte, y muerte de cruz.
9 Por lo cual Dios también le exaltó hasta lo sumo, y le dio un nombre que es sobre todo nombre,
10 para que en el nombre de Jesús se doble toda rodilla de los que están en los cielos, y en la tierra, y debajo de la tierra;
11 y toda lengua confiese que Jesucristo es el Señor, para gloria de Dios Padre.
Lucas 9:57 Yendo ellos, uno le dijo en el camino: Señor, te seguiré adondequiera que vayas.
58 Y le dijo Jesús: Las zorras tienen guaridas, y las aves de los cielos nidos; mas el Hijo del Hombre no tiene dónde recostar la cabeza.

DATOS GENERALES ACERCA DEL TEMA

- **Enseñanza:** Jesús el Hijo unigénito del Padre, se hizo un discípulo perfecto, el cual es nuestro modelo a seguir.
- **Autor:** El apóstol Juan, Pablo y Lucas
- **Personajes:** Jesús, el Padre, los discípulos, la iglesia, los judíos.
- **Fecha:** Juan, año 90 d.C.; Filipenses, año 60-63 d.C.; Lucas, año 59 d.C.
- **Lugar:** Juan desde Éfeso, Filipenses en Roma, Lucas probablemente en Cesarea.

BOSQUEJO DE LA LECCIÓN

I. Jesús enviado a revelar al Padre y hacer su obra.
  A. Se somete al Padre para cumplir su misión (6:38-40)
  B. Conoce al Padre para darlo a conocer (6:45,46)

II. Jesús se despojó de su gloria y se hizo siervo (Filipenses 2:5-8)
  A. El discípulo debe tener el mismo sentir de Jesús (2:5,6)
  B. El discípulo es obediente hasta la muerte (2:7,8)

III. Jesús y el verdadero seguimiento (Lucas 9:57-62)
  A. No basta con querer seguir a Jesús (9:57,58)
  B. El auténtico discípulo no pone pretextos (9:59-62)

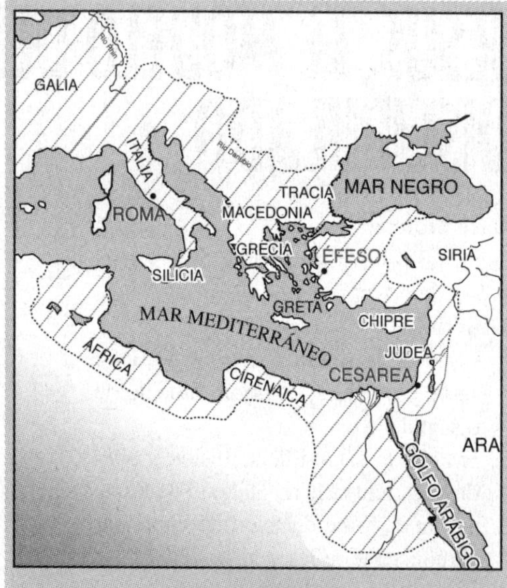

Lugares donde fueron escritos los Evangelios de Juan, Lucas y la carta a los Filipenses.

LECTURAS DEVOCIONALES DIARIAS

Lunes: La alimentación de los cinco mil (Juan 6:1-15)
Martes: Interesado en los panes y los peces (Juan 6:25-34)
Miércoles: Jesús el verdadero pan de vida (Juan 6:35-45)
Jueves: Jesús el alimento del discípulo (Juan 6:51-59)
Viernes: Discípulos fieles e infieles (Juan 6:60-69)
Sábado: El costo del discipulado (Lucas 9:2-27)

INTRODUCCIÓN

Los tres pasajes bíblicos de esta lección nos permitirán reflexionar sobre el origen, las características y el seguimiento del discipulado. El primer texto lo tomamos del Evangelio de Juan, cuya estructura y mensaje es bastante diferente a los sinópticos: Mateo, Marcos y Lucas. Este evangelio está cargado de simbolismos que impregnan las palabras y los relatos de Jesús. Por ejemplo, en su encuentro con la mujer samaritana, Jesús le da a conocer que hay un agua diferente a la que sacia nuestra sed física: Él es esa agua que da vida eterna. Al hablar del pan que descendió del cielo, aunque alude al maná, en realidad Él es ese pan de vida y aquel que de Él coma no volverá a tener hambre jamás. En las bodas de Caná, transforma el caos en celebración y la preocupación en contentamiento. Jesús se da a conocer y da a conocer la obra del Padre en medio de las realidades de la vida cotidiana y demuestra al convertir el agua en vino, que Dios nos creó para gozarnos con Él, para disfrutar de sus bendiciones de las cuales esta obra portentosa solo fue un anticipo. Cuando Jesús sanó al ciego de nacimiento (Juan 9) dejó claro que Él es la luz del mundo y el que cree en Él no andará en tinieblas. Al resucitar a Lázaro demostró que Él es la resurrección y la vida y todo aquel que en Él cree aunque esté muerto vivirá. Sin embargo, el tema fundamental de este evangelio es que Jesús es el Enviado del Padre, es su Palabra que descendió a este mundo para darla a conocer. Jesús vino a dar testimonio de la verdad que escuchó del Padre y todo su ministerio, trayectoria, acciones y obras son una revelación de su gloria. Descendió a liberar a aquellos que vivían agobiados por pesadas cargas y preceptos humanos, a sacar de su pobreza y de sus estrechos límites a los oprimidos por el pecado y hacernos partícipes de la inmensa riqueza que el Padre nos ha concedido en Cristo Jesús.

El bellísimo canto de Filipenses describe el despojamiento de Jesús, la renuncia de su gloria para hacerse igual a nosotros y esclavo de todos, y como hombre, se humilló a sí mismo y fue obediente hasta su muerte en la cruz. Por todo esto, el Padre le concedió un nombre que es sobre todo nombre para que todos reconozcan que no hay otro nombre debajo del cielo en el que podamos ser salvos. Por su parte, Lucas describe con tres ejemplos muy claros lo dicho por Jesús sobre lo que debe mover a sus seguidores a ser verdaderos discípulos. No es una idea de quién es Él, ni mucho menos un sistema doctrinal, conocimiento religioso o programa de vida, sino la vinculación a la persona de Jesucristo abandonando y renunciando a la vida anterior para ir en pos de Él.

DESARROLLO DE LA LECCIÓN

I. JESÚS ENVIADO A REVELAR AL PADRE Y HACER SU OBRA (JUAN 6:38-40, 45, 46)

Ideas para el maestro o líder

(1) Muestre en un mapa la ubicación de Capernaum, el lugar donde Jesús impartió las enseñanzas de este pasaje bíblico.
(2) Explique que Jesús inició esta plática relacionada con el "pan de vida" porque muchos de los presentes habían estado en la multiplicación de los panes y los peces.

Definiciones y etimología

* *"Todo lo que el Padre me da, vendrá a mí"* (6:37). Este versículo resalta la soberanía absoluta de Dios, en la cual reside la seguridad de la salvación del creyente. Jesús afirma que cada persona que es escogida por Dios es traída a Él. La cual se considera como una dádiva de amor del Padre para el Hijo.

* *"Todo aquel que ve al Hijo, y cree en él* (v.40). Este versículo resalta por otro lado la responsabilidad humana en la salvación. Aunque Dios es soberano, Él obra mediante la fe, de manera que cada uno debe creer en Jesús como su salvador personal. Este asunto entre la soberanía divina y la responsabilidad humana le pertenece a Dios.

A. Se somete al Padre para cumplir su misión (6:38-40)

El Evangelio de Juan habla del gran amor de Dios hacia el mundo y de Jesús como el que revela ese amor que lo abarca todo, está por encima de todo y no existen fronteras para la manifestación de ese amor (Juan 3:16,17). Jesús desciende del cielo para hacer la voluntad del que lo envió para hacer su obra (la redención), y realizar sus obras (los milagros) para que el mundo lo conozca: "Me es necesario hacer las obras del que me envió, entre tanto que el día dura; la noche viene, cuando nadie puede trabajar" (9:4). Jesús, al hablar de sus enseñanzas y el origen de sus doctrinas alude al Padre como el que lo envió: "porque las palabras que me diste, les he dado; y ellos las recibieron, y han conocido verdaderamente que salí de ti, y han creído que tú me enviaste" (17:8). "Jesús les respondió y dijo: Mi doctrina no es mía, sino de aquel que me envió" (7:16). El Señor reconoce que el cumplimiento y éxito de su misión dependen de cumplir a cabalidad la voluntad del Padre. La única manera de participar de la vida verdadera es creyendo en Dios y Jesús expresa esto puntualmente al decir: "De cierto, de cierto os digo: El que oye mi palabra, y cree al que me envió, tiene vida eterna" (5:24). Dar a conocer al Padre es central en la predicación y ministerio de Jesús y el gozo que experimentan los seguidores del Señor se produce al reconocer que a través de su Maestro conocen y creen en el Dios verdadero: "Jesús clamó y dijo: El que cree en mí, no cree en mí, sino en el que me envió" (12:44).

El capítulo 6 nos presenta a Jesús como el Pan de vida. Muchos de los que salieron a buscarlo a Capernaúm habían estado presentes el día que ocurrió el milagro de la multiplicación de los panes y los peces al otro lado del mar de Galilea. Jesús los reprendió y les dijo: "De cierto, de cierto os digo que me buscáis, no porque habéis visto las señales, sino porque comisteis el pan y os saciasteis" (6:26). E inmediatamente los exhorta a trabajar, "no por la comida que perece, sino por la comida que a vida eterna permanece, la cual el Hijo del Hombre os dará; porque a éste señaló Dios el Padre" (6:27). Él conocía el plan de trabajo del Padre, y su decisión de renunciar el ser igual a Dios como cosa a qué aferrarse y hacerse hombre indica su grado de compromiso con el mundo y la profundidad del amor del Padre por la humanidad caída. Su dependencia absoluta del Padre (vida de oración) y la presencia del Espíritu Santo en su vida (el poder y la autoridad de lo alto), sirvieron de ejemplo para la formación y transformación de la vida de sus seguidores y vivir al lado de su Maestro moldeó sus pensamientos y edificó su fe hasta el punto de seguir a Jesús en sujeción y obediencia por el resto de sus vidas.

B. Conoce al Padre para darlo a conocer (6:45,46)

Otra característica de Jesús que nos hace verlo como un verdadero ejemplo para nosotros sus discípulos es su perfecto conocimiento del Padre. En los versículos 41,42 vemos que los judíos empezaron a murmurar porque Jesús acaba de decirles que Él era el pan que descendió del cielo. Su mayor dificultad era relacionar al Jesús de Nazaret, cuyos familiares ellos conocían, con el Mesías que esperaban. La prueba que Jesús les da en el versículo 44 es el plan conjunto para la salvación del pecador: el Padre trae a los que han de creer en Jesús y Jesús les imparte redención con la promesa de resucitarlos en el día postrero (v 40). Para realizar esta obra en la que participa cada una de las personas de la Trinidad tiene que haber una comunión íntima y perfecta en las referidas personas. Este conocimiento es el que el profeta anunciaba, el cual no habría de alcanzarse fuera de la mediación de Jesús. En el versículo 45, el Señor cita el anuncio profético que señalaba al Padre como el Maestro de todos: "Y serán todos enseñados por Dios. Así que, todo aquel que oyó al Padre, y aprendió de él, viene a mí". Aquí hay un mensaje claro para los que conocían la ley y los profetas. Debían ver a Cristo como el cumplimiento de todo lo que la Palabra había revelado y por tanto al creer en el Padre y en Él tendrían vida eterna, que es la vida verdadera. Si Jesús es quien revela al Padre, nadie puede poseer un conocimiento pleno de Dios sin la revelación de Jesucristo: "No que alguno haya visto al Padre, sino aquel que vino de Dios; éste ha visto al Padre" (6:46). Esto fue lo que ocurrió en el encuentro de Jesús con sus primeros seguidores, el Señor quería que los discípulos conocieran a Dios mismo. El Evangelio lo describe de manera singular (Juan 1:35-51). Juan el Bautista estaba con dos de sus discípulos, Andrés y Felipe, y mirando que Jesús andaba por allí les dijo: "He aquí el Cordero de Dios". Ellos siguieron a Jesús y le preguntaron: ¿Dónde vives? Y Él respondió: Vengan a ver. A partir de allí estos primeros seguidores comenzaron a aprender acerca de Jesús, de su ministerio y su misión. Sin duda descubrieron que el propósito de Dios es que nos gocemos con Él, que la vida en sus caminos y bajo su voluntad representa plenitud y libertad. Andrés y Felipe supieron que Jesús era el cumplimiento de las profecías y que el testimonio de Juan el Bautista corroboraba semejante hallazgo. Dios había preparado sus corazones del ministerio del Bautista, y si ellos habían sido impresionados por el mensaje de arrepentimiento de la "voz del que clama en el desierto", cuanto más por las palabras del que venía a bautizar con "Espíritu Santo y fuego". Andrés y Felipe se dieron cuenta que Jesús era la clase de persona a quien ellos querían seguir, no había que perder tiempo y fueron en busca de Simón y Natanael para invitarlos a seguir al Mesías. Esta es la iniciativa del que tiene un encuentro genuino con Jesús y la manera natural en que crece el reino de Dios, contar a otros nuestro encuentro y experiencia con el Señor de la vida.

Afianzamiento y aplicación

(1) Mencione las razones por las que Jesús abordó el tema de su venida como el pan del cielo.
(2) ¿Qué se le respondería a alguien que niega la divinidad de Jesús por su sometimiento a la voluntad del Padre?

II. JESÚS SE DESPOJÓ DE SU GLORIA Y SE HIZO SIERVO (FILIPENSES 2:5-8)

Ideas para el maestro o líder

(1) Explique que el apóstol Pablo escribió esta carta durante su primer encarcelamiento en Roma y la envió con Epafrodito, quien le había traído una dádiva especial de los filipenses.
(2) Enumeren los puntos señalados en este pasaje como actos ejemplares de Jesús como discípulo fiel en obediencia al Padre.

Definiciones y etimología

* *"Forma de Dios"* (2:6). La frase griega *Morfe* no se usa aquí para aludir a una apariencia superficial, para lo cual se usa la palabra *Squema.* Con *morfe*, el apóstol se refiere a los atributos esenciales de la Divinidad, los cuales ha poseído Cristo desde la eternidad. Pablo afirma que Jesús ha sido Dios por toda la eternidad.

* *"Forma de siervo"* (2:7). *Morfe dulos* es una alusión a los atributos esenciales de un siervo. Jesús se sometió por completo para hacer la voluntad del Padre.

A. El discípulo debe tener el mismo sentir de Jesús (2:5,6)

Este pasaje de Pablo a los filipenses es uno de varios escritos del apóstol en los que enfatiza que Cristo se hizo lo que somos nosotros para que en Él pudiéramos llegar a ser lo que Él es. La lectura del Evangelio de Juan nos ayudó a descubrir la perfecta unidad del Padre y del Hijo, no hay entre ellos diferencias o desacuerdos. Es la misma manera de pensar y el mismo propósito, la identificación es perfecta, armoniosa y única. También vemos claro el sometimiento y la dependencia de Jesús al Padre en todas sus acciones y proyecciones. Ahora es Pablo quien llama la atención a la comunidad de discípulos en Filipos, a los que han elegido el camino de la fe y anhelan ser como Jesús y pondera la acción del Salvador del mundo quien dejó su trono de gloria para acercarse al pecador, a los pobres y a los débiles, a los desesperados y a los perdidos. La renuncia de Jesús al ser igual a Dios fue precisamente para que entendiéramos la inmensidad del amor y la misericordia del Padre por la humanidad y que su llamado a seguirle es para que descubramos en Él lo que nos impulsa a renunciar a la existencia que hemos llevado hasta ahora hacia la realidad liberadora que encontramos en Cristo Jesús. Pablo exhorta y motiva a los hermanos filipenses a que se amen, que sean humildes, solidarios, que nada hagan por interés ni por vanagloria. No debe haber cabida para el egoísmo, que es opuesto al amor, ni mucho menos para el orgullo que es su enemigo por excelencia. La influencia de Jesús en cada uno de sus discípulos debe ser contagiosa, comunicante, transformadora, y es por eso que Pablo amarra todo al pedir que exista en cada creyente el mismo sentir que hubo en Cristo, que siendo Dios no lo tuvo como cosa a que aferrarse. La disposición mental y anímica de los discípulos debe ser congruente con la humildad, sumisión, obediencia, sacrificio y entrega de Jesús. Los discípulos de hoy, como los de ayer, perseguimos este mismo objetivo, identificarnos con Jesús y ser como Él. A la mayoría de los creyentes les resulta prácticamente imposible alcanzar esta estatura o nivel espiritual, y la razón principal es que piensan que el crecimiento se da aisladamente. El carácter cristiano se desarrolla en comunidad. La única manera de amar es teniendo a alguien que sea objeto de ese amor. El respeto, la aceptación, la solidaridad, buscar el bien de todos, tener a los demás por mejores, la compasión, la concordia, el amor mutuo y la sumisión son pruebas de humildad. La renuncia a nuestra autonomía y la apertura para caminar con otros para ser edificados en aquel que es la cabeza, es decir Cristo, dará pie a la relación que provee la fuerza para mantenernos juntos cuando enfrentemos los desafíos a nuestra fe y a sostenernos de manera permanente en nuestro compromiso con Dios. La gente se sentirá atraída cuando vean a través de nuestro testimonio que como discípulos somos uno en Cristo Jesús.

B. El discípulo es obediente hasta la muerte (2:7,8)

Este texto es considerado como un himno que entonaba la iglesia primitiva como reconocimiento de "la humillación y exaltación de Jesucristo". Jesús es el perfecto ejemplo de humildad, obediencia y sumisión hasta las últimas consecuencias. Las palabras de este canto expresan fielmente el proceso voluntario de la encarnación de Dios en Jesucristo y cómo se despojó a sí mismo para tomar forma de siervo. Jesús es el enviado, vino como un hombre, nació, vivió, convivió y murió en esta tierra. Su misión era la redención de la humanidad y el establecimiento del reino de Dios que tendrá su plena realización en la segunda venida de Cristo. En su condición de hombre, se humilló a sí mismo, haciéndose obediente hasta la muerte y muerte de cruz. Muchos afirmaban que Jesús era una aparición, pero no, era una persona real, se cansaba, se disgustaba, sentía hambre y sed, se conmovía hasta el punto de llorar por la muerte de un amigo y al morir atravesaron su cuerpo con una lanza y de su costado brotó sangre y agua. La expresión "a sí mismo" que aparece dos veces en este pasaje es supremamente importante pues denota disposición, voluntad, deseo. Jesús no fue obligado a despojarse de su gloria ni humillarse como siervo, Él aceptó voluntariamente la misión que se le encomendó en la eternidad en obediencia a la disposición del Padre y como la más extraordinaria muestra del amor de Dios por la humanidad. Jesús demostró su sumisión y absoluta confianza al poner su vida en las manos del Padre. La cima de su ministerio fue la cruz, esta fue el cumplimiento de toda su obra. Jesús sabía que la cruz implicaba el juicio de este mundo, el quebrantamiento del poder de Satanás en esta tierra y también consumar su muerte, la antesala de la resurrección.

Este es el ejemplo del Señor para sus discípulos, si Jesús fue obediente hasta la muerte, cada discípulo debe ser obediente hasta la muerte, debe hacer morir todo aquello que le impida seguir las huellas de su Señor y Maestro, cada día hasta que le llegue la hora de encontrarse con su Dios. Pero el discípulo también debe aprender el camino del servicio. Jesús también es nuestro ejemplo: "Porque el Hijo del Hombre no vino para ser servido, sino para servir, y para dar su vida en rescate por muchos" (Marcos 10:45). El discípulo también será formado en el camino del sufrimiento: "Pues para esto fuisteis llamados; porque también Cristo padeció por nosotros, dejándonos ejemplo, para que sigáis sus pisadas" (1 Pedro 2:21). Jesús nos enseñó la obediencia, la humildad, la sumisión y el sacrificio, pero también aprendemos que no vino solo a sufrir sino que también triunfó como hombre y con esto consumó la salvación para todo aquel que cree en Él.

Afianzamiento y aplicación

(1) ¿Qué significa que nosotros como discípulos tengamos "el mismo sentir" que hubo en Cristo cuando vino a este mundo?

(2) Permita que los alumnos digan hasta qué grado están dispuestos a seguir el ejemplo de Jesús.

III. JESÚS Y EL VERDADERO SEGUIMIENTO (LUCAS 9:57-62)

Ideas para el maestro o líder

(1) Pregunte ¿Será posible ser un buen cristiano sin tener un seguimiento total a Cristo?

(2) Comente que la salvación es un regalo de Dios, no la podemos comprar ni pagar, ¿por qué entonces se nos demanda un compromiso total a seguir y a servir al Señor?

Definiciones y etimología

* *Déjame que primero vaya y entierre a mi padre* (9:59). No significa que el Padre hubiera muerto ya; era una expresión común para decir: Déjame esperar hasta que reciba mi herencia.

* *Deja que los muertos entierren a sus muertos* (9:60). Este pasaje se refiere a los que no obedecen a Dios ni confían en Él. Deja que los muertos del mundo (espirituales), cuiden de las cosas del mundo.

A. No basta con querer seguir a Jesús (9:57,58)

El estudio de los evangelios nos permite descubrir lo esencial del llamado que hace Cristo a seguirlo y cómo los que lo escucharon respondieron mediante un acto de obediencia. Esa acción de obedecer del que ha sido llamado es el primer paso que prueba la renuncia y la separación de la vida pasada por una situación nueva, inexistente hasta ese momento. A partir de ese paso no hay posibilidad de quedarse en el mismo lugar o seguir adelante al mismo tiempo, eso es absolutamente incompatible con el verdadero discipulado. Lo que viene hará la diferencia entre el que piensa que Jesús es quien nos trae una nueva doctrina de Dios sin que necesariamente cambiemos de manera de vivir, o lo que ocurrió con Zaqueo, Pablo, Leví, Pedro y los demás pescadores, que estuvieron dispuestos a renunciar a su riqueza, dejar su vida amarrada al legalismo, abandonar la mesa del tributo o soltar las redes para seguir a Jesús. El encuentro con Jesús, el Hijo de Dios, implica la creación de una nueva existencia, una realidad distinta, liberadora, transformadora y llena de esperanza y quien recibe el llamado de Jesús solo puede demostrarlo en una dirección, abandonar la vida pasada y seguir en comunión con su Señor y Maestro para siempre.

La historia de hoy relata un día en la vida de Jesús. El Señor iba por el camino cuando alguien se acercó a Él y le dijo: "Señor te seguiré adondequiera que vayas" (57). Sin duda el acercamiento de aquel hombre a Jesús fue entusiasta y fue él quien le propuso al Señor seguirlo. La fama del rabino galileo había corrido por todas partes y mucha gente se sintió atraída por el mensaje y los milagros que realizaba. Lo que nunca imaginó esta persona fue la manera en que Jesús respondió a sus buenas intenciones. "Las zorras tienen guaridas, y las aves de los cielos nidos; mas el Hijo del Hombre no tiene dónde recostar la cabeza" (58). Quien habló con aquel hombre en efecto, hacía milagros, su enseñanza tenía autoridad y de Él salía poder para sanar enfermos y liberar endemoniados, pero también lo esperaba la cruz, el sacrificio y la muerte. Ninguna persona en su sano juicio se ofrecería para seguir a alguien que va a una muerte segura, y eso es lo que comunica lo dicho por Jesús: "no sabes lo que estás haciendo ni diciendo". Quien ve en el seguimiento de Jesús un camino fácil, sin obstáculos, adornado por "señales portentosas" o prosperidad ficticia, está muy equivocado. El mismo Señor lo dijo: "En el mundo tendréis aflicción; pero confiad, yo he vencido al mundo" (Juan 16:33). La persona llamada por Jesús que acepta, obedece y le sigue es aquel que encuentra en Él su perfecta liberación y mantiene con el Señor una comunión tan profunda que jamás duda en seguirlo sin reservas hasta las últimas consecuencias.

B. El auténtico discípulo no pone pretextos (9:59-62)

Lucas narra un segundo ejemplo. Ahora es Jesús quien llama a alguien para que lo siga. Una sola palabra: "Sígueme". Es interesante que esta misma expresión es la que Jesús dirigió a Pedro al principio (Marcos 1:16) y al final de su ministerio (Juan 21:22). Seguir a Jesús de principio a fin es lo que abraza la vida del discípulo. Nada ni nadie debe interferir en esa trayectoria. En este caso hay que enterrar al padre antes de seguir a Jesús. El hombre le presenta al Señor un argumento legítimo, sepultar al padre es un deber estricto que ningún hijo debe dejar de cumplir. Pero si la ley, la tradición, la influencia religiosa, familiar o cualquier otra situación se interpone, el llamado de Jesús es superior al obstáculo más grande, al abismo más profundo o a la barrera más infranqueable. Su llamado es impostergable y el amor por Él debe estar por encima del amor a la familia. Las palabras de Jesús son contundentes: "Deja que los muertos entierren a sus muertos: y tú ve, y anuncia el reino de Dios. El reino de Dios es para vivos y es urgente anunciar la buena noticia de redención. No hacerlo es preferir estar muerto, sin esperanza, es negarnos a la vida y a participar como discípulo de Cristo en la construcción del reino. Este ejemplo es extraordinario porque muchas veces escuchamos el llamado del Señor y estamos amarrados, somos esclavos de cosas que incluso consideramos santas y estas se convierten en impedimentos para aceptar su invitación.

La última de las tres historias de este pasaje se refiere a una persona que se acerca a Jesús y se ofrece, es algo personal, algo que se puede escoger porque parece ser un buen programa de vida. "Te seguiré, Señor; pero déjame que me despida primero de los que están en mi casa". Este va un poco más allá de lo que hizo el primero, cree tener derecho para poner condiciones aunque allí mismo crea un gran contradicción. Quiere "seguir a Jesús" pero pone algo entre él y el Señor. Cuanto parecido hay entre esta actitud y la de muchos que nos llamamos seguidores de Jesús, cuantas veces condicionamos nuestro seguimiento a que se cumplan condiciones que nosotros mismo sugerimos. Cuanto nos excluye la frase "déjame que me despida primero", cuanto nos condena y nos deja fuera toda condición que suprime el seguimiento. "Y Jesús le dijo: Ninguno que poniendo su mano en el arado mira hacia atrás, es apto para el reino de Dios". Seguir a Jesús y ser su discípulo es amarlo, obedecerlo y seguirlo, es caminar con Él el camino de la vida y no mirar atrás.

Afianzamiento y aplicación

(1) Reflexione con la clase sobre los impedimentos que tenían estas personas que querían seguir a Jesús y los que podrían tener ellos.

(2) Invite a los participantes a reflexionar sobre lo que significa ser un auténtico discípulo de Jesús.

RESUMEN GENERAL

Jesús, el Enviado, es el camino, la verdad y la vida, es el ejemplo perfecto de obediencia y sumisión, de fidelidad en el cumplimiento de la misión que le fue encomendada y por tanto el único capaz de enseñar y transformar a sus seguidores para que continúen la misión que comenzó hace dos mil años. Todas estas cosas son las que los discípulos de Jesús vieron y aprendieron de Él y descubrieron que además de invitarlos a seguirlo, Jesús los invitó a quedarse con Él y a permanecer en Él a través de la presencia del Espíritu Santo. En este estudio podremos apreciar cómo Jesús comparte con nosotros, sus discípulos, todos los beneficios de la gracia divina para que cumplamos con nuestro llamado y vocación. En el capítulo 6 de Juan vimos que Jesús manifestó siempre una actitud de completa sumisión al Padre, porque, como Él mismo lo reconoció: "no vino a hacer su voluntad si la voluntad del que lo envió". En el capítulo 2 de Filipenses encontramos lo que muchos han llamado el himno solemne de la humillación y la exaltación de Jesucristo. En los versículos 5 al 9 se nos demuestra cómo Él no se aferró a su naturaleza divina sino que puso a un lado el uso de sus atributos como Dios, se humilló y se hizo siervo, obediente hasta la muerte. La humildad fue la señal distintiva, la característica medular del carácter de Jesús y como sus discípulos debemos imitarlo en todo. Lucas nos condujo a reflexionar sobre tres historias, tres personas que tuvieron un encuentro con Jesús y dialogaron con Él. Cada una llegó con su propia interpretación de lo que en su opinión significaba seguir a Jesús. El Señor tuvo para cada uno una respuesta, tan vigente en aquel día como sigue siendo hoy. El discípulo es llamado, invitado por Jesús a seguirlo, a renunciar y despojarse del pasado para vivir en novedad de vida (2 Corintios 5:17). El discípulo de Jesús encuentra en Él todo el contenido que da sentido a la existencia y por eso no hay excusa ni pretexto que valga, o circunstancia que impida o interfiera para seguirlo sin reservas y entregarle todo a Él.

Ejercicios de clausura

(1) Invite a la clase a hacer una reflexión acerca de las áreas que todavía no están sometidas al señorío de Cristo.

(2) Eleven una oración pidiendo que cada uno pueda ser dirigido por el Espíritu Santo.

PREGUNTAS Y RESPUESTAS

1. ¿Cuál fue la mayor dificultad que encontraron los judíos para no creer que Jesús era el Mesías esperado?

No podían relacionar al Jesús de Nazaret, cuyos familiares ellos conocían, con el Mesías que esperaban.

2. Explique ¿Cuál fue el sentir que tuvo Cristo al venir a este mundo?

No se aferró a su divinidad, sino que renunció voluntariamente a ella y se humilló haciendo un siervo.

3. ¿Cómo podríamos llamar al discípulo que se ofreció a seguir a Jesús a donde quiera que fuera?

Es un discípulo emocional, que no estaba calculado el costo de lo que significa seguir a Jesús.

4. ¿Qué significa la expresión de Jesús: "Deja que los muertos entierren a sus muertos"?

Significa que los que no obedecen a Dios ni confían en Él, están muertos espiritualmente.

5. ¿Cuál era el problema que tenía el tercer discípulo?

Quiere seguir a Jesús, pero interpone otros compromisos y asuntos antes de seguirle.

PARA LA PRÓXIMA SEMANA

Servir a Dios es la experiencia más grande de la vida. El próximo tema: "El llamado al discipulado es un privilegio", nos llevará a descubrir el gozo de servir al Señor. Pida leer Lucas 5:1- 11 y estudiar el expositor.

EL LLAMADO AL DISCIPULADO ES UN PRIVILEGIO

ESTUDIO BÍBLICO 7

Base bíblica
Lucas 5:1-11

Objetivos

1. Analizar el milagro que impactó y motivó a los primeros discípulos a seguir a Jesús.
2. Comprender que la vida cristiana es un proceso, que va desde la conversión hasta ser un discipulador.
3. Decidirse a compartir el entusiamo y la bendición de vivir el estilo de vida de un discipulo de Jesús.

Pensamiento central
La obediencia es una prueba incuestionable de la fe, pues la fe es real solo cuando obedecemos.

Texto áureo
Respondiendo Simón, le dijo: Maestro, toda la noche hemos estado trabajando, y nada hemos pescado; mas en tu palabra echaré la red
(Lucas 5:5).

Fecha sugerida:___/____/____

LECTURA ANTIFONAL

Lucas 5:1 Aconteció que estando Jesús junto al lago de Genesaret, el gentío se agolpaba sobre él para oír la palabra de Dios.
2 Y vio dos barcas que estaban cerca de la orilla del lago; y los pescadores, habiendo descendido de ellas, lavaban sus redes.
3 Y entrando en una de aquellas barcas, la cual era de Simón, le rogó que la apartase de tierra un poco; y sentándose, enseñaba desde la barca a la multitud.
4 Cuando terminó de hablar, dijo a Simón: Boga mar adentro, y echad vuestras redes para pescar.
5 Respondiendo Simón, le dijo: Maestro, toda la noche hemos estado trabajando, y nada hemos pescado; mas en tu palabra echaré la red.
6 Y habiéndolo hecho, encerraron gran cantidad de peces, y su red se rompía.
7 Entonces hicieron señas a los compañeros que estaban en la otra barca, para que viniesen a ayudarles; y vinieron, y llenaron ambas barcas, de tal manera que se hundían.
8 Viendo esto Simón Pedro, cayó de rodillas ante Jesús, diciendo: Apártate de mí, Señor, porque soy hombre pecador.
9 Porque por la pesca que habían hecho, el temor se había apoderado de él, y de todos los que estaban con él,
10 y asimismo de Jacobo y Juan, hijos de Zebedeo, que eran compañeros de Simón. Pero Jesús dijo a Simón: No temas; desde ahora serás pescador de hombres.
11 Y cuando trajeron a tierra las barcas, dejándolo todo, le siguieron.

DATOS GENERALES ACERCA DEL TEMA

- **Enseñanza:** Entender que la vida cristiana es un proceso y que el Señor está interesado en que nuestro crecimiento no se detenga.
- **Autor:** Lucas
- **Personajes:** Jesús, Pedro, Andrés, Juan, Jacobo y una gran multitud
- **Fecha:** Segundo año del ministerio de Jesús.
- **Lugar:** Lago de Genesaret o Mar de Galilea.

BOSQUEJO DE LA LECCIÓN

I. La gente necesita oír la Palabra que transforma el corazón (Lucas 5:1-3)
   A. La proclamación de la Palabra es una tarea urgente (5:1)
   B. Todo lo que somos y tenemos es útil en la obra del Señor (5:2,3).
II. La importancia de creer y obedecer (Lucas 5:4-7)
   A. La transformación de lo habitual en algo extraordinario (5:4,5)
   B. Obedecer es creer, y creer abre la puerta del milagro (5:6,7)
III. Pescadores para el reino de Dios (Lucas 5:8-11)
   A. El pescador pecador, frente al Señor (5:8,9)
   B. El discípulo lo deja todo por seguir al Maestro (5:10,11)

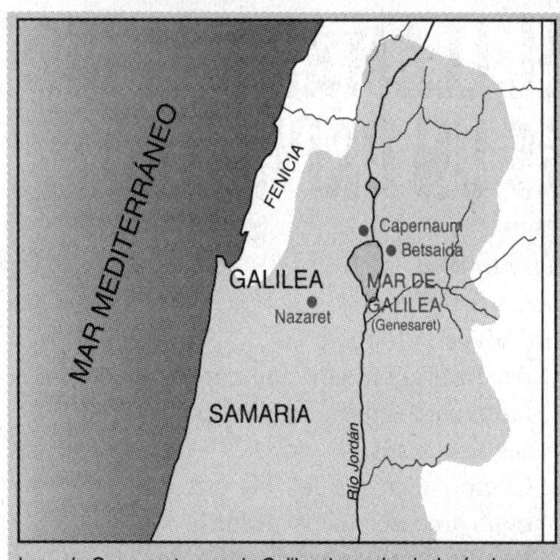

Lago de Genesaret o mar de Galilea, lugar donde Jesús desarrolló gran parte de su ministerio.

LECTURAS DEVOCIONALES DIARIAS

Lunes: Llamados al arrepentimiento (Lucas 3:7-9)
Martes: Llamados a actuar con justicia (Lucas 3:10-14)
Miércoles: Llamados a reconocer a Jesús (Lucas 3:15-18)
Jueves: Llamados a la liberación espiritual (Lucas 4:31-37)
Viernes: Llamados a escuchar palabras de vida (Lucas 5:1-3)
Sábado: Llamados a ganar almas para Cristo (Lucas 5:4-11)

INTRODUCCIÓN

Una lectura a la ligera de los evangelios podría dar la impresión de que el encuentro de Jesús con los discípulos, cuando los invitó a seguirlo para convertirlos en pescadores de hombres, fue el primer encuentro que tuvieron y que eso bastó para que dejaran todo para ir en pos de Él. Sin embargo, un estudio detenido de las narraciones evangélicas nos permite comprobar que fue de manera gradual que Jesús llevó a sus discípulos por el proceso de su preparación hasta llegar a la meta de convertirlos en los portadores y portavoces de la buena noticia de salvación. Al iniciar su ministerio, el Señor no era ningún desconocido, no era un predicador itinerante ni mucho menos un rabino improvisado. Cientos de profecías anunciaron su venida y Juan el Bautista, el último de los profetas veterotestamentario, fue el hombre que Dios utilizó para que muchos estuvieran listos para ser seguidores de Jesús, entre ellos Felipe y Andrés, que antes de ser discípulos del Maestro de Galilea lo fueron de Juan el Bautista. La presentación que el Bautista hizo de Jesús como el Cordero de Dios que quita el pecado del mundo y que venía a bautizar con Espíritu Santo y fuego, eran dos credenciales suficientes para que la gente encontrara en Él la clase de maestro a quien ellos querían seguir. En su primer encuentro con Jesús (Juan 1:35-4:46), los primeros discípulos aprendieron mucho acerca de Él como persona, y por supuesto, el Señor les informó sobre la misión que había venido a cumplir y los expuso directamente a sus enseñanzas. Además, desde el principio el Señor se empeñó en la formación del carácter de sus seguidores, sus hábitos, estilo de vida, pensamientos, emociones, relaciones, todo pasaría por el tamiz del poder transformador del Evangelio y del poder restaurador de Jesucristo. Jesús como discipulador invirtió tiempo en la formación de sus seguidores, él sabía que nunca habría un buen fruto, un resultado permanente si no hay una relación cercana y profunda. La madurez, el equilibrio, la integridad, el servicio, el amor fraternal y muchos otros de los ingredientes que sazonan la vida del cristiano no surgen de la noche a la mañana. Por eso, muy distinto a los rabinos de la época a quienes sus seguidores los buscaban, Jesús buscó a sus discípulos, los llamó, enseñó, envió, evaluó y ungió con el poder del Espíritu Santo para que continuaran la obra que él había iniciado. El estudio de hoy es muy significativo y bastante gráfico, Jesús desafía a sus discípulos a bogar mar adentro y la respuesta de Simón confirma la confianza y seguridad ya existente entre el Maestro y sus discípulos: "mas en tu palabra echaré la red". El pescador sabía que quien dio la orden era absolutamente confiable y la acción siguiente era obedecer.

DESARROLLO DE LA LECCIÓN

I. LA GENTE NECESITA OÍR LA PALABRA QUE TRANSFORMA EL CORAZÓN (LUCAS 5:1-3)

Ideas para el maestrro líder

(1) Permita que la clase enumere las razones por las que la gente se "agolpa" "para oír la Palabra de Dios".
(2) Haga un recuento de los primeros encuentros que tuvo Jesús con sus discípulos, según el evangelio de Juan (1:35-4:46).

Definiciones y etimología

* *Lago de Genesaret* (Lucas 5:1). Este es otro nombre aplicado al "mar de Galilea". Algunos dicen que el nombre viene de Ganesarim, que significa "jardín de príncipes"; pero otros lo relacionan con el nombre hebreo Kinor, "arpa", tomado de la forma de arpa que tiene ese mar, de unos 21 kilómetros de largo y entre 6 y 12 de ancho.

* *Los pescadores [...] lavaban sus redes.* Haga hincapié en que los pescadores de esta historia ya habían aceptado a Jesús como su Salvador, pero ahora lo iban a aceptar como su Señor.

A. La proclamación de la Palabra es una tarea urgente (5:1)

Lucas narra de manera vívida los acontecimientos milagrosos que rodearon la vida de Jesús, desde antes de su nacimiento hasta su ascensión al cielo, y también se ocupa en describir lo que Jesús creía, cómo vivió, cómo amó a los suyos hasta el fin. Cada palabra, enseñanza, su vida de oración, el trabajo de alcanzar a otros, todo lo que Jesús hacía era expresión de su carácter y esto fue lo que influyó e infundió en muchos el deseo y la pasión por seguirlo y ser sus discípulos. La gente admiraba sus enseñanzas, la autoridad con la que hablaba y el poder con que actuaba. Lucas deja ver cómo Jesús supo guiar a sus discípulos por la senda de la humildad, el amor, el servicio, la entrega y el sacrificio. Andar de la mano de Jesús dio a sus seguidores una clara perspectiva de cuál sería su misión y ministerio y cómo debían proyectarse como discípulos y embajadores del reino. Jesús demostró lo que es vivir de acuerdo a la voluntad de Dios cada momento, siempre que fue probado o tentado mostró cómo debe responder la persona de carácter firme y de convicciones profundas. Cuando Jesús se movió del Jordán a Galilea, una profecía que había estado adormecida por el tiempo fue sacudida y despertada por los pasos vigorosos y la proclamación valiente del predicador nazareno: "tierra de Zabulón y tierra de Neftalí.... Galilea de los gentiles. El pueblo que andaba en tinieblas vio gran luz; los que moraban en tierra de sombra de muerte, luz resplandeció sobre ellos: (Isaías 9:1,2). Su fama se difundía con rapidez, había definido su plataforma mesiánica y la agenda de su misión liberadora al decir en Nazaret: "El Espíritu del Señor está sobre mí, por cuanto me ha ungido para dar buenas nuevas a los pobres; me ha enviado a sanar a los quebrantados de corazón; a pregonar libertad a los cautivos, y vista a los ciegos; a poner en libertad a los oprimidos; a predicar el año agradable del Señor" (Lucas 4:18,19). Y ahora estaba en la orilla del lago de Galilea, lo rodeaba una multitud que estaba ansiosa por escuchar Palabra de vida, palabra que resucitaba la esperanza de un pueblo oprimido, que liberaba a los poseídos por fuerzas demoníacas, sanaba enfermos y restauraba la dignidad de aquellos marginados por la sociedad. El tiempo se había cumplido; en el reloj de Dios la hora había llegado. El Reino de Dios era una realidad entre su pueblo, la luz de la liberación expulsaba las tinieblas. En el primer siglo como hoy, ese es el anuncio que debemos proclamar, es el compromiso que debemos asumir y la misión que tenemos que cumplir.

B. Todo lo que somos y tenemos es útil en la obra del Señor (5:2,3).

La más grande de las enseñanzas bíblicas es amar al Señor con todo lo que eres, con todo lo que piensas y con todo lo que tienes. Hasta el día de hoy eso es lo que todo discípulo y siervo del Señor debe aprender, atesorar y obedecer. Desde el principio de su ministerio Jesús les dio a conocer a sus seguidores que Él lo daba todo y pedía todo; no había opciones intemedias, si alguno que poniendo la mano en el arado volvía a ver atrás ese no era digno de ser su discípulo. Jesús exigía una entrega radical, nada a medias ni superficialidades. En la historia de hoy encontramos una multitud en la orilla del lago de Galilea, cuyas aguas algunas veces calmas y otras tormentosas, habían sido fuente de alimento por siglos a los pescadores y aldeanos (dedicados al comercio y al transporte) que habitaban en sus márgenes. Era una zona próspera en la parte norte de Israel y ese día sería el escenario de una pesca milagrosa, no sólo del alimento que sacia el hambre natural sino la pesca de hombres y mujeres que serían transformados y convertidos en proclamadores de las virtudes del que los salvaba, restauraba y sacaba de un mundo de tinieblas al reino de su luz admirable. Dos barcas estaban cerca de la orilla; los propietarios lavaban sus redes vacías después de una jornada infructuosa y desalentadora. Y allí mismo, esquivando la multitud que se agolpaba sobre Él, Jesús se escabulló y entró a una de las barcas, la de Simón Pedro, a quien pidió que lo alejara un poco de la orilla y desde allí se puso a enseñar a la multitud. Su mensaje era claro y contundente: "el tiempo se ha cumplido y el reino de Dios se ha acercado, arrepentíos y creed en el Evangelio" (Marcos 1:15). El ambiente estaba preparado para que los corazones recibieran la exposición de la buena noticia. Jesús era el maestro a quien deseaban escuchar y seguir. Si duda, había entre la concurrencia gente con diferentes intereses. Algunos lo hacían porque sus palabras les traían esperanza, consuelo y ánimo. Otros porque entendían que la voluntad de Dios era que se convirtieran de sus malos caminos. Muchos eran sanados de diversas enfermedades o liberados de las ataduras del maligno, y no faltaban los que habían recibido el alimento para satisfacer su apetito y estaban a la espera de otra multiplicación de panes y peces. Pedro y sus ayudantes pusieron a la orden del Señor su barca, su servicio, su interés y disposición para que Jesús cumpliera su propósito. Ellos recibirían del Maestro la enseñanza y la invitación a seguirlo y a dejarlo todo para andar con Él.

Afianzamiento y aplicación

(1) Piensen de qué manera podemos invertir tiempo para explorar más a la persona de Jesús y experimentar quién es Él y lo que quiere hacer en nosotros.

(2) Analicen hasta qué punto su decisión de seguir a Jesús es radical o si aún seguimos en la periferia de una vida comprometida a medias.

II. LA IMPORTANCIA DE CREER Y OBEDECER (LUCAS 5:4-7)

Ideas para el maestro o líder

(1) Comente que la prioridad de Jesús al pedir a los pescadores que fueran mar adentro, es crear la posibilidad para que ellos experimenten otro nivel de compromiso con Él.

(2) Explique que ya para cuando entraron al mar a echar las redes, la hora del día había avanzado y no era la mejor para ello.

Definiciones y etimología

* *Y entrando en una de aquellas barcas*. Sociedades pesqueras y familias pesqueras. Los pescadores podían formar "cooperativas". Según el comentario de Lucas, las familias de Jonás y Zebedeo (Padres de Pedro y Juan, respectivamente), eran una cooperativa a pequeña escala.

* *Hicieron señas a los compañeros*. Esto indica que Pedro no había remado tanto, porque los que estaban a la orilla del lago pudieron ver las señas de este pidiendo ayuda.

Entonces hicieron señas a los compañeros que estaban en la otra barca, para que viniesen a ayudarles".

* *Echad vuestras redes*. La pesca con red de lanzadera. Esta era la forma de pescar habitual en esa zona, requería gran habilidad pues la red tenía que abrirse totalmente al caer al agua para atrapar los peces y la mayor cantidad que se pudiera.

A. La transformación de lo habitual en algo extraordinario (5:4,5)

Cuando Jesús terminó de hablar ocurrió algo insólito e inesperado. En lugar de descender de la barca y permitir que la gente se le acercara, lo que hizo fue empezar a preparar el escenario para invitar a cuatro pescadores a que lo siguieran. El momento era propicio, Jesús les mostraría que estaba dispuesto a ayudarlos de una manera práctica, común, en sus tareas cotidianas, en medio de sus frustraciones y desánimo por el fracaso de la noche anterior, pero también a ser parte de una experiencia que cambiaría sus vidas a partir de ese día. Aunque ya habían visto a Jesús realizar algunos milagros (la transformación del agua en vino en Caná de Galilea), la puerta de lo sobrenatural se abriría una vez más frente a ellos comprobando que lo que es imposible para el hombre es posible para Dios. Jesús demostró una vez más que romper con la manera habitual de hacer las cosas, con la tradición, con la rutina, para dedicarle todo lo que somos y tenemos al Señor es el punto de partida para una gran transformación y lo que hará la diferencia en la vida de una persona (Colosenses 3:23,24). Cuando consagramos a Dios hasta lo más común y cotidiano Él lo convierte en algo extraordinario. El propósito de Jesús aquel día era tener un encuentro personal, cercano e íntimo con aquellos que serían sus discípulos. Como Maestro y pedagogo del camino, era la oportunidad de que estos aprendices del trabajo del Reino supieran cómo proceder al tener que conducir a otros a aguas más profundas y presenciar el poder maravilloso e ilimitado de Dios. Jesús no era solo un compañero más en la barca, era el Maestro a quien los pescadores habían visto y escuchado. Por eso, al recibir la orden de Jesús, de bogar mar adentro y echar las redes, Pedro respondió: "Maestro, toda la noche hemos estado trabajando, y nada hemos pescado; mas en tu palabra echaré la red" (Lucas 5:5). Y esa fue la primera parte del milagro. Pedro obedeció porque creyó. Creer sin obedecer es no creer, y es imposible obedecer si no se cree. La obediencia es una prueba incuestionable de la fe, pues la fe es verdaderamente real solo cuando obedecemos. Hay cosas que pueden parecernos innecesarias, imposibles y hasta ilógicas. Sin embargo, el triunfo está en esa actitud confiada, segura y resuelta. La propuesta del pescador fue, voy a obedecerte y Tú harás el resto, y siguió las instrucciones. Es en luchas como esta donde necesitamos la dirección del Espíritu Santo para saber qué camino debemos tomar cuando estamos en una encrucijada. El Señor no nos va a presionar, sencillamente, esperará nuestra respuesta.

B. Obedecer es creer, y creer abre la puerta del milagro (5:6,7)

Los discípulos hicieron lo que Jesús les dijo. Remaron hasta la parte honda del lago y echaron las redes. La expectativa era grande, la frustración de Pedro por el fracaso de la noche anterior era cosa del pasado. Sus brazos empezaron a tensarse, a sentir el peso cada vez más grande de peces que quedaban atrapados en las redes. La carga se hizo insostenible, fueron tantos los pescados que recogieron, que las redes estaban a punto de romperse. No podían por sí solos, su destreza y fortaleza era excedida por la inmensa cantidad que habían sido atrapados. La situación se tornó incontrolable para aquellos pescadores que hicieron señas a los compañeros de la otra barca para que acudieran a ayudarlos. Eran tantos los pescados que al sacarlos llenaron las dos barcas, y la carga pesó tanto que estaban a punto de hundirse. La felicidad de los discípulos debe haber sido indescriptible, pero sin lugar a dudas lo más importante era que Jesús estaba con ellos. Estos hombres, sin saberlo en ese momento, estaban siendo entrenados para hacer lo imposible en el nombre de su Señor y Maestro. Ese fue uno de los distintivos característicos de la enseñanza de Jesús y algo que hizo irresistible mantener la comunión con Él. Cuando les dio una instrucción nunca los dejó solos, estuvo a su lado para ver los resultados, evaluarlos y saber en qué momento estarían listos para enviarlos a cumplir con la misión. Esta pesca, llamada milagrosa, porque en realidad lo fue, se convertiría en símbolo de la nueva tarea que se les asignaría a los futuros discípulos. Aquí aprenderían que sin Él nada se puede hacer. Que la dependencia del discípulo del Maestro debe ser tan profunda como lo está la rama del tronco o el pámpano de la vid. Que jamás se logrará algo verdaderamente fructífero en el mar de nuestra vida, si Jesús no es el capitán de nuestra barca. Hay otro elemento que se desprende de esta experiencia y tiene que ver con la vida devocional del discípulo. Hay momentos que debemos alejarnos del bullicio, de la multitud, de las actividades rutinarias y normales de la vida y navegar en las aguas del Espíritu. Dedicar un tiempo para estar a solas con Dios, con nuestro Padre, y en esa intimidad, recibir el alimento que nuestro espíritu y nuestra alma necesitan para enfrentar el diario vivir con la sabiduría de lo alto y el poder de su presencia. El milagro no solo es lo portentoso, lo extraordinario o lo que asombra, sino la transformación de una vida de pecado a una de fidelidad y obediencia a nuestro Señor y salvador Jesucristo.

Afianzamiento y aplicación

(1) Considere por qué es importante dedicar todo lo que somos y tenemos al Señor.
(2) Enfatice que el discípulo debe mantener un interés constante por profundizar en las cosas de Dios.

III. PESCADORES PARA EL REINO DE DIOS (LUCAS 5:8-11)

Ideas para el maestro y líder

(1) Permita que los alumnos expliquen por qué le pidió Simón a Jesús que se apartara de él al ver el milagro de la pesca.
(2) Discutan la relación de esto con pasajes como Éxodo 3:3,4; Jueces 5:14,15 e Isaías 6:5.

Definiciones y etimología

* *Cayó de rodillas (5:8).* Esta postura es lo que equivale a "postrarse" delante del Señor para adorar o reconocer su divinidad.

* *El temor se había apoderado de él.* Este estado de Pedro y de los otros era una indicación clara de que estaban frente a la Divinidad.

A. El pescador pecador, frente al Señor (5:8,9)

Por un lado, el propósito de los milagros ha sido que el ser humano reconozca el poder y la majestuosidad de Dios, y por otro, que más allá de una experiencia contemplativa y sublime, el discípulo tenga una experiencia espiritual profunda y transformadora que se exprese en una vida renovada, comprometida con el Señor e impulsada al servicio. El impacto del milagro en la vida de los pescadores fue impresionante. Cuando Pedro vio que la captura de peces sobrepasaba largamente a todas las que había hecho antes, y que esto había sucedido en las condiciones menos propicias, tuvo que reconocer que Dios mismo estaba dentro de su embarcación y cayó de rodillas. El asombro, el temor y la reverencia, se apoderaron de él y de los demás que estaban en la barca. Y es que ante la pureza y resplandor de la presencia del Señor, el hombre reconoce su condición pecaminosa y se siente indigno de ser objeto de esa visitación. Lo único que alcanzó a decir Simón fue: "Apártate de mí, Señor, porque soy hombre pecador" (5:8). Lo mismo ocurrió con Isaías en la visión que tuvo en el templo. Al contemplar la gloria de Dios que llenaba el santuario pensó que iba a morir, porque él siendo un pecador y ser parte de un pueblo pecador, había visto al rey del universo, al Dios todopoderoso (Isaías 6:5). Como había ocurrido con los peces, ahora fueron los pescadores quienes quedaron atrapados por la gracia inmerecida del Señor. El temor de Santiago y Juan, de Pedro y todos los demás se podía palpar en el ambiente. En las barcas que se hundían por el peso de los peces recogidos se había desatado una gran tormenta, pero no en las aguas sino en la vida y el corazón de aquellos hombres que habían sido sacudidos por lo inesperado. Jesús, dirigiéndose a Pedro dijo: "No temas". Dos palabras que encierran un breve pero poderoso mensaje de confianza, seguridad y paz. Esas fueron las palabras que escuchó María cuando el ángel se le apareció para anunciar el nacimiento de Jesús (Lucas 1:30) y también las que escucharon los pastores, llenos de temor, cuando el coro de ángeles iluminó el cielo anunciando que Jesús había nacido (Lucas 2:10,11). Aunque en el pasaje el Señor se dirige a Pedro, sabemos por los otros evangelios que fueron cuatro a quienes Jesús incluyó en aquel diálogo. El temor se había ido y la paz había vuelto. Pero la experiencia de la gran pesca no podía quedarse solo en eso, había llegado el momento en que aquellos pescadores serían conducidos al siguiente nivel de compromiso con el Señor y de la decisión de aquellos hombres dependería el curso de su vida, de su porvenir y el de la humanidad.

B. El discípulo lo deja todo por seguir al Maestro (5:10,11)

Simón, Andrés, Jacobo y Juan estaban en la misma barca. Esto es literal y también simbólico, pues no solo habían sido parte de la gran pesca y solidarios unos con otros, sino que ahora, también juntos recibirían la invitación de Jesús para ser sus seguidores. Las palabras que dirigió a Pedro fueron también para los otros: "No temas, desde ahora serás pescador de hombres". Los otros evangelios, Mateo (4:19) y Marcos (1:17), utilizan las palabras: Venid en pos de mí, y os haré pescadores de hombres". Esta invitación revela un recurso importantísimo del método discipulador de Jesús. El llamado que Él hace es personal, directo, y descubre toda la intención de realizar una tarea juntos en un plano de compañarismo y amistad. Está probado que las relaciones más entrañables e indestructibles se originan como resultado de experiencias compartidas en momentos de sufrimiento, temor, enfermedad, luto y también cuando se trabaja unidos para lograr una meta común, o como en este caso, del encuentro entre el Dios redentor y salvador con el hombre pecador y necesitado. La invitación de Jesús tuvo éxito, los pescadores volvieron a la orilla, no solo con la carga de pescados sino transformados, gozosos y retados a empezar un nuevo empleo como socios del reino de Dios. Jesús había lanzado el anzuelo y los pescadores lo picaron. Síganme, les dijo, había llegado el momento de pasar a otro nivel. Un nuevo período de enseñanza en los cuales estos hombres aprenderían la importancia de vivir como seguidores de Jesús, trabajar juntos, crecer unidos, aprender a amarse y respetarse como discípulos de Cristo, la necesidad de crear una comunidad, a descubrir la importancia de la oración y el servicio y recibir el poder y la autoridad para proclamar el evangelio y alcanzar a otros y hacerlos seguidores de Jesús. En este tiempo de preparación verían al Maestro romper barreras y prejuicios religiosos y sociales impuestos por la sociedad patriarcal de sus días. Serían testigos al ver a Jesús sanando enfermos y desatando ligaduras de opresión en el día de reposo rompiendo la tradición de fariseos y doctores de la ley que limitaban el amor de Dios a seis días de la semana. Jesús les enseñaría que el valor de la vida está por encima de cualquier prejuicio religioso, legal o práctica cultural. La enseñanza de Jesús no fracasó. Dos mil años después, los necesitados y olvidados de la sociedad, los marginados, los enfermos, los oprimidos por el diablo, los pecadores, siguen reconociendo que Jesús es la respuesta de Dios a sus penurias y aflicciones.

Afianzamiento y aplicación

(1) Dé lugar para que varios de la clase testifiquen de los momentos en su vida en que han experimentado la presencia de Dios y han reconocido su condición.

(2) Explique las dos partes de la respuesta final de Jesús a Simón y a sus compañeros en Lucas 5:10.

RESUMEN GENERAL DEL ESTUDIO

Los pescadores pescados. Ese podría ser el resumen categórico de este estudio, pues ante la irresistible invitación del Maestro aquellos pescadores, dejándolo todo, le siguieron. El Señor los invitó a caminar juntos a que estuvieran siempre con Él. Los eligió para que lo acompañaran y para enviarlos a predicar y ejercer autoridad para expulsar demonios; a que los ciegos vieran, los cojos anduvieran, los muertos resucitaran, los sordos oyeran y los leprosos fueran limpiados. Desde Galilea empezaría el anuncio de las buenas nuevas del reino, del año agradable del Señor y también el anuncio del evangelio a todas las naciones. Según el evangelio de Lucas, los discípulos de Jesús estuvieron con Él cuando se sentó a la mesa con los publicanos y pecadores, cuando tocó a los leprosos, personas ritualmente impuras y cuando sanó a un extranjero samaritano. Entre sus seguidores había mujeres y colocó a algunos gentiles como merecedores del amor de Dios. Ninguno de los que venían a Él fueron rechazados, la gente se dio cuenta que el predicador de Galilea los trataba no como a objetos ni con superficialidades y mucho menos con intereses mezquinos. Se cumplían las palabras de Simeón, un hombre, justo y piadoso, que vino al templo el día en que José y María presentaron a Jesús para hacer por él conforme al rito de la ley. Simeón tomó al bebé en sus brazos, y bendijo a Dios, diciendo: "Ahora, Señor, despides a tu siervo en paz, conforme a tu palabra; porque han visto mis ojos tu salvación, la cual has preparado en presencia de todos los pueblos; Luz para revelación a los gentiles, y gloria de tu pueblo Israel" (Lucas 2:28-32). Los discípulos fueron testigos de todo esto, lo aprendieron, lo hicieron y después lo enseñaron a los nuevos seguidores de Jesús (Mateo 28:20). Con este grupo de discípulos nosotros aprendemos que seguir a Jesús es algo personal y cuando permitimos que su carácter sea formado en nosotros muchos se sentirán atraídos a seguirlo. Estos hombres fueron elegidos divinamente para ser agentes preparados y destinados para la misión que les fue encomendada. Esta certidumbre constituyó el gran secreto de su eficacia espiritual en el cumplimiento de la tarea que debían realizar y lo más glorioso es que nosotros decidimos remar en la misma barca.

Ejercicios de clausura

(1) Analice con los alumnos lo que significa e implica poner todo lo que somos y tenemos al servicio del Señor.

(2) Enfatice la importancia de entender que la vida cristiana es un proceso y que el Señor está interesado en que nuestro crecimiento no se estanque.

PREGUNTAS Y RESPUESTAS

1. ¿Fue el evento de la pesca milagrosa el primer encuentro de Jesus con sus discipulos?

No, ellos habían conocido a Jesús desde los dias de Juan el bautista de quien eran discípulos.

2. ¿Cual podría ser la condición económica de Pedro y sus compañeros?

Al parecer tenían una pequeña compañia de barcos pesqueros, la cual abandonaron por seguir a Jesús.

3. ¿Cuáles fueron las razones por las que Jesus entró en la barca y se alejó un poco de la gente?

Para predicar la palabra y poder demostrar su poder a sus nuevos discipulos.

4. ¿Cuál fue la respuesta de Pedro al mandato de Jesús de tirar las redes para pescar?

Pedro reconoció que humanamente habían hecho todo esa noche, pero creyó y obedeció.

5. ¿Porqué Pedro habrá exclamado: "Apártate de mí, Señor que soy hombre pecador"?

Porque entendió que el que estaba frente a él no era un hombre más sino el mismo Dios.

PARA LA PRÓXIMA SEMANA

Mantener la unidad en la iglesia es un reto para cada cristiano. En el próximo tema: "El discipulado promueve la unidad", se analizarán las bendiciones que Dios derrama sobre su pueblo al vivir en unidad. Motive a los participantes a estudiar sus expositores.

EL DISCIPULADO PROMUEVE LA UNIDAD

ESTUDIO BÍBLICO 8

Base bíblica
Salmo 133:1-3; Romanos 12:3-5; Efesios 4:1-6.

Objetivos
1. Conocer los fundamentos bíblicos sobre las relaciones y la unidad del pueblo de Dios.
2. Aceptar a los demás para vivir en armonía con ellos.
3. Poner en práctica las virtudes del amor, la paz y la reciprocidad entre hermanos.

Fecha sugerida:___/____/____

Pensamiento central
Como discípulos de Cristo es nuestra relación con Él la que determina cómo deben ser nuestras relaciones con los demás.

Texto áureo
Así nosotros, siendo muchos, somos un cuerpo en Cristo, y todos miembros los unos de los otros
(Romanos 12:5).

LECTURA ANTIFONAL

Salmo 133:1 ¡Mirad cuán bueno y cuán delicioso es habitar los hermanos juntos en armonía!
2 Es como el buen óleo sobre la cabeza, el cual desciende sobre la barba, la barba de Aarón, y baja hasta el borde de sus vestiduras.
3 Como el rocío de Hermón, que desciende sobre los montes de Sion; porque allí envía Jehová bendición, y vida eterna.
Romanos 12:3 Digo, pues, por la gracia que me es dada, a cada cual que está entre vosotros, que no tenga más alto concepto de sí que el que debe tener, sino que piense de sí con cordura, conforme a la medida de fe que Dios repartió a cada uno.
4 Porque de la manera que en un cuerpo tenemos muchos miembros, pero no todos los miembros tienen la misma función,
5 así nosotros, siendo muchos, somos un cuerpo en Cristo, y todos miembros los unos de los otros.
Efesios 4:1 Yo pues, preso en el Señor, os ruego que andéis como es digno de la vocación con que fuisteis llamados,
2 con toda humildad y mansedumbre, soportándoos con paciencia los unos a los otros en amor.
3 solícitos en guardar la unidad del Espíritu en el vínculo de la paz;
4 un cuerpo, y un Espíritu, como fuisteis también llamados en una misma esperanza de vuestra vocación;
5 un Señor, una fe, un bautismo,
6 un Dios y Padre de todos, el cual es sobre todos, y por todos, y en todos.

DATOS GENERALES ACERCA DEL TEMA

- **Enseñanza:** Mantener la unidad de la iglesia es determinante para recibir las bendiciones y la vida plena que viene de Dios.
- **Autor:** El rey David y el apóstol Pablo
- **Personajes:** El pueblo de Israel y la iglesia de todos los tiempos.
- **Fecha:** Salmos 950 a.C.; Romanos 58 d.C.; Efesios 62 a.C.
- **Lugar:** Salmos en Jerusalén; Romanos en Corinto y Efesios en Roma.

BOSQUEJO DEL ESTUDIO

I. Las relaciones humanas del discipulado deben ser armoniosas (Salmo 133:1-3)
   A. El amor fraternal tiene un aroma especial (133:1,2)
   B. El amor fraternal trae frescura, bendición y vida eterna (133:3)

II. En el discipulado cristiano debe haber igualdad y cooperación (Romanos 12:3-5)
   A. La persona transformada reconoce, valora y respeta a los demás (12:3)
   B. El cuerpo solo funciona si Cristo es quien lo guía (12:4,5)

III. Entre los discípulos de Cristo debe buscarse la unidad (Efesios 4:1-6)
   A. La unidad, evidencia de madurez en el discipulado (6:1,2)
   B. El origen y poder de la unidad (6:3-6)

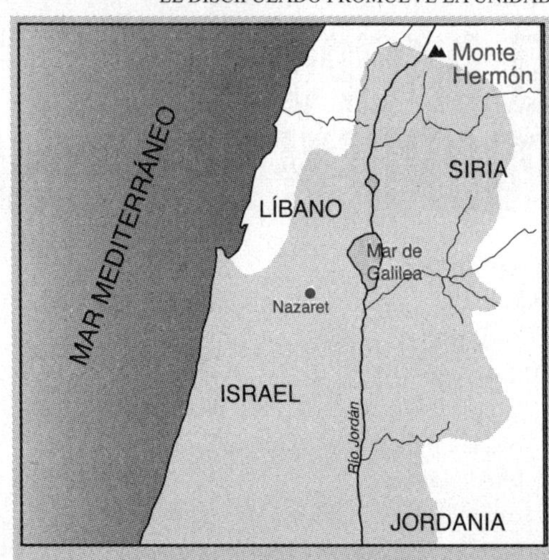

El monte de Hermón, el más elevado en las cercanías de Palestina y se encuentra actualmente en la frontera entre Israel, Líbano y Siria.

LECTURAS DEVOCIONALES DIARIAS

Lunes: Al Señor le agrada que los hermanos vivan en armonía (Salmo 133:1-3)

Martes: El Señor quiere que nos tratemos como hermanos (Mateo 23:8-12)

Miércoles: Considerémonos como miembros de un mismo cuerpo (Romanos 12:3-5)

Jueves: Nuestro ideal debe ser el verdadero amor cristiano (1 Corintios 13:4-10)

Viernes: Mantengámonos unidos en el vínculo de la paz (Efesios 4:1-6)

Sábado: No devolvamos mal por mal (1 Pedro 3:8-13)

INTRODUCCIÓN

La fidelidad total y absoluta del pueblo al Dios que lo sacó de tierra de servidumbre es un tema central en todo el Antiguo Testamento. Es más, no existe otro acontecimiento que marque la existencia del pueblo de Israel como la acción liberadora de Dios, que por el amor y la promesa hecha a los antepasados, lo sacó con brazo fuerte y señales portentosas de la esclavitud para hacerlo una nación libre, un pueblo cuyo Dios es Jehová de los ejércitos. La entrega del decálogo a Moisés en el Monte Sinaí, como documento de la alianza o pacto entre Dios y su pueblo, estableció las bases de la relación que debía existir entre el pueblo y Dios, en los primeros cuatro mandamientos, y la correcta relación con el prójimo del quinto al décimo. Estos dos elementos son inseparables, se pertenecen mutuamente. El apóstol Juan lo dijo categóricamente: "Si alguno dice: Yo amo a Dios, y aborrece a su hermano, es mentiroso. Pues el que no ama a su hermano a quien ha visto, ¿cómo puede amar a Dios a quien no ha visto?" (1 Juan 4:20). Hay muchísimos pasajes en toda la Biblia que destacan la importancia fundamental que tiene la unidad del pueblo de Dios, y que esta existe porque la sustenta el mismo ser de Dios. El énfasis de Jesús sobre la unidad durante su oración sacerdotal es único y clave para entender que ese ingrediente es infaltable en el pueblo redimido. Jesús dijo: "… para que todos sean uno; como tú, oh Padre, en mí, y yo en ti, que también ellos sean uno en nosotros; para que el mundo crea que tú me enviaste. Yo en ellos, y tú en mí, para que sean perfectos en unidad, para que el mundo conozca que tú me enviaste, y que los has amado a ellos como también a mí me has amado" (Juan 17:21,23). Esta unidad se debe dar en la iglesia para bendición del mundo y como testimonio de que la misión que Jesús vino a cumplir es continuada por sus discípulos en todos los lugares de la tierra. El discipulado implica obediencia, unidad y misión. En el mismo capítulo 17 de Juan, Jesús expresa que sus discípulos son aquellos que han guardado su Palabra y al aceptar su Señorío y someterse a Él, deben mantener la perfecta unidad en propósito, obras y enseñanzas, tal como lo vieron y aprendieron de Él en su vida de obediencia al Padre. La iglesia, como cuerpo de Cristo, tiene la responsabilidad de crear un ambiente de amor, confianza y afirmación entre sus miembros para su crecimiento, desarrollo y madurez. Cumplir con esto es abrir la puerta para que existan relaciones saludables y los discípulos puedan crecer en un ambiente favorable.

DESARROLLO DEL ESTUDIO

I. LAS RELACIONES HUMANAS DEL DISCIPULADO DEBEN SER ARMONIOSAS (SALMO 133:1-3)

Ideas para el maestro o líder

(1) Analizar con la clase la enseñanza del decálogo con respecto a las relaciones entre Dios y su pueblo y entre los miembros de la comunidad redimida.
(2) Reflexionar sobre la situación actual de la iglesia y el tema de la unidad.
(3) Identificar cuáles pueden ser las causas de la desunión, si las hay, entre su grupo y cómo corregirlas.

Definiciones y etimología

* *Juntos en armonía*. Esta expresión se puede reducir a una palabra, unidad, y la ilustra con dos preciosas imágenes. El aroma que penetra al respirar, el aceite (óleo) con que se unge al sacerdote, y el rocío que trae frescura y penetra por los poros. Aroma y frescura, manifestaciones presentes en la familia de Dios.

* *El roció de Hermón*. El Monte Hermón es un pico de 2800 m de altura en la sección más septentrional (norte) de Palestina, proporcionando la mayor cantidad de agua al rio Jordán con sus deshielos.

A. El amor fraternal tiene un aroma especial (133:1,2)

El salmo 133 es un poema catalogado como sapiencial, porque como tal, exalta el valor de la unidad y la armonía como virtudes e ingredientes que le dan una fragancia muy especial a la vida. El significado, propósito y sentido que tiene la existencia adornada por estas joyas tan preciosas, es corroborada por la bendición y la vida que fluyen desde el mismo corazón de Dios y el disfrute de una dicha plena e inigualable. Además, la enseñanza que este salmo comunica a los que lo recitan tiene un gran valor pedagógico y práctico. No existe nada más bello ni exquisito como ver a los hermanos, las familias, las comunidades y las naciones juntos y en armonía. Este poema tiene el ritmo de una melodía en que se elogian las buenas relaciones, la convivencia pacífica, el respeto mutuo, la solidaridad y por supuesto, el anhelo porque se estrechen los lazos de amistad y de concordia entre los seres humanos. Sin duda alguna en este salmo, como en muchos otros, el salmista manifiesta su interés en que su prosa influya en el ánimo y la voluntad de aquellos que aún no han descubierto que estar en armonía asegura la bendición de Dios y una larga vida. La hermosísima descripción y analogías que el autor va describiendo se influyen mutuamente o una situación engendra a la otra. El Salmo 133 está clasificado como un "cántico de las subidas" o de "ascenso", es decir, un tipo particular de salmos que se utilizaba al subir al Templo de Jerusalén en las peregrinaciones que se hacían para participar en las tres fiestas anuales. Hay un detalle importantísimo que vale la pena destacar. Si el salmo es de "subida" o de ascenso, también va en ascenso su estructura o composición. No es casual intuir que la intención del salmista es empezar elogiando, como en un acto de contemplación, la armonía que se da en el plano más básico y fundamental de las relaciones interpersonales del ser humano como creación de Dios. El siguiente paso es la comparación litúrgica, sacramental de la armonía y la unidad con la ceremonia del ungimiento de los sacerdotes, en este caso particular con Aarón, al ser elegido por Dios como sumo sacerdote. El aceite que simbolizaba la presencia y el poder divino y era un signo de protección y bendición de Dios, ahora se traslada con toda la carga de su significado a la unidad del pueblo de Dios, a las familias, a las comunidades y las naciones, siempre y cuando cultiven la unidad como piedra angular para el bienestar y la solidaridad de todos. Esta comparación tiene un valor incalculable, pues la fragancia y la estima de este aceite, preparado exclusivamente para ungir únicamente lo consagrado al Señor, eleva el nivel de la unidad al plano de lo sagrado. El aceite que se derrama sobre la iglesia de Cristo es el poder del Espíritu Santo, es la tercera persona de la Trinidad la que vivifica la Palabra de Cristo en nosotros, nos convence y atrae, trae arrepentimiento y fe. El Espíritu Santo mora en nosotros, nos da dones para edificar la iglesia y mantiene la unidad entre los discípulos de Cristo.

B. El amor fraternal trae frescura, bendición y vida eterna (133:3)

El ascenso continúa y el salmista nos conduce a contemplar la hermosura del Hermón, un impresionante monte ubicado al norte de Israel, cuya cima pasa helada la mayor parte del año. De mañana, por efectos de la nieve, se produce un rocío que se desplaza desde el norte hacia el sur hasta llegar a Sion, aludiendo así a Jerusalén. Además, ese rocío al descender por las laderas del Hermón, contribuye al nacimiento y desarrollo del Jordán, el río que en su cauce serpentino lleva vida y humedad por todos los lugares donde pasa hasta desembocar en el mar Salado o mar Muerto. Para quien está familiarizado con este fenómeno o que goza los beneficios que este produce, la enseñanza es obvia. Los efectos que derivan de la unidad y la armonía entre los hermanos y que son indispensables para la vida del pueblo de Dios, son comparables con la hermosura y la humedad que surgen del Hermón. Así, el ambiente agradable y refrescante que produce las buenas relaciones es un símbolo perfecto del esparcimiento de las bendiciones que prodiga el Dios todopoderoso. Hasta aquí la enseñanza del salmo ha sido muy clara, la unidad del pueblo es tan importante como la unción de quien dirige la vida espiritual de la nación. Y ahora el salmista culmina la peregrinación ascendiendo hasta el lugar más alto, al sitio de donde se origina toda dádiva y todo don perfecto, la mismísima presencia del Señor. La unidad es clave para propiciar las condiciones para recibir la bendición y la vida plena que viene de Él. En el lenguaje del salmista, la unidad no es una alternativa ni una opción ni una conveniencia. Esta representa la voluntad de Dios para que individuos, familias y comunidades puedan regocijarse en un clima de amor, justicia, respeto y solidaridad. Este mensaje se mantuvo en la vida y ministerio de Jesús donde la unidad fue una enseñanza ineludible. La base para la unidad de los discípulos fue y seguirá siendo la unidad entre Jesús y el Padre. La iglesia del Señor es un pueblo peregrino, su misión es proclamar el mensaje de salvación y hacer discípulos para que estos a su vez sean testigos del poder del Resucitado. El distintivo característico de ese pueblo del Camino es la unidad. Jesús así lo dijo, lo enseñó, dio ejemplo de ello y es lo que espera de cada uno de nosotros: "para que todos sean uno; como tú, oh Padre, en mí, y yo en ti, que también ellos sean uno en nosotros; para que el mundo crea que tú me enviaste. Yo en ellos, y tú en mí, para que sean perfectos en unidad, para que el mundo conozca que tú me enviaste, y que los has amado a ellos como también a mí me has amado" (Juan 17:21-23).

Afianzamiento y aplicación

(1) Evalúen el valor de la unidad como ingrediente para un crecimiento sano.
(2) La importancia de la participación del Espíritu Santo en mantener la unidad del cuerpo de Cristo.
(3) ¿Por qué la unidad debe ser el distintivo que caracteriza a los seguidores de Jesús?

II. EN EL DISCIPULADO CRISTIANO DEBE HABER IGUALDAD Y COOPERACIÓN (ROMANOS 12:3-5)

Ideas para el maestro o líder

(1) Que lean el versículo recomendado y que comenten acerca del mismo.
(2) Pídale a la clase que nombren cualidades de la vida de Jesús que debemos imitar.

Definiciones y etimología

* *Más alto concepto de sí que el que debe tener*. "La gracia (del griego *charitos*) que me es dada" (Romanos 12:3). Los cristianos deben pensar de sí mismos de una manera realista y humilde, porque cualquier gracia (*charitos*) y don (*charismata*) han sido concedido por Dios.

* *Somos un cuerpo en Cristo* (12:5). La analogía del cuerpo humano con sus diferentes miembros y funciones es un gran ejemplo de la iglesia.

A. La persona transformada reconoce, valora y respeta a los demás (12:3)

Entender los dos primeros versículos del capítulo 12 de Romanos es crucial para comprender por qué la persona verdaderamente transformada no solo cree en Cristo sino cree lo que Él creía. En otras palabras, llega a tener la mente de Cristo. Para experimentar el significado de lo que es presentarse como "sacrificio vivo" (Romanos 12:1), debemos remitirnos a lo dicho por Jesús a una multitud que lo seguía: "Si alguno quiere venir en pos de mí, niéguese a sí mismo, y tome su cruz, y sígame. Porque todo el que quiera salvar su vida, la perderá; y todo el que pierda su vida por causa de mí y del evangelio, la salvará" (Marcos 8:34,35). Esta gran verdad es inobjetable, sacrificio vivo es presentar nuestra vida en holocausto a Dios, es morir a nosotros mismos para vivir como nuestro Señor y Maestro. Es imitar su vida de obediencia, sumisión, humildad, entrega y sacrificio, es la total dedicación de nuestro ser entero a Dios. El segundo apunta a la trasformación (12:2), a salir del estilo de vida, de los pensamientos, hábitos y valores que hemos cultivado durante toda la vida, de todo lo que tiene o le ha dado forma a nuestra vieja naturaleza, y transformarnos por medio de la renovación del entendimiento, es decir, vivir de acuerdo a los pensamientos, los valores, las actitudes y las acciones de Cristo. Esto significa, movernos de lo que somos para ser cambiados a la imagen de Cristo. Si no hay una percepción clara y obediente de la voluntad de Dios para ponerla en práctica, será imposible convertirse en verdaderos miembros de un sólo cuerpo con los demás seguidores del Señor. Antes de entrar al versículo 3 es necesario recalcar en algo importantísimo: no debemos olvidar que el llamado al discipulado cristiano es ante todo gracia. Ninguno puede decidir por su propia voluntad o deseo ser un seguidor de Cristo o pretender que por valores o cualidades personales cumple el requisito de ser un seguidor de Cristo. La Palabra es clara: "Porque por gracia sois salvos por medio de la fe; y esto no de vosotros pues es un don de Dios; no por obras, para que nadie se gloríe" (Efesios 2:8,9). De manera que el señalamiento que Pablo hace en su carta a los Romanos, con respecto a creerse unos más que otros, señala una anomalía en la formación de quienes padecían esa enfermedad del espíritu. Está claro que el "complejo de superioridad" equivale a una nota discordante entre los hermanos y echa a perder la armonía en la orquesta de la fraternidad. Si algo distinguió a Jesús fue su humildad y por eso su exigencia es a ese nivel: "El que es el mayor de vosotros, sea vuestro siervo. Porque el que se enaltece será humillado, y el que se humilla será enaltecido" (Mateo 23:11,12). Valorar a los demás, entonces, será proporcional a "pensar de sí con cordura, conforme a la medida de fe que Dios repartió a cada uno" (Romanos 12:3). El valor moral y espiritual de nuestros hermanos no se encuentra en factores superficiales como sexo, edad, color, raza, economía y destrezas sino por su fe en Cristo, consagración al discipulado, amor por la obra de Dios y la actitud con que sirven al Señor.

B. El cuerpo solo funciona si Cristo es quien lo guía (12:4,5)

El final del versículo tres: "conforme a la medida de fe que Dios repartió a cada uno" (12:3b), es fundamental para entender lo que sigue: "Porque de la manera que en un cuerpo tenemos muchos miembros, pero no todos los miembros tienen la misma función, así nosotros, siendo muchos, somos un cuerpo en Cristo, y todos miembros los unos de los otros" (12:4,5). El discípulo necesita a Dios y Dios requiere de la cooperación de los discípulos siempre y cuando lo que articule y dirija sus movimientos y funciones sea Cristo, que es la cabeza. Todo lo que Jesús prometió lo ha cumplido, Él es el fundador de la iglesia y es Él quien la sustenta. El modelo de discipulado de Jesús es único, poderoso y transformador. Por eso, cuando llamó a los discípulos y los escogió para que anduvieran con Él, lo hizo porque sabía que sin la participación del cuerpo jamás se cumpliría la misión de ir por todas partes predicando el evangelio y capacitando a otros para ser parte de ese Reino. Los individuos, las familias, las comunidades y las naciones solo cambiarán cuando vivamos, trabajemos y actuemos a la manera de Jesús. Hacerlo de otro modo será perder el tiempo y cometer una terrible irresponsabilidad. La comparación con el cuerpo humano es una analogía perfecta de la iglesia. "En un cuerpo tenemos muchos miembros, pero no todos tienen la misma función". Esto se llama *diversidad,* y cada uno tiene una función específica para el funcionamiento normal de todo el organismo. En esto radica el valor de la unidad, voluntad y propósito común, uno influyendo al otro, y todos en íntima y permanente comunión con Cristo. Esto hace desaparecer cualquier diferencia e interferencia en el crecimiento y la edificación del cuerpo. Las características de un cuerpo sano y vigoroso son bien evidentes. La Biblia es puntual: "Así que, por sus frutos los conoceréis" (Mateo 7:20). El verdadero cuerpo de Cristo permanece en Él a través de una vida de oración y lectura de la Palabra, es obediente, humilde y manso a las instrucciones de la Cabeza. La iglesia actual está llamada a reevaluar su conducta de acuerdo a la Palabra y no a los modelos que la cultura y la falsa religiosidad están tratando de imponer. El trabajo y la misión de la iglesia son para toda la vida. No es un trabajo de tiempo parcial ni cuando se disponga del tiempo para realizarlo. A través de la historia, la iglesia ha sido el recurso de Dios para cambiar vidas, transformar comunidades, abrir caminos de esperanza y llevar luz donde hay penumbra. La verdadera iglesia de Jesucristo es una fuerza cuyo mensaje vivo y eficaz es más cortante que toda espada de dos filos, que derriba ídolos y desenmascara falsos dioses que mantienen a la gente esclavizada. La iglesia, unida a su cabeza que es Cristo, es un cuerpo en acción, no se detiene, no hay luchas ni pruebas que sean capaces de frenarla, ni oferta del mundo que pueda seducirla o comprarla. Se resiste a la tentación, igual que su Señor, para no claudicar frente a las ofertas del maligno de cambiar el plan de Dios por poder económico, religioso o político.

Afianzamiento y aplicación

(1) Enfatice que el llamado al discipulado es todo gracia (Efesios 2:8, 9); que lean el pasaje.
(2) Hablen de las características de un cuerpo sano aplicado a la iglesia.

III. ENTRE LOS DISCÍPULOS DE CRISTO DEBE BUSCARSE LA UNIDAD (EFESIOS 4:1-6)

Ideas para el maestro o líder

(1) Pida que un alumno lea Efesios 4:1-6.
(2) En la pizarra que escriban los elementos necesarios para mantener la unidad.

Definiciones y etimología

* *Preso en el Señor* (Efesios 4:1). El apóstol recurre a su sacrificio y a sus pruebas para tocar el corazón de sus lectores.

* *Solícitos* (4:3). El término griego es *spoudázontes,* de *spoudaios*, "diligentes", "esforzados", "activos".

A. La unidad, evidencia de madurez en el discipulado (4:1,2)

Las cartas del Nuevo Testamento tenían entre sus propósitos atender una necesidad doctrinal, ayudar a resolver algún problema, afirmar la conducta de la comunidad sobre los valores del reino, recordar cuáles eran los fundamentos de la fe cristiana o temas relacionados con el crecimiento, desarrollo y madurez del grupo. A esto se pueden añadir muchas cosas más, pero en este caso nos detendremos a reflexionar sobre una de las evidencias más relevantes de la vida cristiana: la madurez. El capítulo cuatro empieza con una rogativa de un hombre que está preso por servir al Señor, el apóstol Pablo. El argumento que expone aquí el hombre de Dios, se fundamenta en el hecho de que los lectores son personas que han sido llamados a formar parte del pueblo de Dios, que están familiarizados con los resultados que produce el nuevo nacimiento en Cristo. Por lo tanto, esto trae consigo como consecuencia lógica, que su conducta corresponda a esa nueva naturaleza de la que ahora participan. Así que, no es extraño que Pablo les recuerde los frutos que deben manifestarse en su vida diaria, en su manera de pensar, en sus palabras y acciones. No es casualidad que Pablo mencione desde el mismo inicio el llamado o la vocación pues allí será el arranque de todo lo demás. Andar como es digno equivale a la tarea que se debe cumplir con las virtudes necesarias que acompañan y estimulan al amor. Solo podemos ser edificados en amor cuando tenemos a otros para amar; solo podemos actuar con humildad y mansedumbre, expresar tolerancia y paciencia, cuando el amor en Cristo es el fundamento de nuestras relaciones. Todos estos frutos, que derivan de la vida en el Espíritu tienen su más grande exponente en el mismo Jesucristo que a través de estas virtudes demostró el amor y la entrega por la humanidad. Todo esto indica que la presencia de estas manifestaciones en la vida de la comunidad de fe, son una señal inequívoca de madurez, firmeza, profundidad de convicciones y dependencia absoluta de Cristo. El Señor lo explicó gráficamente en el Sermón de la Montaña: "Cualquiera, pues, que me oye estas palabras, y las hace, le compararé a un hombre prudente, que edificó su casa sobre la roca. Descendió lluvia, y vinieron ríos, y soplaron vientos, y golpearon contra aquella casa; y no cayó, porque estaba fundada sobre la roca" (Mateo 7:2,25). La madurez implica estabilidad, equilibrio, sentido de dirección y la capacidad y actitud correcta frente a cualquier situación que se presente. Pablo, en el mismo capítulo (4:14) nos muestra que no llegar a la unidad de la fe nos hará semejantes a "niños fluctuantes, llevados por doquiera de todo viento de doctrina, por estratagema de hombres que para engañar emplean con astucia las artimañas del error".

B. El origen y poder de la unidad (4:3-6)

Pablo anticipa que la serie que presenta en los versos 4 al 6, implica la enorme responsabilidad de la comunidad de fe de guardar, mantener, proteger y velar por la unidad del Espíritu mediante el vínculo de la paz, porque es allí donde suelen haber fallos. La capacidad de compartir lo que creemos, la manera en que vivimos como hermanos y familia redimida, será la expresión visible de cómo funciona el cuerpo de Cristo en unidad. El hermosísimo pasaje que enfatiza la unidad (4-6) tiene un sabor litúrgico muy parecido a la confesión cotidiana de Israel, el *Shemá*, en el que la nación israelita como el pueblo elegido por Dios, declaraba que sólo tenía un Dios y Señor, y que todo su ser, individual, familiar y comunitariamente hablando, es decir, en toda su realidad existencial, debía estar total y absolutamente entregado a ese Dios. No se puede concebir la historia del pueblo de Israel fuera de Dios, como es inconcebible la iglesia de Cristo fragmentada y dividida. Por eso, intentando explicar esa unidad absoluta e indivisible, el apóstol sintetiza ese misterio con la afirmación de que sólo hay una iglesia, sólo hay un Espíritu, y Dios los llamó a una sola esperanza de salvación. Sólo hay un Señor, una fe y un bautismo. Sólo hay un Dios, que es el Padre de todos, gobierna sobre todos, actúa por medio de todos, y está en todos. La Palabra de Dios, inspirada por el Espíritu Santo, es quien establece las normas y las pautas para la unidad. La Biblia es determinante y normativa para toda la doctrina y la vida de la iglesia. Es Ella quien tiene la última palabra y es el Espíritu Santo quien nos ayuda a poder interpretarla y aplicarla correctamente para no enredarnos en contiendas ni discordias. La iglesia es una sola, y Jesús es su Salvador. Las denominaciones y divisiones son producto de los esfuerzos humanos por hacer prevalecer ciertas diferencias secundarias; pero la iglesia es una sola. Todos los que hagan la voluntad de Dios tienen que formar parte de un solo cuerpo, con Cristo como cabeza. Participar de una misma esperanza nos da una sola visión, y nos motiva a ir en busca de un solo objetivo: servir a Cristo para estar siempre con Él (Juan 12:26). En la iglesia hay muchos líderes, pastores, maestros y siervos de Dios, sin embargo, hay un solo Señor, nuestro Salvador, Cristo Jesús. La obediencia y el sometimiento de unos a otros en el discipulado son demostraciones de nuestra obediencia y sumisión al Señor Jesucristo. Una fe, que en este caso se refiere a la doctrina, significa que en lo esencial nuestros pensamientos y nuestras acciones están unificados. El acto del bautismo es de primordial importancia para la unidad de los creyentes. Es una manera de identificarse públicamente con la fe que se ha aceptado. Es un símbolo de la limpieza espiritual, de la regeneración y es tipo del acto sobrenatural de nuestra resurrección, así como Cristo resucitó de entre los muertos. El Padre es quien une a la iglesia con Jesucristo para formar la familia redimida y unificada. Él es el Padre de todos, reina sobre todos, vela por todos y vive en todos los que hemos venido a Él por medio de su Hijo.

Afianzamiento y aplicación

(1) ¿Qué enseñanza práctica sacamos de aquí para andar como es digno de nuestra vocación?

(2) Haga un resumen de todos los factores humanos y de los elementos divinos de la unidad de los discípulos de Cristo.

RESUMEN GENERAL

No existe mejor testimonio de la iglesia, como pueblo redimido, que ver a la familia cristiana en armonía. El salmo 133 nos endulza con el ritmo de una melodía en que se elogian las buenas relaciones, la convivencia pacífica, el respeto mutuo, la solidaridad y el anhelo porque se estrechen los lazos de amistad y de fraternidad entre los seres humanos. Sin duda alguna, el salmista expresó su interés para que su prosa influyera en el ánimo y la voluntad de los lectores y cantores para buscar esa armonía que asegura la bendición de Dios y una larga vida. El salmo 133 es del género literario sapiencial, y su valor pedagógico radica en promover valores que traen bienestar y plenitud a la vida. Por eso al usar las imágenes del aceite y del rocío, la comparación tiene un valor incalculable, pues la fragancia y la estima de este aceite, preparado exclusivamente para ungir únicamente lo consagrado al Señor, y el rocío que produce el deshielo del Hermón (que también es creación de Dios), eleva el nivel de la unidad al plano de lo sagrado.

En el Nuevo Testamento encontramos esta misma realidad manifestada a partir de la entrega del discípulo como sacrificio vivo a Dios. Persiste el lenguaje litúrgico y se destaca evocando el holocausto como ofrenda a Dios, cuyo significado es morir a nosotros mismos para vivir y ser como Jesús, nuestro Señor y Maestro. Es imitar su vida de obediencia, sumisión, humildad, entrega y sacrificio, es la total dedicación de nuestro ser entero a Dios. Todo esto apunta a la trasformación (12:2), a salir del estilo de vida, de los pensamientos, hábitos y valores que hemos cultivado durante toda la vida, de todo lo que tiene o le ha dado forma a nuestra vieja naturaleza. "De modo que si alguno está en Cristo, nueva criatura es; las cosas viejas pasaron; he aquí todas son hechas nuevas" 2 Corintios 5:17). Esa es la verdadera transformación espiritual que afecta todos los ámbitos de la vida del discípulo de Cristo. Cuando el Señor nos llama, lo espiritual, corporal, mental, emocional, financiero, vocacional y relacional de nuestra vida da un giro de ciento ochenta grados, somos transformados a la imagen de Cristo. El valor fundamental de este estudio es entender que ninguna relación entre cristianos es directa, todo debe pasar a través del tamiz de Dios, y es nuestra relación con Él la que determina como deben ser nuestras relaciones con los demás.

Ejercicios de clausura

(1) Ore dando gracias a Dios que podemos amarnos a través de Jesús.

(2) Dé oportunidad a los que quieran compartir sus experiencias relacionadas al tema de hoy.

PREGUNTAS Y RESPUESTAS

1. ¿Qué se exalta en el Salmo 133?

El valor de la unidad y la armonía como ingredientes que le dan una fragancia especial a la iglesia.

2. ¿Qué propicia las condiciones para recibir las bendiciones y vida plena?

La unidad del cuerpo de Cristo.

3. ¿Como se explica "sacrificio vivo" usando los términos de Jesús?

"Si alguno quiere venir en pos de mí, niéguese a sí mismo, y tome su cruz, y sígame".

4. ¿A qué llamamos diversidad en el cuerpo de Cristo?

A que en el cuerpo hay muchos miembros con distintas funciones.

5. ¿Qué demuestran la obediencia y el sometimiento los unos a los otros?

Nuestra obediencia y sumisión al Señor Jesucristo.

PARA LA PROXIMA SEMANA

Se analizará "El discipulado y el reino de Dios", basado en Marcos 1:14-31, ¿Cuáles son sus características, y señales? y ¿qué significa ser un súbdito del reino de Dios? Incentive a sus participantes a estudiar el tema.

EL DISCIPULADO Y EL REINO DE DIOS

ESTUDIO BÍBLICO 9

Base bíblica
Marcos 1:14-31

Objetivos de la lección

1. Entender qué características tiene el reino de Dios.
2. Comprender qué significa ser súbdito de ese reino.
3. Analizar las señales del reino de Dios.

Pensamiento central
El llamado del Señor a sus discípulos es radical, el seguimiento debe ser total.

Texto áureo
El tiempo se ha cumplido, y el reino de Dios se ha acercado; arrepentíos, y creed en el evangelio (Marcos 1:15).

Fecha sugerida:___/____/____

LECTURA ANTIFONAL

Marcos 1:1 Principio del evangelio de Jesucristo, Hijo de Dios.
2 Como está escrito en Isaías el profeta: He aquí yo envío mi mensajero delante de tu faz, El cual preparará tu camino delante de ti.
3 Voz del que clama en el desierto: Preparad el camino del Señor; Enderezad sus sendas.
14 Después que Juan fue encarcelado, Jesús vino a Galilea predicando el evangelio del reino de Dios,
15 diciendo: El tiempo se ha cumplido, y el reino de Dios se ha acercado; arrepentíos, y creed en el evangelio.
16 Andando junto al mar de Galilea, vio a Simón y a Andrés su hermano, que echaban la red en el mar; porque eran pescadores.
17 Y les dijo Jesús: Venid en pos de mí, y haré que seáis pescadores de hombres.
18 Y dejando luego sus redes, le siguieron.
19 Pasando de allí un poco más adelante, vio a Jacobo hijo de Zebedeo, y a Juan su hermano, también ellos en la barca, que remendaban las redes.
20 Y luego los llamó; y dejando a su padre Zebedeo en la barca con los jornaleros, le siguieron.
3:13 Después, Jesús invitó a algunos de sus seguidores para que subieran con él a un cerro. Cuando ya todos estaban juntos,
14 eligió a doce de ellos para que lo acompañaran siempre y para enviarlos a anunciar las buenas noticias. A esos doce los llamó apóstoles
15 y les dio poder para expulsar de la gente a los demonios.

DATOS GENERALES ACERCA DEL TEMA

- **Enseñanza:** La respuesta al discipulado se da en la medida de la comprensión del amor de Dios al dar a su Hijo unigénito en sacrificio por el mundo.
- **Autor:** El evangelista Marcos
- **Personajes:** Jesús y sus discípulos
- **Fecha:** Alrededor del año 60-65 d.C
- **Lugar:** Galilea

BOSQUEJO DE LA LECCIÓN

I. Juan y Jesús, el anuncio y el cumplimiento (Marcos 1:1-15)
  A. Entendiendo nuestro origen, la memoria histórica (1:1-13)
  B. El ministerio de Jesús y el reino de Dios (1:14,15)
II. El reinado de Dios tiene que ver con personas (Marcos 1:16-20)
  A. Jesús llama a los primeros discípulos (1:16)
  B. El verdadero discípulo lo deja todo (1:17-20)
III. El poder para liberar y para el servicio (Marcos 1:21-31)
  A. Jesús y el uso del poder en la liberación (1:21-28)
  B. Jesús y el uso del poder para el servicio (1:29-31)

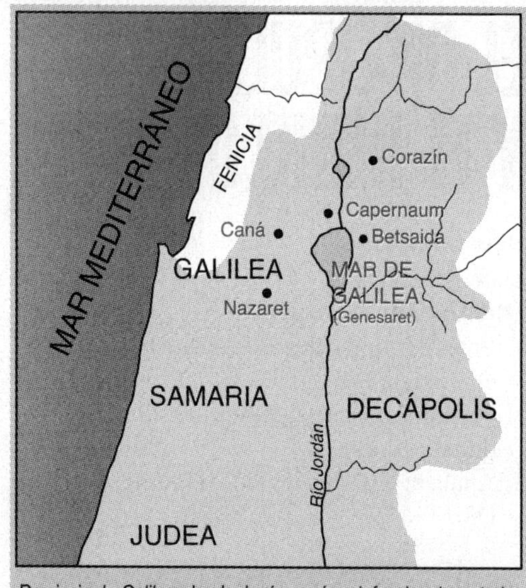

Provincia de Galilea, donde Jesús pasó su infancia y juventud y gran parte de su ministerio.

LECTURAS DEVOCIONALES DIARIAS

Lunes: El mensaje del heraldo del rey (Marcos 1:1-8)
Martes: Ungimiento y preparación del rey (Marcos 1:9-13)
Miércoles: Llamamiento a los servidores del reino (Marcos 1:16-20)
Jueves: La llegada del reino liberta a los cautivos (Marcos 5:1-20)
Viernes: El sometimiento voluntario del rey (Filipenses 2:5-8)
Sábado: La exaltación y entronamiento del rey (Filipenses 2:9-11)

INTRODUCCIÓN

El Evangelio de Marcos es una verdadera joya narrativa del ministerio de Jesús aquí en la tierra. No es un evangelio que tenga discursos largos como los demás evangelios, no narra detalles sobre la anunciación, el nacimiento y la adolescencia de Jesús. Es el primero de los evangelios que fue escrito y el más breve. Fue dirigido a cristianos que provenían del paganismo y por eso no conocían las costumbres judías. Marcos traduce y explica las expresiones arameas que utiliza para que su narración sea clara y comprensible. Su estilo es vivo, práctico y popular y más que destacar las palabras de Jesús, su interés es más por las acciones del Maestro y esto hace que abunden los detalles en las narraciones. Marcos pone especial énfasis en la humanidad de Jesús y a partir de allí, descubrimos progresivamente en Él al Hijo de Dios. En Marcos, Jesús inicia su ministerio, inmediatamente después que Juan el Bautista fue encarcelado, y proclama su Evangelio en la región de Galilea. Este Evangelio es la Buena Noticia que Dios visita al mundo personificado en su Hijo Jesucristo, es la llegada del reinado de Dios y para entrar en él se exige un nuevo estilo de vida que resulta de creer en la Buena Noticia que es Jesús, el Hijo de Dios.

Jesús no empezó su obra en Jerusalén, el centro del poder político y religioso, tampoco llamó personas que pertenecieran a las "altas esferas de la sociedad" ni a eruditos de la religión judía. El roce del Maestro estaría caracterizado por su contacto con todo tipo de personas del pueblo. Así que el anuncio de la buena nueva sacudiría las mentes y los corazones de muchos que vivían marginados, despreciados, discriminados, enfermos y sin esperanza. Lo que sí está muy claro en Marcos, es que Jesucristo es el cumplimiento de las profecías veterotestamentarias y el responsable de llevar a cabo la obra redentora de la humanidad cuyo origen se remonta al mismo corazón de Dios. Jesús es quien da a conocer al Padre, hablará la Palabra que el Padre le dio y hará la obra para la cual el Padre lo envió. Para llevar a cabo esta misión llamará a un grupo de discípulos para que estén siempre con Él, que tengan una relación íntima y personal con su Maestro y que imiten a su Discipulador. Además, serán sus colaboradores durante su ministerio terrenal y serán los responsables de continuar la misión iniciada por Jesús y llevarla hasta lo último de la tierra. Jesús lo vio así desde el principio y por eso invirtió todo el tiempo disponible en enseñar, dar ejemplo y demostrar a través de su vida, pasión y muerte, de su entrega y sacrificio, que eso es lo que se espera de un verdadero seguidor. Hacer discípulos es la tarea primordial para la vida de la iglesia.

DESARROLLO DEL ESTUDIO

I. JUAN Y JESÚS, EL ANUNCIO Y EL CUMPLIMIENTO (MARCOS 1:1-15)

Ideas para el maestro o líder

(1) Analicen cuáles pueden ser las características del reino de Dios.

(2) Dé oportunidad para que los alumnos compartan con la clase su historia. ¿Cuál fue su experiencia "religiosa", antes de tener un encuentro con Jesús?

Definiciones y etimología

* *La memoria histórica.* Es el esfuerzo consciente y sistemático que nos permite vincular la fe con nuestra herencia como pueblo de Dios descrito en las páginas de la Biblia.

* *El reino o reinado de Dios.* El Reino de Dios (o en griego *βασιλεία τοῦ θεοῦ* basileia *tou theou*) es un concepto importante en el judaísmo y en el cristianismo. Se refiere al reinado o soberanía de Dios que está sobre todas las cosas; reconocimiento pleno de que el Señor está en control de la historia humana. La palabra griega "Basileia" también es traducida en nuestras Biblias por la palabra "reinado" que significa "poder absoluto" o "el ejercicio de poder".

A. Entendiendo nuestro origen, la memoria histórica (1:1-13)

Según la tradición Marcos fue discípulo de Pedro, de quien escuchó los relatos de la vida y la obra de Jesús. No tenemos duda de que Marcos utilizó toda esta información y algunas otras fuentes para la confección de su obra, y bajo la dirección e inspiración del Espíritu Santo escribió todo lo que recordaba, pero no necesariamente en el orden en que el Señor lo dijo o hizo. Según su narración, Marcos escogió el material y recopiló los acontecimientos más relevantes con respecto a la proclamación del reino de Dios, no para definirlo, sino para describir los elementos indispensables y las características fundamentales de aquello que Jesús llamó el reino de Dios. Una idea muy extendida es que el Evangelio de Marcos fue escrito para la iglesia de Roma, o para las comunidades cristianas helenísticas de lengua griega radicadas en algún lugar del Imperio romano, es decir, para gentiles. Por eso, Marcos explica las costumbres judías además de traducir palabras arameas y destacar hechos como la persecución y el martirio, temas que eran de interés para los creyentes del Imperio. Estas son sin duda algunas de las razones por las cuales el Evangelio de Marcos ha causado tanto impacto en la historia de la iglesia, pues su lectura es sencilla, fácil de entender y muy práctica para evangelizar y alcanzar a los perdidos. El primer versículo establece que el origen, el fundamento y representante de la buena noticia es Jesucristo: "Principio del evangelio de Jesucristo, Hijo de Dios". No existe otro principio, ni como base o inicio en el tiempo que no sea Jesucristo, porque: "en ningún otro hay salvación; porque no hay otro nombre bajo el cielo, dado a los hombres, en que podamos ser salvos" (Hechos 4:12). Jesús es el mensaje y el mensajero, Él es la máxima expresión del amor de Dios a la humanidad. El segundo versículo vincula el advenimiento de Jesús con la profecía mesiánica del Antiguo Testamento y constituye la continuidad de un plan redentor concebido en la mente de Dios desde antes de la fundación del mundo. Y allí surge la figura de Juan el Bautista, el precursor de Jesús, quien se identifica y se apropia de la profecía dada por Isaías más de 700 años antes. "He aquí yo envío mi mensajero delante de tu faz, El cual preparará tu camino delante de ti. Voz del que clama en el desierto: Preparad el camino del Señor; Enderezad sus sendas" (Isaías 40:3). Juan el Bautista está en el punto central de la historia, el momento que muchos vieron y se gozaron, pero no tuvieron la oportunidad de presenciar. El antiguo pacto está por terminar y el nuevo está por empezar. El Reino de Dios, la buena noticia, Jesucristo el Señor, está entre nosotros. Esta es nuestra historia y nuestra herencia. No somos producto del azar ni de la casualidad, somos discípulos de Cristo, salvos por la gracia de Dios, miembros de su cuerpo que es la iglesia, edificados en amor y respaldados por la autoridad y el poder del Espíritu Santo.

B. El ministerio de Jesús y el reino de Dios (1:14,15)

Cuando Jesús se enteró que Juan había sido encarcelado se fue a Galilea para iniciar su proclamación sobre el reino de Dios. Juan mismo había confesado: "Es necesario que Él crezca, pero que yo mengüe" (Juan 3:30). El ministerio público de Jesús comenzó, la buena noticia acerca del reino de Dios había llegado; el Señor mismo había dicho en la sinagoga de Nazaret que la antigua profecía de liberación, salvación y sanidad dada por Isaías (Isaías 61) siete siglos antes se habían cumplido. Así que, hizo su presentación pública diciendo: "El tiempo se ha cumplido, y el reino de Dios se ha acercado" (1:15). Esta gran noticia se empezó a difundir en un territorio donde reinaba la decadencia moral, la opresión política, las crisis económicas y una gran confusión espiritual. Esas condiciones eran el caldo de cultivo para fomentar cualquier revuelta o insurrección, ya fuera para expulsar a las fuerzas del Imperio romano o para deshacerse de Herodes el tetrarca. Se habían levantado algunos líderes cuya llama libertaria había sido apagada con crueldad y de inmediato por los batallones del ejército romano. Así que la mención de la llegada de un reino no era una idea ajena al pensamiento del pueblo y ocurría en el momento en que muchos esperaban la restauración del reino de Israel (Hechos 1:6). Por décadas, la nación había estado sometida al yugo imperial romano, un imperio gentil que había ocupado las regiones de Galilea y Judea con crueldad, fuerza y violencia. En ese contexto surge el predicador galileo proclamando que el tiempo se había cumplido, que en el calendario y la agenda divina había llegado la hora de que el gobierno de Dios se estableciera en la tierra. No es difícil asumir que mucha gente de inmediato vinculó esta proclama con el surgimiento de un líder, un caudillo capaz de formar un ejército y utilizar la fuerza militar para expulsar de esa tierra, la herencia de Dios a los patriarcas, a los intrusos que la habían pisoteado. Por eso, al decir Jesús "arrepentíos, y creed en el evangelio", deja claro que su mensaje es un llamado no a formar un grupo revolucionario, sino a volverse a Dios. El reinado de Dios no tiene nada que ver con territorios o límites geográficos, con el poder político ni religioso, este reino consiste en el reconocimiento pleno de que el Señor está en control de la historia humana, que su interés es la transformación física, emocional y espiritual de individuos y comunidades, y que el compromiso de este reino no es con cosas, sino con la restauración integral del ser humano. En un mundo en donde el interés de muchos líderes, pastores y denominaciones son las cosas, edificios, programas, estrategias, y que miden el éxito por la cantidad de gente y las ofrendas que recogen, este es un serio llamado de atención.

Afianzamiento y aplicación

(1) Según Marcos 1:1 ¿Quién es el origen, fundamento y representante de la buena noticia? Comente.

(2) El reino de Dios, la buena noticia, Jesucristo el Señor, está entre nosotros. Esta es nuestra historia y nuestra herencia. ¿Cómo afecta esta verdad a cada uno?

(3) ¿Cómo se define el reinado de Dios?

II. EL REINADO DE DIOS TIENE QUE VER CON PERSONAS (MARCOS 1:16-20)

Ideas para el maestro o líder

(1) Discuta con los alumnos los conceptos contemporáneos acerca del reinado de Dios.

(2) Que la clase lea Filipenses 2:5-11 y descubran las marcas que distinguen a un auténtico discípulo.

Definiciones y etimología

**Súbditos:* Es quien está sujeto a la autoridad de un superior y tiene la obligación de obedecerle. El concepto se usa para nombrar al ciudadano de una nación que debe someterse a las autoridades políticas. **Gobierno de Dios:* "teocracia" Dicho término procede de griego *Théos*, que significa Dios, y *Cracia*, que viene a definirse como gobierno. El gobierno ejercido directamente por Dios.

A. Jesús llama a los primeros discípulos (1:16)

La escena que narra Marcos tiene un gran significado práctico y simbólico, los verbos caminar, y ver, revelan que el ministerio de Jesús, como debe ser el de la iglesia, es de acción, de búsqueda del perdido y de acercamiento al necesitado. Hemos confundido la iglesia con un templo, con un edificio y no es así. El lenguaje que está en venta en este tiempo es megaiglesias, catedrales de cristal, edificios con todos los servicios y la gente incauta va detrás de muchas de estas "mercancías", de estas cosas, que nada tienen que ver con el auténtico reino de Dios. Muchos pastores y líderes se sienten frustrados y fracasados porque están perdiendo seguidores, porque no tienen recursos para implementar los "atractivos", las "novedades", los "programas", "los shows" que la gente busca. Jamás debemos olvidar que la proclamación del reino de Dios tiene que ver con personas, no con cosas. Es cierto que Jesús visitaba la sinagoga, que esa era su costumbre como dice Lucas 4:16, pero para leer la Escritura, no para refugiarse en ella, o sentirse seguro dentro de las cuatro paredes y mucho menos para que eso le diera cierta categoría. De acuerdo al testimonio de los evangelios fue la casa de Pedro, un lugar sin duda muy sencillo en Capernaum, el que muchas veces le sirvió a Jesús y a los discípulos de base para iniciar sus jornadas misioneras. Pongamos atención a eso y no nos dejemos deslumbrar por cosas atractivas, pero sin contenido.

Así que encontramos a Jesús caminando junto al mar de Galilea y allí es donde "vio a Simón y a Andrés su hermano, que echaban la red en el mar; porque eran pescadores y les dijo, venid en pos de mí". ¿Por qué Jesús les hace esta invitación a estos pescadores?, ¿por qué se interesa en estos hombres y los llama a seguirlo? La respuesta es que un Rey necesita súbditos, hombres y mujeres que pertenezcan y sirvan a ese Rey con entrega y disposición total y que desde el principio entiendan la naturaleza de ese reino. Y aquí vale la pena reforzar lo que se dijo en el punto anterior. El reinado de Dios tiene que ver con personas, con seres humanos no con sus bolsillos ni con sus pertenencias. El llamado es para que las vidas sean transformadas por el poder y la autoridad del Rey que gobierna ese reino. Es la manifestación del amor de Dios por la humanidad, es la invitación a que amemos a Dios con todo nuestro corazón con toda nuestra mente y con todas nuestras fuerzas, y a nuestro prójimo como a nosotros mismos. Esa será la verdad en que se fundamenta ese reino y será la característica distintiva de sus súbditos. El llamado de Jesús a aquellos pescadores tiene que ver necesariamente con el hecho que "de tal manera amó Dios al mundo, que ha dado a su Hijo unigénito, para que todo aquel que en él cree, no se pierda, mas tenga vida eterna" (Juan 3:16). Jesús siguió caminando y "un poco más adelante, vio a Jacobo hijo de Zebedeo, y a Juan su hermano, también ellos en la barca, que remendaban las redes" (1:19), y los llamó.

B. El verdadero discípulo lo deja todo (1:17,20)

Los primeros pescadores, Simón y Andrés su hermano, estaban concentrados en su labor cotidiana. No era gente desocupada ni vagabunda, eran hombres con oficio y con responsabilidades. Su profesión era la pesca y el comercio, era el medio para ganarse su sustento y el de sus familias. Y pasando por allí Jesús les dijo: "Venid en pos de mí, y haré que seáis pescadores de hombres" (1:17), es decir, síganme y en lugar de pescar peces les voy a enseñar a ganar seguidores para mí. Jesús habla un lenguaje que estos hombres pueden entender, la pesca para ellos no es un entretenimiento, es la inversión de la vida misma, su tiempo, sus recursos, sus habilidades y sus intereses. Esas sencillas, pero profundas palabras están cargadas de significado pues lo dicen todo y lo piden todo. Y ese es el sentido en que los pescadores lo entendieron, su reacción y su respuesta así lo demostró. "Y dejando luego sus redes, le siguieron" (1:18). "Un poco más adelante vio a Jacobo hijo de Zebedeo, y a Juan su hermano, también ellos en la barca, que remendaban las redes" (1:19). Y a ellos también Jesús los llamó, posiblemente, con las mismas palabras que había pronunciado al llamar a los otros pescadores. Lo que sí está claro es que ellos lo siguieron dejando a su padre en la barca con los empleados y las redes. Tengamos presente que desde el mismo inicio de su ministerio Jesús empieza a enseñar a sus seguidores en qué consiste el verdadero seguimiento y cuáles son las marcas distintivas del discipulado. Desde allí aprenderán que para seguir a Jesús hay que dejarlo todo. La misma palabra así lo dice: "y aquel que poniendo la mano en el arado vuelve a ver atrás, no es digno de mí" (Lucas 9:62). "El que ama a padre o madre más que a mí, no es digno de mí; el que ama a hijo o hija más que a mí, no es digno de mí" (Mateo 10:37). El llamado de Jesús es radical y la respuesta que espera de sus seguidores debe ser radical. Jesús lo dio todo y por eso pide todo. La vida, muerte y resurrección de Jesús por amor a la humanidad no fueron a medias. El bellísimo canto entonado por la iglesia del primer siglo resume esta entrega total: "Haya, pues, en vosotros este sentir que hubo también en Cristo Jesús, el cual, siendo en forma de Dios, no estimó el ser igual a Dios como cosa a que aferrarse, sino que se despojó a sí mismo, tomando forma de siervo, hecho semejante a los hombres; y estando en la condición de hombre, se humilló a sí mismo, haciéndose obediente hasta la muerte, y muerte de cruz. Por lo cual Dios también le exaltó hasta lo sumo, y le dio un nombre que es sobre todo nombre, para que en el nombre de Jesús se doble toda rodilla de los que están en los cielos, y en la tierra, y debajo de la tierra; y toda lengua confiese que Jesucristo es el Señor, para gloria de Dios Padre" (Filipense 2:6-11). Obediencia, humildad, sumisión, sacrificio y servicio, son las marcas que distinguen al auténtico discípulo.

Afianzamiento y aplicación

(1) Analicen los verbos caminar y ver ¿qué revelan del ministerio de Jesús? ¿Qué está haciendo la iglesia al respecto?

(2) ¿Con quiénes tiene que ver la proclamación del reino de Dios?

III. EL PODER PARA LIBERAR Y PARA EL SERVICIO (MARCOS 1:21-31)

Ideas para el maestro o líder

(1) Que los estudiantes compartan testimonios acerca del poder liberador de Dios y los resultados en la vida del que experimenta el toque liberador del Maestro.

(2) Pida a la clase que expresen frases o palabras relacionado al reino de Dios. Dirija la plática a pensar en los términos de "servir y ministrar". Pregúnteles ¿De qué manera podemos ministrar a los demás?

Definiciones y etimología

* *Liberar:* Quitar obstáculos u obligaciones, del latín *liberare.* Poner en libertad a alguien o algo, eximir de una obligación.

* *Servicio*: Es el conjunto de acciones que son realizadas para servir a alguien, algo o alguna causa. La etimología de la palabra nos indica que proviene del latín, *Servitim* y significa acción de servir, ser esclavo.

A. Jesús y el poder del reino en la liberación (1:21-28)

El evangelista Marcos nos invita a caminar con Jesús y sus discípulos para visitar la sinagoga de Capernaum, un lugar que Jesús conocía muy bien, pues como todo buen judío, acostumbraba acudir a la sinagoga el día de reposo. Este sábado, y como ocurrió en otras ocasiones, el Señor se sentó y comenzó a enseñar. Toda la gente estaba admirada de sus enseñanzas, eran sencillas y a la vez profundas. Jesús usaba la imaginación, las parábolas, el lenguaje figurado y simbólico, la poesía y toda esa riqueza literaria que se encuentra en el Antiguo Testamento. Su comunicación era directa y efectiva, Jesús era un auténtico rabino y muy distinto a los demás rabinos que en sus enseñanzas solían citar a otros maestros o doctores de la ley. La enseñanza de Jesús era dinámica, novedosa, invitaba a la reflexión personal y colectiva y a la evaluación crítica, sincera y honesta de la vida en el contexto de las realidades cotidianas. Jesús era el Fiel y el Verdadero intérprete de las Escrituras. Ese sábado fue diferente a los demás, entre la concurrencia en la sinagoga, había un hombre que tenía un espíritu malo. Este, gritando, comenzó a decir a voz en cuello: "¿Qué tienes con nosotros, Jesús nazareno? ¿Has venido para destruirnos? Sé quién eres, el Santo de Dios". La narración tan viva y dramática de Marcos nos obliga a detenernos aquí para estudiar este caso con cuidado y aprender con los discípulos de Jesús cómo podía explicarse esto. La sinagoga, el lugar del culto a Dios, un lugar santo, el sitio de la reunión de la gente piadosa de la comunidad donde los fieles acudían a escuchar la palabra de Dios, de pronto es la voz del demonio la que se oye, que interrumpe y que llama la atención a una situación totalmente inesperada. ¿Qué enseñanza les dará el maestro a sus seguidores?, ¿cuál será su reacción frente a esta manifestación provocativa del demonio? Estar poseído por una fuerza demoniaca representaba en esos tiempos la peor condición a la que podía degradarse un ser humano. La persona no era dueña de sí misma, una fuerza maligna la controlaba. Pero si el ladrón viene a robar, destruir y matar, Jesús vino a restaurar, a edificar y a dar vida en abundancia. La voz del Señor se escucha con autoridad: ¡Cállate! Es la primera orden, y el mal espíritu guardó silencio. Si la enseñanza de Jesús había provocado admiración, ahora la demostración es que el reino de Dios es poder liberador. Y llegó la segunda orden: ¡y sal de él! El espíritu inmundo sacudió al hombre con violencia, y clamando a gran voz, salió de él. Los presentes no salían de su asombro y a una voz se preguntaban: ¿Qué es esto? ¿Qué nueva doctrina es esta, que con autoridad manda aun a los espíritus inmundos, y le obedecen? Y la fama de Jesús se difundió por toda la región de Galilea.

B. Jesús y el uso del poder para el servicio (1:29-31)

En el párrafo anterior, nos quedamos presenciando el asombro de todos los presentes cuando el hombre poseído por un espíritu inmundo quedó libre, volvió en sí y recobró el juicio. Es necesario recalcar que el reino de Dios no es asunto de palabras, no es charlatanería, sino la manifestación del poder de Dios para liberar a los oprimidos y a los que han caído en las redes de Satanás, es poder para resucitar a los muertos, física y espiritualmente hablando, es poder para dar vista a los ciegos y levantar a los caídos. El evangelista Marcos no relata lo que aconteció después en la vida de este hombre que había sido liberado. Sin embargo, tenemos testimonios que pueden ayudarnos a trazar los resultados que siguieron a este acontecimiento. La narración la encontramos en el mismo evangelio de Marcos en el capítulo cinco. Una escena semejante, con un hombre poseído por un espíritu inmundo, pero a diferencia del ejemplo anterior, este no estaba en la sinagoga sino en los sepulcros. Esta es otra gran lección, pues al enemigo, al acusador de los hermanos, al ladrón de la libertad, lo podemos encontrar en los lugares que consideramos santos y también en los lugares de los muertos. El siempre estará al acecho y por eso necesitamos el poder de Dios, no para sentirnos poderosos, ni mucho menos para manipular a otros. Jamás debemos olvidar que todo lo que recibimos del Señor es por pura gracia, los dones y ministerios los recibimos no por nuestras capacidades, nuestra inteligencia o nuestras habilidades sino para la proclamación del reino de Dios que se manifiesta con poder y autoridad. El resultado de esa liberación fue que aquel hombre, después de su encuentro con Jesús: "se fue, y comenzó a publicar en Decápolis cuán grandes cosas había hecho Jesús con él; y todos se maravillaban" (Marcos 5:20).

Ahora Jesús y sus discípulos salen de la sinagoga y caminando se dirigen a la casa de Simón y Andrés, con Jacobo y Juan. Es el momento del descanso, del comentario, de la charla o la conversación casera, momento que Jesús sin duda aprovechará para reflexionar sobre los acontecimientos del día. Su labor de maestro y de discipulador es constante, Jesús sabe que su ministerio terrenal durará muy poco tiempo. Al llegar a la casa se encuentran con que la suegra de Simón estaba enferma, acostada con fiebre y enseguida le contaron al Señor lo que ocurría. La actitud de Jesús fue tierna y expresiva, se acercó, la tomó de la mano y la levantó, e inmediatamente la dejó la fiebre. Este gesto de Jesús fue una demostración de su poder sanador y el resultado de aquella sanidad es una gran lección para nosotros. Aquel que recibe el toque poderoso del Señor no se queda inerte o pasivo. La mujer se levantó y les sirvió, a Jesús y a los que estaban con Él. El poder que recibimos del Señor es para el servicio del reino de Dios.

Afianzamiento y aplicación

(1) ¿Qué fue lo que causó gran asombro en los presentes en la sinagoga?
(2) ¿Qué demostró Jesús, con relación al reino, cuando liberó al endemoniado?
(3) Resultados normales que se observan en uno que ha sido liberado por Jesús.

RESUMEN GENERAL

El Evangelio de Marcos es una narración dinámica, muy interesada en describir las acciones de Jesús y por eso sus relatos gozan de abundantes detalles. El evangelista se ocupa de destacar la humanidad de Jesús y poco a poco nos conduce a descubrir en Él al Hijo de Dios, y un gran secreto que se esconde en ese maravilloso personaje, Jesús es el Mesías anunciado por los profetas de antaño y esto quedará claramente revelado en su muerte y su resurrección. Marcos fue dirigido a cristianos que provenían del paganismo y no conocían las costumbres judías. Por eso, Marcos no solo explica, sino que traduce las expresiones arameas que utiliza para que su narración sea vivaz y comprensible. De acuerdo a Marcos, Jesús inicia su ministerio después que Juan el Bautista fue encarcelado, y empezó a proclamar su Evangelio en la región de Galilea. Es curioso que Jesús no empezó su obra en Jerusalén, el centro del poder político y religioso, ni llamó personas que pertenecieran a las "altas esferas de la sociedad" ni a eruditos de la religión judía. Llamó a pescadores, publicanos, un zelote y a otros ciudadanos comunes y los invitó a seguirlo, a estar con Él y a permanecer en Él. Jesús se identificó con todo tipo de personas del pueblo y por eso el anuncio de la buena nueva sacudió las mentes y los corazones de muchos que vivían marginados, despreciados, discriminados, enfermos y sin esperanza.

"El tiempo se ha cumplido, y el reino de Dios se ha acercado" (1:15). Según su narración, Marcos escogió del material recopilado los acontecimientos más relevantes con respecto a la proclamación del reino de Dios, no para definirlo, sino para describir los elementos indispensables y las características fundamentales de aquello que Jesús llamó el reino de Dios.

Esta gran noticia se difundió rápidamente en un territorio donde la decadencia moral y espiritual, la opresión política y las crisis económicas eran el pan de cada día. Jesús demostró que el reinado de Dios tiene que ver con personas, que el llamado es para que las vidas sean transformadas por el poder y la autoridad del Rey que gobierna ese reino. Jesús es la encarnación del amor de Dios, es la manifestación de la gracia del Señor para cumplir con el plan de redimir a la humanidad de una condición de pecado a la libertad gloriosa como hijos de Dios. Los poseídos por espíritus malignos son liberados, los enfermos son sanados, los ciegos ven, los cojos andan, pero también son confrontados los que profanan el templo, los que engañan al pueblo y los que se esconden tras la religión para engañar a muchos.

Ejercicio de clausura

Concluya este estudio con una oración agradeciendo a Dios por el llamado a ser discípulos y al mismo tiempo pidiendo la ayuda al Señor para ser radicales en la decisión de servir al Señor y hacer su voluntad.

PREGUNTAS Y RESPUESTAS

1. ¿Qué verdad fundamental revela Marcos 1:1?
Que Jesucristo es el "Principio del evangelio" y es el representante de la buena noticia.

2. ¿Qué vínculo, relacionado a Jesús, encontramos en el segundo versículo de Marcos 1?
Enlaza el advenimiento de Jesús con la profecía mesiánica.

3. ¿En qué consiste el reinado de Dios?
Consiste en el reconocimiento pleno de que el Señor está en control de la historia humana.

4. ¿Qué enfatizó Jesús en su enseñanza desde sus inicios?
El verdadero seguimiento y cuáles son las marcas distintivas del discipulado.

5. ¿Cuál fue el resultado de la liberación que encontramos en Marcos 5:20?
"Comenzó a publicar en Decápolis cuán grandes cosas había hecho Jesús con él."

PARA LA PRÓXIMA SEMANA

Dios no hará nada sino en respuesta a la oración, dijo alguien. El tema del próximo estudio: "Jesús, ejemplo de oración para sus discípulos", nos ayudará a entender el valor y la importancia de la oración en el discipulado. Procuren leer los pasale bíblicos y la guía de estudio.

JESÚS, EJEMPLO DE ORACIÓN PARA SUS DISCÍPULOS

ESTUDIO BÍBLICO 10

Base bíblica

Lucas 3:21,22; 5:12-16;11:1-4

Objetivos

1. Comprender la importancia de la oración en la Biblia.
2. Valorar la importancia de la oración en la vida de Jesús.
3. Hacer de la oración una práctica continua e insustituible.

Fecha sugerida:___/____/____

Pensamiento central

La oración es considerada como una expresión de fe que nos introduce a la presencia de Dios, y nos permite descubrirlo a través del ejemplo que Jesús nos dejó.

Texto áureo

Aconteció que estaba Jesús orando en un lugar, y cuando terminó, uno de sus discípulos le dijo: Señor, enséñanos a orar, como también Juan enseñó a sus discípulos (Lucas 11:1).

LECTURA ANTIFONAL

Lucas 3:21 Aconteció que cuando todo el pueblo se bautizaba, también Jesús fue bautizado; y orando, el cielo se abrió

22 y descendió el Espíritu Santo sobre él en forma corporal, como paloma, y vino una voz del cielo que decía: Tú eres mi Hijo amado; en ti tengo complacencia.

Lucas 5:12 Sucedió que estando él en una de las ciudades, se presentó un hombre lleno de lepra, el cual, viendo a Jesús, se postró con el rostro en tierra y le rogó, diciendo: Señor, si quieres, puedes limpiarme.

13 Entonces, extendiendo él la mano, le tocó, diciendo: Quiero; sé limpio. Y al instante la lepra se fue de él.

14 Y él le mandó que no lo dijese a nadie; sino ve, le dijo, muéstrate al sacerdote, y ofrece por tu purificación, según mandó Moisés, para testimonio a ellos.

15 Pero su fama se extendía más y más; y se reunía mucha gente para oírle, y para que les sanase de sus enfermedades.

16 Mas él se apartaba a lugares desiertos, y oraba.

11:1 Aconteció que estaba Jesús orando en un lugar, y cuando terminó, uno de sus discípulos le dijo: Señor, enséñanos a orar, como también Juan enseñó a sus discípulos.

2 Y les dijo: Cuando oréis, decid: Padre nuestro que estás en los cielos, santificado sea tu nombre. Venga tu reino. Hágase tu voluntad, como en el cielo, así también en la tierra.

3 El pan nuestro de cada día, dánoslo hoy.

4 Y perdónanos nuestros pecados, porque también nosotros perdonamos a todos los que nos deben. Y no nos metas en tentación, mas líbranos del mal.

DATOS GENERALES ACERCA DEL TEMA

- **Enseñanza:** Todo discípulo y seguidor del Señor necesita pasar tiempo con Dios en oración para ser un verdadero testigo de su reino.
- **Autor:** El evangelista Lucas
- **Personajes:** Jesús y sus discípulos
- **Fecha:** Alrededor del año 59 d.C, en Cesarea
- **Lugar:** El evento se desarrolla en Judea

BOSQUEJO DE LA LECCIÓN

I. Jesús, un hombre de oración (Lucas 3:21,22)
  A. Jesús inicia su ministerio orando (3:21)
  B. Consecuencias de una oración auténtica (3:22)
II. Jesús y la oración como una prioridad (Lucas 5:15,16)
  A. Jesús y su ministerio (5:15)
  B. Jesús y el tiempo devocional (5:16)
III. La vida de oración distingue al verdadero discípulo (Lucas 11:1-4)
  A. La oración modelo de Jesús (11:1,2)
  B. Lecciones del Padrenuestro (11:3,4)

LECTURAS DEVOCIONALES DIARIAS

Lunes: El siervo de Dios reconoce su condición (Isaías 6)
Martes: Solo Dios puede ayudarnos en momentos de angustia (Salmo 13)
Miércoles: El discípulo reconoce a Dios como el objeto de su alabanza (Salmo 100)
Jueves: El discípulo es agradecido (Salmo 118)

Lucas escribió su evangelio para todas las naciones y ha sido reconocido como el evangelio más universal.

Viernes: El discípulo reconoce su imperfección (Salmo 51)
Sábado: El discípulo es una persona intercesora (Juan 17)

INTRODUCCIÓN

Para este estudio tomaremos como base varios pasajes del Evangelio de Lucas el cual fue escrito unos treinta años después de la muerte y resurrección de Jesús. Lucas no era de origen judío y su evangelio fue dirigido particularmente a los cristianos que provenían del mundo gentil o pagano. En el primer capítulo, el evangelista hace referencia a la manera en que los testigos, los que estuvieron con Jesús desde el principio, contaron la vida, pasión, muerte y resurrección de Cristo, el Salvador del mundo, y ahora, después de poner en orden todos estos acontecimientos, Lucas los redacta con el interés de que sus destinatarios reciban esa Buena Noticia: que Dios se ha manifestado en el mundo en la persona de su Hijo Jesucristo, y que el Espíritu del Señor está sobre Él para llevar buenas nuevas a los pobres, dar libertad a los oprimidos y proclamar el año de la gracia del Señor. La salvación ha llegado, Jesús vino a buscar y a salvar lo que se había perdido y el Padre, es presentado como el Dios misericordioso que sale al encuentro de aquellos que están extraviados y se llena de gozo cuando un pecador se arrepiente. No es casual que al Evangelio de Lucas se le llame el "Evangelio de la misericordia", sin dejar por un lado las exigencias que acompañan al llamado a la conversión, la cual implica un cambio de vida, de pensamiento, de actitudes, de rumbo y sobre todo, de participación en el reino de Dios como seguidores y discípulos de Jesús.

Uno de los temas más relevantes que se hilvana en el Evangelio de Lucas es el lugar de la oración en la vida de Jesús. La oración fue tan fundamental en el ministerio del joven rabino galileo que el énfasis al que se recurre para señalar este detalle tan importante está presente en todo el Evangelio. No tenemos ningún temor de asegurar que todas las enseñanzas, los viajes, las visitas a las sinagogas, las señales, los milagros y los momentos cumbres del peregrinar de Jesús en la tierra estuvieron precedidos por un tiempo completamente dedicado a la oración. Su relación con sus discípulos estuvo marcada, más allá de una enseñanza teórica, con una vida ejemplar en todos los ámbitos, moral, ético y espiritualmente hablando. Queda claro que Lucas se empeñó en demostrar el lugar de la oración en la vida de Jesús y por lo tanto, el lugar que esta debe ocupar en la vida de todo auténtico discípulo de Cristo.

DESARROLLO DEL ESTUDIO

I. JESÚS, UN HOMBRE DE ORACIÓN (3:21,22)

Ideas para el maestro o líder

(1) Evalúen la vida de oración y estudio de la Biblia con el grupo y conversen sobre la importancia de estos dos ingredientes indispensables de la vida devocional.
(2) Reflexionen sobre la vida de oración de Jesús y cómo esto lo preparó para cada situación diaria.

Definiciones y etimología

* *Y orando, el cielo se abrió*. El pecado había hecho que el cielo se cerrara, pero la oración y la obra de Cristo hicieron que se abriera. La oración eficaz abre los cielos: "Llamad y se os abrirá"

A. Jesús inicia su ministerio orando (3:21)

Se ha vuelto un denominador común entre las congregaciones la falta de importancia que se le da a la oración a pesar de sus muchas expresiones que encontramos en la Biblia. La existencia de los grandes personajes en la historia del pueblo de Dios estuvo caracterizada por una vida de oración, sus experiencias más gloriosas, sublimes y transformadoras estuvieron precedidas por intensos momentos de oración. Los avivamientos que despertaron, sacudieron, levantaron e impulsaron a la iglesia en el cumplimiento de su misión a través de los siglos comenzaron con la oración de hombres y mujeres que doblaron sus rodillas pidiendo a Dios que el fuego de su Espíritu se derramara. La manifestación de ese poder conquistó corazones para Cristo, transformó familias y comunidades y el mundo pudo ver las obras y prodigios de Dios en toda su plenitud.

Hoy por hoy estamos en una época de crisis, pensamos, afirmamos y testificamos que somos seguidores de Jesús, pero cada vez estamos más distanciados del ejemplo de nuestro Maestro. Todos hemos recibido la información básica de cómo ser seguidores de Jesús, el mismo Señor dice en su Palabra que si nos mantenemos unidos a Él y obedecemos lo que nos ha enseñado (su Palabra), vamos a recibir del Padre (por medio de la oración) lo que pidamos (Juan 15:7). Cuántas veces nos hemos preguntado por qué nuestras oraciones no tienen respuesta, si la misma Palabra de Dios enseña que la oración del justo puede mucho, que es poderosa (Santiago 5:16). La respuesta la encontramos en la misma Palabra: "Pedís, y no recibís, porque pedís mal, para gastar en vuestros deleites" (Santiago 4:3). Jesús es nuestro ejemplo de cómo debe ser nuestra vida en todo el sentido de la palabra. No podemos descuidar ni un solo aspecto de nuestro andar con Él porque esto equivaldría a hacer inútil la gracia que Dios ha derramado abundantemente sobre nosotros. No podemos conformarnos con haber aceptado la invitación para ser parte del reino de Dios y quedarnos de brazos cruzados mientras el mundo se pierde y la sociedad, la familia y las personas van camino hacia la destrucción y la condenación eterna. Jesús estaba consciente de la extraordinaria y terrible misión que le esperaba. Dar su vida en pago por el pecado del mundo demandaba un sacrificio cruento y doloroso. Así que tenía que prepararse y pagar el precio para que nada ni nadie lo desviara de su objetivo redentor.

Ese día que nos narra Lucas, Juan el Bautista anunciaba las buenas nuevas y bautizaba a la gente en el Jordán. Ya había dicho que estaba por llegar uno más poderoso que él a quien no era digno de desatar la correa de su calzado. Este, bautizaría en Espíritu Santo y fuego. En esta escena el Señor mezclado con los pecadores sin serlo, camina hacia el Bautista quien lo presenta como el Cordero de Dios que quita el pecado del mundo. Jesús se entrega en las aguas bautismales para que toda justicia sea cumplida y cuando emerge ora y en ese instante el cielo se abrió. Qué momento más glorioso. El inicio del ministerio de Jesús tiene el sello de la oración que abre el cielo. Es una plegaria de intimidad, entrega irrestricta y disposición incondicional a la misión designada, devoción, lealtad y reconocimiento de quien lo ha enviado. Este ejemplo es digno de ser imitado por cada seguidor de Jesús. Es imposible esperar que los cielos se abran y sean derramadas bendiciones hasta que sobreabunden si no derramamos nuestro ser entero delante de Dios y nos ponemos a su disposición para que nos use conforme a su propósito.

B. Consecuencias de una oración auténtica (3:22)

Jesús se había incorporado a la ceremonia de bautismo popular. Según el relato, todo el pueblo se bautizaba, el mensaje del Bautista había calado hondo en la conciencia de la gente y un sentimiento de sincero arrepentimiento se dejaba sentir en el ambiente. Fue un despertar como a lo que ahora llamamos avivamiento, la exhortación de Juan era directa y señalaba hacia un juicio inminente: ¿Quién os enseñó a huir de la ira venidera?, decía. Y como todo verdadero profeta de Dios, condenaba el pecado, instaba a destruir todo aquello que produce frutos indignos y demandaba un verdadero arrepentimiento. Jesús se había mezclado con la multitud, había llegado el momento de su manifestación y ahora emergía de las aguas orando, presentando su vida como una ofrenda de olor grato delante de Dios y dispuesto a iniciar y cumplir la misión para la cual había sido enviado. El cielo se abrió y el Espíritu Santo descendió sobre Él en forma corporal, en forma de paloma. Simultáneamente se escucha "una voz del cielo que decía: Tú eres mi Hijo amado; en ti tengo complacencia". Esta es una escena extraordinaria que describe el momento en que la Trinidad misma se hace presente, visible y audiblemente para dar paso a lo que los profetas de antaño habían estado anunciando. El Mesías prometido es una realidad histórica, encarnado en una época, en un país y en medio de un mundo necesitado de la visitación de Dios. El testimonio de la tercera persona de la Trinidad, el Espíritu Santo, se hace presente invistiendo a Jesús como el Cristo. Su presencia cumplirá un papel central en la vida y la misión de Jesús y posteriormente en la comunidad de discípulos. El Espíritu acompañará a Jesús en su ministerio terrenal y después de su exaltación. El Espíritu será quien continúe la obra de Jesús y perpetuará su presencia como el parácleto, el abogado y mediador, el consolador y ayudador en momentos de necesidad. Este mismo Espíritu será el que después de la resurrección y ascensión de Cristo hará por la comunidad de discípulos lo mismo que Jesús había hecho por ellos: les mostrará la verdad, les recordará lo que deben decir en momentos de dificultad y garantizará que por medio de Él Jesús estará con ellos siempre. El Espíritu será la presencia de Jesús en su ausencia y mediante el poder de ese Espíritu los discípulos podrán hacer obras mayores que las que Jesús hizo durante su ministerio. La unción e investidura del Espíritu que Jesús recibe lo constituyen en inaugurador de la era del Espíritu. Todas estas implicaciones y muchas más tiene este momento que Lucas describe con tan pocas palabras. La voz de la primera persona de la Trinidad también se escucha, es un testimonio de complacencia y contentamiento, es una clarísima expresión de reconocimiento de una vida entregada, dispuesta y rendida totalmente en obediencia, humildad, sumisión, sacrificio y fidelidad. Esa oración de Jesús es recibida en el contexto de esta entrega y por eso el resultado es glorioso. Si esa misma actitud es la que dirige nuestras oraciones, entonces, podemos esperar que cosas extraordinarias ocurran, que los cielos se abran y el Espíritu Santo se derrame sobre para darnos el poder y la autoridad para cumplir, como Jesús, la misión de llamar a los pecadores al arrepentimiento.

Afianzamiento y aplicación

(1) Si queremos que nuestra labor ministerial tenga los resultados deseados debemos vivir una vida entregada, dispuesta y rendida a Dios.
(2) Enfatice lo imprescindible que es orar con la misma actitud que lo hizo Jesús si queremos ver "cielos abiertos".

II. JESÚS Y LA ORACIÓN COMO UNA PRIORIDAD (5:12-16)

Ideas para el líder o maestro

(1) Analicen qué circunstancias se producen antes y después de sus momentos de oración.
(2) Comenten acerca del impacto que producía en la gente el ministerio de Jesús.

Definiciones y etimología

* *Se apartaba y ...oraba. Aiteo,* verbo griego que significa suplicar, pedir, aparece 70 veces en el Nuevo Testamento, sobre todo en los evangelios.

* *Lepra.* Del hebreo *Tsara'ath* es la palabra que se aplicaba genéricamente a todas las enfermedades de la piel.

A. Jesús y su ministerio (5:12-15)

La vida de Jesús fue intensa de principio a fin. El tiempo de su ministerio fue de corta duración y el recorrido que hizo por todas las ciudades de Palestina en las que predicó, las sinagogas donde enseñó, las casas que visitó, revelan que su agenda estuvo "cargada de actividades", pero todas enmarcadas dentro de los límites de su misión. No hubo pérdida de tiempo ni mucho menos desperdicio de energía o pasos equivocados. Jesús era un maestro que lo mismo enseñaba a unos pocos que a multitudes, en la sinagoga, en las casas o al aire libre. Se sentaba a hablar de la Escritura o lo hacía mientras caminaba, respondía a las inquietudes de gente culta y adinerada o a los clamores de oprimidos, marginados, necesitados o enfermos. Jesús era un hombre cuyo lenguaje descriptivo, sencillo y elocuente, captaba la atención de los oyentes que entendían las verdades que comunicaba. Se expresaba a través de metáforas, parábolas, hipérboles, símbolos, expresiones poéticas y todo esto lo aplicaba a las diferentes circunstancias que enfrentaba cotidianamente. Hablaba al corazón de la gente necesitada, pero también desafiaba a las estructuras religiosas y políticas de su época con un mensaje de justicia y misericordia. La gente reconocía en Él al Maestro que hablaba con autoridad y destacaban las virtudes morales y éticas que expresaba a través de sus enseñanzas. Es indiscutible que todas estas virtudes, señales y enseñanzas de Jesús eran expresiones visibles del reino que Él vino a establecer y el impacto que causaron provocó que su fama se extendiera cada día más y más. Era mucha la gente que se reunía para oírle e innumerables los enfermos que lo buscaban para que los sanara. La narración anterior en el pasaje de Lucas que estudiamos hoy describe una dc esas oportunidades en que un enfermo busca a Jesús para que lo sane. Este hombre era un leproso, un padecimiento que marcaba la forma de vida y el destino de quien la sufría. Según el Antiguo Testamento, los leprosos debían de ser excluidos de la sociedad y retirados de los asentamientos humanos para vivir aislados por el resto de su existencia. A tal punto llegaba la exclusión de los leprosos que se les consideraba muertos en vida. Un leproso no podía acercarse a donde hubiera personas sanas; el colmo de su marginación llegaba al extremo que dependiendo de la dirección del viento estos debían alejarse para que el olor de muchos de ellos no fuera percibido por la gente. Otra terrible muestra de su aislamiento era que se les obligaba a usar una campanilla con la cual advirtieran donde andaban para que la gente no se acercara.

Pero el leproso de esta historia escuchó hablar de Jesús y lo buscó. Al llegar a Él se inclinó hasta tocar el suelo con la frente y le suplicó: Señor, yo sé que tú puedes sanarme. ¿Quieres hacerlo? Qué gran ejemplo de fe, de humildad y de reconocimiento de parte del leproso, se atrevió a romper todas las normas sociales y religiosas que le impedían acercarse a una persona sana, pero sabe que quien estaba delante de él era el único que podía salvarlo de su estigma como pecador, sanarlo del cuerpo mutilado por la enfermedad y regresarlo al seno de su familia y de su comunidad. Una auténtica salvación integral. Jesús extendió la mano, tocó al enfermo y le dijo: Sí quiero, quedas sano. Si el hombre había roto las barreras provocadas por su enfermedad, Jesús quiebra las normas impuestas por la religión y no tiene temor a volverse impuro, la sanidad que sale de Él es superior a toda contaminación provocada por el pecado o la enfermedad. Esa clase de poder y autoridad es la que Jesús obtiene en sus momentos de oración, de dependencia del Padre. Esa clase de fe, en el ejemplo que recibimos de Jesús es lo que el discípulo y seguidor de del Señor necesita en este tiempo para ser verdadero testigo del reino de Dios.

B. Jesús y el tiempo devocional (5:16)

El hombre de la historia anterior, después que Jesús extendió su mano y lo tocó quedó completamente limpio y restaurado. El Señor le recomendó que no dijera a nadie lo que había sucedido, pero le pidió que se presentara con el sacerdote y que llevara la ofrenda que Moisés ordenó, así les constaría a los sacerdotes que ya estaba sano. El ministerio de Jesús no era asunto de palabras, era la manifestación del poder de Dios en medio de una humanidad sufrida y necesitada. Ahora podemos entender aun más por qué Jesús necesitaba orar. Cada vez cobra más sentido el hecho de que el Señor se apartara a lugares solitarios para estar en comunión con el Padre. Tenía la necesidad de experimentar el poder de su presencia y mantenerse conectado a la Fuente de ese poder para responder a cada situación por exigente que fuera. Sus discípulos y seguidores recibieron todas estas muestras de piedad de su Maestro como parte de su formación y entrenamiento. Ellos descubrieron las virtudes inherentes a una vida de oración y aprendieron que nada de lo que ocurrió en la vida de Jesús fue producto de la casualidad ni de la improvisación. Durante todo su ministerio, y mediante una rigurosa disciplina de oración, Jesús reveló quién era su Padre y la fuerza vital que de Él recibía transformada en sabiduría y poder para vivir y responder a cada situación con propiedad y acierto. En la llamada oración sacerdotal (Juan 17) están presentes las funciones de Cristo como rey, profeta y sacerdote, y a estas se añade la de enviado. Es Jesús quien ha dado a conocer ante el mundo la grandeza y el poder del Padre mediante una vida de obediencia y fidelidad. En esa misma plegaria intercedió delante del Padre por sus discípulos que iban a permanecer en este mundo, rogando que los guardara y protegiera de Satanás. Es en oración que Jesús ruega al Padre que sus seguidores estén donde Él va a estar y que el mismo amor que el Hijo ha recibido sea dado a sus discípulos. Qué arma más poderosa es la oración, que recurso para la intimidad es esta herramienta que Jesús ha puesto a nuestro alcance para que entremos confiadamente al trono de la gracia.

Los discípulos de Jesús creyeron en Él y por eso recibieron el poder y la autoridad para realizar los milagros y señales hechos por Jesús. Aprendieron el uso correcto de la oración como la llave misteriosa para abrir la puerta de lo eterno, como la clave para suplicar el apoyo del Todopoderoso para que su iglesia investida del poder de su Espíritu Santo siga proclamando el mensaje de salvación y vida eterna. Los discípulos de Cristo del siglo veintiuno vamos a encontrar leprosos, endemoniados, enfermos, pecadores, paralíticos, ciegos, sordomudos, tullidos, marginados, abusados, huérfanos, viudas, abandonados y muchos otros afligidos por los males de nuestra época. De nuestra vida de oración e intimidad con Dios dependerá que tengamos la respuesta para cada una de esas necesidades, de seguir el ejemplo de Jesús derivará que el mundo crea que Él nos ha enviado para dar libertad a los cautivos.

Afianzamiento y aplicación

(1) Comente sobre la clave para obtener poder y autoridad en la comunión con el Padre.
(2) Descubrir las grandes virtudes inherentes a una vida de oración.

III. LA VIDA DE ORACIÓN DISTINGUE AL VERDADERO DISCÍPULO (11:1-4)

Ideas para el maestro o líder

(1) Pida que lea Lucas 11:1,2 y qué expresen sus opiniones a esta petición de los discípulos. ¡Ellos sabían hacer sus oraciones!
(2) ¿Qué había de especial en la oración de Jesús que ellos querían aprender?

Definiciones y etimología

* *El Shemá.* Shemá Israel, "Escucha, Israel" es el nombre de una de las principales plegarias de lareligión judía. Su nombre retoma las dos primeras palabras de la plegaria en cuestión, siendo esta a su vez la oración más sagrada del judaísmo.

* *Abba.* Palabra perteneciente a la lengua aramea cuyo significado es "papá, papi, papaíto".

A. La oración modelo de Jesús (11:1,2)

Los judíos en general era gente tradicionalmente piadosa. Los momentos de oración y la lectura de la Escritura ocurrían en los hogares y en las sinagogas. Había oraciones de súplica, de alabanza, acción de gracias, confesión e intercesión, y además del Shemá y de las llamadas dieciocho bendiciones, podían contarse hasta más de cien bendiciones al día. Se daba gracias por los alimentos antes y después de ellos, además, los judíos oraban cuatro veces al día y recitaban el Shemá dos veces al día. Todo esto se hacía en hebreo y los hombres tenían que cumplir con todas estas prácticas a partir de los 12 años. Por su parte las mujeres, los niños y los esclavos sólo tenían que hacer las oraciones. Debido a toda esta tradición tan rica en lo que a la vida de oración se refiere, casi cada momento en el diario vivir de un judío era ocasión para una bendición. Este criterio lo alimentaba el hecho de que no se puede disfrutar nada en este mundo si no hay una palabra de bendición.

Jesús fue un hombre de oración, y fiel a la tradición ancestral, no hubo un día sin oraciones y bendiciones en la vida de Jesús. Sin embargo, Él rompió ciertas tradiciones, pues además de las oraciones comunes en hebreo, sus oraciones privadas con el Padre las hizo en su idioma materno, el arameo. Por esa razón el Padrenuestro en su versión original fue escrito en arameo y no en hebreo. No cabe duda que aquellas oraciones en que Jesús se apartó a lugares solitarios en quietud y en silencio en busca de la voluntad de Dios, de fortaleza para enfrentar los retos y dificultades cotidianos o intercediendo por los suyos y por los que habrían de venir, fueron en su idioma materno. Pero hay algo importante, Jesús no mantuvo estas experiencias de oración en privado, les enseñó a sus discípulos esta nueva dimensión en la vida de oración sacándola de la esfera de lo litúrgico o del lenguaje sagrado y la trasladó a la vida cotidiana. En el pasaje que estudiamos los discípulos le piden al Señor que les enseñe a orar, esto no significa que no supieran hacerlo, pues como hemos mencionado los judíos eran personas devotas. Por lo tanto esa petición tiene que ver con aprender cuál era el secreto para entrar en esa dimensión de la vida de oración que Jesús practicaba. Lo primero que entendemos es que Jesús trascendió el lenguaje materno y se acercó al Padre utilizando una palabra íntima, familiar, la expresión con la que el bebé se dirigía a su padre cuando recién empezaba a hablar: abba, "papá, papaíto". Jesús usaba abba, algo inusual en los maestros de Ley de Israel, y este legado, esta herencia se la dio a sus discípulos. Las tres veces que aparece abba en el Nuevo Testamento (Marcos 14:36; Romanos 8:15 y Gálatas 4:6), lleva esa carga de intimidad, confianza y sumisión del niño al padre, así como el respeto y amor que implica esa relación filial.

Jesús con su ejemplo y devoción enseñó a sus discípulos a orar en la dirección correcta. Confianza, obediencia, dependencia, sumisión, seguridad son algunos de los ingredientes que acompañaron la vida de oración de Jesús y son los que deben estar presentes en nuestros momentos a solas con Dios.

B. Lecciones del Padrenuestro (11:3,4)

La primera lección que el Padrenuestro nos da es la invitación de repetirla en comunidad. No dice padre mío, sino padrenuestro con lo que contribuye a que se fortalezca un sentido de pertenencia mutua. El balance que se encuentran en esta oración sitúa expresiones que corresponden al ámbito humano, por ejemplo, el pan, el perdón, la tentación, y el mal y también lo que forma parte de la realidad de Dios, su nombre, su reinado y su voluntad. Por eso, en el Padrenuestro tanto Dios como el ser humano, son importantes. Ambas causas la divina y la humana están tan íntimamente relacionadas y es por eso que en la dependencia del hombre de Dios y el apoyo divino al ser humano se entromete la fuerza maligna del diablo; vemos esto en la tentación de Jesús; en diversas ocasiones el enemigo trató de disuadir al Señor del cumplimiento de su misión. Por eso, Jesús en esta oración que enseña a sus discípulos, coloca el reino de Dios en choque frontal con el reinado del diablo.

Ahora analizaremos unos cuantos detalles de la oración del Padrenuestro. (1) Padre nuestro. Aquí Jesús utilizó un nombre que une, y esta breve frase es la que le va a dar coherencia a todas las relaciones que el ser humano pueda tener en la vida, en primer lugar, con Dios, con los demás seres humanos y con el mundo. Si nuestra relación con Dios es de intimidad, si Él es para nosotros abba, todo lo demás va a ser permeado por eso. (2) santificado sea tu nombre. Esto corresponde sólo a Dios, sólo Él es santificado.

Mucho de la gran tragedia humana es que se santifica religiones, ideologías, supersticiones y tradiciones esclavizantes. Cuando apelamos a la santidad de Dios rogamos que nuestra vida sea totalmente modelada en la fidelidad total a Dios, a nadie más. (3) Venga a nosotros tu reino y hágase tu voluntad. Estas peticiones son un ejemplo de paralelismo, la segunda línea explica la primera. Hacer la voluntad de Dios es estar en el reino de Dios, es cumplir y hacer las cosas en la tierra como se hacen en el cielo. (4) Danos hoy nuestro pan de cada día. Esta petición tiene que ver con recibir lo necesario. Dios se interesa por nuestro bienestar, pero debemos depender de Él. Al decir nuestro pan, implica que también hay que dar, no sólo para asegurar mi pan, sino un compromiso para que otros también lo tengan. (5) Perdona nuestras ofensas. Esta es una petición de reconciliación, el mismo espíritu del mensaje de Jesús. Esta petición aparece en tres versiones: deudas (Mateo 6:12), ofensas (Mateo 18:35) y pecados (Lucas 11:4). Siempre estamos prestos a señalar a otros que incurren en estas tres categorías. Por lo tanto, estamos diciéndole a Dios que nos perdone en proporción directa al perdón que concedemos a los que han incurrido en algo así contra nosotros. (6) no nos metas en tentación, mas líbranos del mal. Aquí la palabra tentación también quiere decir prueba. La gloria de la tentación o de la prueba no es hacernos caer más bien es que estemos preparados para ser más fuertes y tengamos más capacidad de enfrentar y vencer los distintos retos que encontremos en el camino de la vida.

Afianzamiento y aplicación

(1) Enfatice algunos ingredientes que acompañaron la vida de Jesús: Confianza, obediencia, dependencia, sumisión, seguridad.

(2) Anime a los estudiantes a hacer suyos estos elementos en su diario vivir y en sus momentos a solas con Dios.

RESUMEN GENERAL

La vida devocional de Jesús, nuestro Señor y Maestro nos permite descubrir el valor que tiene la oración como expresión de fe y la importancia que representa para la vida del discípulo como vía que nos introduce directamente a Dios. Por la oración descubrimos a Dios y a través de ella nos presentamos delante de Él para agradecer, interceder, alabar, suplicar, clamar, rogar, pedir perdón, pero también para expresar confianza y seguridad. El libro de los Salmos es un gran ejemplo de todo esto y se le conoce como el libro de oraciones del pueblo de Dios. En él aparece el ser humano como sujeto y Dios como receptor del clamor de sus criaturas.

Jesús, como todo judío, fue criado a la sombra de una riquísima tradición religiosa caracterizada por un énfasis particular en la oración y por eso no hubo día en la vida del Señor que transcurriera sin oraciones y bendiciones. Sin embargo, hay un matiz que debemos destacar, sus oraciones privadas. Jesús habló con su Padre utilizando el íntimo y familiar "abba", en su idioma nativo, el arameo (que traducido es papá, papi), que era la primera palabra que salía del niño cuando recién comenzaba a hablar. Pero lo más extraordinario y relevante es que Él no se guardó esta experiencia de oración únicamente para sus momentos a solas, en la intimidad "familiar" con Dios, sino que la enseñó a sus discípulos para que estos conocieran una nueva realidad espiritual, un nivel más profundo y superior de relación con el Todopoderoso que podía utilizarse en el diario vivir. Jesús se salió de lo tradicional y demostró que la oración íntima, el diálogo personal con el Padre, no era una práctica limitada al "Templo", o algo místico reservado para un grupo de privilegiados, cuya mayoría ni siquiera se atrevía a pronunciar el nombre de Dios. Mas bien, la oración que Jesús practicaba estaba abierta, y la podían hacer suya todos los que con corazón sincero, contrito y humillado se acercan al trono de la gracia para alcanzar misericordia y gracia para el oportuno socorro. Esa es una de las grandes lecciones del Padrenuestro y por eso Jesús no dudó en enseñar esta oración modelo que permite a sus seguidores entrar a esa nueva vida de oración e intimidad entre un hijo y su Padre.

Ejercicio de clausura

Concluya este estudio pidiendo a los alumnos que se pongan de pie y parafraseen la oración del Padrenuestro.

PREGUNTAS Y RESPUESTAS

1. ¿Cuál es un tema relevante que se destaca en el evangelio de Lucas?

El lugar de la oración en la vida de Jesús.

2. ¿Por qué algunas veces nuestras oraciones no tienen respuesta, según Santiago 4:3?

Porque pedís para gastar en vuestros deleites.

3. ¿Cuál es el resultado de una oración auténtica?

Habrá cielos abiertos y el derramamiento del Espíritu Santo para dar poder y autoridad.

4. En el encuentro del leproso con Jesús observamos tres elementos básicos ¿Cuáles son?

Fe, humildad y reconocimiento de la persona de Jesús.

5. Anote algunos ingredientes que acompañaron la vida de oración de Jesús.

Confianza, obediencia, dependencia, sumisión, seguridad.

PARA LA PRÓXIMA SEMANA

¡Por sus frutos los conoceréis!, dijo Jesús acerca de sus discípulos, por lo tanto, el tema del próximo estudio: "El discípulo de Cristo, una persona transformada", es de vital importancia para ser efectivos en la evangelización. Procuren leer sus guías de trabajo.

EL DISCÍPULO ES UNA PERSONA TRANSFORMADA

ESTUDIO BÍBLICO 11

Base bíblica

Lucas 6:46-49; 9:23,24; Romanos 12:1,2

Objetivos

1. Comprender que el discipulado es una prioridad que implica un estilo de vida diferente.
2. Reflexionar en la necesidad de hacer cambios en su manera de pensar para cambiar su manera de vivir.
3. Establecer los compromisos pertinentes para discipular a otros.

Pensamiento central

En la vida del discípulo, lo que es, lo que piensa y lo que hace debe estar en armonía con la voluntad de Dios.

Texto áureo

No os conforméis a este siglo, sino transformaos por medio de la renovación de vuestro entendimiento, para que comprobéis cuál sea la buena voluntad de Dios, agradable y perfecta (Romanos 12:2).

Fecha sugerida:___/____/____

LECTURA ANTIFONAL

Romanos 12:1 Así que, hermanos, os ruego por las misericordias de Dios, que presentéis vuestros cuerpos en sacrificio vivo, santo, agradable a Dios, que es vuestro culto racional.

2 No os conforméis a este siglo, sino transformaos por medio de la renovación de vuestro entendimiento, para que comprobéis cuál sea la buena voluntad de Dios, agradable y perfecta.

Lucas 9:23 Y decía a todos: Si alguno quiere venir en pos de mí, niéguese a sí mismo, tome su cruz cada día, y sígame.

24 Porque todo el que quiera salvar su vida, la perderá; y todo el que pierda su vida por causa de mí, éste la salvará.

25 Pues ¿qué aprovecha al hombre, si gana todo el mundo, y se destruye o se pierde a sí mismo?

Lucas 6:46 ¿Por qué me llamáis, Señor, Señor, y no hacéis lo que yo digo?

47 Todo aquel que viene a mí, y oye mis palabras y las hace, os indicaré a quién es semejante.

48 Semejante es al hombre que al edificar una casa, cavó y ahondó y puso el fundamento sobre la roca; y cuando vino una inundación, el río dio con ímpetu contra aquella casa, pero no la pudo mover, porque estaba fundada sobre la roca.

49 Mas el que oyó y no hizo, semejante es al hombre que edificó su casa sobre tierra, sin fundamento; contra la cual el río dio con ímpetu, y luego cayó, y fue grande la ruina de aquella casa.

DATOS GENERALES ACERCA DEL TEMA

- **Enseñanza:** La vida práctica del seguidor de Jesús debe estar en armonía con la voluntad de Dios.
- **Autores:** Lucas y Pablo
- **Personajes:** Los hermanos en Roma
- **Fecha:** Años 58 y 59 d. C
- **Lugar:** Pablo en Corinto; Lucas probablemente en Cesarea.

BOSQUEJO DEL ESTUDIO

I. El discipulado demanda una vida transformada (Romanos 12:1,2)
  A. La entrega del discípulo es total (12:1)
  B. La mente del discípulo es renovada (12:2)

II. El discipulado requiere un carácter renovado (Lucas 9:23-25)
  A. El discípulo debe llevar su cruz (9:23)
  B. El discípulo debe negarse a sí mismo (9:24,25)

III. El discipulado debe tener un fundamento sólido (Lucas 6:46-49)
  A. La señal del discípulo es la obediencia (6:46)
  B. El fundamento del discípulo es Jesucristo y su palabra (6:47-49)

Corinto, ciudad griega donde escribió Pablo la epístola a los Romanos y Cesarea donde Lucas escribió su evangelio.

LECTURAS DEVOCIONALES DIARIAS

Lunes: Las bienaventuranzas, valores que debemos practicar (Mateo 5:1-12)
Martes: Entrando confiadamente al trono de la gracia (Mateo 6:5-15)
Miércoles: Nos acercamos a un Padre amoroso (Mateo 7:7-12)
Jueves: Transformados por medio de la renovación (Romanos 12)
Viernes: ¿A qué se parece el carácter de Cristo? (Gálatas 5:22,23)
Sábado: Despójense del viejo hombre (Efesios 4:17-34)

INTRODUCCIÓN

El énfasis de este trimestre ha sido la vida discipular. Ya hemos dicho que ser discípulo es ser seguidor, aprendiz, imitador de la vida y valores de su guía y también el que comparte la enseñanza que ha recibido de su maestro o mentor. El discipulado cristiano es el resultado de la relación que se tiene con Jesús con el objetivo de llegar a tener su carácter. No se puede ser seguidor de Jesús sin desear llegar a ser como Él. Hace algunos años surgió una inquietud dentro de los miembros de muchas iglesias y la cuestión era esta: si usted va a pensar, decir o actuar de tal o cual manera, pregúntese antes: ¿cómo lo haría Jesús? Parecía lógico que como cristianos debiéramos tener la respuesta. Sin embargo, en seguida se reflexionó sobre cuál debe ser el fundamento para que esto realmente funcione así. Lo primero es que para seguir a Cristo la persona debe nacer de nuevo, ser regenerada. Lo segundo y quizás lo más difícil para responder y actuar como lo haría Jesús es ser transformado de acuerdo al carácter de Cristo. El distintivo supremo del discípulo de Jesús es que ama a su Señor por encima de todos y de todo, aún más que a su propia vida (Lucas 14:26). La instrucción deuteronómica, muy bien aplicada por el mismo Jesús, es otra prueba de ello: "Y amarás al Señor tu Dios con todo tu corazón, y con toda tu alma, y con toda tu mente y con todas tus fuerzas. Este es el principal mandamiento" (Marcos 12:30). Muchas son nuestras experiencias personales a través de la vida y distintos los agentes sociales que influyen directa o indirectamente en la formación de nuestro carácter. Por ejemplo: la cultura, el ambiente, el hogar, la escuela, los centros de trabajo, las amistades, etc. De allí que nuestro encuentro con Cristo marca el límite entre nuestra pasada manera de vivir y la nueva. La Biblia dice que "de modo que el que está en Cristo nueva criatura es, las cosas viejas pasaron he aquí todas son hechas nuevas" (2 Corintios 5:17). Cuando Jesús nos llama a ser sus discípulos nos invita a experimentar una nueva forma de vida y la primera prueba de nuestra fe es seguirlo, es comprometernos con Él para toda la vida y permitir que el poder de Dios nos transforme desde adentro hacia fuera. El discípulo de Cristo debe aprender a vivir como Jesús vivió, amar, obedecer y cultivar la sumisión, la humildad, la fidelidad y la entrega sacrificial como lo hizo su Señor y Maestro. El discipulado es tarea primordial de la Iglesia. La continuidad, fortaleza y crecimiento del cuerpo de Cristo depende de comprender que el discipulado es una prioridad de Dios, Jesús lo practicó y sus discípulos continuaron esa labor desde el mismo inicio de la Iglesia.

DESARROLLO DEL ESTUDIO

I. EL DISCIPULADO DEMANDA UNA VIDA TRANSFORMADA (ROMANOS 12:1,2)

Ideas para el maestro o líder

(1) Que lean Romanos 12:1,2 y que aporten sus comentarios acerca del significado del versículo.

(2) Provocar comentarios acerca de los efectos producidos cuando la iglesia se amolda a los "antivalores" del mundo.

Definiciones y etimología

* *Transformado:* El término transformar es de origen latino en "transformāre". El sufijo "trans" significa "a través", "más allá de", "de un lado a otro", y "formar" del latín "formāre". Significa "cambiar de forma", convertir una cosa en otra, o que algo pueda transformarse por sí mismo. Por ejemplo: "La oruga se puede transformar en mariposa".

* *Conformarse:* La acción de darle forma a algo, es decir, configurarlo. to o la estructura de una cosa con otra.

* *Antivalores:* El término antivalores es un neologismo formado a partir del griego y del latín. Se puede considerar su definición como a aquellas actitudes que son lo contrario a los valores, o sea que pueden ser peligrosas o dañinas para las personas e incluso para el conjunto de la sociedad en la que se dan.

A. La entrega del discípulo es total (12:1)

La Palabra del Señor nos enseña en proverbios 23:7 que tal cual es el pensamiento de nuestro corazón así somos nosotros. Jesús dijo que de la abundancia del corazón habla la boca. El estudio de hoy nos conduce a reflexionar y a concluir que la única manera como la vida adquiere un rumbo diferente al conformado de acuerdo a los valores del mundo, es cambiando la manera de pensar. El apóstol Pablo en su carta a los Romanos, en el capítulo 12, hace una clara distinción entre lo que es ser conformado y lo que es ser transformado. Todo comienza con el paso inicial de rendirse completamente a Dios. Desde el principio de los tiempos el Creador dio instrucciones al ser humano para que aprendiera a obedecer en un contexto de libertad. Eso tendría como galardón la vida verdadera. Hacer lo contrario, utilizar la libertad para desobedecer, era elegir la muerte y la condenación eterna. La experiencia del hombre y la mujer en el jardín del Edén ilustra muy bien estc hecho. Es nuestra responsabilidad elegir entre el bien y el mal, la vida o la muerte, la bendición o la maldición y siempre habrá más de una voz que tratará de disuadirnos de seguir el camino correcto, que distorsionará la enseñanza y los valores que la Palabra del Señor nos llama a cultivar, internalizar y obedecer. Jesús es el ejemplo por excelencia de lo que significa dependencia, sumisión y entrega. Sus pensamientos, acciones y motivaciones fueron dirigidos de acuerdo a la voluntad de Dios, su programa de trabajo en la tierra fue dirigido por el Espíritu Santo. Su búsqueda de sabiduría, orientación y fortaleza dependió de su intimidad con el Padre mediante una vida de oración. Jesús siempre estuvo atento a escuchar la voz de Dios. Cuando Satanás lo tentó, el Señor demostró con sus respuestas que su apetito por obedecer la voluntad del Padre era superior al apetito físico. Satanás retó a Jesús a que mostrará su poder, que realizara un acto prodigioso para demostrar su habilidad sobre humana. Jesús, con la Palabra (expresión de su pensamiento, de sus valores, de su corazón), puso en evidencia que su compromiso con el que lo había enviado era muy superior a los atractivos de este mundo. Esa es la enseñanza de Jesús que debemos cultivar y practicar. El reconocimiento de la bondad de Dios, de su amor por nosotros, hasta el punto de dar a su hijo en sacrificio por nuestra redención, son motivos suficientes para que nuestra decisión de seguir a Jesús implique dedicar toda nuestra vida a su servicio y hacer lo que a Él le agrada. Ese es el sacrificio vivo, santo y agradable a Dios que demanda la Palabra, esa es la actitud que precede a la transformación, sólo una entrega radical a Dios producirá un discípulo de Cristo preparado para toda buena obra.

B. La mente del discípulo es renovada (12:2)

La línea que divide la vida de la muerte, la salvación de la condenación, depende de nuestra decisión de seguir a Jesús o rechazarlo. El llamado de Jesús es un llamado a la vida y es para seguirlo toda la vida. Acudir a esa invitación no es solamente levantar la mano cuando el pastor hace llamamiento, ni tampoco es decir Jesús te recibo y hasta allí. Es actuar, es obedecer, es creer, es morir a nosotros mismos para que Él viva. Todos recordamos el momento en que empezamos a asistir a la escuela, esta tenía un nombre, un programa de estudios y maestros. Cuando venimos a Cristo Él es nuestra escuela, Él es quien establece nuestro programa de estudios y es nuestro Maestro. Todo, sin excepción, debe ser de acuerdo a la estructura, el modelo y la manera que Él ha establecido en su Palabra. "No os conforméis a este siglo, sino transformaos por medio de la renovación de vuestro entendimiento, para que comprobéis cuál sea la buena voluntad de Dios, agradable y perfecta" (12:2). Alguien dio la siguiente declaración: "Siempre que la diferencia entre la iglesia y la definición cultural de la moralidad desaparece, la iglesia pierde su poder y autoridad". Cuando la iglesia se amolda a los "antivalores" del mundo para no perder vigencia, miembros, prestigio, recursos económicos o darse un aire de "liberalidad", pierde su influencia espiritual, credibilidad y su ministerio profético. El profeta advirtió: "¡Ay de los que a lo malo dicen bueno, y a lo bueno malo; que hacen de la luz tinieblas, y de las tinieblas luz; que ponen lo amargo por dulce, y lo dulce por amargo!" (Isaías 5:20). La llegada del siglo veintiuno trajo muchos adelantos tecnológicos asombrosos, por ejemplo, Google, el buscador de internet más utilizado del mundo, la telefonía móvil, las redes sociales, el video de alta definición, navegación GPS, vehículos, etc. Pero al mismo tiempo estamos siendo sacudidos por enfermedades cuyo origen es desconocido, problemas sociales de desastrosas consecuencias morales, incremento de la violencia y el terrorismo, etc. ¿Y la iglesia? En muchos sentidos ajena a estas realidades y sin ninguna preparación para enfrentarlas. Nuestros ancianos padecen de soledad; nuestros adultos lidian con presiones familiares, laborales, o propias de la edad que les hace ver el futuro inmediato con pesimismo. Nuestros jóvenes con retos académicos y presiones de grupo; manipulación de los deseos; la sexualidad como objeto de placer; fragmentación de la familia; el culto a las celebridades, en su mayoría gente depravada y sin valores y hoy por hoy son los que marcan la vida de jóvenes y adultos. Y nuestros niños, con programas en la iglesia para entretenerlos en lugar de empezarlos a formar desde la infancia en los caminos del Señor. Como iglesia vivimos una espiritualidad de consumo ajena a la mayoría de estos males y cada vez son más los grupos que se "conforman" a la forma de este mundo con sus desviaciones y corrupción. Necesitamos una mente transformada y la Palabra de Dios y el respaldo del Espíritu Santo son los recursos indispensables para que nuestra vida y la de la iglesia sean transformadas y cumplan con la misión que nos delegó Cristo Jesús.

Afianzamiento y aplicación

(1) Comente porqué el apóstol Pablo habla de presentar nuestros cuerpos como un "sacrificio vivo", si lo que ha sido sacrificado está muerto.

(2) Indague qué están haciendo los participantes para ir renovando sus mentes.

II. EL DISCIPULADO REQUIERE UN CARÁCTER RENOVADO (LUCAS 9:23-25)

Ideas para el Maestro o líder

(1) Pida a los estudiantes que mencionen qué se debe eliminar como un acto de "negación de sí mismo".

(2) Propicie un comentario acerca de la siguiente idea: "Jesús pagó el precio de la gracia, nosotros debemos pagar el precio del discipulado"

Definiciones y etimología

* *Carácter:* Proviene de una palabra griega que significa: "marca"; una marca en la vida que define a los sujetos que la poseen. Por un lado, se conoce como carácter al conjunto de cualidades o rasgos que distinguen a una persona de las demás, fundamentalmente en lo que se refiere a su modo de ser y de reaccionar frente a distintas circunstancias.

A. El discípulo debe llevar su cruz (9:23)

Este es uno de los pasajes más importantes de los evangelios con respecto al discipulado, y debemos poner nuestra atención en que, de acuerdo a Lucas, Jesús hizo esta declaración después del anuncio de sus padecimientos y su resurrección. Lo esperaban la traición, la pasión y la cruz; los poderes religiosos y políticos se habían confabulado para matarlo y el tiempo del fin se acercaba. Durante el ministerio de Jesús, cientos de personas lo siguieron y sin duda miles oyeron sus enseñanzas. Ahora están con Él sus discípulos y muchos otros que van a escuchar su reto, su desafío a seguirlo y convertirse en unos de los escogidos para llamar a la fe a otros. Jesús habla claro, expresa que seguirlo no es algo automático, se debe tomar una decisión y eso es algo personal. En el lenguaje de Jesús discipulado significa obediencia, unidad y misión, el Señor no obliga a nadie, más bien su llamado está condicionado a que el seguidor entienda que para convertirse en uno de sus discípulos debe cumplir con las demandas y las exigencias que el mismo Señor requiere. La naturaleza del ser humano es pecaminosa, su final es de muerte y separación eterna de Dios (Romanos 6:23). Por lo tanto, las palabras de Jesús: Si alguno quiere venir y seguirme, son un llamado a la vida, a la reconciliación con el Padre y por eso deben cumplirse las demandas de Jesús. Quien acepte está diciendo sí a su señorío y en consecuencia debe someterse a Él. Esa es la hora de la salvación y el arrepentimiento (Romanos 5:8). El siguiente paso tiene que ver con la negación de uno mismo, es decir de todo aquello que obstaculiza el cumplimiento de la voluntad de Dios en nosotros tal y como ha sido enseñada y ejemplificada por Jesucristo. Del mismo modo que entre el Padre y el Hijo hay unidad en voluntad y propósito, esa realidad debe extenderse a la relación entre Jesús y sus seguidores y entre ellos mismos. No hay lugar para agendas privadas ni para que el discipulado sea considerado como una opción o alternativa. Jesús no se entregó a medias, lo dio todo por nuestra redención. Por eso, en la vida del cristiano tomar la cruz cada día representa seguir el camino de la obediencia aunque esta implique sufrimiento, dolor y muerte, pues sin muerte no hay resurrección. La obediencia, sumisión y entrega de Jesús fueron perfectas y de acuerdo a sus palabras: "El discípulo no es superior a su maestro, más todo el que fuere perfeccionado será como su maestro" (Lucas 6:40). Para Jesús el ser levantado en la cruz fue el recurso divino para la salvación de la humanidad y también el símbolo de su exaltación y glorificación. Para sus discípulos cargar la cruz cada día es ceder el control de su vida a su Señor y Maestro. Es permitir que su Líder, Jesucristo, dirija su presente y su futuro, es confiar y creer que si el grano no muere no habrá fruto, y fruto que permanezca. Jesús pagó el precio de la gracia, nosotros debemos pagar el costo del discipulado.

B. El discípulo debe negarse a sí mismo (9:24,25)

La experiencia con Cristo es la fuerza que articula nuestras intenciones, pensamientos, y acciones en la vida diaria. El impacto provocado por nuestro encuentro con Jesús nos ha abierto los ojos para que comprendamos que no hay esfuerzo ni actitud humana que logre rescatar al hombre de su condición de pecado. La iniciativa para nuestra salvación salió del corazón de Dios, Él lo planeó desde el principio del tiempo. Pedro destacó este hecho en su primer discurso cuando habló de la vida, muerte y resurrección de Cristo (Hechos 2: 23,24). No existe nada por valioso que sea, ni los más extraordinarios logros que puedan satisfacer las demandas justas de Dios para la redención humana. Pablo entendió que todos sus logros religiosos, espirituales o morales eran como basura comparados con toda la riqueza que había encontrado en Cristo: "no con justicia propia, adquirida por medio de la ley, sino con la justicia que se adquiere por la fe en Cristo, la que da Dios con base en la fe" (Filipense 3:9). El encuentro con Jesús conmovió y revolucionó la vida de Pablo hasta el punto que renunció a su pasada manera de vivir y la nueva meta de su existencia fue la excelencia del conocimiento de Cristo Jesús. Pablo comprendió que seguir aferrado a sus antecedentes, linaje, capacidades y logros personales tenía como fin la muerte. La oferta de vida que recibió de Jesús fue suficiente para que él estuviera dispuesto a darlo todo por su Salvador. En el caso de Pedro y sus socios en el negocio de la pesca, que no solo fue su medio de subsistencia sino la inversión de toda una vida de trabajo y dedicación para el sustento de toda su casa, todo eso quedó atrás al aceptar la invitación de Jesús a seguirlo para convertirlos en pescadores de hombres. En cuanto a Leví (Mateo), el publicano, Jesús pasó frente al "negocio" de este pecador, que estaba sentado a la mesa de recaudación de impuestos y le dijo: "Sígueme", y Leví lo siguió (Marcos 2:13-17). Y qué decir del encuentro redentor de Jesús con la samaritana, una mujer de reputación dudosa y marginada en su comunidad. Para ella, Jesús pasó de ser un judío desconocido a reconocerlo como el Agua Viva que podía saciar su sed de pureza y dignidad (Juan 4). Zaqueo, otro publicano, despreciado y aborrecido por su comunidad, escuchó el llamado de Jesús: "Zaqueo, date prisa, desciende, porque hoy es necesario que pose yo en tu casa" (Lucas 19:5). El publicano renunció a una vida de riqueza mal habida después de haber sido visitado por Jesús y escuchar en el ambiente íntimo del hogar las palabras del Señor: "Hoy ha venido la salvación a esta casa" (Lucas 19:1-10). Esa debe ser la experiencia de cada uno de nosotros. Nuestra decisión de seguir a Jesús es una decisión por la vida, urgente, hoy, y la transformación que se opera en nosotros tiene efectos inmediatos y repercusiones eternas.

Afianzamiento y aplicación

(1) Propicie un tiempo de análisis personal al hacer la siguiente pregunta: ¿Qué áreas de su vida aun no están siendo dirigidas por Jesús?

(2) Reflexionen por qué el discipulado no es una opción sino es un imperativo en aquel que lo recibe como Señor y Salvador.

III. EL DISCIPULADO REQUIERE UN FUNDAMENTO SÓLIDO (LUCAS 6:46-49)

Ideas para el maestro o líder

(1) Pida a los alumnos que definan la frase "señorío de Cristo".

(2) Que los alumnos lean la parábola de los "dos cimientos" de Lucas 4:47-49 y aporten sus comentarios de la misma.

Definiciones y etimología

* *Parábola.* Relato simbólico o una comparación basada en una observación verosímil.

* *Siervo.* "Súbdito", "servidor"; gr. generalmente *dóulos*, "esclavo", "sirviente". Aquella persona o individuo que está sujeto a una autoridad en particular o que sirve a otra persona.

* *Señor.* En el Nuevo Testamento, para "señor" el término más común es *kúrios.* A menudo, cuando *Kúrios* se usaba para dirigirse a Cristo, significaba un título de respeto, sin referencia a su deidad (Mateo 8:2, 6, 8). Sin embargo, a veces, el uso del término claramente implica un reconocimiento de su deidad.

A. La señal del discípulo es la obediencia (6:46)

El Antiguo Testamento nos enseña que Israel, al ser elegido como pueblo de Dios, entendió que Él era su libertador, protector y sustentador, su único Señor y Dios. Por su parte, Israel era para Dios su especial tesoro, su propiedad, su pueblo, consagrado solo a Él para su servicio. Desconocer esto y reconocer y servir a otros "dioses y señores" (como ocurrió muchas veces en la historia del pueblo de Israel), era violar esa relación, romper el pacto y exponerse al juicio y al castigo divino. Esa realidad sigue vigente. La Biblia nos exhorta a que escuchemos sus enseñanzas, las atesoremos y vivamos de acuerdo a ellas. El interés de Dios al revelarse en su Palabra es que aprendamos a reconocerlo como único Dios y Señor en nuestras vidas. Su Palabra es nuestra guía y es responsabilidad de cada discípulo de Jesús vivir de acuerdo a ella. En la Palabra hay vida, sabiduría, dirección, guianza, exhortación, poder creador y fortaleza. La Biblia es una lámpara a nuestros pies, nos ayuda a limpiar nuestro corazón y nos previene para no pecar contra Dios. La Palabra produce gozo y deleite, nos transforma y da discernimiento para escoger el camino de la verdad. La Palabra da libertad y consuelo en medio de la aflicción y ser sabio es vivir de acuerdo a sus preceptos. El conocido Sermón del Llano como lo llama Lucas, es un ejemplo de todo esto. Este es una descripción de cuál debe ser el carácter y cómo deben ser las acciones de los hombres y mujeres que de verdad son parte del reino de Dios.

Jesús, después de elegir a los doce apóstoles, descendió con ellos de la montaña. En la llanura los estaba esperando una gran multitud para escuchar al Señor, personas de diferentes regiones, muchos de ellos padeciendo diferentes enfermedades y otros poseídos de espíritus malos. Jesús, además de sanar y liberar a todos los que se acercaban, comenzó a exponer las enseñanzas sobre lo que es la vida de piedad auténtica; a señalar los valores que deben inspirar y desafiar al ser humano para vivir a la altura de las exigencias morales y espirituales que Dios comunica a través de su Palabra. Cada persona allí presente acudía con sus propias necesidades, con sus esperanzas y frustraciones, virtudes, pecados, debilidades, ansias de escuchar la verdad, y cada uno sería retado por la palabra que Jesús pronunciaba. De pronto, Jesús lanzó al auditorio una pregunta inesperada: "¿Por qué me llamáis, Señor, Señor, y no hacéis lo que yo digo?" (6:46). Esta interrogante parece ser un eco de lo dicho en Malaquías 1:6: "El hijo honra al padre, y el siervo a su señor. Si, pues, soy yo padre, ¿dónde está mi honra? y si soy señor, ¿dónde está mi temor? dice Jehová de los ejércitos…". En el lenguaje de Jesús la obediencia es la prueba de la fe y creer significa seguirlo diariamente. La audiencia estaba siendo desafiada a ir más allá de su propia moral o conducta religiosa, a darse cuenta de su condición pecaminosa y que la única opción para avanzar era seguir a Jesús. Hoy día hay muchos que piensan que son cristianos, salvos, o personas nacidas de nuevo, pero en realidad no lo son. La mayoría de la gente asume que la prueba de la salvación es conocimiento doctrinal y no un cambio de conducta. Llaman al Señor, Señor, pero no se han sometido a sus enseñanzas y caminos.

B. El fundamento del discípulo es Jesucristo y su palabra (6:47-49)

El final de este extraordinario sermón culmina con una parábola, un género literario que Jesús no inventó, pero sin duda, ha sido su más alto exponente. Vale mencionar que no es accidental que Jesús haya utilizado este género para comunicar las realidades del reino de Dios y por supuesto, para la formación de sus discípulos. Esto se debe a que una de las cualidades de la parábola es que se crea a partir de una situación particular, cotidiana, cuyos oyentes entenderán que en la narración ellos son protagonistas. Esto significa que al final de la "historia", el que escucha tiene qué responder al reto de la palabra que lo interpela. La enseñanza está por concluir, el "sermón del llano" ha llegado prácticamente a su final. El remate del discurso es una fenomenal comparación que nace del oficio de la construcción. "Todo aquel que viene a mí" son las primeras palabras del Señor para narrar la parábola de los dos cimientos, considerando que estos son la base de sustentación de una casa cuyo cálculo toma en consideración la composición y resistencia del terreno, los materiales que se van a utilizar y el clima. Jesús tiene entre sus oyentes personas que vienen a Él con diferentes intereses o necesidades. Unos porque saben que es un "sanador"; otros porque en alguna ocasión comieron panes y peces, y también están aquellos a quienes las palabras del Señor traen consuelo y esperanza. No faltan los que conocen la Ley y los profetas pero viven en desobediencia y rebeldía a las demandas divinas, pero hay otros que desean ser fieles seguidores del Maestro y están allí para escuchar y responder a sus enseñanzas. "Y oye mis palabras". Ya dijimos que durante el ministerio de Jesús, cientos de personas lo siguieron y que miles oyeron sus enseñanzas. El Señor no era ajeno a esa realidad. Su vida fue de entrega total a su misión y cumplió cada tarea de acuerdo al propósito divino. Según la Escritura, su fama trascendió las fronteras de Palestina y gente de muchas partes lo buscaba o salía a su encuentro cuando visitaba un poblado. Pero aun faltaba un detalle para completar la introducción a la parábola: "y las hace". Esta es la marca del discipulado, el verdadero seguidor de Jesús no es solamente oidor, es hacedor (Santiago 1:22). Jesús lo hace muy simple, reduce a los constructores a dos categorías: el prudente y el imprudente, el sabio y el insensato. El que se esfuerza, es diligente, trabajador y previsor, y el negligente, que lo deja todo a la "suerte", que espera resultados inmediatos y confía que todo "saldrá bien" sin tomar en cuenta la ley de la "siembra y la cosecha". La Palabra de Dios es el cimiento correcto para una vida estable, firme, equilibrada, fructífera y provechosa. En ella hay que cavar, ahondar, profundizar. Jesús es la Palabra encarnada, y aquel que edifica su vida sobre ese Cimiento permanecerá para siempre. Las pruebas, tentaciones y dificultades de la vida son las que pondrán en evidencia cuál es el fundamento de nuestra vida. En el lenguaje de Jesús permaneceremos para siempre o será grande nuestra ruina.

Afianzamiento y aplicación

(1) Comente sobre los diferentes fundamentos que el hombre contemporáneo está construyendo su vida ¿Qué tan estables son?

(2) ¿Qué están haciendo para colocar un fundamento estable, sólido y permanente?

RESUMEN GENERAL

La mejor manera de hablar de Jesús es parecernos a Él. Nuestra vida debe ser un ejemplo de lo que significa seguir a Jesús, aprender su Palabra, enseñarla y vivirla. Nuestra responsabilidad como discípulos transformados por Jesús es imitar su vida y su carácter y comunicar a otros las virtudes del que nos llamó de las tinieblas a su luz admirable. La lista de personas de todos los estratos sociales que fueron transformadas en su encuentro con Jesús es grande. Cada uno fue confrontado con su realidad, cada uno comparó la clase de vida que llevaba con la nueva vida ofrecida por Jesús; cada quien comprendió que las cosas en que el ser humano confía y se siente seguro son temporales y aferrarse a ellas lo excluye del reino de Dios. Jesús provocó que cada persona pusiera en la balanza *lo que tenía*, su propio tesoro, su seguridad, sus valores, contra *lo que quería*, ser amigos fieles, discípulos y seguidores de Jesús. La fórmula sigue vigente hoy. Tenemos la oportunidad de valorar lo verdadero que nos brinda Jesús, o seguir aferrados a "lo nuestro", a continuar con nuestra propia agenda y en nuestros propios sueños y con todo aquello que nos impide ser seguidores de Jesús. Si nuestra decisión es convertirnos en sus discípulos, debemos poner y mantener nuestra mirada en Él como autor y consumador de nuestra fe. En un momento de nuestra vida el Señor nos encontró, rescató nuestra vida de la condenación, nos aceptó como éramos y nos propuso una vida diferente, llena de significado, de propósito y con un sentido de rumbo fructífero y lleno de esperanza. Negarnos a nosotros mismos significa ceder el derecho de nuestra vida a Jesús, nuestro Señor y Maestro, cada día, para que Él dirija nuestro presente y nuestro futuro con la autoridad de su Palabra y el poder de su Espíritu. La sociedad y nuestras comunidades necesitan conocer ese tipo de discípulos.

Ya pasamos revista a algunos de los desafíos que no solo tocan nuestra puerta, sino que convivimos con ellos diariamente. Nuestro mundo se ha tornado oscuro, sin brillo y sin sabor. Todos los problemas que nos rodean, los familiares, nacionales o internacionales, no solo afectan a los "demás", también nos afectan a nosotros, directa o indirectamente. La misión de la iglesia es predicar un evangelio transformador, es discipular a cada miembro de acuerdo al modelo de Jesús para que estos discipulen también a otros. La iglesia como comunidad de fe es responsable de proveer una estructura estable, sólida, equilibrada, con una visión clara, inspiradora y cargada de esperanza, un ambiente en el que los miembros se sepan amados, seguros, afirmados y confiados de estar en el lugar donde como seguidores de Jesús puedan experimentar la vida plena y verdadera que Dios ofrece a sus hijos. Y ese mismo espíritu contagiarlo a la familia, la comunidad, el lugar de trabajo, para que los que nos rodean se sientan atraídos por Jesús y acepten la invitación a seguirlo y vivir para Él.

Ejercicios de clausura

(1) Antes de concluir pida a la clase que repitan el versículo para memorizar. Anímelos a poner en práctica los consejos del apóstol Pablo a los romanos.

(2) Concluya la clase con una oración comprometiéndose con el Señor para, con la ayuda del Espíritu Santo, ser seguidores de Jesús y vivir una vida transformada para su gloria.

PREGUNTAS Y RESPUESTAS

1. ¿Qué características específicas identifican a un discípulo de Jesucristo?

Es una persona regenerada y tiene las características de Cristo.

2. ¿Qué implicaciones tiene la elección de seguir a Jesús?

(a) Determinar vivir bajo la autoridad de la Biblia. (b) Sometimiento a la dirección del Espíritu Santo.

3. ¿Qué produce una entrega radical a Dios?

Un discípulo de Cristo preparado para toda buena obra.

4. ¿Qué le sucede a la iglesia que se amolda a los antivalores del mundo?

Pierde su influencia espiritual, credibilidad y su ministerio profético.

5. En el lenguaje de Jesús ¿Cómo define la obediencia y qué significa creer?

La obediencia es la prueba de la fe y creer significa seguirlo diariamente.

PARA LA PRÓXIMA SEMANA

¡El Señor que llama, es el mismo que equipa a sus llamados para que le sirvan! En el tema del próximo estudio: “El discipulado, una vida de testimonio”, se analizará la unción y el poder que Dios ha dado a sus siervos. Motive a los participantes a esperar grandes bendiciones de Dios.

EL DISCIPULADO, UNA VIDA DE TESTIMONIO

ESTUDIO BÍBLICO 12

Base bíblica

Lucas 24:44-49; Hechos 2:1-3; 42-47

Objetivos

1. Entender que el discipulado es un llamado para toda la vida.
2. Perseverar en la oración, el estudio de la Palabra y el testimonio.
3. Experimentar que la plenitud de una vida en el Espíritu es una realidad vigente.

Fecha sugerida:___/____/____

Pensamiento central

Los discípulos de Jesús están llamados a experimentar una vida de fe, obediencia, crecimiento y un compromiso total con el Señor que los llamó.

Texto áureo

Y perseveraban en la doctrina de los apóstoles, en la comunión unos con otros, en el partimiento del pan y en las oraciones (Hechos 2:42).

LECTURA ANTIFONAL

Lucas 24:44 Y les dijo: Estas son las palabras que os hablé, estando aún con vosotros: que era necesario que se cumpliese todo lo que está escrito de mí en la ley de Moisés, en los profetas y en los salmos.

45 Entonces les abrió el entendimiento, para que comprendiesen las Escrituras;

46 y les dijo: Así está escrito, y así fue necesario que el Cristo padeciese, y resucitase de los muertos al tercer día;

47 y que se predicase en su nombre el arrepentimiento y el perdón de pecados en todas las naciones, comenzando desde Jerusalén.

48 Y vosotros sois testigos de estas cosas.

49 He aquí, yo enviaré la promesa de mi Padre sobre vosotros; pero quedaos vosotros en la ciudad de Jerusalén, hasta que seáis investidos de poder desde lo alto.

Hechos 2:1 Cuando llegó el día de Pentecostés, estaban todos unánimes juntos.

2 Y de repente vino del cielo un estruendo como de un viento recio que soplaba, el cual llenó toda la casa donde estaban sentados;

3 y se les aparecieron lenguas repartidas, como de fuego, asentándose sobre cada uno de ellos.

4 Y fueron todos llenos del Espíritu Santo, y comenzaron a hablar en otras lenguas, según el Espíritu les daba que hablasen.

2:41 Así que, los que recibieron su palabra fueron bautizados; y se añadieron aquel día como tres mil personas.

42 Y perseveraban en la doctrina de los apóstoles, en la comunión unos con otros, en el partimiento del pan y en las oraciones.

43 Y sobrevino temor a toda persona; y muchas maravillas y señales eran hechas por los apóstoles.

DATOS GENERALES ACERCA DEL TEMA

- **Enseñanza:** El crecimiento de la iglesia no es un proyecto de hombres sino de Dios que se llevará a cabo por medio del poder del Espíritu.
- **Autor:** Lucas
- **Personajes:** El Señor y sus discípulos; los apóstoles y los primeros cristianos
- **Fecha:** El día de la ascensión del Señor, esto es, cuarenta días después de su resurrección.
- **Lugar:** Jerusalén, probablemente, la casa de María madre de Juan Marcos.

BOSQUEJO DE LA LECCIÓN

I. Obediencia a las instrucciones del maestro (Lucas 24:44-49; Hechos 2:1-4)
  A. Últimos consejos de Jesús (Lucas 24:44-49)
  B. Llenos del Espíritu Santo (Hechos 2:1-4)

II. Predicación e instrucción de acuerdo al modelo de Jesús (Hechos 2:41,42)
  A. La gente recibe el mensaje, cree y se bautiza (2:41)
  B. La labor discipular (2:42)

III. La experiencia de los primeros discípulos (Hechos 2:43-47)
  A. Las maravillas y señales causan asombro (2:43)
  B. Las señales del Espíritu Santo (2:44-47)

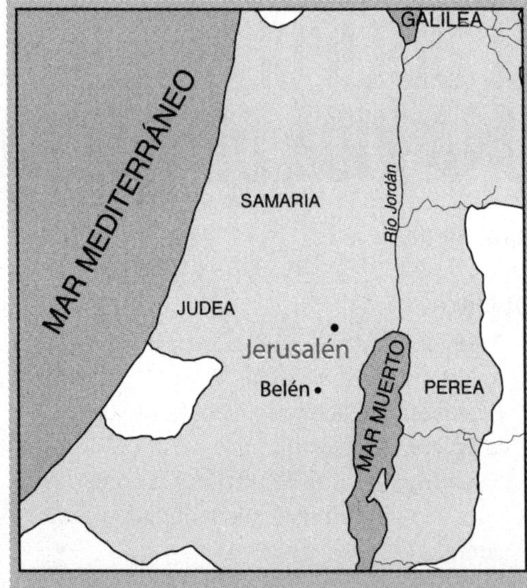

Jerusalén, lugar donde Jesús dio instrucciones precisas a sus discípulos antes de ascender al cielo y donde luego descendió el Espíritu Santo.

LECTURAS DEVOCIONALES DIARIAS

Lunes: Todo discípulo es una voz que clama en el desierto (Isaías 40:3-5)
Martes: El Espíritu nos unge para cumplir una misión (Isaías 61:1-3)
Miércoles: El Espíritu Santo se derrama sobre toda carne (Joel 2:28-32)
Jueves: Somos testigos de la resurrección (Lucas 24:44-49)
Viernes: Todos podemos recibir la promesa del Espíritu Santo (Hechos 1:1-11)
Sábado: Los discípulos hablan el lenguaje del Espíritu (Hechos 2:1-13)

INTRODUCCIÓN

El estudio que vamos a realizar tiene entre sus objetivos enlazar la historia de Jesús que describe Lucas en el Evangelio y la historia del comienzo de la iglesia (el libro de los Hechos) como continuación del mensaje del reino de Dios que Jesús vino a proclamar y a establecer. Esta historia de la iglesia es la nuestra y debemos conocerla, vivirla y continuarla, ese es nuestro reto y nuestra misión. Lucas comunica grandes enseñanzas en el Evangelio y en los Hechos y ambos libros son una clara muestra de cumplimiento profético. En Lucas, las profecías relacionadas con la vida, muerte y resurrección de Jesús, desde su nacimiento hasta su ascensión y en Hechos, las profecías sobre el desarrollo y la expansión de la iglesia por todo el Imperio romano. La impresionante manifestación del Espíritu Santo el día de Pentecostés fue interpretada por Pedro como el cumplimiento de la profecía de Joel. Del mismo modo Pedro interpretó como cumplimiento profético la vida, muerte y resurrección de Cristo en su primer discurso (2:25,35), en el pórtico de Salomón (3:13,18) y cuando fue llevado junto con Juan ante el concilio en Jerusalén (4:11). Otro tanto hizo Felipe en su encuentro con el etíope (8:26-39). Las profecías de Isaías con respecto a la universalidad del plan salvador de Dios se cumplieron cuando los gentiles aceptaron alegremente el mensaje del evangelio proclamado por los misioneros que llevaron la Palabra hasta los confines del imperio. La proclamación de los discípulos de Cristo tenía como fundamento la muerte y resurrección del Señor, el Mesías prometido a Israel y Salvador de la humanidad. Ese mismo sufrimiento, oposición y muerte padecidos por Jesús, sería sufrido por la iglesia pues muchos de estos testigos de la obra redentora alcanzada por su Señor y Maestro padecieron persecución, hambre, desnudez, prisiones y martirio.

DESARROLLO DEL ESTUDIO

I. OBEDIENCIA A LAS INSTRUCCIONES DEL MAESTRO (LUCAS 24:44-49; HECHOS 2:1-4)

Ideas para el maestro o líder

(1) Lea los siguientes pasajes que contienen las últimas instrucciones del Señor a sus discípulos antes de ascender, y que complementan el relato de Lucas: Mateo 28:16-20; Marcos 16:14-20; Hechos 1:1-9.

Definiciones y etimología

* *Prosélitos,* del griego *proselutos*, "converso". Es un término usado en la Septuaginta con el significado de "extranjero", un recién llegado al reino de Israel; un "residente de la tierra", y en el Nuevo Testamento para un pagano converso al judaísmo.

* *Glosolalia*, de acuerdo con los lingüistas, es la vocalización fluida de sílabas sin significado comprensible alguno. En el cristianismo, a esta práctica se le conoce como " don de lenguas".

* *Transformación, trans* del griego *meta* que significa mover algo de un lugar a otro y formación *morphe*, que significa cambio. Cambiados a la imagen de Cristo.

A. Últimos consejos de Jesús (Lucas 24:44-49)

La escena que nos narra este pasaje es conmovedora. Los discípulos con quienes Jesús se había encontrado en el camino de Emaús llegaron al lugar donde estaban reunidos los discípulos y algunos otros seguidores de Jesús que los reciben, contándoles que el Señor ha resucitado y que se le apareció a Pedro. Los de Emaús empiezan a narrar lo que también a ellos les había acontecido cuando repentinamente, Jesús, resucitado, se presenta delante de todos diciendo: "reciban la paz de Dios". Qué saludo tan glorioso, trae paz en medio de la confusión y reposo para los corazones de estos seguidores que están sufriendo por la muerte de su Señor. Todos quedan consternados y asustados por creer que lo que ven es un fantasma. Jesús les habla de nuevo y los reprende por su incredulidad, les muestra las manos y los pies y los invita a que lo toquen, les dice que los fantasmas no tienen carne ni huesos y Él sí.

La escena cambia, ahora todo es una mezcla de susto y contentamiento y Jesús pregunta si hay comida. Este toque de intimidad familiar que le da Lucas a este momento es magistral. Como había ocurrido en Emaús cuando se sentó a la mesa con los dos discípulos y se les reveló al partir el pan, ahora es con su círculo más cercano que el Señor, frente a la mirada de estupor de todos disfruta de los alimentos y comienza a recordarles todo lo que les había dicho y enseñado, que de acuerdo a la Escritura debía cumplirse acerca de Él. Jesús habló de manera sencilla para que pudieran entenderlo. Su partida de este mundo a reencontrarse con el Padre era inminente, por lo tanto, para Jesús, como Maestro y Discipulador era urgente poner todos los puntos en el lugar correspondiente. (1) Que había sido necesario que el Cristo fuera crucificado pero que al tercer día resucitaría de entre los muertos. (2) Que se predicara en su nombre el arrepentimiento y el perdón de los pecados. (3) Que ese mensaje debía proclamarse en todas las naciones empezando en Jerusalén. (4) Que ellos, los discípulos, eran testigos de todas esas cosas. (5) Que Él enviaría la promesa del Padre sobre ellos. (6) Que no se fueran de Jerusalén. (7) Que allí serían investidos del poder desde lo alto.

Las instrucciones fueron precisas, quien las estaba dando era el resucitado confirmando así la autenticidad del mensaje que constituiría el fundamento de la predicación apostólica. Jesús había vencido a la muerte, "y despojando a los principados y a las potestades, los exhibió públicamente, triunfando sobre ellos en la cruz" (Colosenses 2:15).

El tiempo del ministerio terrenal de Jesús había llegado a su final. Sobre los hombros de sus discípulos quedaba la responsabilidad de continuar la misión para la que habían sido preparados. El ejemplo y las enseñanzas de Jesús debían manifestarse a través de esos seguidores que ahora debían ganar seguidores para Jesús. Ellos habían tenido la experiencia, como discípulos de Jesús habían aprendido de su Maestro y lo siguieron. La primera prueba de su fe en el mensaje de Jesús había sido precisamente esa, lo habían seguido, cambiaron su forma de vida de una vez y por todas. Ahora debían predicar el evangelio y hacer discípulos en todas las naciones.

B. Llenos del Espíritu Santo (Hechos 2:1-4)

Ser discípulo de Cristo conlleva varias cosas. La primera es creer en Él, aceptar que su mensaje es el único que cambia la vida y transforma el corazón del ser humano, sólo Jesús tiene poder para salvarnos. La segunda es obediencia al llamado. La obediencia ha sido un distintivo muy particular en los hombres y mujeres de Dios de todas las épocas. Aquellos que han sido obedientes a la voz de Dios han creído que no existe compromiso más seguro, serio e incomparable que aceptar la voluntad del Señor para sus vidas. Hombres como Noé, Abraham, Moisés, Elías y muchos más aceptaron la invitación de Dios de unirse a Él en su misión de rescatar a una humanidad perdida y regresarla al seno de la casa paterna. Jesús es el gran ejemplo de obediencia. Lo tercero es la determinación y Jesús es nuestro gran ejemplo de arrojo, de valor. "Cuando se cumplió el tiempo en que él había de ser recibido arriba, afirmó su rostro para ir a Jerusalén" (Lucas 9:51). El Señor sabía que Jerusalén era el lugar del sufrimiento, de la entrega, de la cruz, pero también de la resurrección. Evitar recorrer ese camino hubiera dejado inconclusa su obra redentora. Cuando decidimos seguir a Cristo y convertirnos en sus discípulos debemos estar resueltos, determinados a dejarlo todo por Él. El cuarto elemento es la Palabra. El discípulo de Cristo oye la Palabra del Señor y la hace. Esa es la manera de crecer en la gracia y el conocimiento de nuestro Señor Jesucristo. Todos estos elementos juntos nos llevarán a la madurez. Existen muchos cristianos cronológicamente adultos, pero espiritualmente siguen siendo niños, no han madurado en su fe y viven dentro de la iglesia, pero muy ajenos al modelo de Jesús. La unidad es un signo de madurez, abundar en el fruto del Espíritu es sinónimo de crecimiento y participar con fidelidad en el servicio del reino de Dios es el distintivo de todo discípulo de Cristo. Jesús había invertido todo el tiempo y todos los recursos necesarios para preparar a sus discípulos para la gran tarea que les esperaba. Esto no era asunto de niños, esta era una misión que debía cumplir gente madura, con una fe firme y un conocimiento claro de la voluntad de Dios para la humanidad.

En la fiesta de Pentecostés los seguidores de Jesús estaban reunidos en un mismo lugar. La instrucción de Jesús había sido que no se fueran de la ciudad. La promesa del Padre estaba por llegar. Unidad, comunión, paciencia, obediencia, todos esos ingredientes estaban presentes en este grupo que necesitaban ese poder del Padre que habían visto manifestarse en Jesús todo el tiempo. Y ocurrió. La manifestación gloriosa del Espíritu Santo invadió el lugar donde estaban congregados los discípulos. Repentinamente vino el cielo un estruendo que retumbó por toda la casa y se aparecieron como llamas de fuego que se posaban sobre cada uno de ellos. El poder del Espíritu Santo los llenó con su poder a todos y empezaron a glorificar a Dios en diferentes idiomas, según el Espíritu Santo les indicaba. La gran enseñanza aquí es que los ciento veinte que estaban reunidos, entre ellos, los apóstoles, recibieron la unción del Espíritu Santo. Los judíos que estaban de visita en Jerusalén y que habían llegado de todas las regiones del Imperio romano, al escuchar el ruido se acercaron al salón para encontrarse con la sorpresa de que podían entender en su propio idioma las maravillas de Dios que hablaban los discípulos de Jesús. Esa promesa es para nosotros hoy, ese poder de Dios lo necesitamos hoy. Nosotros somos los discípulos de Jesús hoy y necesitamos la unción del Espíritu Santo para continuar con la misión que el Señor nos encargó hace dos mil años.

II. PREDICACIÓN E INSTRUCCIÓN DE ACUERDO AL MODELO DE JESÚS (HECHOS 2:41,42)

Ideas para el maestro o líder

(1) Comente con los estudiantes los acontecimientos relacionados con Jesús y sus discípulos previos a su ascensión. ¿Cuáles fueron las instrucciones precisas de su Maestro?

(2) ¿Por qué fue influyente la vida de Jesús en los discípulos? La coincidencia entre sus enseñanzas y su manera de vivir era monolítica, de una sola pieza.

(3) ¿Cómo podemos influenciar en la vida de otros de tal manera que deseen ser como Jesús?

Definiciones y etimología

**Bautismo*, viene del latín "baptismus" y a su vez del griego "βαπτισμός" (baptismos) con el mismo significado. Se deriva de la palabra griega *bapto* o *baptizo*, lavar o sumergir.

**Arrepentíos*, en el Nuevo Testamento tres palabras griegas expresan arrepentimiento: los verbos metanoeo, metamelomai y el sustantivo metanoia. Metanoeo es usado "predominantemente en relación con un cambio religioso y ético en el modo de creer en cuanto a dos actos: arrepentirse, cambiar de idea, convertirse (Mat. 3:2)".

A. La gente recibe el mensaje, cree y se bautiza (2:41)

Los discípulos empezaron a cumplir su misión con pasión y entusiasmo. La gran comisión dada por Jesús estaba fresca en sus oídos y hacía arder su corazón. Estaban seguros que el mismo poder que había actuado en Cristo operaría a través de ellos. Tenían el mensaje, la enseñanza y el poder. La instrucción era predicar el evangelio, hacer discípulos y enseñarles a obedecer todo lo que habían recibido del Señor. Pero si tan importante era la enseñanza, también lo era la obediencia. El evangelio no era un método de vida ni una estrategia más de pensamiento positivo. Era una nueva manera de vivir, un estilo de vida diferente, implicaba ser nueva criatura. Estar unido a Cristo significaba ser una nueva creación, era empezar a escribir una nueva historia, abandonar los vicios, la corrupción, la maldad, la violencia, la inmoralidad, exigía una completa transformación y la conformación de la persona al carácter de Jesucristo.

Los discípulos habían sido modelados por Jesús. Desde el principio de su ministerio, cuando el Señor reclutó a sus seguidores su interés primordial fue reproducirse en ellos, que su vida se reflejara en cada uno de sus seguidores y que su Palabra se convirtiera en parte de la naturaleza de ellos. La conducta de los discípulos sería un reflejo de la conducta de Cristo, las obras, prodigios y señales hechos por Jesús, serían realizados con la misma eficacia por sus seguidores. Esa era la manera de poder cumplir con la gran comisión. La influencia de Jesús en sus discípulos fue determinante. La coincidencia entre sus enseñanzas y su manera de vivir era monolítica, de una sola pieza. No había en Él contradicciones, los dichos de su boca, la meditación de su corazón y cada una de sus acciones siempre fueron del agrado del Padre, quien, en momentos cruciales de la vida de Jesús, en su bautismo y en la transfiguración, se refirió a Él diciendo: "Este es mi Hijo amado, en quien tengo complacencia".

En el punto anterior dejamos a los discípulos glorificando a Dios en otras lenguas. El Espíritu Santo había descendido sobre ellos y la reacción de los que visitaban Jerusalén por la fiesta de Pentecostés fue diversa. Algunos no salían de su asombro y se preguntaban qué significaba todo aquello, otros se burlaban diciendo que esa gente estaba borracha. Entonces los apóstoles se pusieron de pie y con fuerte voz Pedro, después de escuchar las diferentes opiniones explicó el significado de aquel acontecimiento. La primera aclaración es que lo que la gente estaba viendo no era un grupo de borrachos escandalosos pues apenas eran las nueve de la mañana. El hecho fue que Dios estaba cumpliendo lo que había prometido por medio del profeta Joel cuando dijo que derramaría su Espíritu sobre toda carne e inmediatamente aprovechó para hablarles de Jesús, dando testimonio de su vida, muerte y resurrección y señalando a los presentes como los que habían matado al Señor. Semejante acusación produjo en los oyentes un sentimiento de dolor y remordimiento y preguntaron ¿qué podían hacer? "Pedro les dijo: Arrepentíos, y bautícese cada uno de vosotros en el nombre de Jesucristo para perdón de los pecados; y recibiréis el don del Espíritu Santo". Mucha gente se arrepintió y el Señor añadió tres mil personas a la iglesia que luego de ser bautizados se unieron al grupo de seguidores de Jesús.

B. La labor discipular (2:42)

Enseguida los apóstoles comenzaron la labor discipular. Era un grupo enorme de nuevos convertidos. La respuesta había sido inesperada, era una gran multitud, pero este hecho confirmaba lo dicho por Jesús, que después de recibir el poder del Espíritu Santo estos seguidores serían sus testigos, proclamadores del evangelio, empezando por Jerusalén. El objetivo era que cada nuevo seguidor deseara ser como Jesús, imitarlo, incorporar a su vida los pensamientos y valores del Maestro, desarrollar el carácter de Cristo. Jesús había invertido en sus discípulos tres años y medio para su capacitación. Ahora, con el auxilio del Espíritu Santo, aquellos discípulos debían informar, formar y transformar a los nuevos creyentes invirtiendo en el proceso todos los recursos que fueran necesarios. Y así como Jesús había sido el ejemplo y modelo para ellos, ahora era su responsabilidad ser el modelo y el ejemplo para esos nuevos convertidos.

Una pequeña comunidad de seguidores se había convertido repentinamente en una gran comunidad cuyas relaciones y propósitos debían encausarse en la dirección correcta. Pablo se referiría a la preocupación de esta gran familia al ocuparse en: "guardar la unidad del Espíritu en el vínculo de la paz; un cuerpo, y un Espíritu, como fuisteis también llamados en una misma esperanza de vuestra vocación; un Señor, una fe, un bautismo, un Dios y Padre de todos, el cual es sobre todos, y por todos, y en todos" (Efesios 4:3-6). Todas estas personas habían elegido vivir como seguidores de Jesús y de allí la decisión de seguir paso a paso las instrucciones de los apóstoles que eran dirigidos por el Espíritu Santo. El derramamiento del Espíritu sobre los discípulos también tendría otras consecuencias que empezaron a manifestarse enseguida en la vida interna de la naciente iglesia. (1) Los nuevos convertidos empezaron a perseverar en la doctrina de los apóstoles. Esta doctrina sin duda era la enseñanza sobre la vida y ministerio de Jesús, sus enseñanzas y sus obras. Debemos recordar que para ese tiempo no existía nada escrito con respecto a la vida, muerte y resurrección de Cristo, lo que ahora llamamos Nuevo Testamento. Todo lo dicho por los apóstoles eran sus vivencias, su testimonio, las enseñanzas que en la vida cotidiana y mediante el ejemplo, el Señor les había transmitido para su formación y preparación ministerial. (2) Otro resultado de la dádiva del Espíritu Santo fue que los cristianos comenzaron a perseverar en la comunión unos con otros. Por supuesto esta comunión no estaba limitada a llevarse bien entre ellos o a gozar del placer de la compañía mutua sino más bien compartir, tener koinonía, tener en común todas las cosas. Jesús había desarrollado con sus discípulos un profundo sentido de comunión. En repetidas ocasiones había mencionado que la unidad de pensamiento y propósito serían ingredientes para que su mensaje fuera aceptado. (3) La tercera práctica en que perseveraban los creyentes era en el partimiento del pan. Esto es a lo que llamamos hoy comunión o Santa Cena y fue algo que desde sus inicios la iglesia practicó para recordar la pasión, muerte y resurrección de Jesús y mantener viva la esperanza de la consumación del reino de Dios. (4) Y también perseveraban en las oraciones. Estas eran las oraciones que se hacían en el Templo. Recordemos que los judíos acostumbraban acudir al Templo a ciertas horas para orar y los primeros cristianos conservaron esta práctica.

En ese ambiente de obediencia, perseverancia, comunión, solidaridad y oración es donde la presencia del Espíritu Santo hace viva la Palabra de Cristo en sus seguidores, los convence y atrae, los llena de fe y les da dones para que sean edificados en amor y así se mantenga la unidad y el testimonio de la comunidad del nuevo pacto.

Afianzamiento y aplicación

(1) Que alguien diga cuáles eran las instrucciones de Jesús.

(2) Describa las prácticas importantes que constituyen la labor discipular.

III. LA EXPERIENCIA DE LOS PRIMEROS DISCÍPULOS (HECHOS 2:43-47)

Ideas para el maestro o líder

(1) Pida a la clase que den sus opiniones acerca de la importancia de la convivencia en la vida de los discípulos con Jesús.

(2) Si hubo un cambio significativo en la relación entre los primeros cristianos ¿qué necesita la iglesia actual para lograr una experiencia de cambio en el discipulado de hoy?

Definiciones y etimología

**Maravillas y Señales*: La palabra española proviene de latín *miraculum*, "un objeto para maravillarse", "una maravilla, algo maravilloso, una cosa extraña, algo admirable".

**Amor fraternal*: Relativo al afecto y la confianza entre hermanos; es una relación de igualdad que nos enseña a llevar una convivencia sana y constructiva.

A. Las maravillas y señales causan asombro (2:43)

La descripción que hace Hechos de la primera comunidad de cristianos es muy semejante a lo que fue el grupo que Jesús eligió para que estuvieran con Él siempre. Como recordaremos, Jesús se apartó un tiempo para orar antes de seleccionar a los que lo acompañarían durante su ministerio y que después enviaría a predicar y a expulsar demonios (Marcos 3:14). La primera razón de Jesús al hacer su elección fue que aquellos hombres estuvieran siempre con Él. Sería en el diario vivir con su Maestro que ellos aprenderían de su ejemplo, cómo enfrentar las diferentes circunstancias conforme a la voluntad de Dios y bajo la guianza del Espíritu Santo. Sería en la práctica cotidiana (el tiempo de oración, de meditación en la Palabra, en las conversaciones entre ellos y con la gente, en las caminatas, en las reuniones caseras, etc.) donde se crearían los hábitos y se formaría en ellos el carácter de Cristo, su Modelo y Maestro. Repasemos algunas de las experiencias que contribuyeron a la formación de los primeros discípulos de Jesús. Empecemos por lo dicho por el Señor en el llamado "Sermón del Monte". Las bienaventuranzas; las metáforas de la luz del mundo y la sal de la tierra; el amor a los enemigos; la limosna, la oración y el ayuno; el Padrenuestro; la paja y la viga del ojo; no dar lo santo a los perros; la oración persistente; hacer a los demás lo que quieres que te hagan a ti (la reciprocidad); el camino ancho y el angosto; el árbol bueno y el malo; hacer la voluntad de Dios; edificar la casa sobre la roca. Cada uno de estos temas con sus respectivas y profundas enseñanzas fue parte de la práctica diaria de la vida de los discípulos. Y qué decir de la alimentación de los cinco mil, la transfiguración, la liberación del endemoniado en la sinagoga, el Señor enojado sacando a los mercaderes del Templo, el llanto ante la tumba de Lázaro, sus encuentros con los fariseos, las amenazas de parte de los poderosos, la traición de Judas, su arresto, el abandono de sus discípulos, su muerte y su resurrección. Y aquí podríamos añadir lo que el Evangelista Juan dice al final de su narración: "Y hay también otras muchas cosas que hizo Jesús, las cuales, si se escribieran una por una, pienso que ni aun en el mundo cabrían los libros que se habrían de escribir. Amén" (Juan 21:25). Con todo este arsenal de vivencias, modelados por el Maestro de maestros, investidos del poder del Espíritu Santo y con la pasión de hacer discípulos, los apóstoles invitaban al pueblo a reconocer y aceptar a Jesús como su único y suficiente salvador. Las maravillas y señales se sucedían unas a otras, las personas cambiaban su conducta y su objetivo era ser conformados a la imagen de Jesús. Se mantenían firmes en las enseñanzas de los apóstoles, habían sido permeados por los valores del reino de Dios y su meta era alcanzar el nivel más alto de vida en Cristo Jesús. La gente estaba asombrada, ver a la comunidad de cristianos unidos, orando y alabando al Señor, compartiendo todas las cosas era una señal nunca vista antes. Era el poder de Dios actuando en cada uno de los nuevos creyentes.

B. Las señales del Espíritu Santo (2:44-47)

La lectura de los últimos versículos de Lucas dos nos presenta un perfil de la primera comunidad cristiana de Jerusalén que vale la pena analizar. De la misma manera que había ocurrido con los primeros discípulos de Jesús, en esa comunidad se estaban gestando los ingredientes primordiales para que surgiera un movimiento poderoso, el crecimiento personal y la reproducción espiritual se estaban dando de manera simultánea. Los nuevos convertidos estaban conscientes que si su meta era desarrollar el carácter de Cristo debían madurar y esto se lograría practicando las enseñanzas apostólicas hasta que estas se convirtieran en hábitos y luego se tradujeran en conducta, en el comportamiento de un verdadero seguidor de Jesús. La vida de los apóstoles era el modelo viviente que debían imitar, ellos habían aprendido del Señor que el discipulado no era asunto de programas ni por tiempo limitado. El discipulado es la formación de vidas mediante un proceso continuo y dinámico en donde el ejemplo del discipulador juega un papel fundamental. Si consideramos la conducta colectiva de esa primera comunidad nos daremos cuenta que era un fiel reflejo del modelo que recibieron de los apóstoles. (1) Todos los que habían creído estaban juntos, y tenían en común todas las cosas. Jesús había cultivado esta disciplina entre sus discípulos y dio un valor excepcional al espíritu de unidad que debía reinar entre sus seguidores como demostración de la unidad existente entre el Hijo y el Padre. (2) Vendían sus propiedades y sus bienes, y lo repartían a todos según la necesidad de cada uno. Aquí está claro que esta no era una ley ni nada parecido a lo que algunos regímenes políticos han tratado de imponer. Lucas lo aclara más en cuando dice: "Y la multitud de los que habían creído era de un corazón y un alma; y ninguno decía ser suyo propio nada de lo que poseía, sino que tenían todas las cosas en común" (Hechos 4:32). Ese es el criterio básico para entender estos gestos de hermandad. El verdadero compartir no empieza con las cosas sino con el sentimiento del amor fraternal que es otra de las señales del Espíritu Santo en la iglesia. Si se comparten las cosas y se distribuyen de acuerdo a las necesidades de cada uno es porque ya se han compartido el corazón y el alma. Debemos entender, entonces, que no fue salir a vender las propiedades, sino que se puso como práctica hacerlo las veces que fuera necesario para responder a las necesidades de los más pobres. (3) Y perseverando unánimes cada día en el templo, y partiendo el pan en las casas, comían juntos con alegría y sencillez de corazón. El avivamiento producido por la presencia del Espíritu Santo iba acompañado del gozo que produce una experiencia de conversión genuina.

Un gran ejemplo que podemos extraer aquí es que era una comunidad saludable. La integridad de los apóstoles había generado confianza, los mensajeros eran dignos de ella y la contagiaban a los nuevos creyentes. El trato mutuo era de respeto y de igualdad. La obra de Jesús era reconocida en todo con gratitud y humildad. Esto provocaba que se sometieran unos a otros, se había creado un ambiente de aceptación y se apreciaba el valor de las demás personas. (4) Alabando a Dios, y teniendo favor con todo el pueblo. Y el Señor añadía cada día a la iglesia los que habían de ser salvos. La alabanza a Dios era la expresión pública y gozosa de sus convicciones, la gente los admiraba y apreciaba y cada día el Señor hacía que muchos creyeran en Él y fueran salvos. El Señor sabía que contaba con una comunidad responsable para añadir cada día nuevos seguidores de Cristo.

Afianzamiento y aplicación

(1) Que todos participen comentando algunas de las experiencias que contribuyeron a la formación de los primeros discípulos de Jesús.

(2) ¿Qué era lo que causaba gran asombro en la gente?

(3) ¿Por qué es que consideramos que esa primera comunidad de creyentes era un fiel reflejo del modelo que recibieron de los apóstoles?

RESUMEN GENERAL

El discípulo de Cristo oye la Palabra del Señor y la hace. Y aquí radica el triunfo, ¡en no ser solamente oidores! Santiago nos lo recuerda: "...sed hacedores de la palabra, y no tan solamente oidores, engañándoos a vosotros mismos"; esa es la manera de crecer en la gracia y el conocimiento de nuestro Señor Jesucristo. Es de suma importancia acatar las instrucciones del Maestro para lograr, de esa manera, alcanzar la madurez espiritual. Las instrucciones dadas por el Señor fueron cumplidas por los discípulos con pasión y entusiasmo. La gran comisión estaba fresca en sus oídos y hacía arder su corazón. Ellos estaban seguros que el mismo poder que había actuado en Cristo operaría a través de ellos. Tenían el mensaje, la enseñanza y el poder. La instrucción era predicar el evangelio, hacer discípulos y enseñarles a obedecer todo lo que habían recibido del Señor. El objetivo era que cada nuevo seguidor deseara ser como Jesús, imitarlo, incorporar a su vida los pensamientos y valores del Maestro, desarrollar el carácter de Cristo. Jesús había invertido en sus discípulos tres años y medio para su capacitación. Ahora, con el auxilio del Espíritu Santo, ellos debían informar, formar y transformar a los nuevos creyentes invirtiendo en el proceso todos los recursos que fueran necesarios. Serían ejemplo a otros, así como Jesús había sido para ellos. Aprendieron de su ejemplo, cómo enfrentar las diferentes circunstancias conforme a la voluntad de Dios y bajo la guianza del Espíritu Santo. En la práctica cotidiana desarrollaron hábitos y tenían el carácter de Cristo, quien fue su Modelo y Maestro. Ahora los nuevos discípulos verían en ellos un ejemplo. Eso es el discipulado. Es la formación de vidas mediante un proceso continuo y dinámico en donde el ejemplo del discipulador juega un papel fundamental. Si consideramos la conducta colectiva de esa primera comunidad nos daremos cuenta que era un fiel reflejo del modelo que recibieron de los apóstoles.

Ejercicios de clausura

Solicite a la clase que se pongan de pie y tomados de la mano hagan una oración comprometiéndose vivir en amor, fe y obediencia a la Palabra; dando testimonio de la obra del Espíritu Santo en cada uno de ellos.

PREGUNTAS Y RESPUESTAS

1. ¿Cuáles fueron las instrucciones que dio Jesús a sus discípulos?

Predicar el Evangelio, hacer discípulos y enseñarles a obedecer lo que habían recibido de Él.

2. ¿Cuáles son los elementos que, juntos, nos ayudan en la madurez espiritual?

(a) Creer en Cristo; (b) Ser obediente al llamado; (c) La determinación; (d) La Palabra

3. ¿Cuál era el objetivo de la labor discipular de los primeros cristianos?

Que cada nuevo seguidor deseara ser como Jesús y desarrollar su carácter.

4. ¿Cuál fue la primera razón de Jesús al seleccionar a sus discípulos?

Que estuvieran siempre con Él.

5. ¿Cómo lograrían los nuevos convertidos de la iglesia primitiva desarrollar el carácter de Cristo?

Debían practicar las enseñanzas apostólicas hasta convertirlas en hábitos.

PARA LA PRÓXIMA SEMANA

Comente a los participantes que el próximo estudio será el último de este ciclo, bajo el tema; Discípulos ¡A cumplir la misión! En el cual se va a resumir el contenido de todo lo estudiado y el reto de salir a cumplir lo que Él no ha ordenado. Pídales que no falten.

DISCÍPULOS, ¡A CUMPLIR LA MISIÓN!

Base bíblica

Juan 1:1-5; 3:1-18; Efesios 4:15,16; Hechos 1:8

Objetivos

1. Afianzar la verdad de que la Biblia es la guía segura para entender la revelación.
2. Comprender que a través del nuevo nacimiento tenemos una correcta relación con Dios.
3. Dar prioridad al crecimiento espiritual para alcanzar la madurez cristiana.

Fecha sugerida:___/____/____

Pensamiento central

Jesús nos dejó un modelo para discipular a otros. Nuestra misión es ponerlo en práctica cada día de nuestra vida.

Texto áureo

Jesús le dijo: Yo soy el camino, y la verdad, y la vida; nadie viene al Padre, sino por mí (Juan 14:6).

LECTURA ANTIFONAL

Juan 1:1 En el principio era el Verbo, y el Verbo era con Dios, y el Verbo era Dios.

2 Este era en el principio con Dios.

3 Todas las cosas por él fueron hechas, y sin él nada de lo que ha sido hecho, fue hecho.

3:3 Respondió Jesús y le dijo: De cierto, de cierto te digo, que el que no naciere de nuevo, no puede ver el reino de Dios.

4 Nicodemo le dijo: ¿Cómo puede un hombre nacer siendo viejo? ¿Puede acaso entrar por segunda vez en el vientre de su madre, y nacer?

5 Respondió Jesús: De cierto, de cierto te digo, que el que no naciere de agua y del Espíritu, no puede entrar en el reino de Dios.

16 Porque de tal manera amó Dios al mundo, que ha dado a su Hijo unigénito, para que todo aquel que en él cree, no se pierda, mas tenga vida eterna.

17 Porque no envió Dios a su Hijo al mundo para condenar al mundo, sino para que el mundo sea salvo por él.

18 El que en él cree, no es condenado; pero el que no cree, ya ha sido condenado, porque no ha creído en el nombre del unigénito Hijo de Dios.

Efesios 4:15 sino que siguiendo la verdad en amor, crezcamos en todo en aquel que es la cabeza, esto es, Cristo,

16 de quien todo el cuerpo, bien concertado y unido entre sí por todas las coyunturas que se ayudan mutuamente, según la actividad propia de cada miembro, recibe su crecimiento para ir edificándose en amor.

Hechos 1:8 Pero recibiréis poder, cuando haya venido sobre vosotros el Espíritu Santo, y me seréis testigos en Jerusalén, en toda Judea, en Samaria, y hasta lo último de la tierra.

DATOS GENERALES ACERCA DEL TEMA

- **Enseñanza:** Cada discípulo de Cristo es responsable de aprender y enseñar la fe cristiana a otras personas.
- **Autor:** Juan, Pablo y Lucas
- **Personajes:** Jesús, Nicodemo y sus seguidores
- **Fecha:** 90 d.C; 62 d.C y 63 d.C respectivamente
- **Lugar:** Juan fue escrito en Éfeso, Hechos y Efesios en Roma

BOSQUEJO DEL ESTUDIO

I. El manual del discípulo (Juan 1:1,2; Juan 3:16)
 A. Una guía para el camino (Juan 1:1,2)
 B. La ruta hacia la fe (Juan 3:16)
II. El programa del discípulo (Juan 3:1-8; Efesios 4:15,16)
 A. El discípulo y el nuevo nacimiento (Juan 3:1-8)
 B. Todo lo que tiene vida crece (Efesios 4:15,16)
III. Compañeros del discípulo (Lucas 11:1-4; Hechos 1:8)
 A. La dieta del discípulo (Lucas 11:1-4)
 B. El ayudante del discípulo (Hechos 1:8)

LECTURAS DEVOCIONALES DIARIAS

Lunes: Dónde empieza nuestra historia (Juan 1:1-5)
Martes: Cuál es ruta hacia la fe (Juan 3:16-21)

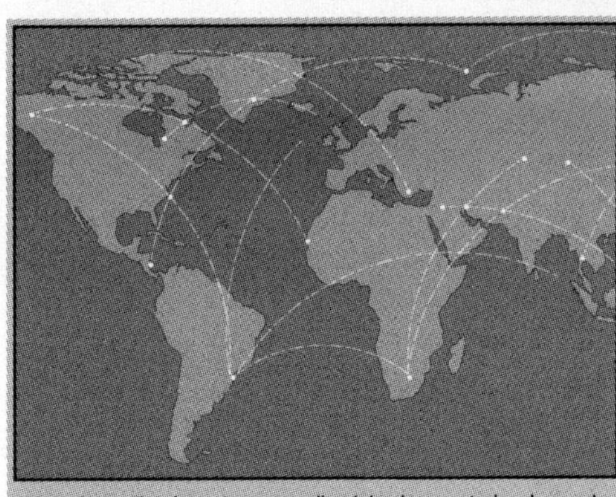

"Y será predicado este evangelio del reino en todo el mundo, para testimonio a todas las naciones; y entonces vendrá el fin". Discípulos, ¡a cumplir la misión!

Miércoles: Cuál debe ser el plan para el trayecto (Juan 3:1-8)
Jueves: Qué debemos hacer para crecer (Juan 13:31-35)
Viernes: Cuál es la dieta para el crecimiento (Lucas 11:1-13)
Sábado: Quién debe ser nuestro guía y compañero del camino (Hechos 1:8)

INTRODUCCIÓN

Hemos llegado al final de este trimestre y ha sido una jornada de aprendizaje, reflexión, descubrimientos, crecimiento y nuevos retos para nuestra vida cristiana. El tema es el discipulado cristiano, vinculado directa y estrechamente a un acontecimiento que cambió la historia de la humanidad: la encarnación de Dios en la persona de nuestro Señor Jesucristo y al proyecto divino de amor y redención por la humanidad después que los primeros padres pecaron desobedeciendo las instrucciones del Creador. El recorrido que hemos realizado a través de la Biblia nos ha permitido descubrir cómo Dios actúa en la historia eligiendo, llamando, y enviando a personas como agentes destinados desde la eternidad y preparados desde el vientre de su madre para la misión histórica que les tenía asignada. El primer ejemplo que vimos en nuestras lecciones fue Moisés, el libertador del pueblo de Israel de la esclavitud de Egipto. Su sucesor, Josué, fue escogido por Dios y llegó a ser un discípulo excepcional. Su misión fue conquistar la tierra prometida. Después vinieron Elí y Samuel, David, Elías y Eliseo, Juan el Bautista y otros, y explicamos la participación de cada uno de ellos en la historia de Israel y en la cadena de acontecimientos que culminó con la llegada de Jesús el Salvador del mundo.

Hace poco más de 2000 años surgió en la tierra Palestina un rabino con un mensaje poderoso y transformador, asegurando que el reino de Dios se había acercado, su reinterpretación la manera tradicional de entender la realidad de Dios provocó que miles recibieran sus palabras con interés y con el deseo de cambiar su manera de vivir, mientras otros lo vieron con sospecha y lo rechazaron. El reino de Dios se ha acercado, decía Jesús, Dios mismo se acerca al ser humano para liberarlo de sus pecados y darle nueva vida. Jesús invitó y llamó a un grupo de hombres y mujeres para que se convirtieran en sus colaboradores; estos serían testigos de su vida, muerte y resurrección y los llamó discípulos. Jesús se tomó el tiempo para enseñarles hasta que aprendieran bien el compromiso y la responsabilidad de compartir con otros las enseñanzas adquiridas: sanar enfermos, liberar endemoniados, resucitar muertos, desenmascarar a grupos o sectas que engañaban, robaban y manipulaban a la gente amparados por una falsa religiosidad. Además, debían hablar del amor de Dios con la familia, las amistades, el lugar de trabajo, donde quiera debían compartir apasionadamente el testimonio de su experiencia con Cristo, lo que habían visto y oído y la transformación que se había operado en sus vidas. Esa misión la debemos cumplir hoy, y lo mejor de todo, es que Jesús es nuestro maestro.

DESARROLLO DEL ESTUDIO

I. EL MANUAL DEL DISCÍPULO (JUAN 1:1,2; JUAN 3:16)

Ideas para el maestro o líder

(1) Repase con los alumnos cómo nos llegó la Biblia y cuándo quedó definido el canon como lo tenemos ahora.

(2) Investigue con los alumnos qué implicaciones tuvo la reforma protestante para que la Biblia estuviera al alcance de todos los cristianos.

Definiciones y etimología

* *canon.* Significa literalmente "caña" o "vara de medir", y llego a ser usada como nombre de la lista de los libros reconocidos como inspirados en la Palabra de Dios.

* *Verbo*. Del griego *Logos,* era el principio de la razón que gobernaba el mundo, la mente de Dios, la sabiduría eterna, era la fuerza que sostenía el universo. Juan vincula el término directamente a la Palabra de Dios, a Dios mismo y a Jesús.

A. La guía para el camino (Juan 1:1,2)

En la actualidad es difícil extraviarse cuando uno llegar a un lugar aunque este sea totalmente desconocido. Esto se debe a que se han desarrollado sistemas extraordinarios de localización satelital (GPS) para que uno pueda llegar con seguridad de un sitio a otro. Dios sabía que para que el ser humano lo conozca a Él y sus propósitos, debía contar con una guía que señalara la ruta para encontrar el camino de la fe, un manual que diera las instrucciones para saber reconocer los lugares donde hallar el alimento para el crecimiento espiritual o un mapa con la dirección correcta para vivir de acuerdo a su voluntad. Ese manual, mapa o guía es la Biblia, y es a través de su lectura y estudio que reconocemos lo que Dios ha revelado e inspirado para nuestra salvación. Es a través de su Palabra que Dios nos habla, nos instruye, nos edifica, nos redarguye y nos muestra quién es Él, su carácter, voluntad, amor, compasión, misericordia, poder y autoridad. Esta fue la experiencia de Abraham, conocido como el padre de la fe. En medio de una cultura pagana, con sus religiones y tradiciones, Dios lo llamó y le dijo que dejara todo eso, que renunciara a toda una vida de seguridad familiar, con sus costumbres y sus metas, y le propuso que se fuera a una tierra que le iba a ser mostrada. Junto con la orden vino la promesa, Abraham dejaría la tierra que lo vio nacer y a su parentela y Dios le daría una nueva tierra, él sería el fundador de una gran nación. Aún más, Dios le prometió que por uno de sus descendientes serían benditas todas las naciones de la tierra. Con este patriarca nació Israel, una nación llamada a ser santa y sacerdotal, el pueblo elegido para dar a conocer el amor de Dios a los demás pueblos del mundo. Después el Señor habló de muchas maneras por medio de los profetas (Hebreos 1:1-5) hasta que llegó el día en que se encarnó en la persona de Jesús y ahora nos habla por medio del Hijo, Jesucristo, el Salvador del mundo, y el testimonio dejado por sus discípulos y seguidores en el Nuevo Testamento. Toda esta historia se encuentra en la Biblia, y los que quieren conocer o acercarse a Dios, o aprender quien fue Jesús, cuál fue su misión, cómo se desarrolló su vida y ministerio, y cómo entregó su vida para pagar el pecado de la humanidad, deben leer y estudiar la Biblia. Esta colección de 66 libros debe convertirse en nuestra guía en el camino, allí está la enseñanza, los valores, la instrucción para saber cómo desarrollar una vida de armonía con Dios, con Jesucristo, con nosotros mismos y con nuestros semejantes. La Biblia es la regla infalible de fe y conducta que todo cristiano debe atesorar, vivir y enseñar a otros.

B. La ruta hacia la fe (Juan 3:16)

No debemos perder de vista que el objetivo de este semestre ha sido prepararnos para instruir a otros en el discipulado. Por tanto, es bueno que tengamos clara la enseñanza que debemos impartir a los alumnos, sean estos principiantes (nuevos miembros de la iglesia), o creyentes que necesitan fortalecer los principios de su fe. Cuando Jesús dio la orden a sus discípulos que debían ir y predicar el evangelio, los exhortó a invertir el tiempo necesario en la instrucción, formación y transformación de los nuevos seguidores. Era a través de ellos que Él continuaría la obra que el Padre le había pedido realizar y la única manera era asegurarse que hombres y mujeres comunes entendieran, comprendieran y se identificaran totalmente con el objetivo y la prioridad del Señor: rescatar al ser humano del pecado y la condenación eterna, convertirlo de sus malos caminos, hacerlo volver a Dios y abrir la puerta a una vida de amor, gozo y paz en el Espíritu. ¿Qué es lo que nos separa de Dios? ¿De qué debemos ser salvos? El pecado (rechazo de la voluntad de Dios, vivir a espaldas de Dios, hacer la propia voluntad en oposición a la de Dios, ser sus enemigos), es el gran abismo que nos separa de Dios y no hay recurso humano por perfecto, puro o limpio que parezca que pueda restaurar nuestra relación con Él. Es más, la paga del pecado es la muerte (separación eterna de Dios) y esto es una tragedia, una dolorosa e ineludible realidad y destino. Entonces, ¿qué debemos hacer y qué debemos creer? El mismo Dios que nos creó, que hizo todo lo que existe con amor eterno, no podía permitir que el pecado producido por la desobediencia y rebeldía de nuestros primeros padres tuviera la última palabra. Así que, "de tal manera amó Dios al mundo que dio a su hijo unigénito para que todo aquel que en él cree no se pierda sino que tenga vida eterna". Jesús es el camino que lleva hacia Dios, él es la verdad, él es la vida y es el único que puede restaurar la relación entre Dios y el ser humano; él es el puente que elimina el abismo de separación entre el Creador y sus criaturas. Mucha gente quiere acercarse a Dios y nosotros tenemos la responsabilidad de explicarles el plan maravilloso que tiene para sus vidas, y al mismo tiempo, que Él desea que ellos sean parte de su proyecto de redención para la humanidad. Nuestra misión como discípulos es una misión de rescate. La gente está sufriendo, cada cual va por su camino, sin esperanza y sin luz, y la única respuesta es creer en Cristo como único y suficiente Salvador. Allí es donde empieza la verdadera transformación y donde se experimenta la auténtica libertad. Creer en Jesús es seguirlo, obedecerle, hacer lo que Él hizo y enseñarlo a otros.

Afianzamiento y aplicación.

(1) Mencione por qué es importante entender que el objetivo de la Biblia es conducirnos al conocimiento y el encuentro con Dios a través de Jesucristo.

(2) Analice con sus alumnos el hecho de que el pecado es más que un error y consideren su poder destructivo hasta el punto que practicarlo conduce a la separación eterna de Dios.

II. EL PROGRAMA DEL DISCÍPULO (JUAN 3:1-8)

Ideas para el maestro o líder

(1) Plantee ¿Cuál creen que es la diferencia entre una persona religiosa y una que ha nacido de nuevo en Cristo?

(2) Comente ¿por qué al parecer muchos cristianos no han crecido ni han desarrollado un carácter como el de Jesús?

Definiciones y etimología

* *Nacer de nuevo.* Este es un concepto revolucionario del cristianismo. El reino de Dios es algo personal y para entrar en él se requiere arrepentimiento y renacimiento espiritual. A diferencia de otras religiones no es algo externo sino un proceso interno, en el corazón.

* *Nacer del agua y del Espíritu.* Se puede referir a ser regenerados por el Espíritu y confirmados por el bautismo.

A. El discípulo y el nuevo nacimiento (Juan 3:1-8)

Los evangelios narran que el ministerio de Jesús fue de acción, de búsqueda del perdido y de acercamiento al necesitado. Casas, vecindarios, caminos y poblados fueron visitados por Jesús. Y también las sinagogas, centros de reunión comunitaria donde Jesús con sus discípulos, acudían con frecuencia para enseñar y en muchas ocasiones para sanar a los enfermos o liberar endemoniados, además para poner en evidencia la falsedad e hipocresía de muchos de los líderes religiosos. Pero un detalle impresionante en la vida de Jesús fue la manera en que reclutó a sus primeros seguidores, cómo los formó, los instruyó y les enseñó la manera correcta de vivir de acuerdo a la voluntad de Dios. Lo que Andrés y Pedro, Jacobo y Juan, Natanael y Felipe y todos los demás que anduvieron con Jesús experimentaron, fue literalmente una nueva vida, un nuevo nacimiento, una realidad novedosa, fructífera y gozosa bajo la tutela del Señor de la vida. Miles de personas escucharon a Jesús, cientos lo siguieron por los caminos de Palestina, decenas escucharon sus enseñanzas y muchos decidieron cambiar su manera de vivir al oír la predicación osada del rabino galileo que vino a poner en correcta perspectiva el amor y la gracia de Dios. Algunos se sintieron desafiados por el mensaje de Jesús, pero sus ataduras religiosas y con la tradición impidieron que aceptaran la invitación del Salvador. Una historia clave para comprender cómo empieza el programa de vida de aquel que se acerca a Jesús con el interés de convertirse en seguidor es Nicodemo, un dignatario judío que se sintió atraído por el mensaje de Jesús con respecto al reino de Dios. Este religioso sin duda captó que lo importante en el proyecto salvador de Dios no eran las cosas, los objetos sagrados, el templo, las interpretaciones que se hacían de la ley sino las personas que de corazón sincero se arrepentían de su vida pasada y optaban por vivir de acuerdo a los valores y a las exigencias del mensaje evangélico. Nicodemo buscó a Jesús de noche y no tuvo reparos en reconocer que era un enviado de Dios porque las señales que hacía demostraban que tenía el respaldo del Todopoderoso. Jesús no puso atención a los halagos del fariseo y su respuesta es fundamental para entender que ser salvo significa "nacer de nuevo". Tan radical debe ser el cambio en la persona que se acerca a Jesús y quiere ser su seguidor que esto se compara con un nuevo nacimiento. La primera lección que aquí se aprende es clara. Primero, Jesús es el enviado de Dios, Él es nuestro Maestro, nuestro Salvador y nuestro Señor. Él pagó el precio de nuestra redención y es el camino para la reconciliación con Dios. La segunda enseñanza es que aceptar a Cristo implica un cambio total de la manera de vivir, es renunciar a la pasada manera de vivir y aceptar la vida nueva en Jesús.

B. Todo lo que tiene vida crece (Efesios 4:15,16)

Una sencilla definición de crecimiento dice que es el proceso mediante el cual los seres vivos aumentan su tamaño y se desarrollan hasta alcanzar la forma y la fisiología propia de su estado de madurez, o edad adulta. Este concepto tan claro y tan preciso puede aplicarse perfectamente a la vida espiritual del creyente o de la congregación a la que pertenece. En pocas palabras el crecimiento espiritual afecta externa e internamente a la persona o grupo en donde se produce este proceso. Podemos decir entonces, que lo que no crece, no se desarrolla o no madura, es porque no lleva consigo el germen de la vida. En el punto anterior señalamos que la persona que se acerca a Jesús y lo recibe como único y suficiente Salvador, su vida, mente y conducta son transformadas de manera tan radical que esto equivale a un nuevo nacimiento. Y así como un recién nacido, desde el momento en que sale del vientre materno, empieza a crecer, a desarrollarse y madurar en todas sus funciones, orgánica, emocional y mentalmente, así, el que ha nacido de nuevo en Cristo crece y se desarrolla hasta convertirse en un seguidor de Jesús maduro, robusto y firme en su vida cristiana. Durante su ministerio terrenal Jesús se ocupó de que sus seguidores estuvieran expuestos a sus enseñanzas, ejemplo, conducta y proceder en las distintas circunstancias que se presentaban diariamente. Al mismo tiempo, el Señor se tomó el tiempo para ir evaluando el crecimiento, la comprensión y el accionar de sus discípulos. Debía haber perfecta coincidencia entre la manera de pensar, la forma de hablar y el estilo de vivir. Entre todas las enseñanzas de Jesús hay una de extremada relevancia porque sería la marca, la señal distintiva de los verdaderos seguidores de Jesús y una muestra de un genuino crecimiento. Jesús estaba por terminar su ministerio terrenal, le advierte a sus discípulos que aunque lo buscaran no lo encontrarían, que el lugar a donde iba, no pueden acompañarlo. Entonces les dio un nuevo mandamiento: "ámense unos a otros de la misma manera que Yo los he amado". Cuando Pablo escribió a los efesios tenía muy clara esta enseñanza, y le explicó a la congregación de esa joven iglesia que la única manera en que se puede trabajar en armonía, servir con solicitud, compartir el mensaje del Evangelio, buscar la compañía de otros creyentes para adorar a Dios en comunión, es cuando estamos unidos por el amor. Es el amor el que nos hace decir la verdad unos a otros, es el amor el que nos hace parecernos más y más a Cristo; es el amor el que hace que la iglesia crezca, se fortalezca y se capacite para servir e instruir a los creyentes. "¡Mirad cuán bueno y cuán delicioso es habitar los hermanos juntos en armonía!, dice el Salmo 133. Jesús atrajo multitudes y seguidores porque su predicación y su conducta fueron expresión de amor, servicio, entrega y compasión. Qué bueno que la iglesia pueda demostrar estos mismos valores y atraer a esas multitudes de necesitados que andan por el mundo como ovejas sin pastor.

Afianzamiento y aplicación

(1) Todo aquel que recibe a Jesucristo como su Salvador experimenta cambios radicales en su manera de pensar, de vivir y de actuar. Evalúen cómo se ha manifestado esto en sus vidas.

(2) Hagan un inventario de todo lo que han estado practicando individualmente y como iglesia para demostrar el amor de Dios en una forma práctica y concreta.

III. COMPAÑEROS DEL DISCÍPULO (LUCAS 11:1-4; HECHOS 1:8)

Ideas para el maestro o líder

(1) Discuta con la clase la importancia de una dieta espiritual en la vida del discípulo.

(2) Reflexionen sobre la importancia de la participación del Espíritu Santo en la vida del creyente.

Definiciones y etimología

* *Paracleto*. Es la transcripción del término griego *parakletos* y su forma en castellano puede ser "paráclito" o "paracleto". Cuando se refiere al Espíritu Santo se traduce "Consolador" (Juan 14:16, 26) y cuando se refiere a Jesucristo se traduce "abogado" o "intercesor" (1 Juan 2:1).

A. La dieta del discípulo (Lucas 11:1-4)

El evangelio de Lucas da una descripción interesantísima de Jesús cuando dice: "Y Jesús crecía en sabiduría y en estatura, y en gracia para con Dios y los hombres" (2:52). ¡Jesús tuvo que aprender y crecer! Esta es una realidad maravillosa que nos desafía a que estudiemos y reflexionemos sobre los ingredientes que Jesús utilizó como dieta espiritual y lo que sus discípulos aprendieron de Él. Uno de los aspectos más relevantes en la vida de Jesús fue el tiempo que dedicó a la oración. Ya dijimos en una de las lecciones anteriores que todas las enseñanzas, los viajes, las visitas a las sinagogas, las señales, los milagros y los momentos cumbres del peregrinar de Jesús en la tierra estuvieron precedidos por un tiempo completamente dedicado a la oración. Cierto día, después que Jesús tuvo un tiempo de oración, uno de sus discípulos le pidió que les enseñara a orar, así como Juan el Bautista le había enseñado a sus discípulos. Sin duda, los seguidores de Jesús notaron una gran diferencia entre la manera de orar de su Maestro y las oraciones habituales que hacía la gente piadosa. Los efectos que producía la oración en la vida de Jesús, eran muy distintos a lo que se observaban en las personas que hacían las oraciones tradicionales. Jesús le enseñó a sus discípulos una oración modelo diciéndoles, "cuando ustedes oren, háganlo así", y dijo el Padrenuestro. (1) Lo primero es que nos invita a repetirla en comunidad. Jesús no habló en singular sino en plural. Los discípulos debían comprender que aquel a quien se adora, honra la pertenencia mutua y la solidaridad. El egoísmo y el orgullo están excluidos del espíritu del discípulo. (2) La gratitud como reconocimiento de que toda buena dádiva y todo don perfecto desciende de lo alto. (3) El clamor a Dios por la llegada de su reino, es reconocer que sólo en Él hay justicia y paz, armonía y bienestar. (4) El pan nuestro, es otra declaración formidable. Nada de lo que recibimos es para acaparar, para disfrutarlo en soledad, antes bien, es para compartirlo para darlo a quien lo necesita, para satisfacer el hambre y la sed de los pobres de la tierra. (5) El perdón, arrepentimiento y reconciliación invaden el espíritu de esta oración. Cuánta gente sufre y se autodestruye porque no sabe perdonar, o porque no saben pedir perdón. Estos tres ingredientes son alimento para tener una mente y un espíritu saludable, y un crecimiento robusto y equilibrado. (6) Que mejor alimento que la dependencia divina para que cuando vengan las pruebas y las tentaciones no nos aparten del Señor. Si algo tiene importancia en el crecimiento espiritual es alimentarnos cultivando una vida de oración, de comunión y dependencia de Dios. Jesús lo demostró y por eso obedeció hasta la muerte, su vida de oración, fidelidad, sumisión, humildad, sacrificio, compañerismo y entrega total a su misión fueron las armas para vencer a la muerte y el pecado.

B. El ayudante del discípulo (Hechos 1:8)

Desde el mismo momento en que Jesús llamó a sus primeros seguidores hasta constituirlos en sus discípulos, para luego nombrarlos apóstoles (enviados), Él sabía que su tiempo en esta tierra era limitado. Por lo tanto, poco a poco fue revelando esta verdad a sus discípulos para que ellos estuvieran conscientes de que llegaría el tiempo de la separación. Sin duda este sería un momento difícil y doloroso. Estos hombres lo habían compartido todo con Jesús, vivían juntos, caminaban juntos, comían juntos, la comunión entre ellos era total. Jesús los había llamado amigos, él era su escuela, su programa de trabajo, su maestro, lo amaban con todo su corazón, habían dejado todo por seguirlo, en fin, era todo para ellos. ¿Quién podría reemplazar a Jesús? ¿Quién podría sustituirlo? Jesús había resuelto ese problema. Les dijo a sus discípulos que iba a rogar al Padre para que les diera otro Consolador que estuviera con ellos para siempre, veinticuatro horas al día, siete días a la semana, trescientos sesenta y cinco días al año. La condición para recibir este don, esta gracia, era que debían mantenerse unidos a Él, como el pámpano permanece en la vid (Lucas 15:4). Esa sería la única manera de llevar mucho fruto, y los discípulos entendieron que sin Jesús no podrían hacer nada. ¿Qué debían entender sobre la persona y el ministerio del Espíritu Santo? Primero, que recibirían un consolador, un defensor, un abogado invencible que intercedería delante de Dios por ellos. Segundo. El Espíritu Santo es el Espíritu de la verdad y les ayudaría a comprender plenamente la voluntad de Dios, les daría el discernimiento y la sabiduría para distinguir la verdad de la mentira, lo genuino de lo falso. El Espíritu de verdad les permitiría descubrir las manifestaciones auténticas de Dios y las falsedades inventadas por el enemigo. Tercero. El Espíritu les recordaría todo lo que habían aprendido con Jesús y por eso podían detectar enseguida cuando una "enseñanza" o "revelación" eran contrarias a las enseñanzas de su Maestro. Jesús había preparado a sus discípulos para que supieran qué hacer cuando Él regresara al Padre. Habrían momentos de debilidad, incertidumbre, temores y fallos, pero con la llegada del Espíritu iban a aprender una nueva forma de relacionarse con Dios: el Espíritu de Dios estaría con ellos y en ellos, esa era la garantía de la presencia de Cristo en sus discípulos. Jesús murió, resucitó y ascendió a los cielos y los discípulos esperaron en Jerusalén la llegada del Espíritu Santo. El poder de Dios para continuar con la misión que Jesús había comenzado fue derramado. Ese mismo Espíritu es el compañero del camino en nuestra vida cristiana. Es el mismo que nos redarguye de pecado y nos conduce a alejarnos de lo que desagrada a Dios para vivir en santidad, es el que nos da fuerza en nuestra debilidad y nos permite confesar con gozo a Jesucristo como nuestro Señor y Salvador.

Afianzamiento y aplicación

(1) Orar es hablar con Dios. Debemos apartar un tiempo para estar a solas con el Señor y seguir el modelo que Jesús nos enseñó en el Padrenuestro.

(2) Reconocemos que el Espíritu Santo es una de las personas de la Trinidad y por eso su obra y ministerio nunca está en contradicción con lo que Dios ha revelado a través de Jesucristo.

RESUMEN GENERAL

Cerramos este semestre con el gozo con el que el sembrador escoge y siembra la semilla, y con la esperanza de que habrá una cosecha al ciento por uno. El resumen que hemos hecho en este recorrido nos permite repasar la importancia de la Biblia, sus enseñanzas, sabiduría, revelación y por qué es nuestra regla infalible de fe y conducta. Repasamos el versículo tan amado que se encuentra en el Evangelio de Juan 3:16: "De tal manera amo Dios al mundo que ha dado a su hijo unigénito para que todo aquel que en él cree no se pierda, sino que tenga vida eterna". Ese debe ser el tema central de nuestro mensaje y testimonio, reconocer que Dios nos ha amado con amor eterno y que fiel a su carácter, a pesar del pecado del ser humano, nos ha dado a su hijo Jesucristo para que por medio de Él tengamos salvación eterna. Que importante es que hayamos repasado que el paso de fe al recibir a Cristo nos hace nuevas criaturas, renunciamos a la vida de pecado y seguimos la paz y la santidad sin la cual nadie verá al Señor (Hebreos 12:14). Dios pondrá en nuestro camino a muchos que tendremos que discipular. Seamos responsables. Qué gusto será encontrar en el cielo a los que por nuestro testimonio y enseñanza entendieron que: "La paga del pecado es muerte más el regalo de Dios es vida eterna en Cristo Jesús". Y se arrepintieron y recibieron a Jesús como su Salvador. Y qué decir de nuestro crecimiento, todo el alimento con el cual debemos nutrirnos para estar robustos espiritualmente y maduros en nuestra fe. Nuestro compromiso y obligación como discípulos de Cristo es hacer de la oración, la lectura de la palabra, la comunión con los hermanos, el servicio y el amor fraternal marcas que nos distingan como verdaderos seguidores de Jesús. Cuánta necesidad hay en la Iglesia de que el Espíritu de Dios obre en la vida de cada creyente. Que importante es darnos cuenta que en un mundo religioso tan confuso necesitamos que el Espíritu de la verdad nos guía, aclare y de la luz para que podamos discernir entre lo falso y lo verdadero, entre lo que es de Dios y lo que no es de Dios. Que el Espíritu Santo, que está con nosotros y en nosotros siempre, nos forme de acuerdo al carácter de Cristo y que el nombre de Dios sea glorificado. Rogamos que la orden dada por Jesús: "Por tanto, id, y haced discípulos a todas las naciones, bautizándolos en el nombre del Padre, y del Hijo, y del Espíritu Santo; enseñándoles que guarden todas las cosas que os he mandado", la cumplamos al pie de la letra, porque la promesa hecha por Jesús: "y he aquí yo estoy con vosotros todos los días, hasta el fin del mundo", ya es una realidad. Cumplamos la misión. Amén.

Ejercicio de clausura

(1) Invite a la clase a expresar alguna opinión sobre el desarrollo de la temática del trimestre.
(2) Motívelos a seguir participando en los próximos estudios.
(3) Pida a los participantes elevar una oración para que el Señor les ayude a entender su voluntad y cumplir la gran comisión.

PREGUNTAS Y RESPUESTAS

1. ¿Porque es importante que el discípulo conozca la Palabra de Dios?

Porque es a través de su Palabra que Dios nos habla, nos instruye, nos edifica, nos redarguye y nos muestra quién es Él.

2. ¿Qué fue lo que Jesús le dijo a Nicodemo, cuando vino a visitarlo de noche?

De cierto, de cierto te digo, que el que no naciere de nuevo, no puede ver el reino de Dios.

3. Mencione uno de los ingredientes más importantes que debe mantener un discípulo en su dieta espiritual?

Uno de los ingredientes más importante es alimentarnos cultivando una vida de oración, de comunión y dependencia de Dios.

4. ¿Por qué es importante que el discípulo se mantenga lleno del Espíritu Santo?

Porque el Espíritu Santo nos ayuda a vivir en santidad, nos da fuerza en nuestra debilidad y nos permite confesar con gozo a Jesucristo como nuestro Señor y Salvador.

5. ¿Cuál será una gran satisfacción que disfrutaremos cuando estemos en el cielo?

Será encontrar en el cielo a los que por nuestro testimonio se arrepintieron y recibieron a Jesús como su Salvador.

PARA LA PRÓXIMA SEMANA

Se estará dando inicio a un nueva serie de estudios, bajo el tema: "Las misiones en el plan de Dios", procure dar una breve introducción y motívelos a participar.

INTRODUCCIÓN AL SEGUNDO TRIMESTRE

La Biblia es el libro misionero por excelencia, porque relata la más grande historia de "misiones" jamás realizada: "La redención de una humanidad perdida". El principal protagonista es Dios mismo quien diseñó un plan misionero de alcance mundial. Muchos han tratado de insinuar que Él es el Dios de los hebreos solamente o que pertenece a las culturas del Medio Oriente; no obstante, la misma Biblia da cuenta, que "De Jehová es la tierra y su plenitud; El mundo, y los que en él habitan" (Salmo 24:1), incluyendo la totalidad del universo en que vivimos. Desde los mismos comienzos Dios muestra su soberanía internacional al confundir el lenguaje de los humanos en la torre de Babel (Génesis 11) y dividir a estos en grupos etno-lingüísticos, con los cuales se inició la distribución geográfica del mundo y se dio origen a todas las naciones. Cuando llamó a Abraham para formar un pueblo escogido, Jehová tenía el plan de bendecir a "todas las naciones", lo cual equivalía a una promesa misionera. Israel no cumplió su papel misionero en el mundo del Antiguo Testamento. Se esperaba que los gentiles vinieran a aprender del pueblo israelita, lo cual constituía el método "centrípeto" (donde la fuerza de adentro atrae a lo de afuera); pero los judíos se apartaron de Dios, y no sirvieron sino para vergüenza y deshonra a Dios. Un caso en el que se manifestó el amor de Dios por una nación extraña fue la aventura de Jonás. Este profeta hebreo, por sus prejuicios raciales y sus temores personales no obedeció cuando Dios lo envió a Nínive. No obstante, la segunda vez Jonás obedeció y llevó el mensaje a los asirios, los cuales se convirtieron y Jehová los perdonó. La mayor demostración del interés de las misiones en el plan de Dios se vio cuando Él envió a su Hijo unigénito como un misionero a este mundo. El Hijo de Dios dejó su trono, "se hizo carne" y habitó entre los hombres y manifestó su gloria (Juan 1:1-14). Jesús no sólo vivió como un misionero, sino que preparó a sus discípulos para que también ellos percibieran la visión mundial del evangelio. Así fue como el Maestro, no sólo predicó y bendijo a los de su país; Él fue también a regiones extranjeras, como Samaria, Galilea, Tiro, Sidón, Decápolis y Perea (Marcos 7:31). Antes de su ascensión al cielo, Jesús reunió a sus discípulos (seguidores) y los constituyó en apóstoles (enviados). Les dijo, por ejemplo: "Id, y haced discípulos a todas las naciones... Yo estoy con vosotros todos los días, hasta el fin del mundo" (Mateo 28:19,20; Marcos 16:15). Todos los apóstoles ejercieron el don de "misiones", incluyendo a Pablo, el más emprendedor de todos los misioneros cristianos. El libro de los Hechos de los Apóstoles está lleno de lecciones acerca de este noble ministerio internacional. Entendemos que a la iglesia le dio el Señor el método "centrífugo" (donde la fuerza va de adentro hacia afuera); por lo que debemos estar dispuestos y preparados para ir a donde Él nos quiera usar.

¡Que el Señor siga impulsando las misiones y nos dé el privilegio de participar en ellas: orando, ofrendado o comprometiéndonos personalmente!

EL PLAN DE DIOS PARA LAS NACIONES

ESTUDIO BÍBLICO 14

Base bíblica
Génesis 1:1,2,6,22; 11:1-9; Salmo 24:1,2; Hechos 17:26,27.

Objetivos
1. Reconocer las distinciones étnicas y sociales de las misiones.
2. Comprender la internacionalidad del plan de Dios.
3. Realizar una mentalidad global hacia la evangelización de las naciones.

Pensamiento central
Jehová no es Dios de Israel solamente; lo es de todas las naciones y tiene un plan de salvación y un programa misionero para todo el mundo.

Texto áureo
De Jehová es la tierra y su plenitud; el mundo y los que en él habitan (Salmo 24:1).

Fecha sugerida:___/____/____

LECTURA ANTIFONAL

Génesis 10:1 Estas son las generaciones de los hijos de Noé: Sem, Cam y Jafet, a quienes nacieron hijos después del diluvio.
2 Los hijos de Jafet: Gomer, Magog, Madai, Javán, Tubal, Mesec y Tiras.
6 Los hijos de Cam: Cus, Mizraim, Fut y Canaán.
22 Los hijos de Sem fueron Elam, Asur, Arfaxad, Lud y Aram.
11:6 Y dijo Jehová: He aquí el pueblo es uno, y todos estos tienen un solo lenguaje; y han comenzado la obra, y nada les hará desistir ahora de lo que han pensado hacer.
7 Ahora, pues, descendamos, y confundamos allí su lengua, para que ninguno entienda el habla de su compañero.
8 Así los esparció Jehová desde allí sobre la faz de toda la tierra, y dejaron de edificar la ciudad.
Salmo 24:1 De Jehová es la tierra y su plenitud; el mundo, y los que en él habitan.
2 Porque él la fundó sobre los mares, y la afirmó sobre los ríos.
Hechos 17:26 Y de una sangre ha hecho todo el linaje de los hombres, para que habiten sobre toda la faz de la tierra; y les ha prefijado el orden de los tiempos, y los límites de su habitación;
27 para que busquen a Dios, si en alguna manera, palpando, puedan hallarle, aunque ciertamente no está lejos de cada uno de nosotros.

DATOS GENERALES ACERCA DEL TEMA

- **Enseñanza:** Dios entregó a su Hijo para la salvación de todas las naciones; por lo tanto, somos responsables de continuar llevando el evangelio hasta el fin de la tierra.
- **Autor:** Moisés, David y el apóstol Pablo
- **Personajes:** Noé, sus hijos, su descendencia y las naciones.
- **Fecha:** Año 2400 a.C. aproximadamente
- **Lugar:** Valle de Sinar en Mesopotamia y la ubicación de las naciones.

BOSQUEJO DEL ESTUDIO

I. Dios distribuyó las naciones (Génesis 10:1,2,6,21,22; 11:1-9)
   A. Dios estableció los distintos segmentos raciales (10:1,2,6,21,22)
   B. Dios separó a los pueblos por la multiplicación de los idiomas (11:1-7)
   C. Dios propició la distribución geográfica de los pueblos (11:8,9)

II. Dios es el dueño y Señor de todo (Salmo 24:1,2; Hechos 17:26,27)
   A. Dios es el Propietario de la tierra (Salmo 24:1,2)
   B. Dios es el Creador de todo el género humano (Hechos 17:26)
   C. Dios es la razón de la existencia del ser humano (Hechos 17:27)

LECTURAS DEVOCIONALES DIARIAS

Lunes: La descendencia de Caín y la primera civilización (Génesis 4:16-24)
Martes: Las generaciones de Adán (Génesis 5:1-32)

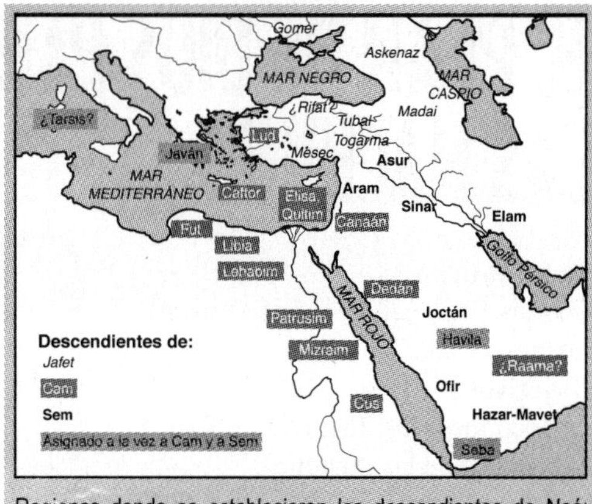

Regiones donde se establecieron los descendientes de Noé: Sem, Cam y Jafet, formando diferentes naciones.

Miércoles: La corrupción de la primera civilización (Génesis 6:1-7)
Jueves: El juicio divino y la manifestación de su gracia (Génesis 6:8-22)
Viernes: El pacto de Dios con Noé (Génesis 9:1-19)
Sábado: La deshonra de Noé y el pecado de Cam (Génesis 9:20-27)

INTRODUCCIÓN

No podemos iniciar esta serie de estudios sobre las misiones sin echar una mirada al inicio de la vida humana y la diseminación de los pueblos sobre la faz de la tierra. La Sociología, que es la ciencia que estudia el origen, evolución e interrelación de los grupos humanos, planteando problemas del comportamiento social, diagnosticando sus causas y buscando soluciones es una ayuda importante para los interesados en la misionología cristiana. Pero la mejor sociología del origen y desarrollo de las naciones la encontramos en la Biblia. Contra las teorías de los sociólogos humanistas que dependen de los falsos planteamientos de la evolución, la Palabra de Dios nos dice cómo se inició la vida humana y cómo empezó a extenderse sobre este planeta. El éxito de un misionero, después de contar con el llamamiento y el respaldo del Señor, es conocer la estructura física y sociológica de los pueblos o comunidades que se propone alcanzar con el evangelio. Cada país o etnia tiene sus tradiciones, sus ideas religiosas, su idioma, su política y otros detalles que debemos conocer si queremos ser eficaces en nuestro plan misionero. Esta lección nos permite ver que el género humano se originó de una sola criatura y "una sola sangre" (Hechos 17:26). De ahí se reprodujo un pueblo el cual tenía un solo idioma. A partir de la confusión de lenguas en la torre de Babel, los grupos humanos se separaron y se establecieron de acuerdo con su estructura racial, su idioma y sus tradiciones (Génesis 11:7-9). Luego se apartaron de la voluntad de Dios y empezaron a establecer sus religiones idólatras y paganas. En este capítulo se muestra que todas las naciones son de un origen común. Con frecuencia, hacemos demasiado hincapié en las diferencias raciales o culturales, las cuales socavan la unidad y es contrario a la voluntad del Señor, pero la Biblia contradice totalmente esa idea con la revelación de que todo el mundo se relaciona entre sí a través de Noé, o de uno de sus hijos Sem, Cam y Jafet. Ahora, Dios, que creó todo lo que existe ha establecido un plan de salvación para toda la humanidad. Este plan se está desarrollando a través de las misiones en cumplimiento de la "Gran comisión", de las que nosotros somos parte integral. Dios disfruta de nuestra rica y variada diversidad racial y cultural, la que Él mismo ha creado. Tenemos que aprender a hacer lo mismo. Por eso, Jesús dijo: "vayan y hagan discípulos de todas las naciones" (Mateo 28:19).

DESARROLLO DEL ESTUDIO

I. DIOS DISTRIBUYÓ LAS NACIONES (GÉNESIS 10:1,2,6,21,22; 11:1-9)

Ideas para el maestro o líder

(1) Tenga a la vista un mapa de la distribución de las naciones según Génesis 10.
(2) Señale en el mapa el lugar de ubicación de cada uno de los pueblos mencionados, después de la confusión de lenguas en la torre de Babel.

Definiciones y etimología

* *Los hijos de Jafet.* "Engrandezca Dios a Jafet, Y habite en las tiendas de Sem (9:27). Es decir que las bendiciones espirituales a los *jafetitas,* vendrían por medio del Dios de Sem.

* *Los hijos de Cam.* "Maldito sea Canaán; Siervo de siervos será a sus hermanos" (9:25). Cannan hijo de Cam colonizó y dio su propio nombre a la tierra que luego Dios entregó a la descendencia de Sem, por causa de su maldad.

* *Los hijos de Sem.* "Bendito por Jehová mi Dios sea Sem" (9:26). Fue de su descendencia que vino el Mesías.

A. Dios estableció los distintos segmentos raciales (10:1,2,6,21,22)

La falsa teoría de la "generación espontánea" está ligada a la evolución materialista. Esta enseña que la vida humana empezó en varios puntos del planeta de manera simultánea a lo largo de millones de años. En cambio, la revelación divina nos dice en Génesis que Dios creó al hombre y a la mujer, "conforme a su imagen y semejanza" (Génesis 1:26,27), y que de ahí se propagó el género humano. Esto sucedió en algún punto de la alta Mesopotamia en el Oriente Medio, según la revelación dada a Moisés en el libro del Génesis. Otras versiones, formadas por mitos y leyendas entre los babilonios y asirios atribuyen la creación a dioses y poderes misteriosos. Sólo la Biblia contiene un relato sobrio y congruente de la manera en que Dios creó todo lo que existe. Según Génesis capítulo 6, los hombres que Dios había hecho con sus manos, la corona de la creación, se reprodujeron, pero a la vez se corrompieron y planearon ideas contrarias a su voluntad, al punto que Dios decidió poner fin a la raza humana por medio de un gran diluvio (Génesis 6:1-7).

Pero este juicio no exterminó a la descendencia de Adán. Por la misericordia de Dios sobrevivieron Noé y sus tres hijos: Sem, Cam y Jafet. De estos surgieron las tres grandes ramificaciones con distintas características físicas, sociales y espirituales. Génesis 10 presenta estas tres ramas genealógicas de los hijos de Noé y nos obliga a dibujar un mapa para establecer la localización de cada uno de estos pueblos. Los descendientes de Jafet fundaron a Persia, Media, Rusia, Grecia y muchos de los países de Europa (10:1-5). Los hijos de Cam fundaron a Etiopía, Egipto, Libia y Canaán con todos los pueblos que habitaban la tierra que más tarde Dios le entregó a Israel (10:6-20). Los hijos de Sem establecieron las naciones de Elam, Caldea, Babilonia, Asiria, Siria y Lidia en Asia Menor (10:21-31).

En este capítulo se incluye una lista de catorce naciones descendientes de Jafet, treinte descendientes de Cam y veintiseis descendientes de Sem, reuniendo un total de setenta naciones que se desprenden de esta raíz genealógica. En el transcurso de la historia ocuparon un lugar, destacando ciertas naciones, por ejemplo, en un principio los descendientes de Cam, cuyo nieto Nimrod, llegó a ser el "primer poderoso en la tierra", y el iniciador de la sublevacion del Babel (Génesiss 10: 8-10). Luego, los descendientes de Sem causaron un gran impacto en el mundo durante la época de David y Salomón. Y después, otras naciones han tenido su posición dominante y su oprtunidad de gobernar para bien o para mal, para la gloria de Dios o para su propia destrucción. Lamentablemente, ninguna de las líneas genealógicas, ya fuesen descendientes de Cam, de Sem o de Jafet, han demostrado ser capaces de gobernar a este mundo. Dios ha querido demostrarnos esta realidad que podemos comprobar a través de la historia de los pueblos.

Pero a pesar de eso, Dios no creó a los humanos para luego olvidarse de ellos. Nada ha sucedido en la historia fuera del control de Dios. Algunas cosas, Él las ha realizado directamente, otras las ha permitido como parte del desarrollo de su plan redentor. El plan de salvación que Él introdujo en la historia, el cual ha venido desarrollando a través de los tiempos con su plan misionero de alcance a todas las naciones, primero con Israel y luego con la iglesia, de ir y proclamar a todos los pueblos que habitan este planeta, que Dios es su Creador y Cristo es su Salvador.

B. Dios separó a los pueblos por la multiplicación de los idiomas (11:1-7)

La voluntad de Dios para sus criaturas fue que se reprodujeran y llenaran la tierra (Génesis 1:28). Pero los descendientes de Adán, con una actitud de desobediencia y desacato a las órdenes divinas, se quedaron en el valle de Sinar, hoy Irak (11:2). Allí se entregaron a una vida pecaminosa e inventaron construir "una ciudad y una torre" cuya cúspide llegara al cielo. Lo que se proponían era hacerse un nombre famoso por si eran "esparcidos sobre la faz de la tierra" (11:3,4). Desde épocas tan tempranas la gente ha venido actuando en contra de la voluntad de Dios, inventando toda clase de tácticas y estrategias para vivir a su antojo. Pero Dios, quien no está ausente ni mucho menos dormido sabe cómo frenar los planes de los impíos y someterlos a su voluntad. Cada vez que una nación o una alianza de naciones inicia un programa que atenta contra la dignidad del Dueño y Señor del universo, algo surge: guerras, epidemias, desastres o cualquier cosa que estorbe a los impíos. En la torre de Babel el juicio divino fue la confusión de lenguas.

La determinación que el Dios Trino tomó, según los versículos 6 y 7, llegó más allá de lo que los hombres de Sinar habían imaginado. No sólo serían "esparcidos sobre la faz de toda la tierra" sino que cada grupo quedaría aislado dentro de la barrera de su propio idioma. Esta fue la decisión expresa de Jehová: "Descendamos, y confundamos allí su lengua, para que ninguno entienda el habla de su compañero". Con la diversidad de idiomas empezaron también las distinciones culturales, las diferencias religiosas, el distanciamiento geográfico y las restricciones políticas. Todos estos factores han existido desde aquellas épocas y constituyen las barreras que los cristianos tienen que atravesar para desarrollar el plan misionero de la iglesia.

En el ministerio de las misiones tenemos que estar conscientes de la existencia de estas barreras y prepararnos para poder vencerlas. Por ejemplo, existen "barreras culturales". Estas se dan cuando evangelizamos a un pueblo de distinta raza, cultura y religión, pero que habla nuestro idioma y vive en nuestro país o comunidad. Hoy día la sociedad es multicultural y multiétnica, tenemos que conocer, la idiosincrasia, las tradiciones y las costumbres para ser efectivos. Segundo, existe "barrera del idioma", el que es enviado tiene que aprender el idioma del pueblo en que trabaja, como el portugués, el ruso, el chino, el inglés u otros. Tercero, el misionero debe aprender a amar y respetar el color y la apariencia del pueblo en que se encuentra, o evangeliza, esta es la "barrera racial". Existe también una "la barrera política". Esto es cuando el misionero va a otra nación, debe respetar sus leyes, adaptarse a las costumbres, la comida y el estilo de vida del pueblo que evangeliza. Y, en quinto lugar, lo más importante de todo, el obrero tiene que creer, vivir y comunicar la fe que representa, es decir, ser un auténtico "embajador de Cristo", al pueblo o comunidad que evangeliza. Esta es la "barrera religiosa", que consiste en demostrar que Cristo es mejor que cualquier creencia o ideología existente.

C. Dios propició la distribución geográfica de los pueblos (11:8,9)

Pensamos que cada nación posee la tierra que ha conquistado a base de ocupaciones masivas, negociaciones internacionales o invasiones apoyadas por guerras y desalojo. Sin embargo, por la Palabra de Dios sabemos que ha sido Dios mismo, como Creador y Señor del universo, quien ha dado lugar a que cada pueblo se ubique en determinada región. Los que se han adueñado de la tierra y cerrado sus límites a otros pueblos se olvidan que en un pasado cercano o lejano todos llegaron como extranjeros al territorio que hoy ocupan. Es cierto que en algunos casos la llegada de gente de otros países puede causar ciertos cambios y trastornos; sin embargo, las inmigraciones, en general, han enriquecido a los pueblos. Casos conocidos para nosotros son las inmigraciones europeas a América, las cuales produjeron el desarrollo del nuevo mundo. Tampoco pueden negar los anglosajones que las inmigraciones hispanas han traído una variedad de culturas que han enriquecido a Estados Unidos. Aparte de eso, los hispanos fueron los primeros pobladores de Norte América.

Como cristianos y, especialmente, si estamos en calidad de inmigrantes en el país en que vivimos, debemos reconocer que cada nación tiene sus leyes, sus tradiciones, su idioma y su idiosincrasia. Ya sea que lleguemos como visitantes, como residentes o que seamos ciudadanos naturalizados, nuestro deber es someternos a las normas locales y contribuir al bienestar del país que hemos elegido. Nuestra actitud como cristianos no debe ser egoísta, buscando sólo beneficios; también, como extranjeros, debemos aportar al desarrollo de nuestra comunidad. Y si acaso nos encontramos en un país extraño como misioneros, nuestro deber es hacer lo mejor por representar de la manera más digna el evangelio que anunciamos y que deseamos compartir con los nativos. Es importante recordar que no somos enviados a culturizar, sino a evangelizar, respetando la cultura e identidad de los pueblos o comunidades a que somos enviados. Debemos esforzarnos para ser como uno de ellos para poder darles el mensaje de salvación y vida eterna en Cristo. Como escribiera el apóstol Pablo: "Me he hecho a los judíos como judío, para ganar a los judíos; a los que están sujetos a la ley (aunque yo no esté sujeto a la ley) como sujeto a la ley, para ganar a los que están sujetos a la ley; a los que están sin ley, como si yo estuviera sin ley (no estando yo sin ley de Dios, sino bajo la ley de Cristo), para ganar a los que están sin ley. Me he hecho débil a los débiles, para ganar a los débiles; a todos me he hecho de todo, para que de todos modos salve a algunos".

Afianzamiento y aplicación

(1) Si Dios determinó la ubicación de los pueblos, ¿habrá tenido un propósito al determinar nuestra nacionalidad?

(2) Pregunte y discuta, ¿con cuál tipo de raza o cultura se identifican más?

II. DIOS ES EL DUEÑO Y SEÑOR DE TODO (SALMO 24:1,2; HECHOS 17:26,27)

Ideas para el maestro o líder

(1) Haga énfasis en que las misiones evangelísticas tienen como punto de partida el derecho supremo de Dios sobre todo el universo.

(2) Explique que Hechos 17:27 establece el principio fundamental de que el fin supremo del hombre es glorificar a Dios.

Definiciones y etimología

* *Les ha prefijado el orden de los tiempos.* Dios es el responsable por la ubicación geográfica específica de las naciones y por su identidad racial.

* *Que busquen a Dios.* Los hombres no tienen excusa de no conocer a Dios, pues Él se ha revelado, en el mundo físico, en la conciencia y en las Escrituras.

A. Dios es el Propietario de la tierra (Salmo 24:1,2)

La introducción de este salmo es una declaración enfática de que Jehová no es solamente el Dios de los judíos sino de todo el universo. Esto queda claramente establecido con las palabras: "De Jehová es la tierra y su plenitud". Esto también acentúa las declaraciones expuestas en la sección anterior, en el sentido de que ningún hombre ni ningún gobierno puede adueñarse de la tierra que Dios creó. Todos los humanos, hasta los pobladores más antiguos de cada región del mundo, somos extranjeros y ocupantes temporales del territorio en que vivimos. Por eso, causa mucho dolor ver a los países peleándose y enfrascándose en guerras fratricidas con sus vecinos por una franja de tierra. Las fronteras de los países son arbitrarias, ambiciosas y egoístas. Hay países superpoblados que carecen de tierra para sus habitantes, mientras que otros poseen vastas extensiones abandonada y sin uso, porque sus habitantes no la pueden ocupar, mucho menos cultivar. Qué bueno sería si el consorcio de las naciones civilizadas llegara a acuerdos internacionales para hacer una nueva distribución de territorios. Pero sabemos que eso no sucederá realmente sino hasta cuando Él venga a establecer su reino y entonces, como visualizó el profeta Isaías: "Juzgará entre las naciones, y reprenderá a muchos pueblos; y volverán sus espadas en rejas de arado, y sus lanzas en hoces; no alzará espada nación contra nación, ni se adiestrarán más para la guerra" (Isaías 2:4).

Sin embargo, lo más lamentable es que los hombres no sólo acaparan la tierra de manera egoísta, sino que abusan de ella y la contaminan sin considerar los daños que causan a otros. Como cristianos, debemos ser mejores administradores de la tierra que Dios nos ha dado como nuestra habitación. Cuidar del ambiente, evitar la deforestación y proteger la flora y fauna del planeta debe ser parte de nuestro cometido como pueblo del Señor. David reconocía que "de Jehová es la tierra", por lo tanto, se dedicó a embellecer el territorio que Dios le dio. Sin tener que cooperar con los movimientos "ecologistas" que solapadamente llevan doctrinas evolucionistas y anárquicas, debemos luchar por nuestro ambiente. Sobre todo, debemos agradecer a Dios y alabar su nombre por haber hecho tantas maravillas para nuestra beneficio y comodidad. Nosotros mismos somos propiedad de Dios: "De Jehová es... el mundo y los que en él habitan". Una conciencia clara de esto nos hace más cercanos a Dios. En otro lugar, el salmista dijo: "Reconoced que Jehová es Dios; él nos hizo, y no nosotros a nosotros mismos; pueblo suyo somos, y ovejas de su prado" (Salmo 100:3). Este debe ser uno de los principios básicos del ministerio de las misiones.

B. Dios es el Creador único de todo el género humano (Hechos 17:26)

Ya nos referimos a la unidad de la raza a partir del primer hombre que Dios creó, "de una sola sangre". Esta declaración del apóstol Pablo combate la teoría evolucionista que alega que en varias partes del mundo evolucionaron seres humanos, desde los protozoarios hasta llegar al hombre de hoy. Algunos han apoyado esta mentira ante la variedad de razas que existe: blancos, negros, amarillos, cobrizos y demás. Sin embargo, a pesar de las diferencias en el color de la piel y los rasgos físicos, todos los humanos pertenecemos a la misma familia. Esto alienta la obra misionera y capacita a los que van en busca de otros pueblos a verlos como verdaderos hermanos por naturaleza, aunque haya que vencer barreras para alcanzarlos. Para empezar, ya tenemos todo esto en común con aquellos que queremos alcanzar con el evangelio. Pablo dijo que Dios es "quien da a todos vida y aliento y todas las cosas. Y de una sangre ha hecho todo el linaje de los hombres". Esto también es un duro golpe a los que se creen de una raza superior, que creen que son más que los demás, por razón del color de su piel o su país de origen. Además, Dios ha colocado en elhombre un anhelo de eternidad, una necesidad de encontrar una razón a su existencia, sin importar la raza, la cultura, el idioma todos tenemos necesidades emocionales y espirituales comunes. Todos tenemos un origen común y todos necesitamos encontrar una identidad, una razón a la existencia que solo hallaremos cuando encontremos a Jesús el Señor.

Ningún antropólogo debiera salir al mundo a estudiar a los humanos antes de leer lo que dice Dios en su Palabra acerca de los seres que Él creó. Ningún sociólogo puede entender la conducta de las comunidades humanas si no conoce al que dio vida a todos. Nuestro Dios no sólo creó y sustenta la vida de los humanos, sino que también "les ha prefijado el orden de los tiempos, y los límites de su habitación". Es Dios quien controla, en su soberanía, el ascenso y caída de las naciones e imperios. Los creyentes no deben salir del seminario o de su iglesia al campo misionero sin estar conscientes de que entienden y quieren someterse al plan soberano de Dios. Para ganar a las criaturas de Dios para su reino, primero tenemos que buscar ese reino y pertenecer a él (Mateo 6:33; Juan 3:3).

C. Dios es la razón de la existencia del ser humano (Hechos 17:27)

De acuerdo con este versículo, los humanos fueron hechos "para que busquen a Dios". Estos, en cambio, han hecho todo lo contrario; se han apartado de Dios. El mundo está inmerso en tanta miseria y dolor porque la gente no quiere someterse a la voluntad de Dios. Hay más interés en las comodidades, los placeres y las ideas baratas que en vivir bajo el temor de Dios y en armonía con las enseñanzas de su Palabra. Esta es, precisamente, la razón de las misiones, ir en busca de la gente que está lejos de Dios y darle el mensaje del profeta: "Buscad a Jehová mientras puede ser hallado, llamadle en tanto que está cercano. Deje el impío su camino, y el hombre inicuo sus pensamientos, y vuélvase a Jehová, el cual tendrá de él misericordia, y al Dios nuestro, el cual será amplio en perdonar" (Isaías 55:6,7). El hombre y la mujer de hoy buscan dinero, diversión, comodidad, amigos, fama y muchas otras cosas que pertenecen a la vida temporal, pero no se preocupan por su alma. El enemigo se ha empeñado en hacer que la gente crea que después de la muerte no existe nada. Pero nosotros sabemos que no es así; lo peor le espera al pecador cuando deje esta vida y tenga que enfrentarse a un Dios a quien rechazó.

La confianza de todo misionero y todo predicador del evangelio es que el Señor "no está lejos de cada uno de nosotros" (Hechos 17:27). Todo lo que tenemos que hacer es conectarnos con Él por medio de la línea directa de la oración. Cristo es nuestro intercesor y mediador. Él dijo: "Todo lo que pidieres al Padre en mi nombre, lo haré, para que el Padre sea glorificado en el Hijo" (Juan 14:13). Saquemos al pecador del letargo espiritual en que se encuentra y démosle la grata noticia de que Dios lo ama y lo está esperando con los brazos abiertos. Llenemos nuestro corazón con las promesas del Señor acerca de los que desean acercarse a Él. Los que quieran ganar almas para la gloria de Dios deben aferrarse a la gracia divina y dejar que el Espíritu Santo los llene de celo misionero. De acuerdo con este pasaje (Hechos 17:27), todos podemos buscar a Dios. Pero realmente, es Él quien busca al extraviado. Él envió a su Hijo "a buscar y a salvar lo que se había perdido" (Lucas 19:10). Nuestro deber es animar a todos los que podamos para que busquen a Dios, pero no por medio de una torre que llegue al cielo, ni por medios humanos. Sino por Aquel que dijo: "Yo soy el camino, y la verdad, y la vida; nadie viene al Padre, sino por mí" (Juan 14:6). Si queremos hallar a Dios, Jesús es el camino hacia Él.

Afianzamiento y aplicación

(1) ¿Qué tiene que ver el Salmo 24:1 con las misiones evangelísticas?

(2) ¿Cuál es el fin supremo de todo humano, según Hechos 17:27?

RESUMEN GENERAL

Después del diluvio, los descendientes de Noé debían reiniciar la tarea humana de reproducirse y llenar la tierra; se esperaba que esta vez lo hicieran bajo el temor de Dios. Sin embargo, en el valle de Sinar se comprobó que el ser humano siempre ha sido susceptible al mal y ha tratado de actuar en contra de la voluntad de su Hacedor. La torre de Babel fue una prueba más de la rebeldía y la confabulación de los hombres contra Dios. Por eso, les vino el juicio de la confusión de lenguas. Ellos se habían anclado en el valle de Sinar y no sólo no querían obedecer el mandato de poblar la tierra sino que intentaban evadir la justicia divina. Sin embargo, Dios los esparció sobre toda la faz del planeta y de ellos surgieron las naciones que conocemos hoy. Se demuestra que todas las naciones tienen una inclinación al mal, la enfermedad común de toda la humanidad que se llama pecado. "Pues todos han pecado y están privados de la gloria de Dios" (Romanos 3:23). Pero Dios demuestra su amor por nosotros en esto: en que cuando todavía éramos pecadores, Cristo murió por nosotros. (Romanos 5:8).

La revelación divina nos muestra que todas las naciones son de la misma sangre. Con demasiada frecuencia, el mundo hace hincapié en las diferencias raciales o culturales, pero la Biblia contradice totalmente esa idea, mostrándonos que todo el mundo se relaciona entre sí a través de Noé, o de uno de sus hijos Sem, Cam y Jafet. Todos tenemos un origen común, todos somos creación de Dios, por lo tanto, tenemos necesidades comunes. La creencia en un ser supremo es universal, y ha existido desde la misma aparición del hombre, aunque esa creencia se ha distorsionado, pervertido por ideas supersticiosas, todo ser humano tiene una "inclinación religiosa", una idea de Dios en su interior, la cual ha llevado al desarrollo de religiones, y diferentes formas de culto intentando reconectar con ese creador del cual procedemos. Ahora, Dios por medio de Jesucristo y su poderoso evangelio de salvación, quiere tener un reencuentro con el hombre. Por eso, está poniendo en la iglesia una visión misionera cada vez más clara y firme para que los creyentes vayamos y los traigamos a Jesús. Es cierto que tenemos que atravesar muchas barreras: raciales, culturales, religiosas, políticas, e idiomáticas; pero con la ayuda del Señor, todo es posible. Por eso, Jesús dijo: "vayan y hagan discípulos de todas las naciones" (Mateo 28:19).

Ejercicios de clausura

(1) Para recordar el origen de las naciones, mencione los nombres de los hijos de Noé y enumere algunos países fundados por sus descendientes.

(2) Mencionen las barreras que los misioneros deben vencer para ser efectivos y oren por ellos para que el Señor les ayude.

PREGUNTAS Y RESPUESTAS

1. ¿Qué es lo que enseña la teoría de la "generación espontánea"?

Enseña que la vida humana empezó en varios puntos del planeta de manera simultánea a lo largo de millones de años y está ligada a la falsa teoría de la evolución.

2. ¿Qué es lo que ha sucedido generalmente cuando el ser humano ha pretendido obrar en contra de la voluntad de Dios?

Cada vez que una nación o una alianza de naciones inicia un programa que atenta contra la voluntad de Dios, surgen: guerras, epidemias, desastres o cualquier cosa que estorbe a los rebeldes.

3. ¿Qué elementos comunes alientan la obra misionera y capacita a los que van en busca de otros pueblos?

Todos tenemos un origen común, todos somos creación de Dios, por lo tanto, tenemos necesidades comunes y todos necesitamos encontrar una identidad, una razón a la existencia que solo hallaremos cuando encontremos a Jesús el Señor.

4. Mencione los nombres de los tres hijos de Noé y qué ubicación geográfica en general le correspondió a cada uno.

Jafet, ocupó el territorio de lo que hoy es Europa, Sem, Asia menor y Cam, el territorio africano.

5. Mencione algunas de las barreras que tiene que atravesar un misionero.

Barreras raciales, culturales, religiosas, políticas, e idiomáticas.

PARA LA PRÓXIMA SEMANA

Nuestro siguiente estudio se titula "La misión de la iglesia es rescatar al mundo, ". Todas las lecturas diarias nos preparan para dicha lección. Procure prepararse también en oración para impartir una mejor enseñanza.

LA MISIÓN DE LA IGLESIA ES RESCATAR AL MUNDO

ESTUDIO BÍBLICO 15

Base bíblica
Génesis 6:5-8; Romanos 1:22-25; 10:11-15

Objetivos

1. Indagar la condición espiritual del mundo y especialmente los países no alcanzados.
2. Concientizar a la iglesia acerca de la necesidad de las misiones.
3. Participar en las misiones a través de la oración, el apoyo económico y saliendo al campo.

Pensamiento central
La ruina espiritual de la humanidad acentúa la urgencia de las misiones mundiales.

Texto áureo
Porque no hay diferencia entre judío y griego, pues el mismo que es Señor de todos, es rico para con todos los que le invocan (Romanos 10:12).

Fecha sugerida:___/____/____

LECTURA ANTIFONAL

Génesis 6:5 Y vio Jehová que la maldad de los hombres era mucha en la tierra, y que todo designio de los pensamientos del corazón de ellos era de continuo solamente el mal.
6 Y se arrepintió Jehová de haber hecho hombre en la tierra, y le dolió en su corazón.
Romanos 1:22 Profesando ser sabios, se hicieron necios,
23 y cambiaron la gloria del Dios incorruptible en semejanza de imagen de hombre corruptible, de aves, de cuadrúpedos y de reptiles.
24 Por lo cual también Dios los entregó a la inmundicia, en las concupiscencias de sus corazones, de modo que deshonraron entre sí sus propios cuerpos,
25 ya que cambiaron la verdad de Dios por la mentira, honrando y dando culto a las criaturas antes que al Creador, el cual es bendito por los siglos. Amén.
10:12 Porque no hay diferencia entre judío y griego, pues el mismo que es Señor de todos, es rico para con todos los que le invocan;
13 porque todo aquel que invocare el nombre del Señor, será salvo.
14 ¿Cómo, pues, invocarán a aquel en el cual no han creído? ¿Y cómo creerán en aquel de quien no han oído? ¿Y cómo oirán sin haber quien les predique?
15 ¿Y cómo predicarán si no fueren enviados? Como está escrito: ¡Cuán hermosos son los pies de los que anuncian la paz, de los que anuncian buenas nuevas!

DATOS GENERALES ACERCA DEL TEMA

- **Enseñanza:** La prioridad de la iglesia es orar para que el Señor nos haga más conscientes del ministerio de las misiones y envíe obreros.
- **Autor:** Moisés y Pablo
- **Personajes:** La generación antes del diluvio y la población mundial en general.
- **Fecha:** Año 2400 a.C. aproximadamente
- **Lugar:** La llanura de Mesopotamia,

BOSQUEJO DE LA LECCIÓN

I. La misión de rescatar al mundo continúa vigente (Génesis 6:5-8)
   A. La maldad es una constante en el corazón humano (6:5,6)
   B. Todo lo creado está bajo la maldición del pecado (6:7,8)

II. La ignorancia de la verdad promueve el error (Romanos 1:22-25)
   A. Al rechazar la verdad quedaron presos del error (1:22,23)
   B. Al rechazar la verdad quedaron presos de sistemas opresores (1:24,25)

III. La verdad del evangelio trae libertad (Romanos 10:11-15)
   A. El avivamiento apostólico resurgió en estos postreros tiempos (10:11-13)
   B. La iglesia de hoy debe revestirse de un espíritu misionero (10:14,15)

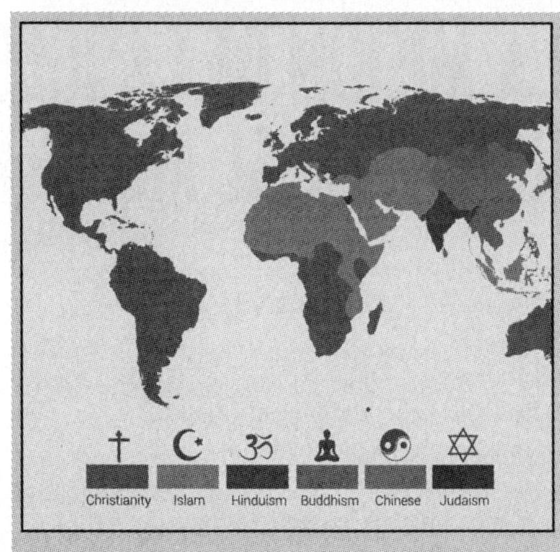

Mapa mundial de la ubicación actual de las diferentes religiones.

LECTURAS DEVOCIONALES DIARIAS

Lunes: La maldad de los hombres entristece a Dios (Génesis 6:1-8).
Martes: La sociedad humana siempre ha sido rebelde (Génesis 11:1-9).
Miércoles: El destino de los malos ya está determinado (Salmo 1:4-6).
Jueves: La condición del pecador es lamentable (Isaías 1:2-9).
Viernes: El que no creyere será condenado (Juan 3:16-21).
Sábado: El que invocare al Señor será salvo (Romanos 10:10-15).

INTRODUCCIÓN

Con el aumento de la población mundial, el pecado, la maldad y la violencia en el mundo ha ido incrementando. De las pocas decenas de millares de personas que debe de haber sumado la población del mundo antes del diluvio hemos llegado a más de siete mil millones ahora a comienzos del siglo veintiuno. Junto con el aumento de la población y el consecuente incremento del pecado, también han surgido otros males en el mundo. Ha proliferado la idolatría, el culto a los demonios, la hechicería, las religiones falsas y la tecnificación de las prácticas pecaminosas. En la teología de las misiones lo primero que tenemos que analizar es la condición espiritual en que han vivido los pueblos que queremos conquistar para el reino de los cielos. En esta lección tomaremos como punto de partida lo que dicen sobre este tema Génesis y Romanos. Las maldades que oprimen y arruinan a la gente de hoy han estado presentes en el mundo desde que los humanos empezaron a multiplicarse. Génesis indica que la primera parte del mundo en llenarse de pecado, paganismo y religiones falsas fue el Medio Oriente. Eso fue así porque aquella fue la primera región en poblarse. En Romanos, Pablo describe la condición moral y espiritual en que se encontraba el mundo en su tiempo. Se seguían religiones y filosofías paganas, se adoraba a los reyes y emperadores y se veía toda clase de inmundicia, homosexualidad e impureza moral a todo nivel. Las cosas han empeorado debido al aumento de la población. Jesús mismo en su famoso sermón profético vaticinó que hacia el final de los tiempos la maldad, la violencia, las falsas religiones aumentarían: "Oiréis de guerras y rumores de guerras… habrá pestes, y hambres, y terremotos en diferentes lugares… muchos falsos profetas se levantarán, y engañarán a muchos… y por haberse multiplicado la maldad, el amor de muchos se enfriará… Y será predicado este evangelio del reino en todo el mundo, para testimonio a todas las naciones;

y entonces vendrá el fin" (Mateo 24:6-14). Esta es la urgencia de que la iglesia se prepare para continuar llevando adelante su plan misionero de rescate espiritual, a un mundo que necesita todavía ser evangelizado.

DESARROLLO DEL ESTUDIO

I. LA MISIÓN PARA RESCATAR AL MUNDO CONTINÚA VIGENTE HOY (GÉNESIS 6:5-8)

Ideas para el maestro o líder

(1) Comente que, si Dios se entristeció por la condición pecaminosa de la primera generación y no la perdonó, ¿Qué estará sintiendo y pensando ahora?

(2) Plantee ¿Cómo pudo la primera generación, en tan poco tiempo, llegar a ese nivel de corrupción? y ¿por qué Dios no habrá hecho algo todavía hoy?

Definiciones y etimología

* *Los pensamientos del corazón eran de continuo para el mal.* Es una declaración clara de la naturaleza pecaminosa del hombre. El pecado comienza en la mente. La generación de Noé era extremadamente malvada.

* *Y se arrepintió Jehová.* El pecado entristeció a Dios quien es Santo y sin mancha. Pero no lo tomó por sorpresa, Él tenía un remedio de gracia: Noé.

A. La maldad es una constante en el corazón humano (6:5,6)

En el Medio Oriente, específicamente en la Mesopotamia, fue donde empezó a propagarse el género humano. La historia universal atestigua que esa región del mundo fue la cuna de la civilización. Allí se encontraba el "Huerto del Edén", desde esas tierras milenarias el hombre comenzó su extensa carrera. Tristemente es hoy una de las áreas del mundo más golpeada por la guerra y la violencia. Pero, como lo indica Moisés en Génesis, junto con el aumento de la gente aumentó también el pecado, el decaimiento moral y la ruina espiritual en el mundo: "Vio Jehová que la maldad de los hombres era mucha en la tierra, y que todo designio de los pensamientos del corazón de ellos era de continuo solamente el mal" (Génesis 6:5). Desde allí empezó a extenderse esa nube negra que ha oscurecido espiritualmente a todos los pueblos. Tres cosas aprendemos en Génesis 6:5,6: (1) Dios está al tanto del estado espiritual de los hombres, aunque estos no lo crean. Algunos piensan que Él está tan lejos y tan ocupado en otras cosas que ni cuenta se da de la condición en que ellos viven. Pero la Palabra de Dios dice que los ojos de Dios "están abiertos sobre todos los caminos de los hijos de los hombres, para dar a cada uno según sus caminos, y según el fruto de sus obras" (Jeremías 32:19). (2) Por naturaleza, los pensamientos del hombre siempre maquinan cosas malas. David escribió: "Las palabras de su boca son iniquidad y fraude; ha dejado de ser cuerdo y de hacer el bien. Medita maldad sobre su cama; está en camino no bueno, el mal no aborrece" (Salmo 36:3,4). Jesús mismo dijo: "Que de dentro, del corazón de los hombres, salen los malos pensamientos, los adulterios, las fornicaciones, los homicidios" (Marcos 7:21). (3) A Dios le duele ver la obstinación del pecador y se enoja contra él. Sabemos que "Dios está airado contra el impío todos los días. Si no se arrepiente, él afilará su espada; armado tiene ya su arco, y lo ha preparado" (Salmo 7:11,12). El corazón de Dios siente como un Padre la necedad, la testarudez, la rebeldía de sus hijos, la cual no solo, le provoca ira, sino también tristeza y dolor. ¿Qué pensará Dios del mundo de hoy?

B. Todo lo creado está bajo la maldición del pecado (6:7,8)

Si bien, el hombre fue el único desobediente y es el único responsable de sus hechos delante del Señor, no obstante, toda la naturaleza cayó bajo maldición por causa de él. Esto lo comprobamos al leer las palabras del versículo 7 donde Jehová expresa su plan de juicio contra la maldad de los humanos. Su juicio abarcaría "desde el hombre hasta la bestia, y hasta el reptil y las aves del cielo". La creación entera perdió su gracia prístina y su hermosura original. Cuando el hombre le dio cabida al pecado en su corazón y en su mundo, el diablo arrojó su sombra de maldición sobre cada uno de los elementos creados. La vida cambió para el hombre: su trabajo empezó a ser arduo y estéril. Los que labran la tierra sufren los efectos de las plagas, la sequía y el mal tiempo. Los que comercian son víctimas de robo, fraude y envidia. La salud se ve atacada por enfermedades cada vez más reacias e incurables. La fe ha desaparecido del corazón humano y el hombre ha optado por creencias y prácticas extrañas y ofensivas delante de Dios.

En Génesis 6:8 nos encontramos con un tipo perfecto del plan de salvación: "Noé halló gracia ante los ojos de Jehová". Sin embargo, aunque Dios salvó a Noé y a su familia, sus descendientes volvieron a pecar y se apartaron de Dios, como lo vimos en el estudio anterior. Sin embargo, Noé tipificó a nuestro Salvador Jesucristo; y el arca, al evangelio de salvación. La obra misionera evangelística consiste en ir a toda criatura con el mensaje salvador a todo aquel que se acerca a Dios por la fe. El reino de Dios se acercó a los hombres cuando Cristo vino a esta tierra para ejecutar el plan de redención eterna por medio de su muerte en la cruz. Ahora podemos ver un nuevo horizonte porque las promesas de Dios se cumplirán. Todo será restaurado en el reino milenial de Jesucristo, cuando se cumpla lo que dijo Dios por medio del profeta: "No harán mal ni dañarán en todo mi santo monte; porque la tierra será llena del conocimiento de Jehová, como las aguas cubren el mar" (Isaías 11:9). Pero el paso inicial de esta transformación tiene que ver con el cumplimiento de la misión de la iglesia de proclamar la llegada del reino, primeramente, a los corazones arrepentidos y luego, la llegada del reino glorioso y visible de nuestro Dios.

Afianzamiento y aplicación

(1) Anote el total de la población del país donde usted vive, de su ciudad y cuántos cree que son cristianos.

(2) Enumere las religiones principales registradas en su país, así como de un estimado de los participantes de cada una.

II. LA IGNORANCIA DE LA VERDAD PROMUEVE EL ERROR (ROMANOS 1:22-25)

Ideas para el maestro o líder

(1) Invite a la clase a leer al unísono el pasaje de Romanos 1:21-25.

(2) Mencione que la caída del hombre ha sido en un espiral descendente; desde haber conocido a Dios, hasta las más oscuras tinieblas espirituales.

Definiciones y etimología

* *Dios los entregó* (1:24,26,28). No es que Dios haya empujado al hombre al abismo, sino que este se entregó a sí mismo para caer en él. Un hecho inflexible de la vida es que el pecado engendra pecado. Entre más pecador es el hombre más fácil le resulta pecar.

* *Concupiscencias de sus corazones* (1:24). Del griego *epithumia.* El deseo apasionado por los placeres prohibidos. El impulso que hace a los hombres cometer actos vergonzosos y prohibidos.

A. Al rechazar la verdad quedaron presos del error (1:22,23)

Del mundo antiguo vinieron a nuestro continente las religiones orientalistas con su marcado énfasis en el ocultismo y las prácticas esotéricas. Babel, por ejemplo, fue una de las primeras expresiones de rebelión de la humanidad contra Dios, encabezado por Nimrod, que al parecer fue el constructor de la ciudad y de la Torre. El primero en construir un imperio mundial opuesto a Dios (Génesis 10:8-10). De la cultura griega, la cual luego fue tomada y propagada por los romanos, llegaron al nuevo mundo filosofías humanistas, fuerzas políticas y religiones impositivas. Estas no sólo negaban al Dios vivo y verdadero, sino que lo sustituían con ideas humanas como las de Sócrates, Platón y Aristóteles. El apóstol Pablo lanzó un severo reproche, primero contra los griegos y romanos de su tiempo que se dejaron dominar por filosofías huecas y contradictorias. "Se envanecieron en sus razonamientos, y su necio corazón fue entenebrecido. Profesando ser sabios se hicieron necios" (Romanos 1:21,22). ¿Qué fue lo que sucedió? En vez de mirar a Dios se miraron a sí mismos, se envanecieron en sus vanas especulaciones, hicieron de sus ideas, de sus opiniones, su derrotero de vida en vez de buscar la voluntad de Dios. El hombre se constituyó a sí mismo el centro del universo, su propio señor de su existencia. En lugar de caminar mirando a Dios, caminó mirándose a sí mismo por lo tanto se estrelló y cayó. El resultado fue la idolatría, la hechicería, el culto a los demonios, la gloria de Dios fue cambiada por imágenes, y por la adoración a la personalidad.

Luego por el enfriamiento y pérdida de la pasión y visión que mantuvo viva la primera iglesia, aparecieron religiones opresivas como el islam y el catolicismo que vinieron a atacar y opacar la fe verdadera. (a) Uno de los movimientos más fuertes en cuanto a imponer una religión por la fuerza es el islam. Los musulmanes impusieron la religión de Mahoma a filo de espada en el medio oriente a mediados del siglo séptimo. Este árabe promovió una religión basada en equivocadas interpretaciones del Antiguo y el Nuevo Testamento y un marcado patriotismo árabe. La idolatría y la corrupción que ya reinaban en la iglesia para esa época, permitieron que movimientos como el islam encontraran un terreno fértil para imponer sus ideas acerca de un dios justiciero y vengativo. La palabra islam significa "sumisión" y se refiere a la supuesta sumisión a Dios. De modo que el islam se presenta como la religión de los que se someten a Dios. Esta religión tiene alrededor de 1800 millones de seguidores. Actualmente, uno de cada cuatro personas en el mundo sigue la religión del islam. El mayor número de musulmanes se concentra en países del oriente medio, norte de África, Bangladesh e Indonesia. La evangelización de los musulmanes es una de las tareas más difíciles en la obra misionera. Sin embargo, el Espíritu Santo está obrando maravillas en este sentido. Debemos orar y participar en este ministerio en el Medio Oriente, Asia y África. (b) La segunda fuerza religiosa que ha dominado a gran parte de la humanidad es el catolicismo romano. La herejía de la infalibilidad del papa y los enredos de la iglesia con los poderes políticos de las naciones han sido elementos que han subyugado a los católicos a una obediencia ciega. Todos ellos necesitan ser libertados con el poder del evangelio.

B. Al rechazar la verdad quedaron presos de sistemas opresores (1:24,25)

La adoración al emperador fue una táctica diabólica iniciada por Nabucodonosor (Daniel 3), y exigida descaradamente por los césares de Roma. Aparte de la adoración de ídolos e imágenes materiales, la gente fue sometida a la adoración de los gobernantes paganos, en contra de la orden de Dios. Él había dicho: "A Jehová tu Dios temerás, y a él solo servirás" (Deuteronomio 6:13; Mateo 4:10). Si un pueblo es obligado a adorar al rey o al gobernador y clama a Dios para ser libre, el Señor lo ayuda, como le sucedió a la iglesia en los primeros siglos de nuestra era. Lo lamentable es que algunos promueven este tipo de idolatría. Pablo reprochó este desvío espiritual al decir que: "cambiaron la verdad de Dios por la mentira, honrando y dando culto a las criaturas antes que, al Creador, el cual es bendito por los siglos. Amén".

En ese tipo de condiciones se encuentra hoy gran parte de la humanidad. La obra misionera es un desafío a ir a países dominados por la religión musulmana, el comunismo, el materialismo, el catolicismo y muchas otras fuerzas que existen en el mundo. Pablo explica en este pasaje que esto les sucedió a esos pueblos por haberse apartado de Dios y abrazado filosofías y doctrinas de hombres. Las religiones del lejano Oriente, como el hinduismo, una religión con más de mil dioses y diosas, cuyo nacimiento se remonta al año 1500 a.C., (época en que Miosés era salvado de las aguas en Egipto), y es el credo politeísta con más de 870 millones de seguidores. La mayor parte de su población vive en India, Bangladesh, Nepal, Sri Lanka, Indonesia, Malasia y Pakistán. El budismo, que surge hacia el año 550 a.C. a partir de las enseñanzas de Siddharta Gautama, mejor conocido como Buda (por la época de Esdras y Nehemias en Jerusalén). Sus creyentes suman 500 millones, cuya mayoría vive en China, Japón, Tailandia, Vietnam, Myanmar, Sri Lanka, Corea el Sur, Taiwán, Camboya e India. El confucianismo y taoísmo (también contemporáneo de Esdras), creencias politeístas populares de China, e influenciadas por el budismo, se estima que cuenta con 400 millones de fieles en China. El sintoísmo una de las más antiguas, la religión del culto a la naturaleza, al emperador y a la limpieza, es la religión oficial del Japón contando con más de 100 millones de creyentes, y otras muchas, sin dejar de mencionar el ateísmo (los que dicen no adorar ningún dios), que mantienen cautivo a un alto porcentaje de los habitantes de la tierra. Sólo el poder del Espíritu Santo, por medio de las misiones, puede hacer el impacto necesario en esos pueblos para que se arrepientan y vengan a Cristo. ¿No es este un gran desafío para que la iglesia ore, ofrende y envíe obreros a la mies?

Afianzamiento y aplicación

(1) Mencionen algunas de las religiones más antiguas, cuya influencia permanece viva en el mundo actual.

(2) Compare la adoración a los reyes y emperadores antiguos, con el sometimiento de hoy a sistemas políticos y religiosos que ocupan el lugar de Dios.

III. LA VERDAD DEL EVANGELIO TRAE LIBERTAD AL HOMBRE (ROMANOS 10:11-15)

Ideas para el maestro o líder

(1) Hagan una lista de las iglesias y organizaciones en crecimiento, ¿Qué elementos se están dando dentro de ellas para experimentar ese avivamiento?

(2) Comparen este avivamiento con la frialdad espiritual que hay en Europa, África y Asia, y piensen cómo podemos contribuir a que haya cambios en el campo misionero.

Definiciones y etimología

* *Porque todo aquel que invocare.* Pablo cita al profeta Joel (2:32), para recalcar que la salvación está disponible para gentes de todas las naciones y razas. Pero no un clamor a cualquier deidad ni, de cualquier forma, sino uno que incluya el reconocimiento de Jesús como Señor y Salvador.

A. El avivamiento apostólico resurgió en estos postreros tiempos (10:11-13)

Cuando Cristo envió al Espíritu Santo al aposento alto en Jerusalén el día de Pentecostés se inició la época del avivamiento espiritual que había de impulsar el esparcimiento del evangelio. Esa época no ha pasado, pero hubo períodos en la historia de estos veinte siglos en que esa llama espiritual se opacó; pero nunca se apagó. Siempre hubo casos de individuos que buscaron el poder de Dios y tuvieron manifestaciones y confirmaciones de distintas clases. La historia de la iglesia nos recuerda varios nombres y eventos. Desafortunadamente, el catolicismo romano convirtió el cristianismo en una religión de dogmas, ceremonias y mezclas con las religiones paganas de las distintas regiones del mundo. Hubo también mucha persecución contra los que optaron por buscar a Dios y predicar un evangelio puro. Lo más cruel sucedió en el desafortunado período de la "inquisición" (siglo XV al XVIII), en el cual la iglesia romana persiguió encarnizadamente a los protestantes y grupos que buscaban un avivamiento genuino.

Pero, ¡gloria a Dios! que, desde finales del siglo diecinueve y durante todo este siglo veinte, y hasta el día de hoy, Dios ha traído un gran avivamiento a nuestros pueblos de América y también a muchos puntos específicos de Asia, Europa oriental y otras regiones del mundo. Aun las denominaciones formalistas se han visto sacudidas por avivamientos que han surgido dentro de ellas. De ahí han salido grupos para formar nuevos movimientos, pero ya con la fuerza motivadora del Espíritu Santo. Prácticamente este es el tiempo en que Dios ha cumplido lo que anticipó el apóstol Pablo: "Todo aquel que en él creyere, no será avergonzado. Porque no hay diferencia entre judío y griego" (Romanos 10:11,12). Nuestro deber, como la iglesia de Cristo, es reconocer la urgente necesidad de predicar el evangelio en otras partes del mundo, pues gran parte de la población humana aún no cree en Jesucristo. Si Dios nos ha bendecido con este gran avivamiento espiritual es para que cumplamos la misión que se inició en el aposento alto de proclamar la Verdad a todas las naciones. Todo lo que tenemos que hacer es llevar el mensaje; Dios hará lo demás, porque la promesa es que "todo aquel que invocare el nombre del Señor, será salvo" (10:13).

B. La iglesia de hoy debe revestirse de un espíritu misionero (10:14,15)

Todos los que viven en los países más paganos y en las regiones más remotas de la tierra pueden disfrutar de las bendiciones que el Señor nos ha dado a nosotros. Sin embargo, para que esto se haga realidad, varias cosas tienen que suceder. (1) Todos tienen que invocar al Señor. De acuerdo con 10:14 y muchos otros pasajes bíblicos, todo lo que el pecador necesita hacer para ser salvo es clamar a Dios con fe. Él dijo: "Clama a mí, y yo te responderé" (Jeremías 33:3). (2) Para invocar a Dios tienen que creer en Él. La pregunta inicial del apóstol es: "¿Cómo, pues, invocarán a aquel en el cual no han creído?" (10:14). Mucha gente dice que cree en Dios, pero esa manera de creer es tan mecánica y superficial que no equivale a nada. La Biblia dice que "también los demonios creen, y tiemblan" (Santiago 2:19). El acto de creer para ser salvo tiene que nacer en el corazón, a base de un arrepentimiento genuino y una fe absoluta en el Señor (Marcos 1:15). (3) Tienen que oír para creer, y creer para invocar a Dios. La segunda pregunta de este pasaje es indiscutible: "¿Cómo creerán en aquel de quien no han oído?" Esto nos confronta con la necesidad que tiene toda criatura de oír acerca de Jesús. El mundo ya ha oído mucho acerca de la "Navidad", la "Semana santa", de "María", ahora hagamos que oiga el verdadero evangelio. "La fe es por el oír, y el oír, por la palabra de Dios" (10:17). (4) La predicación es indispensable. La tercera pregunta misionera es: "¿Cómo oirán sin haber quien les predique?" Para que el inconverso tenga la oportunidad de oír el evangelio, los salvos, santificados y llenos del Espíritu Santo tendrán que abandonar las bancas de la iglesia y la comodidad de su hogar y salir con el mensaje de la "Buenas Nuevas". Las misiones sólo se harán realidad cuando haya cristianos preparados y dispuestos a ir al campo y trabajar. (5) La última de estas desafiantes preguntas dice: "¿Cómo predicarán si no fueren enviados?" (10:15). Como vemos, al cerrar el círculo nos encontramos que este no es un ministerio de hombres; no es una empresa moderna; no es un negocio humano. La iglesia no produce ni realiza esta misión por su propia cuenta. Lo que nos manda Jesús es lo siguiente: "Rogad, pues, al Señor de la mies, que envíe obreros a su mies" (Mateo 9:38). El ministerio de las misiones mundiales no empieza en la oficina de un concilio; ¡empieza en el corazón de una iglesia que clama!

Las misiones surgen como respuesta de Dios a la oración seria, profunda y persistente del pueblo redimido. Dios responde llamando a los predicadores misioneros; luego usa a los creyentes para que provean los medios para sostener las misiones. Hasta entonces, utiliza a los cuerpos administrativos para coordinar la obra.

Afianzamiento y aplicación

(1) ¿Es usted parte del avivamiento de estos tiempos y se siente responsable de la última cosecha que ha de ser levantada?

(2) ¿Siente su iglesia la urgencia de Romanos 10:11-15?

RESUMEN GENERAL

La misión de la iglesia de hoy es ir a rescatar a las almas perdidas. Cristo vino a este mundo con ese único propósito. Él dijo: "El Hijo del Hombre vino a buscar y a salvar lo que se había perdido" (Lucas 19:10). La ruina espiritual del género humano fue algo que se originó desde el momento en que los primeros padres desobedecieron a Dios y decidieron dar rienda suelta a sus caprichos. A partir de ese momento, cada ser humano trae una predisposición a desafiar a Dios y vivir en contra de su voluntad. "Profesando ser sabios se hicieron necios y cambiaron la gloria de Dios", dice el apóstol Pablo. En su desvío quedó atrapado en una inmensa oscuridad espiritual, dando culto a los demonios, deificando la piedra y el leño, cayendo en una grotesca idolatría y rindiéndose a religiones manipuladoras y opresivas, como el islam y el catolicismo romano. Los casos de juicio divino, como el diluvio, Sodoma y Gomorra, las guerras, los desastres naturales, las epidemias mundiales y todo lo que la humanidad ha tenido que sufrir, nos demuestra que Dios no pasa inadvertido lo que el hombre hace. Desde el Medio Oriente, Asia, África y Europa, podemos seguir con la historia; la marcha destructiva del mal en este mundo. No obstante, Dios tiene un plan perfecto para rescatar a los humanos de la perdición del pecado y convertirlos en hijos de Dios.

El avivamiento de estos últimos tiempos ha servido para motivar la conciencia cristiana hacia la necesidad de llevar el evangelio a toda criatura. Ya se trate de los grupos étnicos cercanos a nosotros o de pueblos muy distantes, la necesidad es la misma: oír, creer, invocar y ser salvos. Pero nada de esto es posible sin que el Dueño de la iglesia y Señor de la mies envíe obreros a su mies. Por eso, la primera acción de los creyentes debe ser orar para que el Señor nos haga más conscientes del ministerio de las misiones. Debemos estar dispuestos a aceptar lo que Él quiera asignarnos; seguir orando, aportar medios, prepararnos para ir al campo o servir desde nuestra base. ¡Que el Señor nos oriente!

Ejercicios de clausura

(1) Ore al Señor de acuerdo con el mandato de Jesús en Mateo 9:38.

(2) Póngase en las manos del Señor para que Él le indique qué parte de Romanos 10:11-15 debe usted desempeñar.

PREGUNTAS Y RESPUESTAS

1. ¿Qué verdades aprendemos de Génesis 6:5,6?

(1) Que Dios está al tanto del estado espiritual de los hombres. (2) Por naturaleza, los pensamientos del hombre siempre maquinan cosas malas. (3) A Dios le duele ver la obstinación del pecador y se enoja contra él.

2. Además de las funestas consecuencias físicas y ambientales que vinieron por causa del pecado, ¿Qué otros resultados vinieron?

El resultado fue la idolatría, la hechicería, el culto a los demonios, la gloria de Dios fue cambiada por imágenes, la adoración de sí mismos y de otros.

3. Mencione algunas religiones y el número de creyentes que existen en el día de hoy.

El islam con 1800 millones, el hinduismo, con 870 millones. El budismo, sus creyentes suman 500 millones. El confucianismo y taoísmo, con 400 millones. El sintoísmo con más de 100 millones de creyentes, y otras muchas.

4. Mencione las tres preguntas vitales que formula el apóstol Pablo, esenciales en Romanos para la alcanzar a los perdidos.

(1) ¿Cómo, pues, invocarán a aquel en el cual no han creído? (2) ¿Cómo creerán en aquel de quien no han oído? (3) ¿Cómo oirán sin haber quien les predique?

5. ¿Cuál debe ser la prioridad de la iglesia en el día de hoy?

La prioridad de los creyentes debe ser orar para que el Señor de la mies envíe obreros a su mies y nos haga conscientes del ministerio de las misiones.

PARA LA PRÓXIMA SEMANA

La próxima lección se titula: "La misión de Israel entregada a la iglesia". Lea los pasajes devocionales de esta semana para orientarse para dicho estudio.

LA MISIÓN DE ISRAEL ENTREGADA A LA IGLESIA

ESTUDIO BÍBLICO 16

Base bíblica
Génesis 22:16-18; Éxodo 19:5,6; Levítico 19:33,34; Deuteronomio 4:5,6; Hechos 1:6-8.

Objetivos
1. Reconocer las fallas de Israel en el papel misionero que Dios le asignó.
2. Cobrar conciencia de las fallas nuestras en cuanto a las misiones.
3. Cooperar para que se haga realidad la función centrífuga de la iglesia.

Pensamiento central
Israel no pudo dar a conocer a Dios entre las naciones, por eso Jesús le asignó esa misión a la iglesia.

Texto áureo
Si diereis oído a mi voz, y guardareis mi pacto, vosotros seréis mi especial tesoro sobre todos los pueblos; porque mía es toda la tierra (Éxodo 19:5).

Fecha sugerida:___/____/____

LECTURA ANTIFONAL

Génesis 22:17 De cierto te bendeciré, y multiplicaré tu descendencia como las estrellas del cielo y como la arena que está a la orilla del mar; y tu descendencia poseerá las puertas de sus enemigos.
18 En tu simiente serán benditas todas las naciones de la tierra, por cuanto obedeciste a mi voz.
Éxodo 19:5 Ahora, pues, si diereis oído a mi voz, y guardareis mi pacto, vosotros seréis mi especial tesoro sobre todos los pueblos; porque mía es toda la tierra.
6 Y vosotros me seréis un reino de sacerdotes, y gente santa. Estas son las palabras que dirás a los hijos de Israel.
Levítico 19:33 Cuando el extranjero morare con vosotros en vuestra tierra, no le oprimiréis.
34 Como a un natural de vosotros tendréis al extranjero que more entre vosotros, y lo amarás como a ti mismo; porque extranjeros fuisteis en la tierra de Egipto. Yo Jehová vuestro Dios.
Deuteronomio 4:5 Mirad, yo os he enseñado estatutos y decretos, como Jehová mi Dios me mandó, para que hagáis así en medio de la tierra en la cual entráis para tomar posesión de ella.
6 Guardadlos, pues, y ponedlos por obra; porque esta es vuestra sabiduría y vuestra inteligencia ante los ojos de los pueblos, los cuales oirán todos estos estatutos, y dirán: Ciertamente pueblo sabio y entendido, nación grande es esta.

DATOS GENERALES ACERCA DEL TEMA

- **Enseñanza:** Israel fracasó en la misión de ser luz y testimonio a todas las naciones y Dios le juzgó, ahora la misión es entregada a la iglesia y Él también le pedirá cuenta por su labor.
- **Autor:** Moisés, Lucas
- **Personajes:** Abraham, Israel, la iglesia.
- **Fecha:** Abraham: 2000 a.C., Moisés: 1500 a.C., Hechos: 30 d.C.
- **Lugar:** Monte Moriah, Monte Sinaí, Jerusalén.

BOSQUEJO DEL ESTUDIO

I. Dios es el promotor de las misiones (Génesis 22:16-18; Éxodo 19:5,6)
   A. Dios hace un pacto con una familia (Génesis 22:16-18)
   B. Dios hace un pacto con una nación (Éxodo 19:5,6)

II. Israel fracasa en su misión centrípeta (Levítico 19:33,34; Deuteronomio 4:5,6)
   A. La falta de amor por su prójimo (Levítico 19:33,34)
   B. La pérdida del testimonio por su pecado (Deuteronomio 4:5,6)

III. La misión centrífuga de la iglesia (Hechos 1:6-8)
   A. La misión es entregada a la iglesia (Hechos 1:6,7)
   B. La iglesia debe concluir la misión (Hechos 1:8)

LECTURAS DEVOCIONALES DIARIAS

Lunes: El pacto abrahámico incluye a todas las naciones (Génesis 22:16-18).
Martes: Israel debía ser un reino de sacerdotes para el mundo (Éxodo 19:5,6).

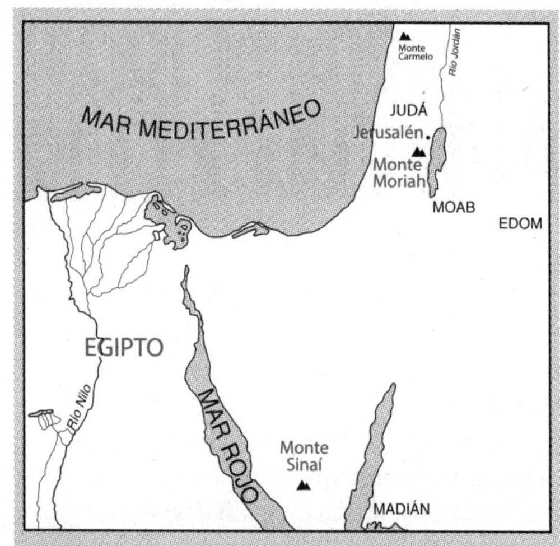

Monte Moriah, lugar donde Dios visitó a Abraham, el monte Sinaí donde Dios habló con Moisés y Jerusalén donde comenzó la iglesia.

Miércoles: El amor al extranjero era símbolo del evangelio (Levítico 19:33,34).
Jueves: Israel debía esperar que los gentiles vinieran a él (Deuteronomio 4:5,6).
Viernes: Jesús envió a sus discípulos, así como Él fue enviado (Juan 20:21,22).
Sábado: Somos sus testigos hasta lo último de la tierra (Hechos 1:1-8).

INTRODUCCIÓN

La evangelización de todo el mundo y el plan de las misiones mundiales podrán parecer temas nuevos, pero la verdad es que han estado siempre presentes en el corazón de Dios. Desde el pacto de Jehová con Abraham (Génesis 12:13; 13:14-17; 15:1-21; 17:1-10 y 22:17,18) empezamos a notar su profundo interés por bendecir a "todas las naciones". La elección de Abraham y el establecimiento de Israel tenían el propósito de demostrar a todos los pueblos que la obediencia a Dios y la fidelidad a su amor pueden garantizar bendición y vida abundante. Dios quería que su pueblo escogido fuera un reino de sacerdotes para bendición de todos los reinos del mundo. "Ahora, pues, si diereis oído a mi voz, y guardareis mi pacto, vosotros seréis mi especial tesoro sobre todos los pueblos; porque mía es toda la tierra. Y vosotros me seréis un reino de sacerdotes, y gente santa" (Éxodo 19:5,6).

La gloria de Israel debía ser tal que las demás naciones se sintieran atraídas no sólo a la grandeza del pueblo escogido sino a la adoración de su Dios. Por eso se dice que la misión de Israel era centrípeta (impulso hacia adentro), como un imán o magneto, atrayendo espiritualmente al resto del mundo hacia Jerusalén. Desafortunadamente, los israelitas nunca se sometieron de manera firme y sostenida a la voluntad de Jehová. Por eso Él los castigó sometiéndolos a esclavitud bajo el yugo de naciones impías y quitándolos de la tierra que había prometido a Abraham.

Ante esa falla, Dios, por su misericordia levantó a otro pueblo, la iglesia, para provocarlos a celos: "Moisés dice: Yo os provocaré a celos con un pueblo que no es pueblo; con pueblo insensato os provocaré a ira. E Isaías dice: Fui hallado de los que no me buscaban; me manifesté a los que no preguntaban por mi" (Romanos 10:19,20). A nosotros nos ha dado la oportunidad de realizar lo que no logró hacer Israel. La diferencia estriba en que a la iglesia se le asignó una misión centrífuga (impulso hacia afuera), pues se nos manda: "Id y haced discípulos a todas las naciones"; "id por todo el mundo"; y ser sus testigos "hasta lo último de la tierra".

DESARROLLO DEL ESTUDIO

I. DIOS ES EL PROMOTOR DE LAS MISIONES (GÉNESIS 22:16-18; ÉXODO 19:5,6)

Ideas para el maestro o líder

(1) Indague si la clase sabe a qué se refería Jehová al hablar acerca de la "simiente" de Abraham.
(2) Anticipe el significado de la multiplicación de la descendencia de Abraham como "las estrellas del cielo" y como "la arena del mar".
(3) Comente que el plan de Dios era que Israel fuera un reino de sacerdotes bajo un gobierno teocrático.

Definiciones y etimología

* *Tu descendencia poseerá las puestas de sus enemigos*. Se refiere a la victoria sobre los enemigos, para llegar al control de sus ciudades y fortalezas.

* *En tu simiente*. Jesucristo es el cumplimiento definitivo y perfecto del pacto de Dios con Abraham en todas sus bendiciones tanto para judíos como para los gentiles.

A. Dios hace un pacto con una familia (Génesis 22:16-18)

De toda la sociedad antediluviana Dios tuvo a bien escoger a Noé; de los hijos de Noé escogió a Sem; y de los descendientes de Sem tomó a Abraham. El nombre original de este hombre, Abram, significaba "padre enaltecido", pero Jehová se lo cambió por Abraham, "padre de muchas naciones" (Génesis 17:5). Además, le dio una promesa doble: "Te multiplicaré en gran manera, y haré naciones de ti, y reyes saldrán de ti" (17:6). De Sara también dijo Jehová: "La bendeciré, y vendrá a ser madre de naciones; reyes de pueblos vendrán de ella" (17:16). Que no se refería únicamente a los reinos de Israel, Ismael y Edom se prueba con el solemne juramento del pacto: "En tu simiente serán benditas todas las naciones de la tierra, por cuanto obedeciste a mi voz" (22:18). Cuando menciona a "todas las naciones de la tierra" está anunciando algo escatológico; algo que aún no hemos visto, lo cual, necesariamente se refiere a "la simiente de Abraham" Cristo Jesús (Hechos 3:25, 26).

Pablo discutió este asunto con mucha más lucidez: "A Abraham fueron hechas las promesas, y a su simiente. No dice: Y a las simientes, como si hablase de muchos, sino como de uno: Y a tu simiente, la cual es Cristo" (Gálatas 3:16). Después de establecer que Cristo es "la simiente de Abraham" debemos recordar que el profeta anunció del Mesías: "Cuando haya puesto su vida en expiación por el pecado, verá linaje, vivirá por largos días, y la voluntad de Jehová será en su mano prosperada" (Isaías 53:10). También leemos en uno de los escritos más cristológicos del Nuevo Testamento: "Porque convenía a aquel por cuya causa son todas las cosas... que habiendo de llevar muchos hijos a la gloria, perfeccionase por aflicciones al autor de la salvación de ellos" (Hebreos 2:10). Todo ese "linaje" y los "muchos hijos" no son los judíos solamente sino todos los que han de ser hechos hijos de Dios por creer y recibir a Jesucristo (Juan 1:11,12).

Estas declaraciones bíblicas nos demuestran con toda claridad que en el pacto de Dios con Abraham, el cual fue reiterado a Isaac, a Jacob, a Moisés, a Josué, a David y a todo el pueblo, estaba contemplada la predicación del evangelio. La bendición que Dios prometió dar "a todas las naciones" fue otorgada y administrada por Jesús, la "simiente" de Abraham y de David. La multiplicación de la prole de Abraham como "las estrellas" y como "la arena" no se puede entender de otra manera, sino como aplicable a la iglesia. Mil ochocientos millones, el veinticinco por ciento de la población del mundo, han oído el evangelio, y aunque muchos de estos son sólo cristianos nominales, por lo menos, ya tienen algún conocimiento de Dios y son responsables de su alma.

B. Dios hace un pacto con una nación (Éxodo 19:5,6)

Tres meses después de su salida de Egipto,

los hijos de Israel llegaron al desierto de Sinaí y acamparon "delante del monte". Allí Jehová confirmó con ellos el pacto que había hecho con Abraham. La diferencia entre el pacto original y este consiste en que en esta ocasión Dios agregó algunos elementos que aclaraban más los planes de una visión mundial. Primero les recordó que Él los había sacado de la esclavitud egipcia y los había traído "sobre alas de águila". Con esta metáfora daba a entender que Él los había redimido de las manos de Faraón con gran fuerza y a la vez con mucha ternura. "Os he traído a mí "(19:4) indica que este habría de ser el pueblo más cercano a Jehová.

En el versículo 5 encontramos los dos aspectos de un pacto divino y humano. Primero se establecen las condiciones bajo las cuales el pueblo sería bendecido: (1) "Si diereis oído a mi voz." El pueblo escuchó la voz de Dios desde la espesa nube en el monte Sinaí; además, Moisés les trasmitió todo el mensaje de Jehová, especialmente, los mandamientos. Ahora era responsabilidad de ellos dar oído, es decir, obedecer los mandatos de Jehová. (2) "Si guardareis mi pacto". El pacto de Dios no había cambiado; simplemente' se iba ampliando, extendiendo y haciéndose realidad. Con esto, Israel se comprometía a ser fiel a Dios y nunca adorar dioses ajenos. Dadas estas condiciones, Dios tomaría a su pueblo como "especial tesoro sobre todos los pueblos". Y agrega ese sentido de pertenencia: "Porque mía es toda la tierra". Dios nunca ha perdido el derecho ni el control del universo, aunque algunos crean lo contrario.

En el versículo 6 se expresa el deseo más noble de Dios para su pueblo Israel. Él quería que ellos constituyeran "un reino de sacerdotes y gente santa". Los pueblos paganos habrían de ver en la vida ejemplar de Israel y en su sistema de adoración la única forma de adorar al Dios vivo y verdadero. La presencia constante de Dios en medio de ellos como su Rey en un sistema teocrático (gobierno de Dios), sería más que suficiente para que las naciones reconocieran a Jehová y se humillaran delante de Él. Los israelitas habrían de ser los intercesores entre las naciones y Dios; la enseñanza divina habría de fluir de ellos como un río y ellos debían estar capacitados para enseñar al mundo la verdad.

No obstante, ellos no fueron fieles al pacto de Dios: desobedecieron su voz, adoraron a otros dioses, se mezclaron con los paganos, abandonaron el servicio sincero y puro del sacerdocio y se hicieron viles ante los ojos de su Dios. Por eso, Él los arrojó por las naciones, y en lugar de ser sacerdotes para los pueblos, los judíos han venido a ser víctimas de maltrato y malos ejemplos espirituales. En vista de eso, Dios levantó otro pueblo, la iglesia, para que hiciera lo que Israel no pudo hacer. El apóstol Pedro se refirió a la iglesia como "linaje escogido, real sacerdocio, nación santa, pueblo adquirido por Dios, para que anunciéis las virtudes de aquel que os llamó de las tinieblas a su luz admirable; vosotros que en otro tiempo no erais pueblo, pero que ahora sois pueblo de Dios; que en otro tiempo no habíais alcanzado misericordia, pero ahora habéis alcanzado misericordia" (1 Pedro 2:9,10).

Afianzamiento y aplicación

(1) Plantee que si Dios rechazó a Israel por no ser testimonio al mundo de su grandeza, ¿que podría esperarle a la iglesia si fallara en cumplir su misión?

(2) Comente acerca de los países y pueblos que aún no han sido evangelizados ¿Cuál creen que es la responsabilidad de la iglesia?

II. ISRAEL FRACASA EN LA MISIÓN CENTRÍPETA (LEVÍTICO 19:33,34; DEUTERONOMIO 4:5,6)

Ideas para el maestro o líder

(1) Explique que la palabra "centrípeta" está formada por dos voces latinas: centrum, "centro", y petere, "dirigir"; significa "de afuera hacia adentro"; lo contrario a "centrífugo".

(2) Anticipe que los israelitas no pudieron atraer a los pueblos a Dios porque no permanecieron en el pacto.

Definiciones y etimología

* *Pueblo sabio y entendido.* Las naciones verían tres cosas en Israel: (1) Un conocimiento y discernimiento para juzgar asuntos a la luz de la verdad divina (4:6), (2) una relación cercana

con su Dios (4:7), (3) la posición de leyes justas cuya procedencia eran del mismo Dios.

A. La falta de amor por su Prójimo (Levítico 19:33,34)

Jehová siempre ha amado a todas sus criaturas, a pesar de que estas se han apartado de Él, se comprueba en estas instrucciones para Israel en cuanto a los extranjeros. En Levítico 19 se presenta al pueblo "la ley del amor", la cual cubre no sólo a los hijos de Israel, sino también a los que vinieran a ellos. En primer lugar, la enseñanza divina se expresa en contra de toda opresión al extranjero. "Cuando el extranjero morare con vosotros en vuestra tierra, no le oprimiréis" (19:33). La opresión de los pobres y los extranjeros es una práctica que contradice el amor de Dios y promueve la injusticia social. Los países desarrollados oprimen a los más pobres; las personas adineradas oprimen a sus empleados; las autoridades públicas oprimen al pueblo; incluso, hay esposos que oprimen a sus cónyuges, padres que oprimen a sus hijos y líderes de iglesia que oprimen a los creyentes.

La opresión es del diablo; él es el opresor número uno; mantiene a los pecadores oprimidos e indefensos. Los hijos de Dios debemos aborrecer la opresión y defender la libertad, especialmente cuando se trata del servicio cristiano. Los hijos de Israel no debían imitar la práctica de la opresión, tan común en las naciones paganas que los rodeaban. Pero, con mucha más razón no debían tratar mal a los que venían de otros países para hacerse prosélitos y temerosos de Dios. En 19:34 se expande la orden: "Como un natural de vosotros tendréis al extranjero que more entre vosotros, y lo amarás como a ti mismo". Lamentablemente, los israelitas no llegaron a cultivar esa clase de vida que se necesita para amar al prójimo. Su mala condición espiritual los obligó a ver a los extranjeros como eternos enemigos, en lugar de atraerlos a Dios y servirles como prójimos, hermanos y sacerdotes. Su egoísmo religioso, su arrogancia por creerse hijos de Abraham (Juan 8:33,34) y sus falsas esperanzas en las promesas de Dios los llevó a la miseria espiritual. La cláusula "lo amarás como a ti mismo", vino a constituirse en la segunda parte del gran mandamiento de Dios. Esto puede tomarse como un símbolo y anticipo del evangelio. Jesús dijo: Amarás al Señor tu Dios con todo tu corazón, y con toda tu alma, y con toda tu mente. Este es el primero y grande mandamiento. Y el segundo es semejante: Amarás a tu prójimo como a ti mismo. De estos dos mandamientos depende toda la ley y los profetas" (Mateo 22:37-40). ¿Cómo ve usted al extranjero? ¿Siente por él ese amor que Dios quería que demostrara Israel para atraer a los pecadores a Él? ¿Sabe usted que ese tipo de amor es básico e indispensable para participar activamente en el ministerio de las misiones mundiales?

B. La pérdida del testimonio por su pecado (Deuteronomio 4:5,6)

En las palabras que Moisés expresó cuando el pueblo se encontraba en Moab, al oriente del Jordán, ya para tomar posesión de la tierra de Canaán hay una gran lección sobre misiones. El plan de Dios, de acuerdo con sus promesas era que Israel llegara a ser una nación grande y fuera el foco de atracción para todas las naciones. En Deuteronomio 4:5 se le recuerda al pueblo que Dios le había dado "estatutos y decretos". Todo lo que se había dicho y escrito, como consta en el Pentateuco, los cinco libros de la ley, tenía el firme propósito de que el pueblo de Dios fuera distinto de los demás pueblos.

La gran diferencia estaba en que el Dios de Israel se comunica con su pueblo y le da instrucciones claras y permanentes. Los dioses de los paganos son ídolos y obras de artífices que no hablan, no entienden y no tienen poder, excepto la influencia que los demonios ejercen sobre ellos como sus instrumentos de corrupción.

En 4:6, Moisés, el gran líder de Israel, ya sabedor de que él no podría entrar con sus hermanos a la tierra prometida les da una instrucción profética. Les hizo saber cuánta importancia había en los estatutos y decretos de Dios para testimonio ante todo el mundo: "Guardadlos, pues, y ponedlos por obra; porque esta es vuestra sabiduría y vuestra inteligencia ante los ojos de los pueblos, los cuales oirán todos estos estatutos, y dirán: Ciertamente pueblo sabio y entendido, nación grande es esta". Este y muchos otros pasajes nos enseñan que Jehová esperaba que

Israel cumpliera "una misión centrípeta", una fuerza atrayente, como un imán o un magneto que atrae hacia sí a los que están a su derredor. Si hubieran cumplido sus deberes y agradado a Dios con su vida, la gloria de Jehová habría hecho que todos los pueblos del mundo los reconocieran como "pueblo sabio y entendido" y como "nación grande". Tristemente, por su desobediencia y rebelión contra Dios y su Palabra, lo único que inspiraron en las demás naciones fue burla, odio y venganza. Sólo cuando se arrepentían y clamaban al Señor, Él los libraba y entonces, derrotaban a sus enemigos; pero luego volvían a pecar y caían nuevamente en desgracia (véase el libro de los Jueces). Basta leer a los profetas para darnos cuenta de que Jehová siempre reprochó las fallas de su pueblo y se quejó de su infidelidad, como el mensaje ilustrativo de Oseas, quien se casó con una mujer fornicaria. Esta, abandonó al profeta para irse con un amante; pero aún así Oseas tuvo que amarla y darle otra oportunidad (Oseas 2 y 3). Esto ilustra cómo se deterioró la relación de Israel con Dios. ¿Qué obra misionera podían hacer estando en esa condición?

Afianzamiento y aplicación

(1) ¿De qué forma la falta de amor por el extranjero e inmigrante, se está viendo reflejada en nuestra sociedad con consecuencia negativas?

(2) Hasta qué punto muchas de nuestras iglesias y organizaciones cristianas se han encerrado dentro de sus cuatro paredes y de sus propias interpretaciones de la verdad.

III. LA MISIÓN CENTRÍFUGA DE LA IGLESIA (HECHOS 1:6-8)

Ideas para el maestro o líder

Comente que a pesar de que Israel era la nación escogida, Dios ya había escogido a la iglesia para cumplir su misión en este tiempo.

Definiciones y etimología

* *Los tiempos o las sazones.* Es decir, las diferentes dispensaciones (*oikonomian*, administración), las cuales solo el Padre conoce y lleva a cabo a su tiempo. La respuesta de Jesús, al parecer en forma evasiva, afirma de modo general que, en cuanto se refiere al reino mesiánico, los tiempos están en el poder y sabiduría de Dios; mientras tanto, les corresponde ir a predicar el evangelio.

A. La misión es entregada a la iglesia (Hechos 1:6,7)

Jesús había resucitado, cumpliendo cada una de las profecías hasta la cruz y ahora partía para entrar en su gloria. Sus discípulos estaban totalmente convencidos de que Él era el Mesías prometido, su Rey y Señor. Pero había algo que todavía no estaba muy claro para ellos. Señor, ¿restaurarás el reino a Israel en este tiempo? ¿Cuándo se cumplirán las promesas de venir a reinar?, es decir, ahora qué has resucitado y tienes todo poder y potestad ¿vamos por fin a ser libres, vas a reinar sobre todas las naciones y nosotros como tu pueblo escogido reinaremos contigo? Jesús no corrige esta idea en relación al reino, pero les amonesta, que, aunque ellos no están equivocados en cuanto a la realidad del reino, que seguramente vendrá, sino en cuanto al tiempo de su llegada. "No os toca a vosotros saber los tiempos o las sazones, que el Padre puso en su sola potestad", es decir, que todo se irá desarrollando según el plan predeterminado, sabio y poderoso de Dios. Mientras tanto precederán ciertos acontecimientos y se cumplirán ciertas condiciones: La venida del Espíritu Santo y la predicación universal del evangelio. Por lo tanto, se debe cumplir primero, la "Gran comisión": "Y me seréis testigos en Jerusalén, en toda Judea, en Samaria, y hasta lo último de la tierra... y será predicado este evangelio del reino en todo el mundo, para testimonio a todas las naciones; y entonces vendrá el fin" (Mateo 24:14). Al parecer Cristo no vendrá hasta que haya sido salvado el último pecador por el cual Él murió. El mensaje del evangelio empezó en Jerusalén con una pequeña secta dentro de judaísmo, reuniéndose en el templo y en las casas, siguiendo las tradiciones judías y esperando la restauración de Israel, viviendo una vida comunitaria y luchando para sobrevivir (4:27-37). Después, se extiende al mundo semijudío de Judea y Samaria, empezando a aceptar la posibilidad de la conversión de los gentiles. Felipe predica en Samaria, Dios dirige a Pedro a predicar a la familia de Cornelio, un gentil temeroso de Dios, estos reciben el Espíritu Santo. La iglesia de Antioquía (gentil), se constituye en la base de las misiones (11:19;13:1-3). Vemos un crecimiento, no solamente geográfico del evangelio, sino también un movimiento más allá del judaísmo hacia una fe universal. Luego somos testigos de la extensión del evangelio en Asia Menor, Europa, y tocando el centro mundial de Roma. Hechos termina con Pablo en Roma, predicando el evangelio sin "impedimento y sin temor alguno" (28:30). El evangelio ha recorrido una larga senda de Jerusalén a Samaria y Judea, pasando por Antioquía hasta lo último de la tierra. También ha recorrido una larga senda de transformación de ser una secta judía a una fe universal, cumpliendo así la misión, que no cumplió israel.

B. La iglesia debe concluir la misión (Hechos 1:8)

El problema de Israel es que no cumplió con su misión de ser ejemplo para las naciones. Pensaba que su elección fue un privilegio, que Dios era exclusivo y no el Dios de todo el mundo, que podían vivir en cualquier forma y todavía ganar su aprobación, que la religión externa era suficiente para agradarlo. Pero el deseo del Señor es que todas las naciones lo conozcan. Israel debía ser el modelo, pero fracasó, en ser una fuerza centrípeta (hacia adentro) . Ahora es la iglesia la llamada a terminar la misión ejerciendo una fuerza centrífuja (hacia afuera). Gran parte de la población mundial, unos cinco mil millones de personas, jamás han tenido la oportunidad de aceptar o rechazar a Jesucristo porque nadie se los ha presentado. Tristemente tenemos que reconocer que aquellos pueblos que una vez fueron evangelizados por el apóstol Pablo (Siria, Líbano, Jordania, Turquía), hoy día son bastiones rendidos al islam. Grecia, Italia, España, lugares donde el insigne apóstol sembró la semilla, los templos son convertidos en discotecas, y centros de diversión. Al parecer la cizaña está ahogando al trigo, las malezas del mundo, el pecado, están destruyendo la cosecha. Pero la responsabilidad continúa, hoy más que nunca la iglesia debe hacer su último esfuerzo para alcanzar a los perdidos y completar así su misión y esperar el regreso del Señor en gloria. Según estudios consultados se estima que el 84 % de la población actual se identifican con algún grupo religioso. El asunto es que la mayoría no pertenece a una religión cristiana. Tenemos en el mundo hoy: 1800 millones de musulmanes, 500 de budistas, 870 de hinduistas, 1000 de católicos, otras religiones 500 millones. Solo un 12% de la población mundial es cristiana evangélica, confesando a Jesucristo como su único Señor y salvador. El reto es enorme para la iglesia. Pues movimientos como el islam, están saliendo con mucha más energía a todas las partes del mundo, añadiendo convertidos a su fe musulmana, que los que está ganando la iglesia hoy. Debemos urgentemente penetrar el corazón del islam con el poder libertador del evangelio. Debemos demostrarles a los musulmanes que el más grande de los profetas no es Mahoma, sino Jesucristo. Y que no es un profeta más, sino el Hijo de Dios, el salvador del mundo que murió y resucitó también por ellos.

Afianzamiento y aplicación

(1) Sí la gran mayoría de la población mundial no ha sido evangelizada ¿Cuál debe ser la acción de la iglesia?

(2) Si Dios no perdonó a Israel al fracasar en su misión, ¿qué cree que le esperaría a la iglesia?

RESUMEN GENERAL

Todas las promesas incluidas en el pacto abrahámico y sus confirmaciones a lo largo del Antiguo Testamento apuntaban proféticamente a Cristo Jesús. Él es la "simiente de Abraham y de David", en el cual "serán benditas todas las naciones de la tierra". Sólo en el plan del evangelio existe la posibilidad de que se cumpla el propósito divino de dar a conocer la grandeza de Dios. Que eso se haga realidad depende de la respuesta de la iglesia en estos últimos tiempos. Como lo mencionó el apóstol Pablo: "¿Cómo creerán en aquel de quien no han oído? ¿Y cómo oirán sin haber quien les predique? ¿Y cómo predicarán si no fueren enviados?" (Romanos 10:14,15). Israel recibió la misión centrípeta de atraer a las naciones hacia Dios (Deuteronomio 4:5,6) por medio de un testimonio de obediencia y sabiduría. No obstante, ellos no llegaron a ser la "nación grande" que Jehová esperaba que fuesen. Por eso, el Padre envió a su Hijo unigénito para establecer el plan de alcance a todo aquel que crea (Juan 3:14-18). Jesús, en su oración por sus discípulos le dijo al Padre: "Como tú me enviaste al mundo, así yo los he enviado al mundo" (Juan 17:18). Esto lo repitió en Juan 20 cuando comisionó a los suyos a ir por todo el mundo con el poder del Espíritu Santo: "Como me envió el Padre, así también yo os envío". Esto es lo que llamamos "misión centrífuga" porque la iglesia se va extendiendo en círculos cada vez más amplios, desde "Jerusalén" hasta "lo último de la tierra" (Hechos 1:8). Y también proveyó los medios para ello. En Hechos 1:7,8, Él desvaneció las inquietudes y la curiosidad de los discípulos por averiguar cosas pertenecientes a la escatología y la política que Dios implementará en el futuro. Les dijo con todo aplomo: "No os toca a vosotros saber los tiempos o las sazones que el Padre puso en su sola potestad; pero recibiréis poder, cuando haya venido sobre vosotros el Espíritu Santo, y me seréis testigos".

Ejercicios de clausura

(1) Observen en el mapamundi y visualicen las naciones no alcanzadas.

(2) Oren al Señor pidiéndole que le permita a cada uno hacer algo más en este plan de alcance mundial.

PREGUNTAS Y RESPUESTAS

1. ¿Por qué se dice que la bendición de Abraham es para todas las naciones y no solamente para los judíos?

Porque Dios le promete a Abraham que: "En tu simiente serán benditas todas las naciones de la tierra", la cual señala a Cristo. Y todos los que son de Cristo son descendientes de Abraham.

2. ¿Cuál era la misión centrípeta que Dios esperaba que Israel cumpliera?

Los pueblos paganos habrían de ver, en la vida ejemplar de Israel y en su sistema de adoración, la única forma de adorar al Dios vivo y verdadero.

3. ¿Por qué Israel no cumplió la ley del amor hacia sus semejantes extranjeros?

Su egoísmo religioso, su arrogancia por creerse hijos de Abraham, los llevó a ver a los extranjeros como eternos enemigos.

4. ¿Qué evento tiene que cumplirse antes de que se establezca el reino de Dios en la tierra?

Debe cumplirse primero, la "Gran comisión" de ir a todas las naciones con el evangelio.

5. Si la misión de Israel era centrípeta (impulso hacia adentro), atraer espiritualmente al resto del mundo, y no la cumplió. ¿En qué se diferencia con la misión de la iglesia?

La diferencia estriba en que a la iglesia se le asignó una misión centrífuga (impulso hacia afuera), pues se nos manda: "Id y haced discípulos a todas las naciones".

PARA LA PRÓXIMA SEMANA

En el próximo estudio analizaremos: "Un plan misionero de alcance mundial", usando las declaraciones de los Salmos 67 y 138. Procure prepararse bien para impartir este tema.

UN PLAN MISIONERO DE ALCANCE MUNDIAL

ESTUDIO BÍBLICO 17

Base bíblica
Salmos 67:1-7; 138:4-6.

Objetivos
1. Indagar qué necesitamos para ser creyentes misioneros.
2. Ser testigos reales de un Dios vivo y verdadero.
3. Compartir con otros pueblos el gozo y la paz que Él nos da.

Pensamiento central
El Dios de los salmos es el Salvador de todas las naciones, pero es necesario que su pueblo se esfuerce en proclamarlo como tal.

Texto áureo
Haga resplandecer su rostro sobre nosotros; para que sea conocido en la tierra tu camino, en todas las naciones tu salvación (Salmo 67:1,2).

Fecha sugerida:___/____/____

LECTURA ANTIFONAL

Salmo 67:1 Dios tenga misericordia de nosotros, y nos bendiga; haga resplandecer su rostro sobre nosotros;
2 para que sea conocido en la tierra tu camino, en todas las naciones tu salvación.
3 Te alaben los pueblos, oh Dios; todos los pueblos te alaben.
4 Alégrense y gócense las naciones, porque juzgarás los pueblos con equidad, y pastorearás las naciones en la tierra.
5 Te alaben los pueblos, oh Dios; todos los pueblos te alaben.
6 La tierra dará su fruto; nos bendecirá Dios, el Dios nuestro.
7 Bendíganos Dios, y témanlo todos los términos de la tierra.
138:4 Te alabarán, oh Jehová, todos los reyes de la tierra, porque han oído los dichos de tu boca.
5 Y cantarán de los caminos de Jehová, porque la gloria de Jehová es grande.
6 Porque Jehová es excelso, y atiende al humilde, mas al altivo mira de lejos.

DATOS GENERALES ACERCA DEL TEMA

- **Enseñanza:** Un día todos los reyes y el mundo tendrán que recococer que Jesús es el Señor, pero ahora la iglesia debe anunciarlo para estar preparados para ese gran día.
- **Autor:** Salmo 67 es anónimo, Salmo 138 se le atribuye a David.
- **Personajes:** David, el pueblo de Israel y todas las naciones.
- **Fecha:** Salmo 67, escrito probablemente después del regreso del cautiverio babilónico. El Salmo 138, año 1000 a.C.
- **Lugar:** Jerusalén

BOSQUEJO DEL ESTUDIO

I. Lo que necesitamos de Dios para hacer su voluntad (Salmo 67:1)
  A. Que Dios tenga misericordia y nos bendiga (67:1)
  B. Que Dios haga resplandecer su rostro sobre nosotros (67:1)
II. Lo que esperamos de Dios cuando hacemos su voluntad (Salmo 67:2-7)
  A. Que sea conocido su camino en toda la tierra (67:2,3)
  B. Que Dios reine sobre todas las naciones (67:4-7)
III. Lo que sucederá cuando las naciones se sometan a su voluntad (Salmo 138:4-6)
  A. Podrán ver la gloria de Dios (138:4,5)
  B. Serán enaltecidas y engrandecidas (138:6)

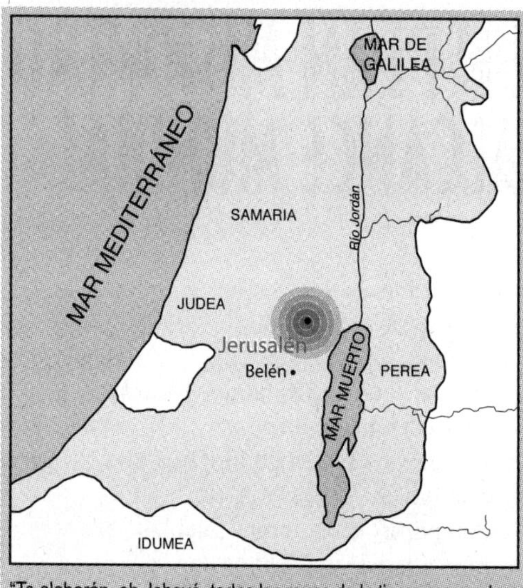

"Te alabarán, oh Jehová, todos los reyes de la tierra, porque han oído los dichos de tu boca".

LECTURAS DEVOCIONALES DIARIAS

Lunes: Pueblos todos, batid las manos y aclamad a Dios (Salmo 47:1-7)
Martes: Jehová reina sobre todas las naciones (Salmo 47:8-10)
Miércoles: Que sea conocida la salvación de Dios en todo el mundo (Salmo 67:1-5)
Jueves: Todos los reyes de la tierra alabarán a Dios (Salmo 138:1-8)
Viernes: El Señor quiere que invitemos a todos a la cena (Lucas 14:15-22)
Sábado: El Señor quiere que los forcemos a entrar (Lucas 14:23,24)

INTRODUCCIÓN

Es difícil encontrar pasajes más elocuentes y expresivos en cuanto a las misiones mundiales que estos dos salmos. El 67 es un himno a la salvación, una expresión de júbilo por las obras que el Señor realiza para salvar y sostener a su pueblo. Se cantaba durante las ceremonias de acciones de gracias, tanto en la fiesta de los "tabernáculos" como en "pentecostés" y la cosecha. Su mensaje profundo y extenso explora la grandeza de la misericordia de Dios hacia los que lo aman y le temen, a la vez que extiende esa alegría a todas "las naciones" y todos "los pueblos". Este no es, pues, un canto etnocéntrico ni egoístamente israelita; es una alabanza suplicante en busca del favor divino hacia un pueblo que da testimonio público acerca de Dios. En este sentido, el Salmo 67 es un mensaje misionero que infunde gozo y entusiasmo en la iglesia que evangeliza al mundo. El salmista con un espíritu profético visualiza el ensanchamiento y establecimiento del reino de Dios.

El Salmo 138, también exalta la soberanía de Dios y la hace accesible a "todos los reyes de la tierra". Aquí, el salmista asegura que si "los dichos" de la boca de Dios son conocidos y promulgados, las naciones, sus reyes y sus gobernantes, habrán de recibirlos y acatarlos con júbilo y placer. Los reyes y gobiernos han tomado la revelación divina de las Sagradas Escrituras como base para elaborar sus códigos, estatutos y constituciones. Ellos reconocen que la Biblia es la Palabra de Dios y que está saturada de sabiduría, justicia y verdad. Lástima que no vivan de acuerdo con las verdades y los ideales que propugnan sus cartas magnas. Saben dónde está la verdad, pero no les interesa aplicarla a su vida. Será sólo a través de la evangelización y las misiones que se cumplirán las aspiraciones de estos dos bellos salmos internacionales que vamos a estudiar.

DESARROLLO DEL ESTUDIO

I. LO QUE NECESITAMOS DE DIOS PARA HACER SU VOLUNTAD (SALMO 67:1)

Ideas para el maestro o líder

(1) Explique que a través de este salmo el autor pudo mirar a la era de la iglesia cuando el evangelio habría de ser predicado a todas las naciones, es decir, el cumplimiento de la Gran comisión.

(2) Explique que este salmo, escrito probablemente después de que el pueblo regresó del cautiverio babilónico, se usaba en las celebraciones de los tabernáculos, pentecostés y las cosechas.

Definiciones y etimología

* *Dios tenga misericordia de nosotros, y nos bendiga.* En el Padrenuestro Jesús enseñó a pedir con otros y por otros, así el salmista no dice "Dios tenga misericordia de mí y me bendiga", sino de nosotros y nos bendiga.

* *Resplandecer su rostro.* Que se muestre a nuestro favor. Cuando un rey sonreía con agrado a un suplicante, él sabía y estaba seguro que su petición había sido concedida.

A. Que Dios tenga misericordia y nos bendiga (67:1)

Definitivamente, este salmo es un canto de júbilo universal y las maravillas que celebra no son más que alicientes para una visión misionera mundial. El primer versículo recoge una estruendosa exclamación coral en la que la congregación apela a uno de los grandes atributos naturales de Jehová, que... "Dios tenga misericordia de nosotros, y nos bendiga," Con este canto, están dando por sentado que Jehová es un Dios capaz de amar y bendecir a los que lo buscan. La misericordia de Dios, fue la única razón para que el pueblo pudiera salir de Egipto después de cuatro siglos de esclavitud. Él fue sensible al sufrimiento del pueblo: "Dijo luego Jehová: he visto la aflicción de mi pueblo que está en Egipto, y he oído su clamor a causa de sus exactores; pues he conocido sus angustias, y he descendido para librarlos de mano de los egipcios, y sacarlos de aquella tierra a una tierra buena y ancha, a tierra que fluye leche y miel". Todas estas expresiones: "he visto, he oído, he conocido, he descendido", hablan de la inmensa misericordia de Dios hacia su pueblo. Dios tuvo misericordia de Israel y lo libró de la extinción, sólo porque Él es fiel a sus promesas y sostuvo el pacto de Abraham y de David. Aun hoy después de dos mil años de historia Dios ha sido fiel, manteniendo sus promesas a Israel, preservándolos y permitiéndoles volver a la tierra, para terminar de cumplir todo lo que les ha prometido.

Al celebrar la fiesta de los tabernáculos, el pentecostés y las cosechas, los israelitas levantaban sus manos al cielo y proclamaban el nombre de ese Dios misericordioso que los había redimido. Todas esas concesiones materiales eran simbólicas de la obra espiritual que Él es capaz de hacer en cada individuo, en la nación y en el mundo entero. Pero Dios ha tenido misericordia no sólo de Israel sino del mundo entero, pues envió a su Hijo como prueba máxima de su amor. "Porque de tal manera amó Dios al mundo (no solo a israel), que ha dado a su Hijo unigénito, para que todo aquel que en él cree, no se pierda, mas tenga vida eterna (Juan 3:16). "El que no escatimó ni a su propio Hijo, sino que lo entregó por todos nosotros, ¿cómo no nos dará también con él todas las cosas?" (Romanos 8:32). También como dice el apóstol Pablo respecto de nosotros, los gentiles: "Que estábamos sin Cristo, alejados de la ciudadanía de Israel y ajenos a los pactos de la promesa, sin esperanza y sin Dios en el mundo. Pero ahora en Cristo Jesús, vosotros que en otro tiempo estabais lejos, habéis sido hechos cercanos por la sangre de Cristo" (Efesios 2:12,13). Nosotros somos salvos porque Dios es misericordioso. "Nos salvó, no por obras de justicia que nosotros hubiéramos hecho, sino por su misericordia, por el lavamiento de la regeneración y por la renovación en el Espíritu Santo" (Tito 3:5).

B. Que Dios haga resplandecer su rostro sobre nosotros (67:1)

La segunda petición de este versículo va más allá de cualquier necesidad material. Si la liberación de Egipto, la repartición de la tierra prometida y la bendición de las cosechas anuales eran de importancia, mucho más lo era el resplandor de la gloria de Dios. Cuando los salmistas dicen: “Haga resplandecer su rostro sobre nosotros” están solicitando a Dios bendiciones de carácter espiritual. Están retomando la bendición sacerdotal que Dios enseñó a Moisés para bendecir al pueblo: “Jehová te bendiga, y te guarde; Jehová haga resplandecer su rostro sobre ti, y tenga de ti misericordia; Jehová alce sobre ti su rostro, y ponga en ti paz” (Números 6:24-26). Esa debería ser nuestra permanente petición a Dios. Pero pareciera también estar recordando lo que dice el Pentateuco acerca de la manifestación de la gloria de Dios en el monte Sinaí: “Y la gloria de Jehová reposó sobre el monte, y la nube lo cubrió” (Éxodo 24:16). ¡Qué puede haber mejor que la gloria de Dios repose sobre nosotros y su nube nos cubra! Pero, lo más probable es que estuvieran anunciando el día en que Dios haga resplandecer su gloria sobre Israel, y las naciones tengan que admitir que el Mesías es Rey de reyes y Señor de señores. “Y se manifestará la gloria de Jehová, y toda carne juntamente la verá; porque la boca de Jehová ha hablado” (Isaías 40:5). Lo que no discernían estos cantores, era que entre la historia del Israel de ayer y la manifestación del Hijo del Hombre cuando venga en su reino, habría un período en el cual se levantaría un pueblo multinacional, la iglesia, que haría eco a las alabanzas del Salmo 67. Un pueblo lleno de su Espíritu, por medio del cual Él manifestará el olor de su presencia y la revelación de su gloria (2 Corintios 2:14). Un pueblo a quien el apóstol Pedro identificó como: “linaje escogido, real sacerdocio, nación santa, pueblo adquirido por Dios, para que anunciéis las virtudes de aquel que os llamó de las tinieblas a su luz admirable”. Ahora estamos viviendo un momento sin comparación en la historia. El avivamiento espiritual ha hecho patente el resplandor de la gloria de Dios. Hay millones de jubilosos cristianos que adoran a Dios en espíritu y en verdad. Hay millones de creyentes que oran en lenguas y cantan al Dios vivo con inefable regocijo porque Él ha hecho resplandecer su rostro sobre nosotros.

Afianzamiento y aplicación

(1) Comente sobre la inmensa misericordia de Dios al dar a su Hijo para morir en la cruz para salvar a un mundo perdido.

(2) Indague hasta dónde la presencia de Dios (el resplandor de su rostro), es real en la experiencia diaria de los participantes.

II. LO QUE ESPERAMOS DE DIOS CUANDO HACEMOS SU VOLUNTAD (SALMO 67:2-7)

Ideas para el maestro o líder

(1) Mencionen algunos países que han progresado como consecuencia de su sometimiento a Dios.

(2) Mencionen algunos pueblos que están en ruina material y espiritual por su ateísmo y rebelión contra Dios.

Definiciones y etimología

* *Juzgarás los pueblos con equidad* (67:4). El verbo “juzgar” en el hebreo es sinónimo de “gobernar” o “reinar”. Las naciones de la tierra se alegrarán al ver que el Dios de Israel es un juez justo. Cuyos juicios son todos conforme a la más estricta verdad y justicia, no como los juicios de los jueces humanos.

* *La tierra dará su fruto* (67:6). Es cierto que Dios ha dado lluvia de los cielos y estaciones fructíferas a las naciones, incluso cuando estas han vivido en tinieblas, pero cuando se conviertan, la tierra incrementará sus frutos en mayor abundancia.

A. Que sea conocido su camino en toda la tierra (67:2,3)

Lo que dice el versículo 2 hace evidente el sentido misionero del Salmo 67. “Que sea conocido en la tierra tu camino, en todas las naciones tu salvación”. En este canto de la restauración postexílica sólo era un noble deseo sacerdotal, pero para nosotros ya es un hecho concreto. “Dios, habiendo hablado de muchas maneras… en estos postreros días nos ha hablado por el Hijo” (Hebreos 1:2); nos envió como nuestro Guía y Consolador al Espíritu Santo (Juan 14:26) y también nos sigue hablando por medio de su Palabra (1 Timoteo 3:16,17).

¿Qué más necesitamos para conocer su “camino”? Lo que nos resta es consagrar nuestra vida a una búsqueda personal, constante y progresiva de lo que Él ha querido revelarnos. La razón por la que muchos creyentes no sienten el celo misionero ni palpita en ellos el entusiasmo de salir a anunciar a otros el camino del Señor, es que ellos mismos no lo conocen de manera personal y profunda. Cuando la iglesia está bien alimentada en la Palabra y fortalecida espiritualmente, su visión por salvar a otros no se hace esperar. Como dijera el apóstol Pablo: "Creí, por lo cual hablé, nosotros también creemos, por lo cual también hablamos" (2 Corintios 4:13).

El alcance multiétnico de la oración del versículo 2 es evidente: "Para que sea conocido en la tierra (ges) tu camino, en todas las naciones (etne) tu salvación."Esto nos demuestra que Dios quiere que "todas las naciones" conozcan el "camino" y la "salvación" que Él ha provisto. Jesús dijo: "Yo soy el camino, y la verdad, y la vida" (Juan 14:6); por lo cual, es correcto decir que conocer a Cristo es conocer el camino de Dios. La esperanza expresada en estos dos versículos (1,2) era que si Jehová les tenía misericordia y hacía resplandecer su rostro sobre ellos (como se expresa en la bendición sacerdotal de Números 6:25), entonces, "todas las naciones" reconocerían a Dios y podrían recibir salvación si se sometían a Él. Sabemos que en el reino mesiánico, eso será así, pero la iglesia de Cristo ya está desempeñando esa función.

Cuando la gloria de Dios llena nuestra vida y nuestra fe se fortalece en el Señor, mucha gente se da cuenta de ello y empieza a buscar y pedir lo que nosotros hemos recibido. Lo opuesto también es verdad: nadie se siente atraído a una iglesia apagada. ¿Cómo puede crecer una iglesia muerta, en la que se niega el poder de Dios y los milagros? El final de esta primera estanza del salmo (v. 3), indica que como resultado de la evangelización del mundo, "todos los pueblos" han de alabar a Dios. Esto ya se está viendo. Millones de almas alrededor del mundo están alabando y glorificando el nombre de Dios. Tomemos como ejemplo el avivamiento que está sacudiendo a Corea del Sur, Indonesia, Centro América, Sud América, Puerto Rico y muchos lugares de Estados Unidos y otros países. ¿Es usted parte de este avivamiento?

B. Que Dios reine sobre todas las naciones (67:4-7)

La razón del llamado universal de este canto mesiánico, se refiere al día en que no haya reyes ni gobernantes que opriman ni manipulen a la gente. Esta es una profecía de alcance escatológico y anuncia el reino eterno de Dios sobre la tierra bajo la representación omnipotente de su Hijo el Mesías. No obstante, hay un aspecto espiritual de este reino que ya entró en función. Cuando Cristo inició su ministerio, afirmó: "El tiempo se ha cumplido, y el reino de Dios se ha acercado; arrepentíos y creed en el evangelio" (Marcos 1:15). A Nicodemo le dijo: "El que no naciere de nuevo, no puede ver el reino de Dios" (Juan 3:3). A los discípulos les dijo: "Si no os volvéis y os hacéis como niños, no entraréis en el reino de los cielos. De manera que el anuncio de Salmo 67:4 ya se empezó a cumplir por medio del evangelio.

La segunda razón del júbilo universal es que "pastorearás las naciones en la tierra". David había dicho que Dios lo pastoreaba de manera individual: "Jehová es mi Pastor, nada me faltará" (Salmo 23:1). También Asaf había orado a Jehová como el Pastor de todo el pueblo: "Oh Pastor de Israel, escucha; tú que pastoreas como a ovejas a José" (Salmo 80:1). Pero aquí se declara al Señor como "Pastor de todas las naciones". Jesús se identificó con esa función divina cuando dijo: "Yo soy el buen pastor; el buen pastor su vida da por las ovejas... Yo soy el buen pastor; y conozco mis ovejas" (Juan 10:11,14). Además habló en términos multiétnicos y misioneros cuando dijo: "También tengo otras ovejas que no son de este redil; aquellas también debo traer, y oirán mi voz; y habrá un rebaño, y un pastor" (10:16).

Jesús es el Pastor de la iglesia; nosotros somos pastores en todas las naciones bajo su dirección. A eso se refirió Pedro al decir: "Apacentad la grey de Dios que está entre vosotros... Y cuando aparezca el Príncipe de los pastores, vosotros recibiréis la corona incorruptible de gloria" (1 Pedro 5:2,4). El resto del Salmo 67 (5-7) es una exhortación a los pueblos de la tierra para que alaben a Dios por sus bendiciones. Dios, por su misericordia bendice a todos los pueblos, incluyendo a los que no le temen. Pero a los que se someten a Él y alaban su nombre les da bendiciones, no sólo en lo material sino que los hace naciones prósperas, inteligentes, industriales y misioneras. No obstante, hay que recordar que siempre que una nación ha prosperado por la bendición de Dios, y luego se aparta de Él por arrogancia y apostasía, como lo han estado haciendo Inglaterra y Estados Unidos, grandes males han de sobrevenir.

Afianzamiento y aplicación

(1) Expliquen cómo está "reinando" y "pastoreando" Dios a las naciones hoy.
(2) Mencionen las calamidades que les han sobrevenido a algunos pueblos por su apostasía y rebelión espiritual.

III. LO QUE SUCEDERÁ CUANDO LAS NACIONES SE SOMETAN A SU VOLUNTAD (SALMO 138:4-6)

Ideas para el maestro o líder

(1) Indique que hay un sentido profético y milenial en este pasaje, pero también hay cosas de actualidad.
(2) Haga énfasis en la importancia de la Palabra de Dios en esta sección del salmo.

Definiciones y etimología

**Te alabarán, oh Jehová, todos los reyes de la tierra.* En un sentido escatológico, se aplica al Mesías en la manifestación de su reino futuro, cuando entonces todos los reyes se postrarán ante Él.

* *Y cantarán de los caminos de Jehová.* Es decir, alabarán la manera maravillosa como la providencia divina ha dirigido los acontecimientos de los hombres.

A. Podrán ver la gloria de Dios (138:4,5)

El salmo 138 se atribuye a David, aunque algunos creen que fue escrito más tarde, por la mención del "santo templo" del versículo 2. Pero es probable que aquí el escritor se refiera al tabernáculo. La estructura de este salmo se puede dividir en tres partes: la primera, es una expresión del valor y del deseo de adorar a su Dios, aun en medio del culto a dioses paganos. La segunda, es una visión internacional, en relación con todos los reyes de la tierra, que un día proclamarán el nombre del Señor, y la tercera, vuelve a lo personal, en relación con la victoria segura sobre todos sus enemigos.

Retomaremos la estrofa central del salmo que trasciende a lo personal y aun a lo nacional del salmista. Aquí se tiene en mente un avivamiento internacional entre los que gobiernan las naciones. En este sentido los versículos 4-6 de este salmo contienen un mensaje misionero mundial. Se anuncia que alabarán al Señor todos los reyes de la tierra. La primera razón para que eso suceda, es: "Porque han oído los dichos de tu boca" (138:4). Aquí se establece, como primera condición para que los reyes alaben al Dios todopoderoso, que oigan "los dichos" de la boca de Dios. El conocimiento de la Palabra, acompañado de una actitud de reconocimiento y sujeción al Dios vivo puede hacer que un gobernante sea sabio y justo. Hasta el día de hoy la mayoría han sido inmorales, viciosos e idólatras. Acuden a adivinos y brujos para recibir consejo. Este escritor recuerda a un gobernante que pidió que alguien orara por él porque sentía mucha opresión espiritual. Cuando llegamos nos dimos cuenta de que tenía imágenes raras, altares de hechicería y símbolos satánicos de toda clase. También una pareja que gobernaba al país más "cristianizado' del mundo consultaba a adivinos y espiritistas para gobernar al país. Muchos presidentes de hoy pertenecen a logias masónicas y practican religiones paganas. ¿Cómo quieren estos que haya paz y desarrollo en sus pueblos, si ellos mismos están hundidos en la corrupción, las drogas y los vicios? Por eso urge que les llevemos el mensaje de Dios, como se le mandó a Pablo (Hechos 9:15).

La segunda razón para que los reyes de la tierra alaben a Jehová y canten de sus caminos es porque habrán visto las manifestaciones de la gloria de Dios, y entonces "Cantarán de los caminos de Jehová, porque la gloria de Jehová es grande" (138:5). Por supuesto que para la era milenial el mundo habrá presenciado todos los acontecimientos de la tribulación y sus consecuencias sobre la tierra. Muchas cosas van a suceder para que toda la humanidad, incluyendo a los judíos, acepte el señorío de Jesucristo como Rey de reyes y Señor de señores (Apocalipsis 17:14; 19:16). Pero Jesús ya está reinando sobre su pueblo redimido, la iglesia. La evangelización que se está llevando a cabo bajo el ministerio de las misiones mundiales está llegando a muchos gobernantes. Ya son varios los países donde existen partidos evangélicos y han triunfado líderes cristianos en los más altos niveles. Si bien, no debemos apoyar la política mundana ni la unión de la iglesia con el estado, no es malo que haya en los puestos altos de los gobiernos personas que crean y teman al Señor.

B. Serán enaltecidas y engrandecidas (138:6)

Los reyes, presidentes y líderes arrogantes debieran recordar la estrepitosa caída de hombres como Nabucodonosor, Alejandro el Grande, Antíoco Epífanes, Herodes, los césares, Hitler, Noriega, Sadam Hussein y muchísimos más. Los líderes altivos y soberbios son el prototipo de Satanás quien se levantó contra Dios y se enalteció de tal manera que quería ser semejante a Él (Isaías 14 y Ezequiel 28). El proverbista dijo por inspiración divina que: "Antes del quebrantamiento es la soberbia, y antes de la caída la altivez de espíritu" (Proverbios 16:18). David, un rey que probó en su propia vida lo que escribía, declaró sin vacilación que "Jehová es excelso y atiende al humilde, más al altivo mira de lejos" (Salmo 138:6). El altivo no pide ayuda de Dios porque cree tenerlo todo en sus manos y ser dueño absoluto de su vida y la de los demás. Estos usurpadores de los derechos de Dios son tipo del anticristo y su fin ya está preparado.

El mensaje de esperanza que hallamos en este versículo es que Dios "atiende al humilde". Un caso que ilustra esta verdad es el del rey de Asiria cuando Jonás fue a profetizar la destrucción de la gran ciudad de Nínive por su pecado. Dice la Biblia que el rey se humilló delante de Dios y reconoció que el juicio era bien merecido. Pero Jehová lo perdonó y salvó a su pueblo. Otro que se humilló y su actitud le sirvió de mucho fue Ezequías rey de Judá. Cuando Jehová envió al profeta Isaías a anunciarle al rey que iba a morir, este se humilló y clamó a Jehová por su vida. Jehová le concedió quince años más de existencia y muchas bendiciones de lo alto (Isaías 38:1-8).

Jesús nos enseña cuál es la clave del éxito en la vida cristiana cuando dice: "El que se enaltece será humillado, y el que se humilla será enaltecido" (Mateo 23:12). También nos da la promesa: "Al que a mí viene, no le echo fuera" (Juan 6:37). Este llamado del Salmo 138:6 no es sólo a los reyes y a la gente que ocupa cargos importantes; también se aplica a la gente común. Hay personas que no tienen razones para ser arrogantes y prepotentes, pero lo son. Aun en la iglesia tropezamos con individuos a quienes Dios ha levantado del polvo y el muladar, pero cuando ya han salido de su miseria se creen los mejores del mundo. Si la altivez es reprochable en la gente del mundo, ¿cuánto más en los llamados "cristianos"? Y si en la casa del Señor y en la familia de Dios, que es donde debe haber amor y paciencia, hay altivez y arrogancia, ¿qué se puede esperar de los hijos de Satanás? Así que, en este salmo hay más que una profecía mesiánica y misionera, hay un mensaje que bien podría significar un cambio en muchos de nosotros, si somos sinceros delante de Dios. Que el Señor nos ayude a cumplir las esperanzas del Salmo 138 y no sólo lo cantemos alegremente en la iglesia.

Afianzamiento y aplicación

(1) ¿Podría la clase mencionar los nombres de algunas personas que, estando en puestos de alto nivel nacional, han dado testimonio de ser verdaderos cristianos?

(2) ¿No creen que deberíamos orar para que Dios levante a más creyentes fieles para que ocupen cargos de importancia en nuestros países?

RESUMEN GENERAL

El Salmo 67 es un himno de salvación para todas las naciones, empezando por Israel. Lo que sucediera con el pueblo escogido de Dios serviría de ilustración y ejemplo para los demás pueblos del mundo. En primer lugar, en ese salmo se clama a Dios por su misericordia, la cual hace posible la salvación del hombre y el sostenimiento de su vida. Seguidamente, se ora para que Dios haga resplandecer su rostro sobre nosotros. Eso empezó a verse desde cuando Dios envió a su Hijo, el cual es el "resplandor de su gloria y la imagen misma de su sustancia" (Hebreos 1:2,3).

Sobre la base de esa misericordia se ha proclamado una salvación, otorgada por la gracia y recibida por la fe. Aquí están incluidas todas las naciones, por lo que consideramos al Salmo 67 como una proclamación misionera de alcance universal.

El Salmo 138 consta de tres partes: la primera y la última son personales del salmista, pero la de en medio es una profecía mesiánica que anuncia el momento en que "te alabarán, oh Jehová, todos los reyes de la tierra". Esto es así "porque han oído los dichos de tu boca", o sea, han sido tocados por el mensaje de poder que se está difundiendo por todos los medios de comunicación, incluyendo los satélites y la "internet". Un mensaje que debemos llevar a los reyes de la tierra, y también a sus pueblos, por medio del ministerio de las misiones es que "Jehová atiende al humilde, mas al altivo mira de lejos". La altivez es un mal reprochable entre los impíos, pero mucho más horrendo es cuando se manifiesta entre los llamados hijos de Dios. Que el Señor nos ayude a hacer lo que manda el apóstol Pedro: "Humillaos, pues, bajo la poderosa mano de Dios, para que él os exalte cuando fuere tiempo" (1 Pedro 5:6).

Ejercicios de clausura

(1) Recuerden las cosas que Dios puede hacer por medio del ministerio de las misiones.

(2) Hágase una oración de intercesión por los gobernantes y las autoridades de nuestros países para que den libertad a las misiones mundiales.

PREGUNTAS Y RESPUESTAS

1. ¿Cómo podemos saber que Dios es misericordioso y desea lo mejor para cada uno?

Dios tuvo misericordia de Israel y lo libró de la extinción y ha tenido misericordia del mundo entero, enviando a su Hijo como prueba máxima de su amor.

2. ¿Qué significa la expresión: "haga resplandecer su rostro sobre nosotros"?

Que se están deseando bendiciones espirituales. Pero también están anunciando el día en que el Señor haga resplandecer su gloria sobre Israel, y las naciones tengan que admitir que el Mesías es Rey de reyes y Señor de señores.

3. ¿Qué es lo que dice el versículo 2 del Salmo 67, que hace evidente el sentido misionero?

"Que sea conocido en la tierra tu camino, en todas las naciones tu salvación".

4. Mencione las dos razones que da el Salmo 138:4,5 por las cuales todos los reyes alabarán el nombre del Señor.

Primero, porque han oído los dichos de tu boca, y segundo porque habrán visto las manifestaciones de su gloria.

5. ¿Cómo podemos lograr que todas las naciones y todos los reyes escuchen el mensaje salvador del evangelio?

Por medio del ministerio de las misiones, difundiendo por todos los medios de comunicación, incluyendo los satélites y la "internet".

PARA LA PRÓXIMA SEMANA

Nuestra lección para la próxima semana presenta el tema: "La rebeldía de un misionero", invite a la clase a leer los capítulos 1 y 2 del libro de Jonás y las lecturas semanales.

LA REBELDÍA DE UN MISIONERO

ESTUDIO BÍBLICO 18

Base bíblica
Jonás 1 y 2.

Objetivos
1. Identificar los elementos que conducen a la desobediencia.
2. No permitir que los prejuicios y los falsos temores afecten la labor misionera.
3. Responder al llamado de Dios en obediencia.

Pensamiento central
El miedo, la duda y los prejuicios afectan la obra misionera, pero el Señor puede ayudarnos a triunfar para su gloria.

Texto áureo
¿A dónde me iré de tu Espíritu? ¿Y a dónde huiré de tu presencia? Si subiere a los cielos, allí estás tú; y si en el Seol hiciere mi estrado, he aquí, allí tú estás (Salmo 139:7,8).

Fecha sugerida:___/____/____

LECTURA ANTIFONAL

Jonás 1:1 Vino palabra de Jehová a Jonás hijo de Amitai, diciendo:
2 Levántate y ve a Nínive, aquella gran ciudad, y pregona contra ella; porque ha subido su maldad delante de mí.
3 Y Jonás se levantó para huir de la presencia de Jehová a Tarsis, y descendió a Jope, y halló una nave que partía para Tarsis; y pagando su pasaje, entró en ella para irse con ellos a Tarsis, lejos de la presencia de Jehová.
4 Pero Jehová hizo levantar un gran viento en el mar, y hubo en el mar una tempestad tan grande que se pensó que se partiría la nave.
5 Y los marineros tuvieron miedo, y cada uno clamaba a su dios; y echaron al mar los enseres que había en la nave, para descargarla de ellos. Pero Jonás había bajado al interior de la nave, y se había echado a dormir.
15 Y tomaron a Jonás, y lo echaron al mar; y el mar se aquietó de su furor.
16 Y temieron aquellos hombres a Jehová con gran temor, y ofrecieron sacrificio a Jehová, e hicieron votos.
17 Pero Jehová tenía preparado un gran pez que tragase a Jonás; y estuvo Jonás en el vientre del pez tres días y tres noches.
2:1 Entonces oró Jonás a Jehová su Dios desde el vientre del pez.
10 Y mandó Jehová al pez, y vomitó a Jonás en tierra.

DATOS GENERALES ACERCA DEL TEMA

- **Enseñanza:** Muchas de las tormentas que vienen a nuestra vida son producto de nuestro pecado y desobediencia al llamado divino.
- **Autor:** Jonás hijo de Amitai
- **Personajes:** Jonás y los marineros
- **Fecha:** Aproximadamente 785 a.C
- **Lugar:** Ciudad de Jope y el Mar mediterráneo.

BOSQUEJO DE LA LECCIÓN

I. Factores que provocan la desobediencia de un misionero (Jonás 1:1-3)
 A. Poner la mirada en lo grande y difícil de la misión (1:1,2)
 B. Dar lugar a la duda, el miedo y los prejuicios (1:3)

II. Consecuencias de la desobediencia al llamado (Jonás 1:4-17)
 A. Tropiezos, escándalos y afrentas (1:4-10)
 B. Humillación, sufrimientos y peligros (1:11-17)

III. Acciones para regresar a la voluntad de Dios (Jonás 2:1-10)
 A. Invocar a Dios, reconociendo y abandonando su condición (2:1-7)
 B. Ponerse en las manos de Dios con fe y absoluta confianza (2:8-10)

LECTURAS DEVOCIONALES DIARIAS

Lunes: Opresión de Israel por el reino de Asiria (2 Reyes 16:10-19)

Martes: Asiria destruyó el reino de Israel (2 Reyes 17:1-6)

Intento de huida de Jonás en dirección contraria a Nínive, rumbo a Tarsis al occidente.

Miércoles: Jonás, un profeta que tuvo miedo de ir a Asiria (Jonás 1:1-10)

Jueves: Jonás, un misionero que fue castigado por su desobediencia (Jonás 1:11-17)

Viernes: Jonás, un misionero arrepentido y perdonado (Jonás 2:1-10)

Sábado: Jonás, un tipo de Cristo en su resurrección (Mateo 12:38-42)

INTRODUCCIÓN

De todos los cuadros de los profetas, el que más se presta para enfocarlo como un caso de misiones mundiales es Jonás. Este melancólico y tímido vocero de Dios ministró en algún período del reinado de Jeroboam II, rey de Israel (793-753 a.C.). Fue hijo de Amitai, de Gat-hefer, al norte de Nazaret. No se sabe nada más de su vida personal ni de su función profética, con la excepción de la referencia que se hace a él en 2 Reyes 14:25. Si esta cita corresponde a él, sería la única en indicar su lugar de origen y la época de su ministerio, un poco después de Elías y Eliseo y un poco antes de Isaías.

Por supuesto, muchos incrédulos se mofan de este libro, especialmente, por lo del pez del capítulo dos, como si no fuera mayor milagro el arrepentimiento de los ninivitas. Es el gran libro misionero del Antiguo Testamento y se lee en las sinagogas el día de la expiación. Jesús lo citó para probar, proféticamente, su propia resurrección y para reprender la dureza del corazón de los judíos con el ejemplo del arrepentimiento de los habitantes de Nínive.

Jonás figura en la lista de los misioneros internacionales porque la tarea que Dios le asignó fue llevar un mensaje de juicio el cual condujo a la salvación de una nación pagana y distante. No parece haber sido un profeta controversial como sus antecesores Elías y Eliseo. Tampoco sabemos si tuvo una vida muy pública como sus sucesores Isaías y Oseas. No obstante, de esa vida tranquila y aislada en la región alta de Galilea, lo llamó Jehová para que realizara el viaje más largo y la tarea más peligrosa que se le haya dado jamás a un representante de Dios. Tenía que enfrentarse a Nínive, la capital de Asiria, el imperio que dominaba al mundo en su época. Ante el mandato de Jehová, Jonás reaccionó con miedo y prejuicio. Tenía que anunciar la destrucción de la ciudad más grande del mundo; por eso, trató de huir a España. Tenía prejuicio, porque los asirios oprimían a Israel en ese tiempo, y no deseaba verlos perdonados, en el caso de que se arrepintieran (4:2). De aquí, pues, queremos extraer algunas enseñanzas preventivas y curativas para todo aquel que se haya encontrado bajo presiones semejantes a las de este profeta misionero fugitivo.

DESARROLLO DEL ESTUDIO

I. FACTORES QUE PROVOCAN LA DESOBEDIENCIA DE UN MISIONERO (JONÁS 1:1-3)

Ideas para el maestro o líder

(1) Señale en un mapa del mundo del Antiguo Testamento el pueblo de Jonás, al norte de Nazaret y su campo misionero, Nínive, capital de Asiria.

(2) Señale la ruta que tomó Jonás queriendo huir de Dios por su miedo y sus prejuicios.

Definiciones y etimología

* *Jonás hijo de Amitai*. El nombre Jonás significa "paloma".

* *Se levantó para huir a Tarsis*. Tarsis se ha identificado con Tartesos al sur este de España.

* *Descendió a Jope*. Jonás vivía en la región montañosa y elevada, llamada Gat-heter cerca a lo que vino a llamarse Nazaret, de donde descendió al puerto de Jope en el Mediterráneo.

A. Poner la mira en lo grande y difícil de su misión (1:1,2)

El tristemente célebre caso de Jonás ha servido siempre como lección para los que tratan de evadir y desobedecer alguna misión dada por Dios. En el ministerio de las misiones mundiales se han registrado casos parecidos al de Jonás. Este vocero de Dios vivía en la región montañosa de Galilea, cerca de Nazaret, la ciudad donde 750 años más tarde vivió nuestro Salvador. Todo ese territorio pertenecía al reino de Israel, el cual en ese tiempo era gobernado por el poderoso rey Jeroboam II. Ya para entonces el reino de Asiria se había convertido en un imperio mundial, el cual se mantuvo a la cabeza de las naciones por trescientos años. Para el tiempo del reinado de Jeroboam II y el ministerio de Jonás, Asiria había ya dominado a los países cercanos al mar Mediterráneo, Siria, Egipto y todos los de esa región. Unos treinta años más tarde los asirios habrían de poner fin a la existencia de Israel y llevaría cautiva a su gente para dispersarla por el Asia.

Estas eran las condiciones políticas que reinaban cuando Jehová decidió enviar a su siervo Jonás (cuyo nombre significa "paloma"), con un mensaje a Nínive. Aquella era una misión de juicio terminante contra la soberbia y prepotente ciudad de Nínive. Ese era, precisamente el lugar de donde salían las órdenes y los poderosos ejércitos internacionales que azotaban a todos los pueblos del mundo. Los asirios eran altivos y paganos; lo más probable era que no trataran bien al profeta hebreo ni hicieran caso de su predicación. Por el contrario, había posibilidades de que el rey ordenara matarlo inmediatamente por anunciar la destrucción de la capital, y probablemente del imperio. Además la distancia era considerable y el viaje significaba sacrificios y riesgos en todo sentido. Como Jonás, muchos se niegan a cumplir las misiones que el Señor les asigna porque ponen la mirada en las dificultades y los riesgos, en lugar de ponerla en el que los ha enviado. Se olvidan que el Señor es el dueño de nuestra vida y al igual que el apóstol Pablo deberíamos decir: "pues si vivimos para el Señor vivimos, y si morimos, para el Señor morimos" , o como les dijera a aquellos que le pedian que no fuera a Jerusalén, pues le esperaban prisiones y tribulaciones: "Pero en ninguna manera estimo mi vida como valiosa para mí mismo, a fin de poder terminar mi carrera y el ministerio que recibí del Señor Jesús" (Hechos 20:24).

B. Dar lugar a la duda, el miedo y los prejuicios (1:3)

Es cierto que Jonás era un profeta de Dios, sin embargo, como humano era tan susceptible a la duda como cualquiera de nosotros. La duda atacó a Jonás por dos lados: por una parte no podía creer que una ciudad tan grande y un imperio tan poderoso fueran destruidos de un momento a otro. Por otra parte sabía que Dios es misericordioso y clemente, tardo para la ira y grande en misericordia (Salmo 103:8), por lo tanto, dudaba que la amenaza se hiciera realidad (4:2). Cuando recibimos una orden de parte de Dios no debemos ponernos a pensar, mucho menos dudar, si Él podrá o querrá hacer lo que ha dicho. Cuando damos lugar a la lógica y a la razón humana, el diablo se aprovecha y siembra duda en nuestro corazón.

Otro factor que contribuyó a la huida de Jonás fue el miedo que le sobrevino al pensar en el poderío de los asirios y su fama de ser crueles y malvados. ¿Quién de nosotros no ha sentido miedo alguna vez cuando hemos querido tocar una puerta o hacer una llamada que pudiera resultar negativa? ¿Quién no le teme a un insulto, una amenaza o al peligro hasta de perder la vida por reprender a alguien y reprocharle su pecado? Por eso es tan importante descansar en la ayuda del Espíritu Santo cuando estamos en momentos de aprieto. Jesús previno a sus discípulos cómo perder el miedo cuando se tiene que ir a una corte por causa del evangelio. "Ante gobernadores y reyes seréis llevados por causa de mí, para testimonio a ellos y a los gentiles. Mas cuando os entreguen, no os preocupéis por cómo o qué hablaréis; porque en aquella hora os será dado lo que habéis de hablar. Porque no sois vosotros los que habláis, sino el Espíritu de vuestro Padre que habla en vosotros" (Mateo 10:18-20).

El tercer elemento causante de la huida y desobediencia de Jonás fueron sus prejuicios. Él sabía muy bien cuánto daño estaban causando los asirios a su país y a todos los reinos vecinos. Esta era una buena oportunidad para que su soberbia y maldad fueran castigadas como se lo merecían. Conociendo a su Dios y sabiendo que si se arrepentían Él los perdonaría, el profeta optó por no meterse en problemas ni ver convertida y salva una nación tan mala. Los prejuicios que se aniden en nuestro corazón contra otros pueblos, culturas o razas no nos dejarán sentir amor por ellos al grado de no hacer hasta lo imposible por salvarlos de la ruina. La evangelización tiene que surgir de un corazón lleno de amor por los perdidos, así como Cristo dio su vida por nosotros como prueba de su amor (Juan 15:13). Si hay en nosotros prejuicios raciales, sociales o aun religiosos, no seremos aptos para el ministerio de las misiones.

Afianzamiento y aplicación

(1) Mencione algunos peligros que podría usted enfrentar si hiciera lo que Dios le está mandando.
(2) Señale algunos prejuicios que podrían obstaculizar la obra misionera.

II. CONSECUENCIAS DE LA DESOBEDIENCIA AL LLAMADO (JONÁS 1:4-17)

Ideas para el maestro o líder

(1) ¿Creen los alumnos que Jonás huyó porque ignoraba que Dios es omnipresente, o porque pensaba que Él no le tomaría en cuenta su desobediencia?
(2) Aplique el mensaje del texto áureo (Salmo 139:7,8) a la situación de Jonás.

Definiciones y etimología

* *El patrón de la nave* (1:6). El capitán de la embarcación se acercó al lugar en que Jonás se había escondido para dormir.

* *La suerte cayó sobre Jonás* (1:7). Un tipo de sorteo que les servía a los paganos para descubrir algo.

* *Tenía preparado un gran pez* (1:17). El animal que Dios usó para llevar a Jonás de regreso a tierra no era cualquier bestia marina.

A. Tropiezos, escándalos y afrentas (1:4-10)

Los que desobedecen a Dios y tratan de huir de Él se exponen a innumerables inconvenientes que, tarde o temprano, los obligan a regresar a aquel a quien querían evadir. Olvidándose, o tal vez ignorando que Dios es omnipresente y que no hay quien se esconda de su vista escrutadora y penetrante, este profeta hebreo compró un pasaje para viajar en dirección opuesta a la que Dios le había marcado. No sabemos cuánto se habían internado en el mar Mediterráneo, pero sin duda ya estaban bastante lejos de tierra firme cuando "Jehová hizo levantar un gran viento en el mar". Este profeta rebelde ya no escuchaba la voz de Dios, y Él tuvo que hablarle por una tormenta, había perdido la energía espiritual y se había echado a dormir en el interior de la nave, perdiendo incluso el deseo de orar, pues los paganos oraban a sus dioses, mientras él dormía. ¡Qué cuadro más lamentable, dormir cuando deberíamos orar!

Tan terrible era aquella tormenta que los expertos "marineros" "tuvieron miedo" de que la nave se partiera. "Cada uno clamaba a su dios," pero ninguno pudo hacer nada. Entonces, descubrieron al misionero fugitivo que dormía como si nada pasara con él.

Ante el interrogatorio acerca de su identidad, Jonás dijo: "Soy hebreo, y temo a Jehová, Dios de los cielos, que hizo el mar y la tierra" (1:9). Por lo menos no negó al Dios a quien servía ni tampoco que se encontraba en una situación de desobediencia ante su Señor. Qué triste es tener que caer en manos de impíos y que sean ellos quienes tengan que poner a un siervo de Dios en línea. Había perdido su testimonio e influencia ante los hombres de la nave, él era la causa de la tormenta. En ese mismo mar, unos 800 años más tarde, Pablo también navegaba con impíos bajo una tormenta que los hizo naufragar. Pero el apóstol estaba en la voluntad del que lo había hecho misionero. Él no viajaba porque quisiera hacerlo; lo llevaban preso a Roma por predicar el evangelio. Por eso, con toda autoridad tomó la palabra y evangelizó a todos los que iban con él (Hechos 27: 20-26). En cambio, Jonás no pudo influir en los "marineros". Fueron ellos, más bien, los que reprendieron al profeta, diciéndole: "¿Por qué has hecho esto?" (1:10). Aun los del mundo lamentan la caída de un siervo de Dios. Pero la obra del Señor y su voluntad divina nunca serán dañadas por un proceso de investigación y disciplina contra alguien que ha fallado. Lo malo es encubrir el pecado. "El que encubre sus pecados no prosperará; mas el que lo confiesa y se aparta alcanzará misericordia" (Proverbios 28:13).

B. Humillación, sufrimientos y peligros (1:11-17)

Espiritualmente hay sanidad y restauración cuando una persona que ha desobedecido a Dios se pone en sus manos y se somete a la disciplina que le sea impuesta. No obstante, la persona tiene que pasar por momentos de humillación y sufrimiento que afectan todos los aspectos de su vida. Jonás se expuso al penoso momento de tener que dictar su propia sentencia: "Tomadme y echadme al mar, y el mar se os aquietará; porque yo sé que por mi causa ha venido esta gran tempestad sobre vosotros" (1:12). En ese instante toda la humillación, el peligro y sufrimiento recayeron sobre la persona de Jonás. Pero ese era el único camino a seguir ante la crisis causada por un acto de desobediencia a Dios. Los marineros, después de oír su confesión y recomendación acerca de sí mismo, lucharon por remediar la situación sin tener que echar al mar a un hombre al parecer tan sincero, pero no lo lograron. Entonces, lo tomaron y lo echaron al embravecido mar, con lo cual la furia del mar se apaciguó y la soberanía de Dios fue satisfecha.

Sin embargo, había algo que Jonás ni siquiera había imaginado ni se atrevía a pedir: la misericordia salvadora de Dios. "Pero Jehová tenía preparado un gran pez que tragase a Jonás; y estuvo Jonás en el vientre del pez tres días y tres noches" (1:17). Es interesante notar la caída del profeta, hasta casi perder la vida, primero descendió a Jope, luego descendió al interior de la nave, después al ser arrojado al agua, descendió a las profundidades del mar, ahora se encuentra sumergido en las entrañas del gran pez, agonizando. Nadie cae súbitamente en el pecado o la desobediencia; es generalmente un proceso de pasos descendentes. Por eso, nos advierte la Palabra: "Por tanto, es necesario que con más diligencia atendamos a las cosas que hemos oído, no sea que nos deslicemos". Por otro lado las preguntas de los escépticos en cuanto al tipo de pez, ¿cómo lo tragó vivo?, ¿cómo resistió 72 horas sin ser digerido?, la falta de oxígeno, y otras, son meras dudas maliciosas. Dios es el Señor del mar y Él sabe cómo salvar a alguien que ha desobedecido, pero que no ha dejado de creer en Él.

En cierto modo, el caso de la liberación de Jonás es una prueba más de la bondad de un Dios que no se goza en el fracaso de los suyos. Él está dispuesto a realizar su voluntad en nosotros si aún queda fe en nuestro corazón y estamos dispuestos a someternos a Él.

Afianzamiento y aplicación

(1) Dé oportunidad para que testifique alguien que haya pasado por una experiencia parecida a la de Jonás.

(2) ¿Sabe la clase de algún caso de disciplina, el cual, aunque haya causado dolor y humillación, ha traído resultados saludables para la iglesia en general?

III. ACCIONES PARA REGRESAR A LA VOLUNTAD DE DIOS (JONÁS 2:1-10)

Ideas para el maestro o líder

(1) Pregunte si la clase cree que aun los misioneros y líderes de la iglesia pueden caer en la trampa de querer salirse de la voluntad de Dios.

(2) Haga énfasis en la importancia de la oración cuando el creyente está pasando por momentos de crisis, como los que tuvo que vivir Jonás.

Definiciones y etimología

* *Desde el vientre del pez* (2:1). Dios preparó un rincón especial para que Jonás no se asfixiara sino que pudiera, incluso, orar a Él.

* *Aún veré tu santo templo* (2:4*)*. Entre los cuadros que venían a la mente de Jonás estaba el del templo de Dios en Jerusalén, a donde iría en cuanto viera la luz.

* *Mandó Jehová el pez, y vomitó a Jonás en tierra* (2:10). ¿Por qué esperó 72 horas? Quizás para darlo como un tipo de la resurrección de Jesús (Mateo 12:40).

A. Invocar a Dios, reconociendo y abandonando su condición (2:1-7)

Lo primero que Dios espera del que acude a Él en busca de restauración es el reconocimiento sincero de su error. En Jonás esto no se hizo esperar. "Desde el vientre del pez", en una situación en que nadie quisiera verse jamás, este hombre, sin hacer caso de sus circunstancias, clamó con toda su alma al Dios del cual había tratado de esconderse. Es hermoso leer desde el comienzo de su testimonio estas alentadoras palabras: "Invoqué en mi angustia a Jehová, y él me oyó; desde el seno del Seol clamé, y mi voz oíste" (2:2). En su sufrimiento moral, descubierto por la mirada que lo escudriña todo, este asustado predicador admitió: "Desechado soy de delante de tus ojos; Mas aún veré tu santo templo" (2:4). Como poniéndose una meta para cuando sus ojos volvieran a ver los rayos del sol, se imaginaba estar de nuevo en los atrios del hermoso templo de Salomón en Jerusalén. Los datos que da son claros: (1) "Rodeóme el abismo" (2:5), el gran pez nadaba por lo más profundo del mar. (2) "El alga se enredó a mi cabeza," sin duda porque el pez se alimentó sólo de algas, no ingirió animales grotescos y peligrosos como suelen hacerlo estas bestias del mar. (3) "Descendí a los cimientos de los montes" (2:6). Le pareció a Jonás ir de picada hasta el mismo fondo de las aguas donde nacen los volcanes. (4) "Sacaste mi vida de la sepultura." Sabía muy bien que, a menos que Dios en su misericordia lo perdonara y obrara un milagro, allí terminaría todo; sepultado en lo profundo del abismo. Todo eso contrasta muy bien con la esperanza que el Espíritu de Dios infundía al alma de Jonás: "Me acordé de Jehová [...] y mi oración llegó hasta ti" (2:7). No olvidemos que hasta en medio de la angustiosa sombra de la muerte, aún nos queda un recurso inagotable: la misericordia de un Dios perdonador, el único que puede restaurarnos aun cuando nos creemos muertos y olvidados. Fue la experiencia de David narrada en el Salmo 40, al ser liberado de alguna tremenda crisis que lo mantenía sumergido, como en un hoyo profundo, en una obscura prisión: "Pacientemente esperé a Jehová, Y se inclinó a mí, y oyó mi clamor. Y me hizo sacar del pozo de la desesperación, del lodo cenagoso; Puso mis pies sobre peña, y enderezó mis pasos, Puso luego en mi boca cántico nuevo, alabanza a nuestro Dios". Este salmo tambien anunciaba proféticamnete la muerte y resurrección de Cristo de las prisiones de la muerte, "Porque no dejarás mi alma en el Seol, Ni permitirás que tu santo vea corrupción" (Salmo 16:10), al igual que Jonás al ser rescatado de la boca del gran pez.

B. Ponerse en las manos de Dios con fe y absoluta confianza (2:8-10)

Sin lugar a dudas, en los momentos de mayor angustia es cuando el corazón humano expresa las oraciones más significativas y eficaces. En 2:8, Jonás se atreve a exhortar a los que andan fuera de los caminos del Señor: "Los que siguen vanidades ilusorias, su misericordia abandonan", probablemente el profeta se refiere aquí a los adoradores de ídolos, como los que habían estado clamando "cada uno a su dios" en la nave antes de saber que todo estaba bajo el control de Jehová. Las "vanidades ilusorias" son los ídolos, las ideas erróneas, las esperanzas falsas que los inconversos ponen como garantía de que todo les saldrá bien. Estos "abandonan" su vida en las manos de nadie, o más bien en las manos de Satanás; pues no se someten a la soberana voluntad del único Dios verdadero.

Las últimas expresiones de la oración de Jonás son totalmente alentadoras. (1) "Mas yo con voz de alabanza te ofreceré sacrificios" (2:9). Esta es la determinación del creyente firme. Aunque por el momento todo luzca gris u oscuro, ¡hay que alabar al Señor y entregar a Él toda el alma, como si ya hubiera contestado! Hebreos dice que la fe es "la certeza de lo que se espera, la convicción de lo que no se ve" (11:1). (2) "Pagaré lo que te prometí". Si hemos hecho alguna promesa a Dios, esforcémonos en cumplirla, porque el no hacerlo es mentir e irritar a un Dios fuerte y celoso. "Cuando a Dios haces promesa, no tardes en cumplirla; porque Él no se complace en los insensatos" (Eclesiastés 5:4). (3) "La salvación es de Jehová." Si el Señor ha de bendecirnos y salvarnos, no será por nuestras bondades ni por nuestro servicio; es por su misericordia y por nuestra actitud de fe absoluta y entrega total.

El resultado de una oración de verdadero arrepentimiento y fe será siempre como el de Jonás: "Y mandó Jehová al pez, y vomitó a Jonás en tierra" (2:10). Que el Señor nos ayude a volver a Él, si acaso hemos tomado un rumbo contrario al que nos señaló.

Afianzamiento y aplicación

(1) ¿Qué le diría usted a alguien que crea que el caso de Jonás es un mito o una leyenda?

(2) ¿Escucha el Señor la oración de alguien que se ha extraviado como Jonás?

RESUMEN GENERAL

El caso de Jonás se presta para usarlo como lección contra la desobediencia a Dios. Aun los profetas, los misioneros y los líderes de la iglesia han dado pasos contrarios a la voluntad de Dios alguna vez en su vida. No obstante, gracias a la misericordia de Dios, el que se arrepiente y se vuelve a Él con fe profunda y confianza absoluta siempre triunfará. El texto áureo de hoy nos enseña que nadie puede esconderse de Dios ni huir de su presencia. "¿A dónde me iré de tu Espíritu? ¿Y a dónde huiré de tu presencia? Si subiere a los cielos, allí estás tú; y si en el Seol hiciere mi estrado, he aquí, allí tú estás" (Salmo 139:7,8). Jonás lo experimentó en carne propia, y casi le costó la vida. Hay varias formas de reaccionar ante la disciplina y el castigo de Dios, según Hebreos 12:5-11: primero, podemos menospreciarlo y rehusar confesar, como lo hizo Jonás durante tres días. Segundo, podemos desmayar y darnos por vencidos. Tercero, podemos soportar el castigo, confesar nuestros pecados, humillarnos en su presencia y confiar que Él enderezará todo para nuestro bien y para su gloria. Jonás confesó su pecado, oró a Dios, se sometió, confió y Dios lo liberó.

Gracias al Señor que aun en medio del proceso de confrontación y reprensión se compadece de sus hijos que humildemente acuden a Él. Muchos misioneros han sido llamados a un campo y a una tarea difícil. Cuando se ponen a hacer cuentas y miden sus deficiencias con las dificultades que les esperan, optan por tomar otro camino o abandonar la misión. Pero casi siempre el Señor les sale al encuentro con pruebas, tormentas y lecciones reprensivas. ¿Qué clase de llamamiento le ha hecho el Señor a usted? ¿Cree que está andando por el camino que Él le marcó, o está tratando de evadirlo? Dos cosas debemos pedirle al Señor con lágrimas: que no nos deje salirnos de su santa voluntad; y si alguna vez tropezamos, que no nos deje caer en manos de los impíos. Ellos armarán escándalos, se burlarán de nosotros y nos lanzarán al mar. Hagamos lo que hizo David, que escogió ser azotado por el mismo Dios a quien había ofendido (2 Samuel 24:14).

Ejercicios de clausura

(1) Este es un buen momento para orar por alguien que está atravesando por alguna crisis espiritual y anda fuera de la voluntad de Dios.

(2) Si alguien de la clase está sufriendo desánimo o desaliento espiritual, este es el momento de ponerse a cuentas con el Señor.

PREGUNTAS Y RESPUESTAS

1. Mencione las razones por las cuáles Jonás rehusó cumplir el mandato de Dios.

Tenía prejuicios contra los asirios, porque oprimían a Israel en ese tiempo, y no deseaba verlos perdonados, en el caso de que se arrepintieran y sentía temor porque era gente muy cruel.

2. Describa los pasos que tomó Jonás para huir de la presencia de Dios y ¿en dónde terminó?

Descendió a Jope, compró un pasaje, bajó al interior de la nave, lo arrojaron al fondo del mar y terminó en el vientre de gran pez.

3. ¿Qué cosas preparó Dios para evitar la huida de su profeta rebelde?

Dios levantó un gran viento que produjo una gran tempestad y preparó un gran pez que tragó a Jonás.

4. ¿Qué significan las "vanidades ilusorias", por las cuales muchos abandonan la misericordia de Dios, mencionadas en Jonás 2:8?

Estas son los ídolos, las ideas erróneas, las esperanzas falsas que los inconversos ponen como garantía de que todo les saldrá bien.

5. ¿Qué lección podemos aprender de la oración de Jonás desde el vientre del pez?

Que, aunque hayamos dado pasos equivocados, gracias a la misericordia de Dios, el que se arrepiente y se vuelve a Él con fe profunda y confianza absoluta, siempre triunfará.

PARA LA PRÓXIMA SEMANA

En el próximo estudio veremos la segunda parte de la historia de Jonás, pero con atención a la respuesta del pueblo que él evangelizó, bajo el tema: "Las sorpresas de un misionero". Anime a su clase a estudiar y a leer las lecturas devocionales diarias.

LAS SORPRESAS DE UN MISIONERO

ESTUDIO BÍBLICO 19

Base bíblica
Jonás 3 y 4.

Objetivos
1. Analizar la misericordia de Dios hacia Jonás y hacia Nínive.
2. Considerar el impacto del mensaje de Dios en los sentimientos humanos.
3. Salir en busca de resultados en almas redimidas y restauradas.

Pensamiento central
La misericordia de Dios hacia el impío, y su inmenso anhelo de perdonarlo son una garantía de que la obra misionera da resultados.

Texto áureo
Misericordioso y clemente es Jehová; lento para la ira, y grande en misericordia (Salmo 103:8).

Fecha sugerida:___/____/____

LECTURA ANTIFONAL

Jonás 3:3 Y se levantó Jonás, y fue a Nínive conforme a la palabra de Jehová. Y era Nínive ciudad grande en extremo, de tres días de camino.
4 Y comenzó Jonás a entrar por la ciudad, camino de un día, y predicaba diciendo: De aquí a cuarenta días Nínive será destruida.
5 Y los hombres de Nínive creyeron a Dios, y proclamaron ayuno, y se vistieron de cilicio desde el mayor hasta el menor de ellos.
10 Y vio Dios lo que hicieron, que se convirtieron de su mal camino; y se arrepintió del mal que había dicho que les haría, y no lo hizo.
4:1 Pero Jonás se apesadumbró en extremo, y se enojó.
2 Y oró a Jehová y dijo: Ahora, oh Jehová, ¿no es esto lo que yo decía estando aún en mi tierra? Por eso me apresuré a huir a Tarsis; porque sabía yo que tú eres Dios clemente y piadoso, tardo en enojarte, y de grande misericordia, y que te arrepientes del mal.
3 Ahora pues, oh Jehová, te ruego que me quites la vida; porque mejor me es la muerte que la vida.
4 Y Jehová le dijo: ¿Haces tú bien en enojarte tanto?
10 Y dijo Jehová: Tuviste tú lástima de la calabacera, en la cual no trabajaste, ni tú la hiciste crecer; que en espacio de una noche nació, y en espacio de otra noche pereció.
11 ¿Y no tendré yo piedad de Nínive, aquella gran ciudad donde hay más de ciento veinte mil personas que no saben discernir entre su mano derecha y su mano izquierda, y muchos animales?

DATOS GENERALES ACERCA DEL TEMA

- **Enseñanza:** Es urgente que todo cristiano conozca mejor a Dios para poder tener una idea de su amor infinito y su compasión hasta por los más indignos pecadores.
- **Autor:** Jonás hijo de Amitai.
- **Personajes:** Jonás y los habitantes de Nínive.
- **Fecha:** Aproximadamente 785 a.C.
- **Lugar:** Ciudad de Nínive y sus alrededores.

BOSQUEJO DE LA LECCIÓN

I. Respuesta inesperada al mensaje de juicio (Jonás 3:1-10)
   A. En su misericordia Dios da una segunda oportunidad (3:1-3)
   B. El mensaje no tiene que ser "mejorado" para ser efectivo (3:4-8)
   C. Los que se arrepienten y buscan a Dios alcanzan misericordia (3:9,10)
II. Lecciones prácticas para un misionero confundido (Jonás 4:1-11)
   A. La personalidad del misionero no es más importante que su misión (4:1-3)
   B. La comodidad del misionero no es más importante que las almas (4:4-10)
   C. La gracia salvadora de Dios es mayor que la lógica humana (4:11)

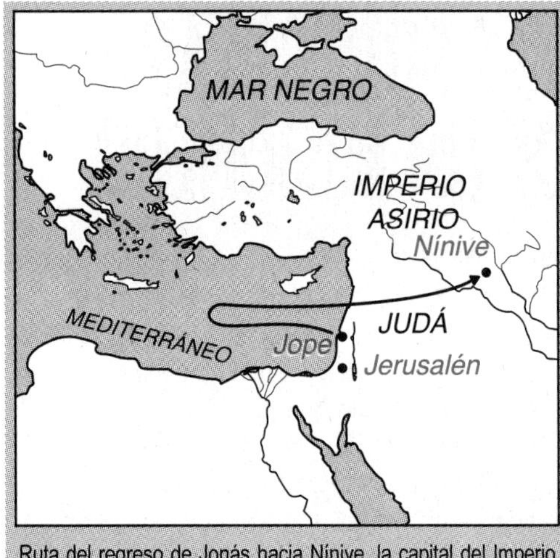

Ruta del regreso de Jonás hacia Nínive, la capital del Imperio asirio.

LECTURAS DEVOCIONALES DIARIAS

Lunes: Dios le dio a Jonás otra oportunidad en el servicio (Jonás 3:1-4)
Martes: El mensaje de Dios anunciado por Jonás dio resultados (Jonás 3:5-10)
Miércoles: Jonás confiesa a Dios sus prejuicios y muestra sus debilidades (Jonás 4:1-3)
Jueves: Dios le dio una lección objetiva a un siervo confundido (Jonás 4:4-9)
Viernes: Jehová demuestra su amor por una nación pagana que se arrepintió (Jonás 4:10,11)
Sábado: El Señor no quiere que ninguno perezca (2 Pedro 3:8-13)

INTRODUCCIÓN

En el campo misionero, así como en todas las demás esferas del ministerio, suceden cosas que pueden tomar por sorpresa a los siervos de Dios. Jonás se enfrentó a sorpresas tan grandes en su vida y su misión que, por no estar preparado para ellas, llegó al extremo de preferir la muerte antes que aceptarlas. En los dos capítulos anteriores lo vimos sorprendido por actos de la soberana voluntad de Dios en la naturaleza: (1) Una terrible tormenta amenazaba con destruir la nave en que huía. (2) Los marineros lo descubrieron durmiendo y lo echaron al mar al enterarse de que él era la causa del problema. (3) Dios tenía preparado un gran pez para que lo tragara vivo. (4) El pez lo mantuvo ileso en su vientre por tres días y tres noches, dándole un viaje submarino por las profundidades del Mediterráneo. (5) Al tercer día fue y lo vomitó en su propia tierra. Esto era suficiente para comprobar que la voluntad de Dios hace cosas increíbles.

No obstante, le faltaba una segunda ronda de sorpresas: Dios lo volvió a llamar para darle la misma tarea que antes había rehusado. Le dio una segunda oportunidad. Fue a Nínive y predicó el terrible mensaje de condenación; pero los ninivitas, en lugar de rechazar el mensaje y matar al profeta, se humillaron, desde el rey hasta los animales. Esto desconcertó a Jonás, quien esperaba una respuesta negativa. Pero lo que más le sorprendió y le causó tanto disgusto como para desear la muerte, fue que Dios tomara en cuenta el arrepentimiento del pueblo y lo perdonara, poniendo en tela de juicio la veracidad de su ministerio, que anunciaba que en cuarenta días Nínive sería destruida. Veremos a un adulto actuando como niño, un creyente actuando como un incrédulo. Y lo más asombroso: ¡Dios enviando un gran despertamiento bajo la predicación de un hombre que ni siquiera amaba a las almas del pueblo al cual predicaba!. Esta reacción de Jonás nunca se verá en la conducta de un misionero cristiano; sin embargo, no dejarán de haber cosas que sorprendan y confundan a los siervos de Dios que anuncian el evangelio en otros países o comunidades, Sin embargo, debemos recordar que nuestros planes, nuestras preferencias y aun nuestra personalidad no son cosas prioritarias en el campo misionero. Lo único que importa es que entendamos cuál es la voluntad de Dios para nuestra misión y que nos sometamos a ella con valor y firmeza.

DESARROLLO DEL ESTUDIO

I. RESPUESTA INESPERADA AL MENSAJE DE JUICIO (JONÁS 3:1-10)

Ideas para el maestro o líder

(1) Muestre en un mapa la trayectoria de Jonás desde su pueblo Nazaret hasta Jope; luego el viaje por el mediterráneo. Señale la costa donde posiblemente fue vomitado por el pez y luego la ruta hasta Nínive, la capital de Asiria, al otro lado del Éufrates y el Tigris.

(2) Comente que a veces los errores cometidos en el pasado, nos hacen sentir que no somos dignos de servir al Señor, pero aun así Él espera que hagamos su obra.

Definiciones y etimología

* *Ciudad... de tres días de camino* (3:3). Se cree que en esa época Nínive medía más de cien kilómetros cuadrados.

* *Los hombres de Nínive creyeron a Dios* (3:5). A pesar de su maldad la gente de Nínive fue receptiva al mensaje y se arrepintieron. La Palabra de Dios es para todos. En ellos se cumplió el proceso de Romanos 10:11-15.

* *Se arrepintió del mal* (3:10). El énfasis no está en haberse arrepentido sino en haberlos perdonado; por cuanto ellos creyeron, se arrepintieron e invocaron el nombre de Jehová.

A. En su misericordia Dios da una segunda oportunidad (3:1-3)

La primera sorpresa para Jonás fue que Jehová le dio una segunda oportunidad en esta misión extranjera. Él esperaba, sin duda que, debido a sus fallas anteriores Dios enviara a otro profeta. Por el momento, él debe de haberse sentido aliviado de la presión que lo obligó a huir la primera vez. Pero hay que entender que cuando Dios ha delineado un plan, no hay nada que lo interrumpa. Para la misión de Nínive, precisamente, le había salvado la vida a Jonás en alta mar, y lo había restaurado espiritualmente después de ver en él la angustia con que clamó arrepentido y la sinceridad de sus votos, aun desde cuando estaba en el vientre del pez (2:9). Sorprendido ante la misericordia divina que le concedía la oportunidad de ponerse a cuentas con su Dios, Jonás emprendió camino hacia el oriente. Esta experiencia de Jonás es una lección ejemplar para todos los que servimos al Señor. Si consideramos como un privilegio el ser enviados por el Señor a una misión la primera vez, mucho más lo es cuando, a pesar de nuestras fallas, Él nos concede una segunda oportunidad. Es el caso de Juan Marcos, sobrino de Bernabé, compañero de Pablo, quien les abandonó en el primer viaje misionero (Hechos 13:13), por lo cual Pablo le rechazó para acompañarles en un segundo viaje, pero luego pide que vaya a él porque le es útil para el ministerio (2 Timoteo 4:11). Todos merecemos una segunda oportunidad. Por supuesto, que no debemos dar por hecho que cada vez que fallemos Dios nos tenga que tolerar y enviarnos de nuevo. No son pocos los que se han atenido a esta posibilidad, pero dado a que, con premeditación desobedecen y optan por hacer lo que les parece mejor, el Señor no los ha llamado de nuevo. De manera que, este caso debe enseñarnos a esforzarnos en obedecer a Dios en el momento que en que Él pone algo en nuestro corazón o nos habla por medio de su Espíritu. La misión de Jonás era excepcionalmente arriesgada, difícil y sumamente trabajosa. Quizás, por eso, el Señor fue paciente y misericordioso con él. ¿Se ha enfrentado usted a situaciones como la de este profeta? ¿Cómo le habla el Señor a usted para las cosas que tiene que realizar en su vida cristiana? ¿Cree usted en la Palabra de Dios, y se está sometiendo a ella hasta donde le es posible? ¿Le ha fallado usted a Dios en algo, y quiere suplicarle que le conceda una oportunidad más? No sabrá si la respuesta divina es positiva hasta que haga lo que hizo el fugitivo mensajero: orar con todas las fuerzas de su alma.

B. El mensaje no tiene que ser "mejorado" para ser efectivo (3:4-8)

Muchos predicadores tratan de "mejorar" el mensaje de la Palabra de Dios, pero lo único que hacen es empeorarlo. Si algo tenemos que admirar de Jonás es que no trató de hacer más atractivo el mensaje que Dios le dio para Nínive. Todo parece indicar que se limitó a decir lo que oyó. Por una parte, no esperaba que los ninivitas lo recibieran y creyeran el mensaje que les anunciaba. Por la otra, no tenía ni la mínima intención de ganarse la voluntad de los de Nínive ni hacerse popular entre ellos. De por sí el mensaje no era nada halagador; no había forma de hacerlo menos contundente. Además, si todavía quedaban en el corazón de este israelita rezagos de odio hacia esa nación opresora, ni siquiera se preocupó por suavizar su mensaje ni hacerlo atractivo para sus oyentes. Lo más probable es que, más bien, se empeñara en ser fuerte y severo contra esa gente que bien merecido se tenía el castigo de Dios. No obstante, la palabra de Dios siempre es efectiva, como Jehová mismo lo dijo: "Así será mi palabra que sale de mi boca; no volverá a mí vacía, sino que hará lo que yo quiero, y será prosperada en aquello para que la envié" (Isaías 55:11). El predicador honesto y fiel no debe hacer nada para "mejorar" lo que Dios dice en su Palabra, porque ella, es perfecta (Salmo 119).

Por el contrario, Jonás se empeñó en ser lo más fuerte y claro en la proclamación del juicio; no dejó fuera ninguna de las cosas que Dios le dio para aquel pueblo. Eso nos enseña que los predicadores, maestros, evangelistas y misioneros jamás debemos tratar de cambiar el mensaje de Dios ni comprometer nuestras convicciones para ganarnos la voluntad de nuestro auditorio. Lo que sí tenemos que hacer es entender la Palabra y aplicarla a nuestra vida, antes de darla a otros, a menos que se trate de algo específicamente enviado a cierta persona, como una profecía o una exhortación directa. Somos responsables de proclamar el mensaje en su totalidad. No tenemos que hacerlo más liviano ni más aterrador. Los predicadores que condenan a sus oyentes más que Dios no le hacen un favor a la Biblia. Y los que halagan y tranquilizan a la gente con predicacioncitas halagadoras sólo se hacen favores a sí mismos. La palabra pura hizo que desde el rey hasta los más malos de la ciudad de Nínive se arrepintieran y se humillaran delante de Dios en busca de perdón. Aunque no se dice en el texto, podemos imaginar que junto con la condenación iba también la alternativa del arrepentimiento. Es probable que el mismo predicador no tuviera fe de que sus oyentes creyeran lo que él les decía, pero eso ya quedaba en las manos de Dios.

C. Los que se arrepienten y buscan a Dios alcanzan misericordia (3:9,10)

De todas las sorpresas que tuvo Jonás, tanto en su primera misión como en la segunda, la más grande e inesperada fue la manera en que la gente le respondió. Por las razones que tuviera, él no trató de suavizar ni endurecer los términos de la predicación que su Dios le había encomendado. Sin embargo, al decir exactamente lo que Dios decía, los más pecadores del mundo, aquellos de quienes Jehová había dicho que su maldad había subido delante de Él (1:2), fueron impactados profundamente. La pregunta que se hicieron los ninivitas en el versículo 9 en cuanto a la posibilidad de ser perdonados por Jehová denota la esperanza que tuvieron de que se apartara "el ardor de su ira y no pereceremos". Ante el asombro del testarudo misionero israelita, la gente respondía por millares, con lágrimas en sus ojos y con sus corazones quebrantados ante la inminencia del juicio de Dios. ¿No era de esperarse, entonces, que Dios hiciera honor a su palabra que dice: "Mirad a mí, y sed salvos, todos los términos de la tierra, porque yo soy Dios, y no hay más"?

El versículo 10 es un anticipo de la gracia salvadora del evangelio que se manifestaría más plenamente 750 años más tarde. "Vio Dios que se convirtieron de su mal camino; y se arrepintió del mal que había dicho que les haría, y no lo hizo" (3:10). Si no tuviéramos ejemplos como ése, o como el de la mujer adúltera a la que le dijo Jesús: "Mujer, ¿dónde están los que te acusaban? ¿Ninguno te condenó? Ella dijo: Ninguno, Señor. Entonces Jesús le dijo: Ni yo te condeno; vete, y no peques más" (Juan 8:10,11), no tendríamos bases para predicar el evangelio. Las declaraciones de Jonás 3:10 se adelantaron a su época, porque en ellas se encerraba la esencia del amor de Dios para la salvación del pecador. Este milagro era un desafío para Jonás y para todo israelita. Éstos pensaban que Dios no podía tener misericordia de los gentiles; pero aquí tenemos un caso irrefutable que alienta el corazón de los que creen en las misiones. Dios puede y quiere salvar a los musulmanes, los hinduistas, los budistas, los brujos, los ateos y todos los que van rumbo al infierno. Lo único que falta es que los "Jonases" que nos escondemos dentro de las paredes de nuestros templos o en las salas de nuestras casas salgamos a cumplir la misión que Dios nos ha dado.

Afianzamiento y aplicación

(1) Si los ninivitas que eran muy perversos se arrepintieron y se convirtieron, a un mensaje de juicio, debemos creer que cualquiera puede convertirse si le contamos lo que sabemos de Dios.
(2) Pregunte si algunos han recibido una respuesta que no esperaban en las personas que han evangelizado.
(3) Recuerde las palabras de Wesley: "Es la Palabra de Dios, no nuestro comentario de ella, lo que salva al pecador."

II. LECCIONES PRÁCTICAS PARA UN MISIONERO CONFUNDIDO (JONÁS 4:1-11)

Ideas para el maestro o líder

(1) Permita que la clase haga una evaluación de los sentimientos y la actitud de Jonás al ver los resultados de su ministerio.
(2) Comente que Jonás estaba más preocupado por su reputación como profeta, que por la condición de los perdidos ninivitas. Es decir, está más interesado en su propia gloria que en la gloria de Dios.
(3) ¿Conocen los alumnos a algún predicador enojado y frustrado porque sus metas de éxito y prosperidad no se están cumpliendo y maltrata a su congregación?

Definiciones y etimología

* *Jonás se apesadumbró... y se enojó* (4:1). Los judíos en la época de Jonás no querían compartir el mensaje de Dios con los gentiles, habían olvidado su razón de ser como nación: servir de bendición al resto del mundo al proclamar el mensaje del Dios único y verdadero.

* *¿Tanto te enojas por la calabacera?* (4:9). Jonás se enojó porque la calabacera, que se secó, pero no se hubiera enojado por lo que le hubiera sucedido a Nínive. A veces lloramos por la muerte de un animal doméstico o por la pérdida de un bien material, pero ¿hemos llorado por un amigo o familiar que no conoce a Cristo? Somos más sensibles a nuestros propios intereses que a los intereses de Dios por un mundo que se pierde.

A. La personalidad del misionero no es más importante que su misión (4:1-3)

No estamos muy lejos de la verdad al decir que Jonás pertenecía al grupo de los "melancólicos", pero también tenía mucho de "colérico". Según esta teoría de la personalidad, los melancólicos son personas tímidas, retraídas y solitarias. No les gusta estar entre la gente bulliciosa; prefieren apartarse y esconderse, hasta donde les sea posible. Es cierto que son pacíficos y muy tranquilos, pero eso no los libra de guardar en su interior odio, rencor, resentimientos y prejuicios. Su tendencia a reprimirse y autocastigarse los lleva aun hasta intentos suicidas, y muchos terminan por quitarse la vida si no reciben ayuda oportuna. Todo esto le sucedió a Jonás, cuyos sufrimientos internos lo hacían sentirse miserable. Pero también tenía mucho de los defectos que se le atribuyen al "colérico'. En 4:1 leemos que "Jonás se apesadumbró en extremo, y se enojó". Oró, pero su oración no fue más que un reclamo amargado contra Dios: "¿No es esto lo que yo decía estando en mi tierra?" Aquí vemos que su actitud de huida fue un hecho premeditado. Sabía que estaba vivo sólo por la misericordia de Dios que había preparado un pez para salvarlo, pero ahora que veía esa misma misericordia salvando a los asirios su alma se llenaba de ira y amargura. Tan confundido y deprimido estaba que en su oración suicida decía: "Oh Jehová, te ruego que me quites la vida" (4:3).

¿Cree usted que Jonás era apto para ser un profeta misionero? Si usted fuera el director general de misiones y tuviera a Jonás entre sus candidatos a misioneros, ¿le daría un nombramiento internacional? ¿Le confiaría el destino de la capital del imperio más poderoso del mundo? Y, hablando de las experiencias que usted ha tenido en su denominación, ¿no le sorprende que líderes y misioneros con problemas de personalidad han sido transformados por el Espíritu Santo y han hecho cosas en el campo que nadie pensó que podrían hacer? La verdad es que este caso debe ayudarnos a entender que cuando el Señor nos asigna una misión, nuestros rasgos personales, nuestros gustos particulares y aun nuestras virtudes individuales no tienen mayor importancia. Lo que cuenta es la voluntad del Señor; la obra es hecha por el Espíritu Santo; el mensaje está completo y perfecto en la Palabra de Dios. Nosotros sólo somos instrumentos en las manos de Dios; Él es el Artista. Él nos entiende y nos contesta de acuerdo a su perfecta voluntad, no según las oraciones locas que muchas veces hacemos en nuestra confusión e ignorancia. ¡Que el Señor tenga misericordia de nosotros!

B. La comodidad del misionero no es más importante que las almas (4:4-10)

La oración de Jonás 4:2,3 era sumamente egoísta y reflejaba una ausencia total de los frutos del Espíritu (Gálatas 5:22,23). Después de orar con aquella actitud de odio genocida, porque deseaba la destrucción de Nínive, y de amargura suicida, pues pedía su propia muerte, Dios le preguntó: "¿Haces tú bien en enojarte tanto?" Ya no respondió nada. Se retiró a un lugar cercano a la ciudad, al oriente, hizo una enramada y se quedó allí esperando que se cumpliera el plazo dado para ver si realmente Jehová destruía la ciudad. Quizás quería presenciar un juicio como el del diluvio, o el de Sodoma y Gomorra. Lo que no entendió fue que aquellos pecadores no se arrepintieron, sino que resistieron a Dios hasta su muerte; en cambio los de Nínive hicieron todo lo que estuvo de su parte para buscar el perdón del Señor. ¿Qué más esperaba de ellos el profeta?

No obstante, Dios sabe cómo tratar con sus siervos y les da lecciones espirituales al alcance de sus sentidos y su comprensión. La calabacera que Dios preparó fue para Jonás una lección objetiva que hablaba de la soberanía de Dios. La enramada no era suficiente para proteger a Jonás de los refulgentes rayos del sol, por lo que "se alegró grandemente con la calabacera" (4:6). Pero cuánto se sorprendió y cómo le dolió que esa bella enredadera que en pocas horas había cubierto su enramada fuera destruida. "Dios preparó un gusano, el cual hirió la calabacera, y se secó" (4:7). Hundido nuevamente en su frustración y su enojo, volvió a desear su propia muerte (4:8,9). Entonces, Jehová le explicó que ni la existencia de una simple planta, ni siquiera la comodidad de uno de sus siervos puede compararse con el valor de las almas de toda una ciudad. Eso nos da una idea de lo grande e inmensurable del amor de Dios, quien ni la vida de su Hijo unigénito escatimó con tal de salvar a todo aquel que en Él cree (Juan 3:16).

C. La gracia salvadora de Dios es mayor que la lógica humana (4:11)

Dios ya le había mostrado a Jonás su poder absoluto sobre la naturaleza en cinco formas. (1) "Hizo levantar un gran viento en el mar" (1:4) cuando este trataba de huir de su omnipresencia. (2) "Tenía preparado un gran pez que tragase a Jonás" (1:17), y no sólo le preservó la vida por tres días en el vientre de ese animal, sino que también mandó al mismo a vomitar al profeta fugitivo en tierra. (3) "Preparó Jehová Dios una calabacera, la cual creció sobre Jonás para que hiciese sombra sobre su cabeza" (4:6). Esta enredadera creció de manera milagrosa, pues en una sola noche cubrió toda la enramada. (4) "Dios preparó un gusano, el cual hirió la calabacera, y se secó" (4:7). Finalmente, envió Dios (5) "un recio viento solano", que quemaba la cabeza del profeta y lo atormentaba. Todas estas cosas trascendían a la lógica humana y tenían el propósito de demostrarle a Jonás la soberanía de Dios de una manera visible y palpable.

Lo que no pudo observar el profeta por medio de sus sentidos fue la obra que Dios realizó en el corazón de los ninivitas por medio del mensaje que les fue proclamado. Tampoco podía comprender Jonás por qué Dios estaba dispuesto a perdonar a hombres y mujeres tan malos. Nadie puede explicar cómo es transformado el corazón del pecador en un alma redimida. Eso ha causado la incredulidad de los que rechazan la oferta divina de salvación por fe. Les parece demasiado buena para ser verdad. Como se sorprendieron muchos de la conversión de Saulo de Tarso el perseguidor de la iglesia, el fanático, que "cuando llegó a Jerusalén, trataba de juntarse con los discípulos; pero todos le tenían miedo, no creyendo que fuese discípulo" (Hechos 9:26). Por eso, es indispensable que todo cristiano conozca mejor a Dios para poder tener una idea de su amor infinito y su compasión hasta por los más indignos de los pecadores. La gracia salvadora de Dios sobrepasa todo entendimiento humano y deja asombrados a todos los que carecen de esa fe que mueve la mano divina. Pero cuando el Espíritu de Dios nos abre el entendimiento podemos decir con el apóstol Pablo: "No me avergüenzo del evangelio, porque es poder de Dios para salvación a todo aquel que cree; al judío primeramente, y también al griego" (Romanos 1:16).

Afianzamiento y aplicación

(1) Si la clase o el maestro sabe de alguien que no quiera aceptar la voluntad de Dios, y por ello se ha amargado tanto como para desear la muerte, sería bueno hacer algo por ayudarlo.

(2) La conversión de los de Nínive y el cambio en los planes de Dios hacia ellos son elementos que producen fe en nuestro corazón para realizar la obra evangelística y misionera.

RESUMEN GENERAL

La impresión que nos queda después de leer el libro de Jonás es que este profeta misionero manifestaba rasgos melancólicos y coléricos en su personalidad. Esta combinación lo hizo comportarse de una manera muy extraña en el desarrollo de la misión que Dios le asignó. Sus tendencias a la timidez, el miedo y la evasión se manifestaron más en su frustrada huida en dirección opuesta a la que Jehová le había marcado por vez primera. Pero cuando, en su misericordia, Dios lo volvió a comisionar para llevar el mensaje de juicio a Nínive, y la gente se arrepintió y fue perdonada, su ira explosiva y su amargura hasta el extremo de los impulsos suicidas salieron a relucir. No podemos negar que todas estas fallas hacían de Jonás una persona inepta para el campo misionero. Sin embargo, lo más importante en esta misión no era la personalidad del mensajero ni sus tendencias, sino el mensaje proveniente de Dios y la grandeza de su amor hacia los pecadores.

El comportamiento de Jonás no es el mejor ejemplo para el ministerio de las misiones; quizás sea el peor. En lugar de hallar un predicador regocijándose por la respuesta divina, hallamos a uno rebelde, furioso contra el pueblo y contra Dios. Un predicador sentado fuera de la ciudad, tratando de hallar un poco de comodidad y en realidad esperando que el juicio de Dios cayera sobre el pueblo. ¡Qué contraste con Jesús!, que al mirar la ciudad perdida lloró por ella.

No obstante, cuando el Señor decide usar a una persona para la realización de sus planes, Él siempre hará que triunfe su amor. Por supuesto, que esta misión tenía que dar los resultados que el Señor esperaba, porque Él es soberano y absoluto. Pero en todo lo que hemos visto de Jonás aprendemos que lo primero que debe haber en nuestro corazón cuando salimos a cumplir la misión de Marcos 16:15 y Hechos 1:8, es un amor profundo y sin prejuicios por la gente que estamos tratando de ganar para el reino de Dios. Dios ha derramado el amor de su Hijo Jesucristo en nuestro corazón y espera que todo lo que hagamos para su obra sea motivado por este mismo amor. ¿Quién sale a predicar, deseando que la gente no responda positivamente a su mensaje? ¿Quién no quiere ver a sus oyentes disfrutando las bendiciones que proclama? Es probable que no queden ya profetas como Jonás que deseaba morirse al ver el éxito de su mensaje; sin embargo, puede haber otras razones en alguien para ir en contra de la voluntad de Dios. Por eso, debemos realizar una evaluación profunda de nuestros motivos y las razones que nos impulsan a hacer lo que estamos haciendo. Dios podía controlar el viento, las olas, el pez, la enredadera, el gusano, pero no podía controlar a Jonás. Todo en la naturaleza obedece a la Palabra de Dios, excepto los seres humanos, y estos tienen la más grande razón para obedecer. Al parecer Jonás arregló cuentas con Dios, confesó sus pecados y continuó su ministerio.

Ejercicios de clausura

(1) Oren por los misioneros, que han salido valientemente al campo, pero que al igual que Jonás enfrentan luchas y batallas personales.

(2) Oren con una actitud de agradecimiento a Dios por su perdón a los pueblos que han sido alcanzados con el evangelio y los que aún no lo son pero que pronto lo serán.

PREGUNTAS Y RESPUESTAS

1. ¿Por qué el Señor le dio una segunda oportunidad a Jonás, cuando Él dijo: 'Ninguno que poniendo su mano en el arado mira hacia atrás, es apto para el reino de Dios"?

Jesús se refería a aquel que siempre está mirando hacia atrás, es decir, nunca es capaz de romper con su pasado. Jonás tuvo un arrepentimiento genuino y Dios le dio una nueva oportunidad.

2. ¿Qué fue lo que impactó a los ninivitas ¿El mensajero o el mensaje?

Al parecer el mensajero no era el más apto para esta misión, pero trasmitió exactamente el mensaje que Dios les dio y fue este el que impactó a los habitantes de Nínive y se convirtieron.

3. ¿Cómo podemos interpretar el enojo y el malestar de Jonás?

Que Jonás estaba más preocupado por su reputación como profeta, que por la condición de los perdidos ninivitas. Es decir, estaba más interesado en su propia gloria que en la gloria de Dios.

4. ¿De qué maneras Dios le mostró a Jonás su poder absoluto?

(1) Hizo levantar un gran viento en el mar (1:4). (2) Tenía preparado un gran pez que tragase a Jonás (1:17). (3) Preparó una calabacera, para que le hiciese sombra" (4:6). (4) Preparó un gusano, el cual hirió la calabacera. (4:7). (5) Envió "un recio viento solano", que quemaba la cabeza del profeta.

5. ¿Qué enseñanza podemos obtener del libro de Jonás?

Que Dios ama a todas las naciones del mundo y espera que nosotros vayamos a predicarles el mensaje de salvación y vida eterna.

PARA LA PRÓXIMA SEMANA

El siguiente estudio considera a Jesús como el gran misionero de Dios. Analizaremos la obediencia, el carácter y el cumplimiento de la misión del Señor. Pida a los participantes leer los pasajes bíblicos correspondientes y las lecturas devocionales.

EL GRAN MISIONERO DE DIOS

ESTUDIO BÍBLICO 20

Base bíblica
Mateo 1:20-23; Juan 1:1-5, 14-18; Gálatas 4:4-7; Filipenses 2:5-8.

Objetivos

1. Indagar el carácter misionológico de la obra de Jesús.
2. Considerar el ejemplo de Jesús en la adaptación al campo misionero.
3. Estar dispuesto a despojarse y adaptarse para servir a los demás.

Pensamiento central
Al despojarse de su gloria y encarnarse para venir a redimirnos, Jesús cumplió la tarea divina de su misión salvadora.

Texto áureo
No estimó el ser igual a Dios como cosa a que aferrarse, sino que se despojó a sí mismo, tomando forma de siervo, hecho semejante a los hombres" (Filipenses 2:6,7).

Fecha sugerida:____/____/____

LECTURA ANTIFONAL

Mateo 1:23 He aquí, una virgen concebirá y dará a luz un hijo, y llamarás su nombre Emanuel, que traducido es: Dios con nosotros.
Juan 1:14 Y aquel Verbo fue hecho carne, y habitó entre nosotros (y vimos su gloria, gloria como del unigénito del Padre), lleno de gracia y de verdad.
Gálatas 4:4 Pero cuando vino el cumplimiento del tiempo, Dios envió a su Hijo, nacido de mujer y nacido bajo la ley,
5 para que redimiese a los que estaban bajo la ley, a fin de que recibiésemos la adopción de hijos.
6 Y por cuanto sois hijos, Dios envió a vuestros corazones el Espíritu de su Hijo, el cual clama: ¡Abba, Padre!
7 Así que ya no eres esclavo, sino hijo; y si hijo, también heredero de Dios por medio de Cristo.
Filipenses 2:5 Haya, pues, en vosotros este sentir que hubo también en Cristo Jesús,
6 el cual, siendo en forma de Dios, no estimó el ser igual a Dios como cosa a que aferrarse,
7 sino que se despojó a sí mismo, tomando forma de siervo, hecho semejante a los hombres;
8 y estando en la condición de hombre, se humilló a sí mismo, haciéndose obediente hasta la muerte, y muerte de cruz.

DATOS GENERALES ACERCA DEL TEMA

- **Enseñanza:** Si queremos servir en la iglesia, la comunidad y el campo misionero, tenemos que despojarnos de nuestro propio ego y revestirnos del sentir que hubo en Cristo Jesús.
- **Autor:** Mateo, Juan y Pablo.
- **Personajes:** Dios el Padre, Jesús el Hijo, y todos los creyentes.
- **Fecha:** Mateo entre los años 50-60 d.C., Juan, año 90 d.C., Gálatas, año 55 d.C., Filipenses entre los años 60-63 d.C.
- **Lugar:** Mateo escrito en Palestina, Juan y Gálatas en Éfeso, Filipenses desde Roma.

BOSQUEJO DE LA LECCIÓN

I. Dios el Hijo se hizo hombre para cumplir la misión (Mateo 1:20-23; Juan 1:14)
   A. La lección misionera de Jesús como Emanuel (Mateo 1:20-23)
   B. La lección misionera de Jesús como el Verbo encarnado (Juan 1:1-5, 14-18)

II. La misión para redimir a los que han sido esclavizados (Gálatas 4:4-7)
   A. Una misión en el momento oportuno (4:4)
   B. Una misión para hacerlos hijos de Dios (4:5-7)

III. El misionero debe tener el sentir de Cristo (Filipenses 2:5-8)
   A. No aferrarse a sus condiciones y comodidades (2:5,6)
   B. Ocupar el lugar de siervo y estar al nivel del pueblo (2:7,8)

LECTURAS DEVOCIONALES DIARIAS

Lunes: Jehová envió a su mensajero, su Ángel del pacto (Malaquías 3:1-5)
Martes: Jesús es Emanuel, Dios con nosotros (Mateo 1:20-23)

Lugares donde fueron escritos los Evangelios de Mateo y Juan; las cartas de Gálatas y Filipenses.

Miércoles: El Verbo se hizo carne para cumplir su misión (Juan 1:1-14)
Jueves: Dios envió a su Hijo, nacido de mujer (Gálatas 4:1-7)
Viernes: Todo misionero debe tener el mismo sentir de Jesús (Filipenses 2:58)
Sábado: Jesús fue en todo semejante a sus hermanos (Hebreos 2:14-18)

INTRODUCCIÓN

Nuestro mundo está en caos y, como humanos, somos la gran razón de este caos porque somos pecadores, criaturas caídas, cuya naturaleza es inclinada al mal. Por más que nos guste pensar que estamos avanzando y mejorando, la historia de nuestro mundo no es muy esperanzadora. Ni siquiera hemos andado un cuarto de este nuevo siglo, y las cosas tampoco parecen ser muy brillantes. Pero, no todo está perdido, paralelo al caos producido por el hombre, Dios inició un plan misionero de alcance mundial a fin de hacer por nosotros lo que nunca podríamos hacer nosotros mismos. Dios planeó y envió a su Hijo, quien murió por nuestros pecados y, por su muerte, tenemos la promesa de salvación, de restauración, de que todo será hecho de nuevo. "Vi un cielo nuevo y una tierra nueva; porque el primer cielo y la primera tierra pasaron" (Apocalipsis 21:1). Y hemos sido llamados a continuar la misión que Él mismo ha venido desarrollando. Este estudio tiene como objetivo número uno, poner los ojos en Jesús y hacerlo nuestro modelo por excelencia en el ministerio de las misiones mundiales. En primer lugar, se hace hincapié en la decisión voluntaria del Hijo de Dios de someterse incondicionalmente al plan redentor de su Padre. Él siempre estuvo consciente de lo que significaba hacer la voluntad del que lo envió y estuvo dispuesto a soportarlo todo. En segundo lugar, se toma muy en cuenta la lección que aprendemos de Jesús en su actitud de no estimar "el ser igual a Dios como cosa a qué aferrarse, sino que se despojó a sí mismo" (Filipenses 2:6,7) y se hizo "en todo semejante a sus hermanos" (Hebreos 2:17).

Los que han sido llamados al servicio cristiano, especialmente, en países extraños y culturas diferentes, tienen mucho que aprender de Jesús. Él se sometió a todo un proceso de adaptación para realizar su misión, desde la vida prenatal hasta la edad de servicio. Cuando "era como de treinta años" (Lucas 3:23) se sometió a los requisitos para su ministerio público, desde el bautismo en agua hasta su crucifixión. En este estudio sobresalen esos elementos de la vida de nuestro Salvador, en ellos aprendemos cómo debe actuar toda persona que quiere llevar el evangelio a otros. Aunque su ministerio se desarrolló mayormente en territorio israelita, no se detuvo dentro de los límites etnocéntricos de dicho pueblo. Él desarrolló un programa misionero que bendijo a Galilea, Samaria, Tiro, Sidón, Decápolis y Perea. Esperamos que la obra internacional realizada por Jesús inspire y guíe nuestra participación en las misiones.

DESARROLLO DE LA LECCIÓN

I. DIOS EL HIJO SE HIZO HOMBRE PARA CUMPLIR LA MISIÓN (MATEO 1:20-23; JUAN 1:14)

Ideas para el maestro o líder

(1) ¿Qué implicaciones misioneras pueden derivarse del nombre mesiánico de Jesús: "Emanuel"?

(2) Hablando en términos misioneros, ¿por qué tuvo el Verbo de Dios que hacerse "carne"?

Definiciones y etimología

* *Emanuel*. Porque en Jesús se cumplía la divinidad de Dios habitando en medio de su pueblo. Jesús era Dios con nosotros, quien venía para salvar al mundo y a quien luego se llamaría el Cristo, que significa Ungido.

* *Verbo. El Logos,* Juan retoma principalmente este concepto del pensamiento griego, que significaba la Palabra, la razón de Dios, el principio del orden bajo el cual se regía todo el universo. La mente de Dios que controla el mundo y a cada hombre en particular. Y Cristo el verbo hecho carne ha venido a revelarnos a Dios (Juan 1:18).

A. La lección misionera de Jesús como Emanuel (Mateo 1:20-23)

El nombre propio de nuestro Redentor, revelado a José por el Padre por medio del ángel, es "Jesús", que significa "Salvador". Pero su nombre mesiánico, anunciado desde Isaías 7:14, fue "Emanuel", que significa "Dios con nosotros". Este nombre divino revela el plan eterno de Dios, de hacerse presente entre los seres que habría de salvar por medio de su Hijo Jesucristo. Hay una hermosa lección misionera en el proceso divino de la humanización del Hijo de Dios; nos enseña que para ser eficaces en la evangelización de un pueblo es necesario integrarse a él. En este pasaje encontramos dos declaraciones de la encarnación de Jesús y su integración a la vida del pueblo que venía a salvar. En primer lugar está el mensaje que el ángel le dio a José, indicándole que el Ser que se estaba formando en el vientre de la que sería su esposa, María, había sido engendrado del Espíritu Santo. También le dijo que cuando el niño naciera se habría de llamar "Jesús" porque Él salvaría a su pueblo de sus pecados.

La segunda declaración viene de Mateo, el escritor del primer evangelio, que dice: "todo esto aconteció para que se cumpliese lo dicho por el Señor" (1:22). Seguidamente hace referencia a la profecía mesiánica de Isaías 7:14, donde se anunciaba el nacimiento virginal de Jesús, y el nombre designado por el Padre: "Emanuel, que traducido es: Dios con nosotros" (1:23). Cuando leemos estas declaraciones divinas nos preguntamos: ¿Por qué fue necesario que Jesús, el eterno Hijo de Dios, pasara por el largo y detallado proceso de la encarnación e integración a la vida humana? ¿No podía Dios salvar al hombre desde el cielo, utilizando todos los recursos y medio que tiene a su disposición? La venida de Jesús demuestra que era indispensable ese acercamiento personal de la Divinidad a las criaturas que habría de redimir. La salvación del hombre era una obra tan importante que requería la presencia física junto con la operación espiritual del Salvador. La palabra "Redentor", viene de la palabra hebrea "Goel", que significa redimir, rescatar o comprar de nuevo y se usaba para referirse al "pariente redentor". En el caso de personas que se vieron obligados a vender parte de sus bienes o a sí mismos como esclavos, su pariente más cercano podía intervenir y "redimir" lo que su familiar se vio obligado a vender (Levítico 25:25). El pariente redentor era un benefactor rico, o persona que libera al deudor mediante el pago del precio del rescate. Jesús en nuestro "Goal" o "pariente redentor". Una de las condiciones requeridas para que alguien pudiera redimir era que debía ser un pariente cercano. Los ángeles no nos hubieran podido redimir, tenía que ser otro ser humano: "Así que, por cuanto los hijos participaron de carne y sangre, él también participó de lo mismo" (Hebreos 2:14). La encarnación del Hijo de Dios, lo capacitó para ser nuestro redentor. La obra misionera está basada en ese mismo principio: es necesario que los siervos del Señor que se ocupan de la evangelización de un pueblo no alcanzado se integren en cuerpo y alma a la comunidad que aspiran ganar.

B. La lección misionera de Jesús como el Verbo encarnado (Juan 1:1-5, 14-18)

Los primeros cinco versículos establecen claramente la divinidad de nuestro Salvador. Él es el "Logos" o Verbo divino, en quien reposa toda la plenitud de la Deidad. La expresión "el Verbo era con Dios, y el Verbo era Dios" establece tanto la unidad del Padre con el Hijo como la distinción que existe entre los dos. Se declara en 1:3 que el Verbo es Creador con el Padre, pues "sin Él, nada de lo que ha sido hecho, fue hecho". También se le adjudican dos atributos esenciales para la existencia del universo: Él es "vida" y "luz". Con todo esto en mente, el cuarto evangelio procede a contarnos cómo, en el plan supremo del Padre estaba contemplado el envío de su Hijo para dar vida y luz a la humanidad. Obviando los primeros treinta años de la vida privada de Cristo, el escritor se refiere a Juan el Bautista, que atrajo grandes multitudes para anunciarles la pronta presentación pública del que era "la luz", en quien todos debían creer. Advierte además que aunque venía a lo suyo, "los suyos" no lo aceptarían, pero "todos los que le recibieran" serían hechos "hijos de Dios". Aquí vemos, pues, el papel de dos misioneros: el precursor, Juan el Bautista y el eterno Hijo de Dios quien vino a salvar y bautizar en el Espíritu Santo a los que creyeran en Él (Mateo 3:11). El pasaje del 14 al 18 también contiene elementos básicos para las misiones mundiales. En 1:14 se da testimonio de que "aquel Verbo se hizo carne y habitó entre nosotros". El verbo griego "habitó" podría traducirse: "levantó su tabernáculo entre nosotros", o "hizo su morada entre los hombres". Él no vino revestido de su gloria eterna, pues eso lo hubiera hecho inaccesible y muy extraño a los humanos. Ni siquiera tomó la forma de un ángel, pues no hubiera sido nada realista que un personaje de naturaleza extraña a la nuestra tratara de tener comunión con los hombres. Un misionero debe revestirse de los atributos y características de la gente a quien ministra: debe aprender el idioma, respetar sus costumbres, comer lo que ellos comen y aculturar la forma y el estilo de la iglesia, sin cambiar ni modificar el mensaje. Hacen mal los misioneros que quieren imponer sus costumbres y el estilo de la iglesia de su pueblo natal sobre otras culturas. No obstante, Jesús manifestó su gloria, poder y santidad, como del "unigénito del Padre". Quizás el versículo más importante para las misiones sea el 18: "A Dios nadie lo vio jamás; el unigénito Hijo, que está en el seno del Padre, él le ha dado a conocer". Jesús dio a conocer a Dios, a quien nadie vio jamás. Los misioneros deben dar a conocer a su Dios, la Palabra y las virtudes del evangelio. Pero si lo que llevan es política, ideologías y estilos extranjeros, lo más probable es que sean rechazados; y no por la causa de Cristo sino por la suya propia.

Afianzamiento y aplicación

(1) Pida a la clase que expliquen lo que significan los nombres "Verbo" y "Emanuel".

(2) ¿Por qué no vino Jesús al mundo vestido de sus atributos ni tomó la forma de un ángel para cumplir su misión?

II. LA MISIÓN PARA REDIMIR A LOS QUE HAN SIDO ESCLAVIZADOS (GÁLATAS 4:4-7)

Ideas para el maestro o líder

(1) Explique que las dos clases de esclavitud, de la cual libera Jesús al creyente, son el pecado y la ley religiosa.

(2) Haga una lista de las cosas que están esclavizando a los pueblos no alcanzados con el evangelio, de las cuales necesitan ser liberados.

Definiciones y etimología

* *El cumplimiento del tiempo.* Del griego *Kairós.* La hora precisa en que Dios había determinado que se llevase a cabo la redención del mundo por medio del Mesías.

* *Envió.* El verbo en griego *aoristo,* tiene el significado de "despedir", como en el caso de un "embajador", que es enviado con una misión especial a tierras lejanas.

* *Ayo.* Viene del griego *paidagogós,* denota a un esclavo cuyo deber era cuidar a un niño hasta que llegase a la edad adulta. El *ayo* o "tutor", le acompañaba siempre y vigilaba su conducta. Muchos anhelaban el día en que serían libres de ese cuidado permanente.

A. Una misión en el momento oportuno (4:4)

Una de las cosas que debemos entender es que, en el plan de Dios, hay un calendario que sólo Él puede manejar. En dicho calendario divino, estaba determinado el momento en que Jesús vendría a este mundo como el Enviado plenipotenciario del Padre. También están establecidos el día y la hora en que tendrá lugar la segunda venida del Hijo de Dios, pero eso es algo que el Padre se reserva: "Pero del día y la hora nadie sabe, ni aun los ángeles de los cielos, sino sólo mi Padre" (Mateo 24:36). Con esto concuerda el apóstol Pablo cuando les escribe a los hermanos de Galacia: "Cuando vino el cumplimiento del tiempo, Dios envió a su Hijo, nacido de mujer y nacido bajo la ley" (Gálatas 4:4). Si el Padre había estipulado "el tiempo" para enviar a su Hijo a esta tierra, también es lógico reconocer que estableció un tiempo para que la iglesia emprendiera el proyecto de alcanzar a todos los pueblos con el evangelio.

El calendario de Dios se va desarrollando paso a paso, día tras día y evento tras evento. Es el Espíritu Santo el encargado de ejecutar cada una de las acciones del plan de evangelización. A partir del día de Pentecostés la semilla del evangelio se ha estado esparciendo por el mundo. Dios ha levantado a individuos, a iglesias y denominaciones con la visión de llevar el mensaje a algún grupo en particular. Lo importante es asegurarnos de que estamos trabajando dentro del *kairós*, o la época designada por el Señor para determinada misión. Por ejemplo, cuando Jesús llegó a la provincia de Samaria les dijo a sus discípulos: "Alzad vuestros ojos y mirad los campos, porque ya están blancos para la siega" (Juan 4:35). El apóstol Pablo también destacó que, "Cristo, cuando aún éramos débiles, a su tiempo *(kairón)* murió por los impíos" (Romanos 5:6). ¿No ha notado usted que a veces se intenta desarrollar un programa, una campaña o una misión en determinado lugar, pero no resulta nada positivo? Pero llega el momento de Dios para ese campo, y entonces Él usa los mínimos recursos y se logran grandes resultados, porque ese era el tiempo señalado por el Señor. De manera que lo más importante es pedir al Señor en oración que nos dirija y oriente para que sepamos cuándo esforzarnos en alguna misión.

B. Una misión para hacerlos hijos de Dios (4:5-7)

Había una esclavitud social en el tiempo del Nuevo Testamento. La compra-venta de esclavos ya era un negocio común, como lo siguió siendo a través de los siglos. Pero ni Jesús ni los apóstoles se preocuparon por atacar este problema. El evangelio tenía la meta de anunciar la emancipación del ser humano, primeramente, del pecado y luego de la religión. El pecado ha sido, desde la caída de nuestros primeros padres, un régimen de tinieblas y dolor que ha venido esclavizando al género humano de diversas maneras. Por una parte, está la ceguera espiritual manifestada en una ignorancia crasa y una lamentable ausencia de fe. Por el otro lado, el pecado ha venido a constituirse en un estilo de vida que sumerge a todos los hombres y mujeres, mayores y menores, en un mar de vicios, malos hábitos y desórdenes de la personalidad.

Hay un notable menosprecio por la vida humana, manifestado en la práctica de actos inmorales, ilícitos y nocivos a la salud. Los inconversos se maltratan unos a otros, se ofenden con palabras groseras y hechos denigrantes. Lo peor es que se han acostumbrado tanto a esto que ya no les importa vivir así. Pero Dios quiere que los saquemos de su letargo y de las prisiones en que se encuentran. La otra clase de liberación que el evangelio de Jesucristo provee es la emancipación de la ley religiosa para todos los que creen en Cristo y reciben la salvación por gracia. No todos los judíos que escucharon el mensaje de Jesús estaban preparados para liberarse del yugo del legalismo. Muchos de ellos rechazaron la gracia y prefirieron seguir esclavizados a ese mecanismo que sólo había sido diseñado como guía para llevarnos al evangelio: "De manera que la ley ha sido nuestro *ayo* para llevarnos a Cristo, a fin de que fuésemos justificados por la fe. Pero venida la fe ya no estamos bajo *ayo*" (Gálatas 3:24,25). No obstante, algunos aceptaron el aviso de libertad y dieron su corazón a Cristo. Como misioneros, nosotros tenemos que ir a los pueblos no alcanzados e indagar qué clase de cadenas están atando a la gente. Entonces, con el poder del mensaje de Dios declararlos libres. "Y conoceréis la verdad, y la verdad os hará libres" (Juan 8:32). Los brujos, hechiceros, espiritistas y ocultistas necesitan ser liberados de la influencia de los demonios. Los adictos al alcohol, el tabaco, los que consumen estupefacientes y alucinógenos necesitan ser libres de la esclavitud de esos vicios. Los que practican la homosexualidad, el lesbianismo, la prostitución, y toda aberración de la conducta necesitan libertad de las inmundicias de la carne. Los judíos, musulmanes, testigos de Jehová, ateos y humanistas tienen que ser liberados de las cadenas del error y la incredulidad.

Afianzamiento y aplicación

(1) ¿En qué parte del calendario del plan divino estamos viviendo hoy?

(2) ¿Cree usted que esta es la época que Dios designó para el ministerio de las misiones internacionales?

III. EL MISIONERO DEBE TENER EL SENTIR DE CRISTO (FILIPENSES 2:5-8)

Ideas para el maestro o líder

(1) Después de leer este pasaje permita que su clase explique de qué cosas se tiene que despojar un misionero para ser efectivo.

(2) Mencione algunas áreas o campos de servicio en que pueden participar los misioneros además de la predicación del evangelio.

Definiciones y etimología

* *"Forma de Dios"* (2:6). La frase griega *Morfe* no se usa aquí para aludir a una apariencia superficial, para lo cual se usa la palabra *Squema.* Con *morfe*, el apóstol se refiere a los atributos esenciales de la Divinidad, los cuales ha poseído Cristo desde la eternidad. Pablo afirma que Jesús ha sido Dios por toda la eternidad.

* *"Forma de siervo"* (2:7). *Morfe dulos* es una alusión a los atributos esenciales de un siervo. Jesús se sometió por completo para hacer la voluntad del Padre.

A. No aferrarse a sus condiciones y comodidades (2:5,6)

La disposición voluntaria de Jesús de no "aferrarse" a sus derechos como Dios eterno para no abandonar su trono de gloria es un sacrificio que inspira a todos los que son llamados al servicio misionero. Es cierto que la motivación principal de nuestro Salvador era su obediencia total al Padre; pero también se nota en su actitud una disposición muy suya de ofrecerse como la única solución al problema del ser humano. Esta disposición voluntaria del Hijo de Dios se empieza a describir en los salmos: "Entonces dije: He aquí vengo; en el rollo del libro está escrito de mí; el hacer tu voluntad, Dios mío, me ha agradado, y tu ley está en medio de mi corazón" (Salmo 40:7,8). La versión de la Septuaginta, citada por el escritor de Hebreos, es aun más expresiva: "Sacrificio y ofrenda no quisiste; mas me preparaste cuerpo. Holocaustos y expiaciones por el pecado no te agradaron. Entonces dije: He aquí que vengo, oh Dios, para hacer tu voluntad" (Hebreos 10:5-7). Esta actitud de Jesús es ejemplar para los que tienen que hacer algún sacrificio para servir al Señor lejos de su patria y separados de su ambiente original.

Lo más difícil para una persona que ha sido llamada por el Señor, para servir en el campo misionero, es privarse de las comodidades a las cuales está acostumbrada. Se sabe de misioneros que han tenido que dejar sus casas, colmadas de comodidades y detalles para ir a construir una choza de palma en la jungla o alquilar una vivienda inapropiada para poder estar cerca de la gente a la cual quieren ganar. Este cambio de ambiente ha afectado mucho más a los que van de países modernizados, pero en términos generales lo siente toda persona, aunque haya vivido en un hogar sencillo y humilde. ¿Quién quiere, por su propio gusto, abandonar el estilo de vida en que ha crecido y someterse a nuevas formas de vida? La única razón por la que millares de cristianos lo han hecho así, y siguen haciéndolo es la obediencia al llamamiento del Señor. Y por supuesto, que Él se agrada de esa actitud de desprendimiento y esa entrega sin pretensiones egoístas con tal de servir como instrumentos de salvación en las manos de Dios.

B. Ocupar el lugar de siervo y estar al nivel del pueblo (2:7,8)

El Hijo de Dios no sólo no se aferró a su derecho eterno de "ser igual a Dios" para quedarse en su gloria, sino que estuvo dispuesto a "despojarse" de ella. El término griego *kenosis,* usado aquí, no significa que Él haya dejado de ser Dios, sino que se "desvistió" o "dejó a un lado" los atributos divinos que siempre lo han caracterizado. Él hizo esto para poder convivir con los hombres que quería convertir en hijos de Dios. Pero allí no terminó el proceso de acercamiento y adaptación del Dios Hijo a su misión salvadora; Él también tomó "forma de siervo [...] y estando en la condición de hombre, se humilló a sí mismo, haciéndose obediente hasta la muerte, y muerte de cruz". De esta manera, el Hijo de Dios dio todos los pasos de acercamiento e integración a la vida humana para poder alcanzar los objetivos que se había propuesto. Como dice también el escritor de Hebreos: "Por lo cual debía ser en todo semejante a sus hermanos, para venir a ser misericordioso y fiel sumo sacerdote en lo que a Dios se refiere, para expiar los pecados del pueblo" (Hebreos 2:17).

Como cristianos comprometidos con la causa de Cristo, debemos reconocer que para agradar al Señor nos es necesario acercarnos a nuestro prójimo y tener compasión de ellos como lo demostró el Señor. Despojarnos de nuestras conveniencias, prescindir de nuestros derechos, abstenernos de nuestros gustos personales y someternos a la obediencia al Dios que nos ha llamado, son requisitos indispensables para empezar a trabajar. Luego, debe haber en nosotros el deseo sincero de servir a nuestro prójimo, dándoles la Palabra y el ejemplo de consiervos en Cristo. La humildad, el amor, el deseo sincero de servir a los demás y la voluntad de luchar por otros hasta exponer nuestra vida por ellos son virtudes que nos hacen semejantes a Jesús. Sin abandonar el ministerio de la predicación, la edificación espiritual y la liberación por medio del Espíritu Santo, un misionero debe capacitarse para servir en otros campos. Por ejemplo, establecer escuelas cristianas a nivel primario y secundario, abrir centros para la alfabetización de adultos, educación acelerada, cocina y carreras cortas; todo eso puede ser otro modo de servir mientras se presenta a Cristo. Clínicas médicas, centros de distribución de alimentos y ropa, programas para desintoxicación y rehabilitación de adictos a drogas y clubes para el desarrollo de la juventud, son esfuerzos que traen mucho fruto para la obra misionera.

Afianzamiento y aplicación

(1) Permita que algunos digan de qué han tenido que despojarse para servir al Señor y a sus semejantes.

(2) Motive a la clase a pensar en algunos proyectos para el servicio en la iglesia y la comunidad.

RESUMEN GENERAL

La venida del Hijo de Dios como hombre es una gran lección para el plan misionero. Dios no evangelizó a la humanidad desde el cielo ni envió a los ángeles para que realizaran milagros y salvaran a los hombres, como lo hicieron con Lot y su familia. Fue la voluntad del Todopoderoso engendrar a su hijo en una virgen para que naciera en pureza y santidad, se desarrollara como ser humano y fuera el Emanuel, Dios con nosotros (Mateo 1:20-23). El Verbo es igual a Dios en esencia y en acción, pero el Padre ordenó que se hiciera carne e hiciera su tabernáculo entre los hombres. Sólo así dio a conocer a Dios, a quien nadie ha visto jamás (Juan 1:118). El Hijo, la segunda persona igual a Dios, aceptó gozoso la voluntad del Padre: "He aquí que vengo, oh Dios, para hacer tu voluntad". Un hecho digno de notarse es que Dios trabaja a sobre la base de un calendario eterno que sólo

Él maneja. Cuando se llegó el momento estipulado, "Dios envió a su Hijo, nacido de mujer, nacido bajo la ley" para rescatar a los esclavos del pecado y del legalismo (Gálatas 4:4-7). No hay en la Biblia un pasaje más descriptivo del acercamiento de Jesús a los humanos que Filipenses 2:5-8. Allí nos enseña que, para poder servir en la iglesia, la comunidad y el campo misionero, tenemos que despojarnos de lo nuestro y adaptarnos a la vida y a las circunstancias de aquellos que queremos ganar.

Debemos aprender de la iglesia morava, (siglo XVIII), quienes mantuvieron por varios años, una cadena de oración durante las 24 horas del día, a fin de quebrantar el yugo de apatía en la iglesia. Los Moravos oraron con pasión por las almas perdidas de los hombres y dieron sus mejores jóvenes para que fueran soldados en el ejército del Señor. Dos de ellos, tuvieron noticias de una isla en el mar Caribe donde cuarenta mil africanos estaban siendo esclavizados. A nadie le era permitido entrar a la isla a menos que fuera como esclavo. Ellos movidos a compasión por estos esclavos, se vendieron a la esclavitud a fin de alcanzarlos para Cristo. Que Dios nos dé esa misma visión y el mismo sentir que había en ellos y que también hubo en Cristo Jesús. Sólo entonces seremos efectivos en la obra misionera. ¡Todavía hay miles que necesitan ser alcanzados!

Ejercicios de clausura

(1) Pidan la ayuda divina para tener una vida consagrada a la obra misionera, así como, Cristo se encarnó y se adaptó a su campo de acción.

(2) Oren para que el Señor efectúe los cambios necesarios en la vida de cada uno para ser de bendición en la obra.

PREGUNTAS Y RESPUESTAS

1. ¿Por qué Dios no evangelizó a la humanidad desde el cielo o envió ángeles para que lo hicieran?

Porque tenía que ser otro ser humano y la encarnación del Hijo de Dios lo capacitó para ser nuestro redentor.

2. Si la encarnación del Hijo de Dios lo capacitó para ser nuestro redentor, ¿qué necesita un misionero para hacer la obra de Dios?

Es necesario que, los que se ocupan de la evangelización de un pueblo no alcanzado se integren en cuerpo y alma a la comunidad que aspiran ganar.

3. Si el Padre ha estipulado "el tiempo" para enviar a su Hijo a esta tierra, ¿qué podemos concluir en cuanto a la obra misionera?

Reconocer que Él estableció un tiempo para que la iglesia emprendiera el proyecto de alcanzar a todos los pueblos con el evangelio. ¡Y ese tiempo es hoy!

4. Explique la expresión: "se despojó a sí mismo" del término griego Kenosis, usado en Filipenses 2:7.

Significa que Él no ha dejado de ser Dios, sino que se "desvistió" o "dejó a un lado" los atributos divinos que siempre lo han caracterizado. Él hizo esto para poder convivir con los humanos.

5. Si Cristo se despojó a sí mismo de su gloria, para venir a rescatarnos ¿Qué debemos hacer nosotros por nuestro prójimo?

Debemos despojarnos de nuestras conveniencias, prescindir de nuestros derechos, abstenernos de nuestros gustos personales y someternos en obediencia al Dios que nos ha llamado.

PARA LA PRÓXIMA SEMANA

En el próximo estudio: "Las misiones, un ministerio transcultural", veremos a Jesús cruzando las fronteras, rompiendo las barreras, superando los prejuicios para alcanzar a los perdidos con su evangelio. Motive a la clase a participar.

LAS MISIONES, UN MINISTERIO TRANSCULTURAL

ESTUDIO BÍBLICO 21

Base bíblica
Juan 4:3-9, 28-42; Mateo 4:12-17; Marcos 7:24-37

Objetivos
1. Entender el carácter transcultural y multiétnico del ministerio de Jesús.
2. Reconocer el sentimiento antiétnico de los judíos del tiempo de Jesús.
3. Traspasar las fronteras raciales y sociales para cumplir nuestra misión.

Pensamiento central
La obra de Jesús alcanzó a los gentiles en naciones extranjeras, esto prueba que desarrolló un ministerio transcultural.

Texto áureo
El pueblo asentado en tinieblas vio gran luz; y a los asentados en región de sombra de muerte, luz les resplandeció
(Mateo 4:16).

Fecha sugerida:___/____/____

LECTURA ANTIFONAL

Juan 4:3 Salió de Judea, y se fue otra vez a Galilea.
4 Y le era necesario pasar por Samaria.
5 Vino, pues, a una ciudad de Samaria llamada Sicar, junto a la heredad que Jacob dio a su hijo José.
40 Entonces vinieron los samaritanos a él y le rogaron que se quedase con ellos; y se quedó allí dos días.
41 Y creyeron muchos más por la palabra de él.
Mateo 4:15 Tierra de Zabulón y tierra de Neftalí, camino del mar, al otro lado del Jordán, Galilea de los gentiles;
16 el pueblo asentado en tinieblas vio gran luz; y a los asentados en región de sombra de muerte, luz les resplandeció.
17 Desde entonces comenzó Jesús a predicar, y a decir: Arrepentíos, porque el reino de los cielos se ha acercado.
Marcos 7:24 Levantándose de allí, se fue a la región de Tiro y de Sidón; y entrando en una casa, no quiso que nadie lo supiese; pero no pudo esconderse.
31 Volviendo a salir de la región de Tiro, vino por Sidón al mar de Galilea, pasando por la región de Decápolis.
37 Y en gran manera se maravillaban, diciendo: bien lo ha hecho todo; hace a los sordos oír, y a los mudos hablar.

DATOS GENERALES ACERCA DEL TEMA

- **Enseñanza:** Por lo menos una tercera parte de la población mundial, nunca han oído acerca de Cristo, por lo tanto, la misión de la iglesia sigue siendo llegar con el evangelio a todas las naciones del mundo.
- **Autor:** Juan, Mateo, Marcos
- **Personajes:** Jesús, la samaritana, comunidades gentiles
- **Fecha:** Mateo entre los años 50-60 d.C., Marcos años 55-65 d.C., Juan, año 90 d.C.
- **Lugar:** Mateo escrito en Palestina, Marcos desde Roma, Juan en Efeso

BOSQUEJO DE LA LECCIÓN

I. Las misiones hacen a un lado los prejuicios (Juan 4:3-9, 28-42)
   A. La necesidad urgente de las misiones (4:3-9)
   B. Su encuentro con los samaritanos venció los prejuicios culturales (4:28-42)

II. La misión evangelística en galilea de los gentiles (Mateo 4:12-17)
   A. El rechazo de Judea dio oportunidad a la misión de Galilea (4:12-16)
   B. Desde entonces el reino de los cielos se acercó a los gentiles (4:17)

III. Las giras transculturales de liberación y sanidad (Marcos 7:24-37)
   A. La gira por Tiro y Sidón llevó liberación y paz (7:24-30)
   B. El recorrido por Decápolis impartió sanidad y bendición (7:32-37)

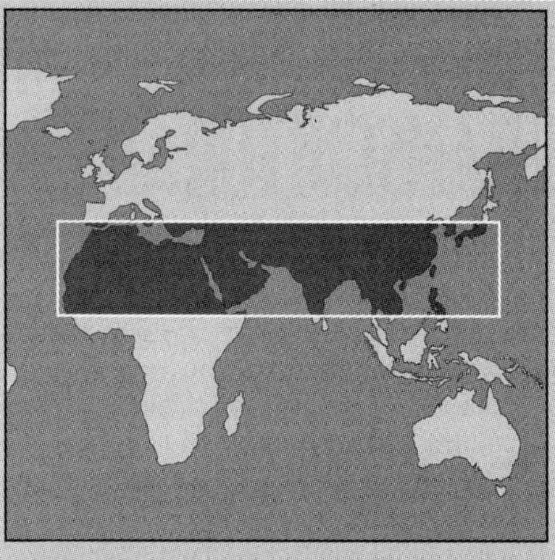

La "Ventana 10/40" es un área que abarca la región del norte de África y casi toda Asia, donde viven dos tercios de la población mundial, que no ha sido alcanzada para Cristo.

LECTURAS DEVOCIONALES DIARIAS

Lunes: Se anuncia la llegada del Deseado de las naciones (Hageo 2:1-7)
Martes: Jesús mostró su misericordia a Galilea de los gentiles (Mateo 4:12-17)
Miércoles: Gira misionera de Jesús por Tiro y Sidón (Marcos 7:31-37)
Jueves: La predicación en Samaria fue un avance misionero (Juan 4:1-9)
Viernes: La misión por Decápolis salvó al gadareno (Marcos 5:1-15)
Sábado: La parábola del samaritano es un mensaje misionero (Lucas 10:25-37)

INTRODUCCIÓN

La Ventana 10/40 es un término acuñado en los años noventa por cristianos comprometidos en las misiones. Se refiere a las regiones del hemisferio oriental situado entre 10 y 40 grados al norte del Ecuador y forma una banda que abarca la región del Sahara y el norte de África, así como casi toda Asia central, meridional, oriental y gran parte del sudeste de Asia, un área que tiene el menor acceso al mensaje y recursos cristianos en el planeta. Aproximadamente dos tercios de la población mundial (2500 millones), viven en esta área. Está poblada por personas predominantemente musulmanes, hindúes, budistas, animistas, judíos o ateos. Muchos gobiernos de la Ventana 10/40 están directa o indirectamente opuestos a la obra cristiana de cualquier tipo dentro de sus fronteras. Todavía hoy que se necesita enviar misioneros para predicar las "Buenas Nuevas" y "rogar al Señor de la mies que envie obreros a su mies".

En este estudio nuestra atención se concentra en el programa internacional que Jesús desarrolló durante su ministerio en esta tierra. El cual debe ser nuestra motivación para seguir cumpliendo la "Gran Comisión". Es cierto que Jesús se mantuvo dentro de los límites geográficos de Israel la mayor parte del tiempo, pero también realizó importantes giras a países vecinos y a otras regiones. Su propósito era manifestar su amor y su poder en otras naciones. El simple hecho de trasladarse de Judea a Galilea a los seis meses de haber iniciado su ministerio público es una demostración de su interés y amor por otros pueblos además de Israel. Los samaritanos eran considerados como extraños y enemigos religiosos de los judíos. Pero Jesús rompió con esos prejuicios desde el momento en que proclamó las buenas nuevas en Samaria y muchos creyeron en Él (Juan 4). Galilea era una región considerada como extranjera para los judíos del tiempo de Jesús. Sus habitantes eran predominantemente gentiles, que los asirios habían traído unos siete siglos antes de Cristo. La breve gira misionera de Jesús por Tiro y Sidón también demostró su compromiso con otros pueblos que necesitaban la gracia que los israelitas estaban rechazando. Además, realizó importantes recorridos por Decápolis y Perea, provincias pobladas mayormente por griegos, moabitas, edomitas y gente de otros países. Estos habían fijado su residencia allí desde los días de la dominación de los seléucidas, descendientes de los griegos. Jesús, pues, realizó una obra misionera tan importante que estableció el equilibrio entre su misión con "las ovejas perdidas de la casa de Israel" (Mateo 10:6) y las "otras ovejas que no son de este redil" (Juan 10:16).

DESARROLLO DEL ESTUDIO

I. LAS MISIONES HACEN A UN LADO LOS PREJUICIOS (JUAN 4:3-9, 28-42)

Ideas para el maestro o líder

(1) Usando un mapa actual ubique el área y los países que corresponden a la ventana 10/40, (puede buscar en Internet). Hable de la enorme necesidad que todavía existe de la evangelización de las naciones.

(2) Use un mapa de Palestina del Nuevo Testamento para mostrar Samaria al norte de Judea por donde pasó Jesús para ir a Galilea.

(3) Hable de los prejuicios raciales, culturales y religiosos que existían entre judíos y samaritanos desde siete siglos atrás.

(4) Mencione que Jesús cruzó muchas berreras para poder encontrar a la mujer: (1) Cruzó la berrera de lo eterno, "siendo Dios se hizo hombre". (2) Cruzó la barrera de lo humano, cansado, sin comer y en pleno medio día, se interesó en una mujer necesitada. (3) Cruzó la barrera racial, siendo judío, atravesó por territorio samaritano, "pues judíos y samaritanos no se tratan entre sí". (4) Cruzó la barrera social, pues se atrevió a hablar con una mujer en público. (5) Cruzó la barrera religiosa, pues siendo un "rabí", inició la conversación con una mujer de vida dudosa.

Definiciones y etimología

* *Cansado del camino.* El evangelio de Juan enfatiza la humanidad de Jesús, contrarrestando la herejía de que Él "no había venido en carne" (1 Juan 4:2,3), que proclamaban los gnósticos de la época. Puesto que el Verbo se había hecho carne, también padecía las limitaciones físicas de su humanidad.

* *La hora sexta.* Según el cálculo judío de medir el tiempo, que comenzaba a contar las horas desde las seis de la mañana, serían las doce del mediodía.

A. La necesidad urgente de las misiones (4:3-9)

Iniciamos esta lección con el evangelio de Juan a fin de conservar el orden cronológico de los hechos que aquí se presentan. Ninguno de los tres evangelios sinópticos registró el ministerio de Jesús en Judea; el único que menciona algo de ello es Juan. Inmediatamente después del bautismo de Jesús (Mateo 3) y la tentación en el desierto de Judea (Mateo 4:1-12), el Señor estuvo en Jerusalén y sus alrededores desarrollando lo que se conoce como los seis meses del ministerio de Judea. La única interrupción en este período fue el viaje que realizó a Nazaret y Caná de Galilea con sus primeros discípulos (Juan 2), donde participó en una boda y realizó su primer milagro al trasformar el agua en vino, después de lo cual regresó a Jerusalén. Durante este período en Judea, tuvo lugar la memorable visita que el rabí Nicodemo le hizo a Jesús de noche en la casa en que el Maestro se hospedaba (Juan 3). En su entrevista con Jesús, Nicodemo confesó que ya era un hecho conocido por todos en Jerusalén y Judea "las señales que tú haces" (Juan 3:2), es decir, los milagros que el Señor realizaba.

No obstante, al final de los seis meses de esta etapa ministerial de Jesús, los resultados eran muy pocos; en general los judíos habían rechazado su mensaje. De acuerdo con Juan 4:1, "los fariseos habían oído decir: Jesús hace y bautiza más discípulos que Juan". Esto no sólo ponía en peligro la vida de Jesús de manera prematura, sino que era una demostración de la hostilidad de los enemigos del evangelio en la capital. Por eso decidió el Señor suspender sus actividades en Judea a los seis meses de haber iniciado su ministerio. Pero nosotros podemos entender que era la voluntad de Dios que esto sucediera, para poder dar una oportunidad a las misiones extranjeras. Lo interesante es ver, cómo inició su plan misionero: "Le era necesario pasar por Samaria" (4:4). Esto indica que Él sentía la necesidad de dar las nuevas de salvación a ese pueblo que los judíos aborrecían tanto, pero estaban tan necesitados de la gracia de Dios como los de Israel. Esta demostración del celo misionero de Jesús y su deseo de empezar con los samaritanos son detalles que impulsan el espíritu de las misiones.

B. Los buenos resultados al vencer los prejuicios culturales (4:28-42)

La conversación de Jesús con la mujer samaritana y la respuesta inmediata de ella, al llevar las noticias a los de la ciudad constituyen una lección sobre la metodología de la evangelización (Juan 4:5-30). El acercamiento de Jesús a un pueblo, cuya condición espiritual era reprochable y cuyas relaciones con los judíos eran negativas, nos enseña cómo vencer los prejuicios que estorban la obra misionera. Como lo veremos más ampliamente en la segunda sección; los samaritanos, igual que los galileos, eran gente que los asirios habían traído de países paganos para poblar las regiones que antes ocupaban las diez tribus de Israel que ellos llevaron cautivas. Con estos extranjeros vivían muchos judíos que habían abandonado la fe y el sistema de adoración de Jerusalén, como se lo explicó la mujer a Jesús en 4:20.

Sin embargo, a pesar de las diferencias religiosas, los prejuicios culturales y la condición moral de la samaritana, Jesús le dio el mensaje de salvación y la convirtió inmediatamente en una discípula ganadora de almas (4:28-30). Cuando el Espíritu de Dios es quien impulsa la obra misionera, los obstáculos y prejuicios quedan a un lado; lo importante es dar la Palabra al necesitado.

Los samaritanos también tenían serios prejuicios contra los judíos. Esto se reflejó desde el inicio de la conversación de Jesús con aquella mujer. También lo demostraron los de una ciudad del norte de Samaria que no quisieron recibir a Jesús sólo "porque su aspecto era como de ir a Jerusalén" (Lucas 9:51-56). No obstante, en ocasión de la visita de Jesús a Sicar y Siquem, "muchos de los samaritanos de aquella ciudad creyeron en él" (Juan 4:39). No sólo aceptaron el mensaje y creyeron en Cristo como su Salvador sino que "vinieron los samaritanos y le rogaron que se quedase con ellos; y se quedó allí dos días" (4:40). Jesús no fue a ellos con el propósito de reprocharles los males de su cultura, su raza y su religión; Él fue para darles "agua viva", y cuando la bebieron, nuevas cosas empezaron a suceder en ellos. Ningún maestro judío había visitado a los samaritanos para hablarles del amor de Dios; pero ahora estaba allí el que podía hacer a un lado todo prejuicio e impartirles bendición y vida eterna. ¡Qué lecciones tan maravillosas nos da Jesús para que vayamos y alcancemos a los que están lejos de Él!

Afianzamiento y aplicación

(1) Recuerden las razones que tuvo Jesús para dejar Judea y emprender la marcha hacia el norte pasando por Samaria.

(2) ¿Qué lección de carácter sociocultural y práctico aprendemos de la campaña misionera de Jesús en Samaria? ¿Qué podemos hacer para alcanzar a los que pertenecen a otros grupos religiosos?

II. LA MISIÓN EVANGELÍSTICA EN "GALILEA DE LOS GENTILES" (MATEO 4:12-17)

Ideas para el maestro o líder

(1) Use un mapa de Palestina del tiempo de Jesús para señalar el traslado del centro de operaciones de Judea a Capernaum en Galilea.

(2) Explique cómo la frase "Galilea de los gentiles" se había convertido en una expresión despectiva de parte de los judíos contra los galileos.

Definiciones y etimología

* *Volvió a Galilea* (4:12). Hay que observar que Él había vivido en Galilea (Nazaret) por treinta años. También había hecho un viaje relámpago con algunos de sus discípulos cuando realizó el milagro en Caná (Juan 2). Ahora,

después de un período de ministerio en Judea, volvía a Galilea.

* *Camino del mar, al otro lado del Jordán* (4:15). Esta expresión de Isaías 9:1 se refiere a todo el territorio que Tiglat-pileser III, rey de Asiria, invadió en 734 a.C. Este, llevó cautivos a los israelitas que poblaban las tierras de Galilea, Zabulón, Neftalí y Manasés al NE del Jordán.

A. El rechazo de Judea dio oportunidad a la misión de Galilea (4:12-16)

Entre Mateo 4:11 y el versículo 12 hay un enorme lapso, un largo paréntesis de por lo menos seis meses. Como lo señalamos en la sección anterior, la primera parte del ministerio público de Jesús se desarrolló en Jerusalén y ciudades circunvecinas. De lo que sucedió durante ese período de, más o menos, seis meses no hallamos mucha información en ninguno de los evangelios sinópticos. Juan es el único en señalar unas cuantas cosas de esta etapa. Cuando habían transcurrido estos seis meses desde el bautismo de Jesús, Juan el Bautista fue hecho prisionero por Herodes Antipas en el fuerte de Maqueronte en Perea. Este malvado gobernante idumeo, que reinaba sobre Galilea y Perea, encarceló al profeta, precursor de Jesús, porque este condenaba la unión ilícita de Antipas con su cuñada Herodías.

En ese tiempo Jesús "volvió a Galilea", específicamente a Nazaret. Poco tiempo después, optó por trasladarse a Capernaum y establecer allí formalmente su residencia. Esta era una ciudad de pescadores y comerciantes, situada en la orilla norte del mar de Galilea. Éste, vino a ser el centro de operaciones del Señor para los veintidós meses del ministerio de Galilea, una obra típica misionera. Pero ésta no fue una decisión casual del Señor; lo hizo "para que se cumpliese lo dicho por el profeta Isaías, cuando dijo: Tierra de Zabulón y tierra de Neftalí, camino del mar, al otro lado del Jordán. El pueblo asentado en tinieblas vio gran luz; y a los asentados en región de sombra de muerte, luz les resplandeció" (Mateo 4:14-16). En la primera sección de este estudio vimos cómo demostró Jesús su amor por los samaritanos al pasar por su territorio y quedarse con ellos unos días para darles el evangelio. ¿Cómo no había de sentir atracción por Galilea, si era la región donde había pasado los años de su juventud? Pero no fue sólo por eso que el Señor se estableció en Capernaum; fue porque quería enseñar a sus discípulos (todos judíos) y a los creyentes de todos los tiempos y países que el amor de Dios no ve fronteras ni barreras.

B. Desde entonces el reino de los cielos se acercó a los gentiles (4:17)

Haciendo un poco de historia, podemos recordar que la profecía de Isaías 9:1 se refería a los territorios que Tiglatpileser III, rey de Asiria, ocupó en 734 a.C. Este, llevó cautivos a los israelitas que poblaban las regiones de Galilea, Zabulón, Neftalí y Manasés al lado oriental del Jordán (2 Reyes 15:29), que para entonces pertenecían al reino de Israel, cuya capital era la ciudad de Samaria. En lugar de estos judíos, los reyes de Asiria fueron trayendo gente del oriente: "de Babilonia, de Cuta, de Ava, de Hamat y de Sefarvaim" (2 Reyes 17:24). A partir de esa época, los pobladores de todas esas regiones eran extranjeros. De ahí que se conociera a esta provincia del norte como "Galilea de los gentiles" (Mateo 4:15). Como tales, los galileos adoraban toda clase de ídolos y practicaban religiones paganas, traídas por las etnias que fueron transportadas a esa tierra por los asirios. Esto hizo de Galilea un campo misionero para Jesús. Aun los judíos de estas regiones "moraban en tinieblas y en sombra de muerte".

La predicación de Jesús en Galilea fue: "Arrepentíos, porque el reino de los cielos se ha acercado" (4:17). Jesús, el primer misionero de la era cristiana, había dejado Judea, su tierra natal, para cruzar tres puentes: el racial, el religioso y el cultural.

Misiones, de acuerdo con este ejemplo de Jesús, consiste en acercar "el reino de los cielos" a un pueblo "asentado en tinieblas". Hacer misiones es llevar el mensaje de vida eterna "a los asentados en región de sombra de muerte" (4:16). La esperanza de los "gentiles", los de pueblos paganos, como nosotros, estaba expresada en las palabras proféticas. "No habrá siempre oscuridad para la que está ahora en angustia [...] Los que moraban en tierra de sombra de muerte, luz resplandeció sobre ellos. Multiplicaste la gente y aumentaste la alegría" (Isaías 9:1,3). De la misma manera, la esperanza de los pueblos que todavía no han oído el evangelio está en la voluntad de Dios obrar maravillas entre ellos. Cuando los misioneros llegan a un pueblo no alcanzado, el horizonte espiritual se ve iluminado con la promesa de que Jesús va con ellos para quedarse allí y derramar su poder salvando, santificando y llenando con su Espíritu. De esa manera, los que moran en la oscuridad de la ignorancia y bajo el látigo de Satanás y los demonios, ven la luz de Jesucristo. ¿Cuál es la Galilea nuestra? ¿Qué esperamos para establecer en ella nuestro centro de operaciones?

Afianzamiento y aplicación

(1) Según Juan 4:44, Jesús dejó Judea para ir a Galilea, porque "el profeta no tiene honra en su propia tierra". ¿Ha comprobado usted esta situación en su propia vida?

(2) De acuerdo con 4:45, ¿cómo recibieron a Jesús los galileos en esa ocasión? ¿Por qué?

III. LAS GIRAS TRANSCULTURALES DE LIBERACIÓN Y SANIDAD (MARCOS 7:24-37)

Ideas para el maestro o líder

(1) Vuelva al mapa de Palestina del Nuevo Testamento y señale los países que Jesús visitó según este pasaje: Tiro, Sidón y Decápolis.

(2) Comente que aunque no visitó países más lejanos, con este recorrido, Jesús estaba inaugurando el ministerio de las misiones foráneas.

(3) Vuelva a comentar sobre la necesidad en la ventana 10/40 y ¿Qué podemos hacer para que esta área del mundo pueda ser alcanzada con el evangelio?

Definiciones y etimología

* *Tito y Sidón.* Jesús viajo unos 45 km, hasta Tiro y luego a Sidón más al norte. Eran ciudades portuarias en el mar Mediterráneo, al norte de Israel. Al principio Tiro mantenía buenas relaciones con Israel en los días de David, pero después llegó a ser famosa por su maldad. Su rey afirmaba ser un dios (Ezequiel 28), y se regocijó por la caída de Jerusalén en la invasión babilónica. Fue a estas regiones materialistas y pecaminosas que Jesús llevo su mensaje de amor y esperanza.

A. La gira por Tiro y Sidón llevó liberación y paz (7:24-30)

Marcos fue un escritor directo, como su líder espiritual, el apóstol Pedro; y preciso, como los romanos, para quienes escribió. Esto se puede confirmar en el pasaje de 7:24-31, donde nos presenta un apretado resumen de la gira internacional más al noroeste de la que tengamos conocimiento. Dentro del largo período de veintidós meses del ministerio de Galilea tuvieron lugar estos recorridos misioneros de Jesús fuera de las fronteras patrias de Israel. En cierto modo, pues, desde un campo misionero, Jesús se extendió a otro: Tiro y Sidón. La ciudad de Tiro tiene una historia que va más allá de la época de Abraham. Sin embargo, las primeras relaciones entre este pueblo fenicio y el pueblo de Israel tuvieron lugar en el tiempo de los reinados de David y Salomón.

Tiro era una ciudad muy famosa, pues los reyes fenicios de Sidón la fortalecieron y construyeron un centro de gobierno y una ciudadela de gente muy importante en una isla separada de tierra firme, la cual más tarde fue convertida en una península. Tan fuertes eran los fenicios que los asirios tuvieron que esforzarse mucho para poder dominarlos. Tiro permaneció en pie por muchos siglos, y no fue sino hasta el tiempo de Alejandro el Grande cuando la ciudad cayó en manos de los griegos y fue modificada. Aunque las ciudades fenicias de Tiro, Sidón y muchas otras, situadas en el litoral del Mediterráneo, fueron asignadas a la tribu israelita de Aser, los aseritas nunca las poseyeron. Los fenicios eran famosos como los pioneros en la navegación internacional por el mar Mediterráneo. Fueron ellos los que fundaron la ciudad de Cartago en África noroccidental.

En este territorio extranjero, el Señor realizó muchos milagros, pero Marcos sólo nos relata lo que sucedió con la mujer "sirofenicia". Jesús entró a una casa en Tiro y "no quiso que nadie lo supiese; pero no pudo esconderse" (7:24). Esta actitud de Jesús se debía a que no deseaba levantar el ánimo de los judíos en su contra, por estar realizando actividades misioneras entre gentiles. Pero, como lo había señalado Marcos, aún estando en Galilea, mucha gente del noroeste lo conocía: "[...] de los alrededores de Tiro y de Sidón, oyendo cuán grandes cosas hacía, grandes multitudes venían a él" (Marcos 3:8). Esta mujer vino al Señor en busca de ayuda para su hija que estaba endemoniada. Después de la difícil prueba de fe por la que la hizo pasar, Jesús satisfizo su petición y liberó a la muchacha a la distancia (7:29). De la ciudad de Tiro, Jesús y los suyos siguieron el recorrido al norte, pasando por la histórica ciudad de Sidón. A esta región extranjera y pagana llegó Jesús con el mensaje de poder, y aunque no tenemos información de lo que sucedió en esa gira, sabemos que se abrió la puerta a la obra misionera de la costa norte.

B. El recorrido por Decápolis impartió sanidad y bendición (7:32-37)

Desde Sidón, la región más al norte que visitó en Fenicia, realizó un largo viaje hacia el sudeste atravesando las zonas montañosas de Galilea. Su próxima meta misionera fue la región de Decápolis, al SE del mar de Galilea. La palabra griega "Decápolis" significa "diez ciudades" y designaba a toda la región al oriente del Jordán donde se establecieron ciudades y asentamientos poblados mayormente por griegos que llegaron al área desde los tiempos en que Palestina estuvo bajo el mando de los griegos desde Siria. Eso significa, pues, que Jesús, regresando de una gira transcultural por el noroeste realizó otra por el sudeste. En la primera abrió la brecha para la obra misionera entre los fenicios; en la segunda, su misión fue alcanzar las comunidades de raza griega de Decápolis.

En esta gira por el sudeste, tuvo lugar un milagro excepcional. "Le trajeron un sordo y tartamudo, y le rogaron que le pusiera la mano encima" (7:32). Tal parece que esta condición había oprimido a aquel hombre por mucho tiempo, si no toda su vida. Los actos simbólicos de separarlo de la multitud, tocar ambos oídos con sus dedos, escupir y tocar la lengua del enfermo tenían el propósito de producir fe en él y hacer que concentrara toda su atención en lo que iba a suceder. El levantar los ojos al cielo y gemir fueron actitudes de Jesús para que el hombre reconociera que "toda buena dádiva y todo don perfecto desciende de lo alto, del Padre de las luces" (Santiago 1:17). La realización de esta sanidad despertó fe y gran entusiasmo en la gente de la región de Decápolis. Pero el Señor, tal como lo había intentado en Fenicia, aquí en Decápolis también "les mandó que no lo dijesen a nadie; pero cuanto más les mandaba, tanto más y más lo divulgaban" (7:36).

Afianzamiento y aplicación

(1) Mencione los pueblos extranjeros que Jesús visitó según esta lección.
(2) Mencione los dos milagros que Jesús realizó en Tiro y Decápolis.

RESUMEN GENERAL

Este estudio nos demuestra que Jesús no vino a ministrar exclusivamente a los hijos de Israel. El desplegó su amor por otros pueblos diferentes en lo racial, cultural y religioso, demostrando su interés por las misiones extranjeras y su anhelo de que la iglesia de hoy siga su ejemplo. Después de dos mil años de que Jesús recorriera aquellas tierras del medio oriente, hoy están bajo la sombra y dominio de religiones paganas y manipuladoras. Los países pertenecientes a la ventana 10/40, que incluye las tierras bíblicas, en su mayoría son de religión musulmana. Actualmente una de cada cuatro personas en el mundo sigue la religión del islam y continúa extendiéndose por todo el mundo. A fines del siglo veinte, y a principio del presente, la religión musulmana es la de más rápido crecimiento en Norte América. Naciones islámicas del Oriente Medio, ricas por su exportación petrolíferas, contribuyen con dinero para construir mezquitas en todos los países. Millares de árabes estudian en universidades occidentales. Misioneros de varias sectas del islam están yendo por el mundo, ganando convertidos. En la mayoría de gobiernos islámicos se impone restricciones contra la evangelización. En algunos, leyes estrictas prohíben el intentar convertir a un musulmán. El que se convierte, corre el riesgo de ser asesinado por su propia familia o de ser echado del hogar y declarado muerto para ellos. Sin embargo, muchos de ellos se están convirtiendo "en secreto" mientras oran por la salvación de sus familiares. Muchos, que no se atreven a asistir a reuniones evangélicas, se interesan en saber lo que creen los cristianos, compran Biblias, libros y otros materiales impresos cristianos, o responden a la oferta por radio de un curso por correspondencia. Dios ama a los musulmanes y desea su salvación, por eso, la iglesia debe orar y hacer esfuerzos para alcanzarlos. Los medios principales de evangelización son los programas radiales y de televisión, los materiales impresos, la sanidad divina en respuesta a la oración y el evangelismo personal. Grupos de organizaciones misioneras publicaban cursos por correspondencia, una de ellas indicó que más de doscientos cincuenta mil musulmanes de casi todos los países árabes o donde se hablaba el arábigo se habían matriculado en los cursos. Desde entonces han aumentado en número y muchos indican que han aceptado a Cristo como su salvador personal. Cristianos de todo el mundo están concentrando sus oraciones y esfuerzos más que nunca para llevar a los musulmanes a una fe salvadora en Cristo. Y Dios está contestando sus oraciones. Oremos para que Él siga añadiendo los que han de ser salvos y envíe obreros a la mies".

Ejercicios de clausura

(1) Mencionen algunas naciones de la ventana 10/40, donde priman otras religiones, y donde el evangelio no ha llegado o es rechazado. Invite a la clase a orar para que el Señor abra las puertas y envié obreros a la mies.

(2) Anime a sus estudiantes a mantener la carga de oración para que el mundo termine de ser evangelizado y Cristo pueda regresar.

PREGUNTAS Y RESPUESTAS

1. ¿Qué nos indica la travesía de Jesús por territorio samaritano al inicio de su ministerio?

Esto indica el celo misionero de Jesús y la necesidad de dar las nuevas de salvación a otros pueblos que los mismos judíos aborrecían.

2. ¿Qué lección aprendemos de la conversación de Jesús con la mujer samaritana?

Una lección sobre la metodología de la evangelización y cómo vencer los prejuicios que estorban la obra misionera.

3. ¿Por qué podemos decir que Jesús fue el primer misionero de la era cristiana?

Porque la mayor parte de su tiempo lo dedicó a evangelizar pueblos con una población mayoritariamente gentil. Al principio de su ministerio dejó Judea, su tierra natal, para cruzar tres puentes: el racial, el religioso y el cultural.

4. ¿A qué se refiere cuando se habla de la ventana 10/40?

Se refiere a las regiones del hemisferio oriental situado entre 10 y 40 grados al norte del ecuador; formando una banda que abarca el norte de África, y casi toda Asia, un área que tiene el menor acceso al mensaje y recursos cristianos en el planeta.

5. ¿Qué creen que debe hacer la iglesia para terminar de cumplir la "Gran Comisión"?

Debe concentrar todos sus esfuerzos en llevar el mensaje del evangelio a los no alcanzados, a través de la oración y apoyando los esfuerzos misioneros.

PARA LA PRÓXIMA SEMANA

La composición religiosa del mundo ha cambiado. Países que eran cristianos ya no lo son, otros que no lo eran, lo son ahora. El reto es enorme para la iglesia. La próxima semana analizaremos el tema: "La iglesia y su misión en las naciones". Invite a su grupo a participar y orar por los países no alcanzados.

LA IGLESIA Y SU MISIÓN EN LAS NACIONES

ESTUDIO BÍBLICO 22

Base bíblica

Mateo 28:16-20; Marcos 16:15-20; Hechos 1:6-8.

Objetivos

1. Conocer mejor los elementos de la internacionalidad del evangelio.
2. Concientizar a la iglesia acerca de los cambios culturales.
3. Aportar recursos personales y económicos para las misiones.

Pensamiento central

En la labor misionera vamos a encontrar razas, idiomas y clases diferentes; pero la necesidad humana y la obra divina son las mismas.

Texto áureo

No me elegisteis vosotros a mí, sino que yo os elegí a vosotros, y os he puesto para que vayáis y llevéis fruto, y vuestro fruto permanezca (Juan 15:16).

Fecha sugerida:___/____/____

LECTURA ANTIFONAL

Mateo 28:18 Y Jesús se acercó y les habló diciendo: Toda potestad me es dada en el cielo y en la tierra.

19 Por tanto, id, y haced discípulos a todas las naciones, bautizándolos en el nombre del Padre, y del Hijo, y del Espíritu Santo;

20 enseñándoles que guarden todas las cosas que os he mandado; y he aquí yo estoy con vosotros todos los días, hasta el fin del mundo. Amén.

Marcos 16:15 Y les dijo: Id por todo el mundo y predicad el evangelio a toda criatura.

16 El que creyere y fuere bautizado, será salvo; mas el que no creyere, será condenado.

17 Y estas señales seguirán a los que creen: En mi nombre echarán fuera demonios; hablarán nuevas lenguas;

19 Y el Señor, después que les habló, fue recibido arriba en el cielo, y se sentó a la diestra de Dios.

20 Y ellos, saliendo, predicaron en todas partes, ayudándoles el Señor y confirmando la palabra con las señales que la seguían. Amén.

Hechos 1:7 Y les dijo: No os toca a vosotros saber los tiempos o las sazones, que el Padre puso en su sola potestad;

8 pero recibiréis poder, cuando haya venido sobre vosotros el Espíritu Santo, y me seréis testigos en Jerusalén, en toda Judea, en Samaria, y hasta lo último de la tierra.

DATOS GENERALES ACERCA DEL TEMA

- **Enseñanza:** El propósito de Dios y la misión de la iglesia es continuar con su plan misionero hasta que todos hayan tenido la oportunidad de aceptar o rechazar al Hijo de Dios.
- **Autor:** Mateo, Marcos y Lucas.
- **Personajes:** Jesús y sus discípulos.
- **Fecha:** Mateo entre los años 50-60 d.C., Marcos años 55-65 d.C., Hechos año 63 d.C.
- **Lugar:** Mateo escrito en Palestina, Marcos y Hechos en la ciudad de Roma

BOSQUEJO DE LA LECCIÓN

I. La misión consiste en hacer discípulos (Mateo 28:16-20)
   A. En el nombre de la máxima autoridad (28:16-18)
   B. Extendiéndose a todas las naciones (28:19,20)

II. La misión consiste en predicar el evangelio (Marcos 16:15-20)
   A. A todo el mundo con todo el evangelio a toda criatura (16:15,16)
   B. Confirmando la Palabra con señales y milagros (16:17-20)

III. La misión consiste en ser testigos de Cristo (Hechos 1:6-8)
   A. Sin distracciones ni pérdida de tiempo (1:6,7)
   B. Testificando hasta lo último de la tierra (1:8)

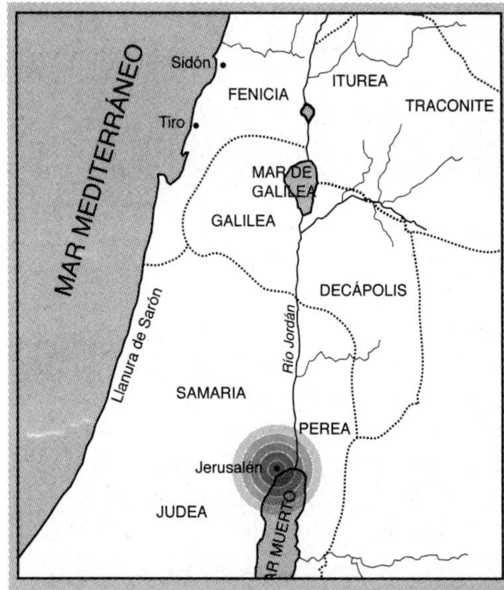

"Por tanto, id, y haced discípulos a todas las naciones... y he aquí yo estoy con vosotros todos los días, hasta el fin del mundo".

LECTURAS DEVOCIONALES DIARIAS

Lunes: Mensaje y conducta de los misioneros (Mateo 10:7-15)

Martes: Los sufrimientos de los enviados del Señor (Mateo 10:16-23)

Miércoles: Nuestro campo misionero es todo el mundo (Mateo 28:16-20)

Jueves: El mensaje debe ser llevado a toda criatura (Marcos 16:14-20)

Viernes: La agenda misionera de la iglesia la hizo Jesús (Hechos 1:6-8)

Sábado: Cristo es predicado a los gentiles y creído en el mundo (1 Timoteo 3:16)

INTRODUCCIÓN

Estudios recientes revelan que todo el evangelismo que hace la iglesia es realizado solo por un diez por ciento de una congregación ¿Por qué no son más los creyentes que testifican de su fe a los no creyentes? Y además la gran mayoría son creyentes con menos de un año de convertidos, es decir, que el cristiano regular de varios años ya no testifica. El estudio revela varias razones significativas: (1) Aunque pareciera que la razón más común por la que no testificamos es la apatía, la mayoría declaró una falta de confianza. Casi todos los seguidores de Cristo desean ser testigos eficaces, pero muchos se consideran inadecuados, y se sienten intimidados y aun hasta temerosos de testificar de su fe en Cristo, especialmente a alguien que profesa otra fe religiosa. (2) En la cultura popular la tolerancia religiosa se considera una virtud. El creciente punto de vista es que ninguna religión es la única fuente exclusiva de la verdad y que hay algo de verdad y de valor en toda religión. Muchos cristianos ahora sienten que el evangelismo personal es una ofensa para las creencias de los demás. (3) Muchas personas no entienden la necesidad del evangelismo a causa de falsas suposiciones respecto de la condición espiritual del hombre y el camino de salvación. La cultura secular niega la realidad del pecado. Las personas atribuyen la inmoralidad y la violencia a la pobreza, a la injusticia social, y aún a la genética. (4) Gran parte de la cultura contemporánea promueve la idea de que cualquiera sea la creencia de una persona, esa fe puede ser el camino que le conduzca a la vida eterna y a la paz. Pero la Palabra de Dios muestra con claridad que toda la humanidad está perdida, por cuanto "todos pecaron y están destituidos de la gloria de Dios" (Romanos 3:23). Y que hay sólo un camino para la paz con Dios y la vida eterna. Jesús dijo: "Yo soy el camino, y la verdad, y la vida; nadie viene al Padre, sino por mí" (Juan 14:6). Él es tanto la puerta como el camino. Pedro dijo: "En ningún otro hay salvación; porque no hay otro nombre bajo el cielo, dado a los hombres, en que podamos ser salvos" (Hechos 4:12).Por eso, Jesús desarrolló un ministerio transcultural como lo vimos en la lección anterior, y enseñó a sus primeros discípulos, para que estos a su vez enseñen a otros que el evangelismo es para todo cristiano y el evangelio es para todo el mundo. Aunque ya lo había demostrado con sus hechos e insinuado en sus enseñanzas, no fue sino hasta los últimos días de su ministerio cuando acentuó la urgencia de las misiones transculturales. Por ejemplo, en un monte de Galilea, les explicó que "toda potestad" le había sido dada "en el cielo y en la tierra". De ahí que les ordenara ir y hacer "discípulos a todas las naciones" (28:18,19). Marcos señala que "estando ellos sentados a la mesa" procedió a darles el mandato misionero: "Id por todo el mundo y predicad el evangelio a toda criatura" (16:15). Finalmente, en la agenda que proveyó para la iglesia, leemos: "Recibiréis poder, cuando haya venido sobre vosotros el Espíritu Santo, y me seréis testigos en Jerusalén, en toda Judea, en Samaria, y hasta lo último de la tierra" (Hechos 1:8). En esta última parte estamos incluidos nosotros, pues todavía hay regiones y países que jamás han escuchado el evangelio.

DESARROLLO DEL ESTUDIO

I. LA MISIÓN CONSISTE EN HACER DISCÍPULOS (MATEO 28:16-20)

Ideas para el maestro o líder

(1) Aclare que esta vez los discípulos hicieron el viaje de Jerusalén a Galilea solos, pues el Señor resucitado ya no tuvo que caminar con ellos para ir al lugar que les había señalado.

(2) Explique que los tres actos principales del discipulado en el campo misionero son evangelizar a los paganos, bautizar a los que creen y enseñarles la Palabra.

Definiciones y etimología

* *Los once discípulos* (Mateo 28:16). Ya para entonces faltaba en el grupo de discípulos Judas Iscariote.

* *Pero algunos dudaban* (28:17). Todavía había algunos que no creían que el que estaba frente a ellos fuera el Cristo resucitado; su apariencia era distinta.

* *Toda potestad* (28:18). Él siempre ha tenido esta potestad universal, pero no la ejerció durante su vida en este mundo, sino hasta después de su resurrección.

A. En el nombre de la máxima autoridad (28:16-18)

El ministerio de las misiones mundiales no fue establecido por un comité humano ni es sostenido por voluntad de una denominación o una asociación religiosa. El plan de llevar el mensaje de salvación a todos los rincones de la tierra fue diseñado por el Padre desde la eternidad. Luego le fue prometido a Abraham cuando Dios le dijo que en su "simiente", Cristo Jesús (Gálatas 3:16), serían "benditas todas las naciones de la tierra" (Génesis 22:18). Durante el período de cuarenta días después de su gloriosa resurrección, el Señor estuvo apareciéndose y dando instrucciones finales a los que habrían de continuar el ministerio que Él había iniciado. Uno de esos encuentros memorables fue el que tuvo lugar en un monte de Galilea, donde quizás se habían reunido en ocasiones anteriores. El que algunos de sus discípulos dudaran acerca de su resurrección nos indica que el semblante de Jesús había cambiado considerablemente en el acontecimiento de su resurrección. Esta es una lección anticipada que indica que el cuerpo resucitado de los creyentes también será diferente del actual. El apóstol Pablo dijo: "Así también es la resurrección de los muertos. Se siembra en corrupción, resucitará en incorrupción [...] Se siembra cuerpo animal, resucitará cuerpo espiritual" (1 Corintios 15:42,44).

Allí el Cristo resucitado les dio a conocer que le había sido dada "toda potestad en el cielo y en la tierra". Él había tenido esta potestad universal desde antes de la fundación del mundo, pero no hizo uso de ella durante su estadía aquí en la tierra. Sin embargo, ahora que estaba a punto de ascender al Padre y comisionar a los suyos, el poder de su gloriosa posición tenía que ser revelado. Esto fue así especialmente porque Jesús estaba preparando los corazones de ellos para darles uno de los mandatos de última hora; una comisión de suprema importancia en el reino de los cielos. Este mandato sería el motor espiritual para el ensanchamiento de la iglesia; la movilización misionera que daría cumplimiento al plan de la evangelización mundial. El mero hecho de haber escogido "un monte de Galilea" (Mateo 28:16), en un país de "gentiles", para tener esta primera junta general de misiones, era una lección objetiva de Jesús en cuanto a la internacionalidad de su plan redentor.

B. Extendiéndose a todas las naciones (28:19,20)

El Señor y dueño de la iglesia, Cristo Jesús, no sólo insinuó un plan de alcance mundial con el evangelio; Él también diseñó el plan de trabajo. En la primera parte del versículo 19 Jesús estipuló la estrategia y también la extensión del plan misionero de la iglesia. (1) La estrategia es: "Id, y haced discípulos" El verbo griego en modo imperativo *mathetéusate* era la metodología utilizada por los líderes o fundadores de alguna escuela o religión. Jesús usó este método para fortalecer su misión en la tierra y asegurar el futuro de la misma. Un "discípulo" es uno que decide seguir a un líder o maestro y obedecer cada una de sus enseñanzas, verbales o prácticas. Los misioneros deben tomar en cuenta este mandato de Jesús, e ir a su campo pensando en capacitar a otros para que hagan lo que ellos no puedan seguir haciendo. (2) La extensión del plan misionero es: "a todas las naciones" (*panta ta etne*). Jesús nos dio ejemplo de esto, yendo a los países vecinos de Israel con el mensaje de salvación.

La formación espiritual de los discípulos cristianos es un proceso de tres pasos consecutivos: (1) Identificación por medio del bautismo. `Bautizándolos en el nombre del Padre, y del Hijo, y del Espíritu Santo" (28:19). El bautismo en agua es la experiencia que identifica al creyente con su Señor y con la iglesia. En el bautismo el discípulo se une al Padre como su Creador, al Hijo como su Salvador y al Espíritu Santo como su Guiador. (2) Capacitación en la Palabra. "Enseñándoles que guarden todas las cosas que os he mandado" (28:20). La enseñanza bíblica es esencial para la edificación de la fe y la expresión del servicio de todo creyente. La evangelización y la obra misionera tienen su base en la exposición sencilla y sólida del conocimiento de Dios a través de las Escrituras. (3) Comunión permanente con Cristo. "Yo estoy con vosotros todos los días, hasta el fin del mundo" (28:20). Es nuestro privilegio estar cerca del Señor y nuestro deber guiar a los hermanos a una comunión personal con su Señor y Salvador.

Afianzamiento y aplicación

(1) ¿Tiene usted una idea de la razón para que Jesús concertara esta reunión con los once en un monte de Galilea?

(2) ¿Cuál es la estrategia y la extensión del plan misionero según 28:19? ¿Cuáles son los tres pasos de la formación de los discípulos cristianos según 29:19,20?

II. LA MISIÓN CONSISTE EN PREDICAR EL EVANGELIO (MARCOS 16:15-20)

Ideas para el maestro o líder

(1) Explique que el versículo 14 (no citado en esta sección) describe la visita del Cristo resucitado a los once discípulos (o quizás diez) cuando estaban comiendo al final del día en que Jesús resucitó.

(2) El versículo 15 relata lo que sucedió en el monte en Galilea en una ocasión posterior a lo descrito en el 14. De tal manera que entre el 14 y el 15 hay un lapso indeterminado.

Definiciones y etimología

* *Id por todo el mundo y predicad (16:15).* El poder que dirige y lleva a los misioneros alrededor del mundo y pone a la iglesia en acción es la fe que viene de la resurrección. No es una misión de hombres o de alguna organización, no depende de habilidades o destrezas humanas, sino de aquel que se levantó de entre los muertos y vive para siempre.

* *Se sentó a la diestra de Dios.* El hecho de que Jesús se sentara a la diestra de Dios sig-

nifica la consumación de su obra, su autoridad como Dios y su coronación como Rey.

A. A todo el mundo con todo el evangelio para toda criatura (16:15,16)

Este pasaje es idéntico al que tratamos en la sección anterior (Mateo 28:16-20) y relata lo que sucedió en Galilea cuando el Señor les dio "la gran comisión". Ya se explicó que entre Marcos 16:14 y el 15 transcurrió algún tiempo, pues en el 14 Jesús se apareció a los once (ó diez, pues no estaba Tomás con ellos), al final del día de la resurrección. En cambio, Marcos 16:15 recoge las palabras con que Jesús se dirigió a los discípulos en el momento de comisionarlos a llevar el evangelio a todo ser humanó. En el versículo 15 se estipulan tres detalles muy importantes para el desarrollo de la obra misionera mundial. (1) Debemos ir a todo el mundo. Las palabras de nuestro Salvador, "Id por todo el mundo", son lo suficiente claras como para que entendamos que su intención divina es no dejar nación, pueblo ni comunidad sin la oportunidad de oír el mensaje de Dios. (2) Debemos predicar todo el evangelio. En la actualidad existen muchos movimientos misioneros, pero algunos no están interesados en anunciar el evangelio en su totalidad. Hay teologías y predicadores que seleccionan las cosas que quieren decir y dejan a un lado lo que no les conviene ó no les gusta. Nosotros debemos ocuparnos en una predicación de salvación, sanidad, liberación, unción divina y santidad total. (3) Debemos alcanzar a toda criatura. No hay distinciones raciales, culturales ni políticas en el ministerio de las misiones. Somos enviados a toda criatura. Creer y ser bautizado son dos requisitos iniciales en la vida cristiana. El que cree en Cristo tiene vida eterna, y el que se somete al bautismo en agua da prueba de su obediencia al mandato del Salvador. Si no se dan estos dos pasos, la persona que oye el mensaje y lo rechaza es condenada (16:16). Cierto misionero fue llamado por el Señor a llevar el evangelio a un país de África. Por cuatro largos años, a pesar de su consagración a Dios y su esfuerzo por comunicar las buenas nuevas a la gente, nadie correspondía a su evangelización. Pero la Palabra iba quedando en los corazones de los nativos y al fin, Dios abrió el corazón de un hombre que se rindió a Cristo. El día que el misionero decidió bautizarlo en el río que atravesaba la aldea, cientos de nativos acudieron para ver lo que iba a suceder. Allí Dios bendijo al predicador de una manera especial, predicó a la multitud, y decenas de personas vinieron a entregar su vida al Señor. Pocos meses después una enorme congregación se había levantado en el lugar. Si somos fieles y obedientes al Señor, Él nos sorprenderá, dándonos abundante fruto en nuestra labor.

B. Confirmando la Palabra con señales y milagros (16:17-20)

En el punto anterior (A) insinuamos que es deber de la iglesia de hoy ir "a todo el mundo, con todo el evangelio para toda criatura". Cuando decimos "todo el evangelio" nos referimos a la totalidad del ministerio que Jesús puso en manos de sus discípulos, incluyendo todos los recursos de gracia que Él nos ha dado. Entre los recursos espirituales de la gran comisión están las "señales" que se manifestaron en el ministerio de Jesús y los apóstoles, las cuales todavía están en vigencia hoy. (1) "En mi nombre echarán fuera demonios" (16:17). Echar fuera demonios es un aspecto muy importante y necesario del ministerio misionero. La gente ha venido jugando tanto con el diablo y enredándose en prácticas ocultistas que los demonios se han puesto a la orden del día. Como predicadores de "todo el evangelio" debemos pedir la ayuda del Señor para ministrar liberación a los oprimidos por Satanás y sus agentes demoniacos (Hechos 10:38). (2) "Hablarán nuevas lenguas". Este fenómeno, llamado *glossolalia* en el Nuevo Testamento, es el medio que Dios sigue usando para que los creyentes lo glorifiquen y revelen mensajes directos a la congregación. Las lenguas no han pasado de moda; son parte integral de la experiencia del bautismo en el Espíritu Santo. (3) "Tomarán en las manos serpientes" (16:18). Esta obra del Espíritu Santo en los siervos de Dios y los creyentes se puede manifestar como el dominio y la autoridad no sólo sobre serpientes venenosas, como en el caso del apóstol Pablo (Hechos 28:4,5), sino la autoridad que tiene el creyente sobre circunstancias adversas y peligrosas (Salmo 91:9-13). (4) "Si bebieren cosa mortífera no les dañará". Esta es una promesa divina de protección a los que van a lugares extraños y se exponen a comidas insalubres. ¿Se ha visto usted en situaciones de no querer o no poder comer lo que se le ofrece en el campo? Después de orar hay que confiar en la mano protectora del que nos ha enviado. (5) "Sobre los enfermos pondrán sus manos, y sanarán". Esta es la más común de las señales que siguen a los creyentes. Casi en todos los servicios se ora por enfermos y el Señor obra maravillas en el cuerpo de los creyentes. Jesús espera que todos estos recursos sean usados en el ministerio de la evangelización y las misiones, esto se ve en el versículo 20: "Y ellos, saliendo, predicaron en todas partes, ayudándoles el Señor y confirmando la palabra con las señales que le seguían". Si queremos ser efectivos en las misiones, llevemos "todo el evangelio a toda criatura".

Afianzamiento y aplicación

(1) ¿Qué puede decir la clase en cuanto al avivamiento internacional que ha surgido como resultado de las misiones?

(2) ¿Qué parte de este ministerio le interesa más a usted? ¿Por qué?

III. LA MISIÓN CONSISTE EN SER TESTIGOS DE CRISTO (HECHOS 1:6-8)

Ideas para el maestro o líder

(1) Vean cómo, aun momentos antes de que Jesús ascendiera al cielo, sus seguidores todavía estaban pensando en el reino material de Israel, no en el evangelio de Cristo.

(2) Cuando Jesús habla de "tiempos y sazones" se refiere a asuntos escatológicos que no deben entretenernos tanto; lo importante es obedecer lo que la Palabra nos manda hoy.

Definiciones y etimología

* *No os toca a vosotros saber los tiempos o las sazones* (1:7). Como la mayoría de los judíos, los discípulos vivían disgustados al verse sometidos al Imperio romano. Querían que Jesús les liberara de esa opresión y llegara a ser su rey. Él explicó que Dios, el Padre, estableció un tiempo en que deben ocurrir los hechos a nivel personal, nacional o mundial. No hay que impacientarse sino vemos las cosas como quisiéramos verlas. ¡Todo en el tiempo de Dios!

A. Sin distracciones ni pérdida de tiempo (1:6,7)

Las ilusiones de los israelitas siempre han sido que Dios les restaure el reino y eche a sus enemigos de la tierra que le prometió a Abraham. Sin embargo, ellos nunca han querido someterse, de manera permanente, a la voluntad de Dios; la cual les ha sido revelada en la ley y los profetas a través de los siglos. Por su desobediencia, rebelión, idolatría y apostasía, Jehová permitió que los gentiles se apoderaran, primero de Israel y luego de Judá. Después del regreso del cautiverio babilónico, Dios les permitió establecerse de nuevo en Judea, pero siempre bajo la opresión de los gentiles: los medo-persas, después los griegos y finalmente los romanos. Estos últimos destruyeron a Jerusalén en el año 70 d.C. y los judíos fueron esparcidos sobre toda la faz de la tierra. En el tiempo de Jesús, el gobierno judío estaba en manos de gobernantes extranjeros, los Herodes idumeos, que eran vasallos de los emperadores romanos.

Cuando escucharon la predicación de Jesús que decía: "arrepentíos porque el reino de los cielos se ha acercado" (Mateo 4:17), muchos lo siguieron pensando que se refería al reino material. Toda la gente, y aun sus discípulos, esperaban que Jesús reuniera un poderoso ejército, quizás como lo habían hecho los macabeos, para echar fuera a los romanos y apoderarse del reino de Israel. Cuando demostró que no había venido para ocuparse de cosas temporales sino de las espirituales, muchos perdieron la fe en Él y se apartaron. En esta última reunión que tuvo con sus seguidores más fieles, después de tres años y medio de ministerio maravilloso, y aun después de su gloriosa resurrección y sus apariciones, todavía seguían esperando algo material. La pregunta de Hechos 1:6: "Señor, ¿restaurarás el reino a Israel en este tiempo?" es desalentadora. Revela cuán poco habían percibido del aspecto espiritual del reino de Cristo. Por eso Él los reprendió, advirtiéndoles que no era cosa que les interesara a ellos "saber los tiempos o las sazones que el Padre puso en su sola potestad". Dios tiene un calendario, un programa eterno en el cual todo sucede en el debido momento. Pero nosotros no debemos preocuparnos por no saber más de lo que Él nos ha revelado. Nuestro deber es entender su voluntad y someternos a ella.

B. Testificando hasta lo último de la tierra (1:8)

En lugar de preocuparnos por las cosas que no entendemos o pasar la mayor parte de nuestro tiempo estudiando "profecía" y "escatología", tratando de adivinar lo que Dios no tuvo a bien revelar, busquemos la llenura y el poder de su Espíritu. Eso no quiere decir que no estudiemos lo que las Escrituras nos enseñan en cuanto al futuro de la iglesia y las bendiciones que Dios tiene preparadas para nosotros. Pero lo más importante es, si queremos ser cristianos prácticos, pidamos que el Señor llene nuestra vida con poder de lo alto para poder ser testigos de su gracia y su amor. Él les dijo: "Recibiréis poder, cuando haya venido sobre vosotros el Espíritu Santo". Ya ellos habían sido salvos y separados del mundo. Ya habían sido llamados a ser discípulos del Señor. Ya habían recibido poder para sanar enfermos, echar fuera demonios y realizar milagros en el nombre de Jesús; pero aún necesitaban ser bautizados en el Espíritu Santo. El propósito principal del poder que el Espíritu Santo imparte al corazón del creyente es capacitarlo para que sea un instrumento útil para la propagación del evangelio. Jesús lo especificó al decir: "Me seréis testigos". Ser testigos de Cristo es conocerlo de manera personal y estar informados perfectamente de lo que Él dice en la Palabra de Dios. Ser testigos de Cristo es estar dispuestos a vivir como Él vivió y predicar lo que Él predicó, aunque para ello haya que exponerse a persecución y peligros de muerte. De por sí la expresión griega es *aseste mou martyres*, "seréis mis mártires". Como sabemos, mártir es alguien que muere por una causa. No siempre nos expondremos a peligros de muerte, ni es un requisito de la vida misionera morir como mártir del evangelio. No obstante, cuando se da la oportunidad, los siervos de Dios deben estar dispuestos a enfrentarse a lo que sea. Lo que se da al final del versículo 8 es una agenda mundial para las misiones. La obra misionera cristiana, después del derramamiento del Espíritu Santo sobre la iglesia, tendría que seguir el orden de avanzada, empezando: "en Jerusalén". De allí tendría que extenderse a "toda Judea". Hasta allí todo puede clasificarse como una evangelización homogénea, es decir, personas de nuestra misma cultura y país. Pero, luego manda Jesús que se extienda el evangelio a "Samaria", a una raza distinta con una religión pagana. Esto ya trasciende a otro nivel de misiones, porque se está llegando a pueblos de raza, cultura y religión distintas. Entonces, la agenda de Jesús abarca al mundo entero cuando dice: "hasta lo último de la tierra", que es lo que nosotros estamos haciendo hoy. Que el Señor nos ayude a seguir adelante con su plan hasta que todos hayan oído el evangelio y hayan tenido la oportunidad de aceptar o rechazar al Hijo de Dios.

Afianzamiento y aplicación

(1) Pregunte quiénes no han experimentado el poder del Espíritu Santo en sus vidas y ore por ellos para que sean capacitados para servir al Señor.

(2) Haga énfasis en la importancia de fortalecer la evangelización local antes de emprender nuevos proyectos de misiones internacionales.

RESUMEN GENERAL

La Gran Comisión que Jesús dejó a sus seguidores es de un alcance global (Mateo 28:19,20). Cumpliéndose la promesa a Abraham, de que en su "simiente", Cristo Jesús, serían benditas "todas las naciones de la tierra". Según estudios consultados se estima que el 84 % de la población actual se identifican con algún grupo religioso. El asunto es que la mayoría no pertenece a una religión cristiana. Tenemos en el mundo hoy: 1800 millones de musulmanes, 600 millones de budista, 800 de hinduistas, 1000 de católicos, y otras religiones 500 millones. Solo un 12% de la población mundial es cristiana evangélica, confesando a Jesucristo como su único Señor y salvador. Solo en los Estados Unidos hay unos cinco millones de musulmanes, siendo la tercera religión más numerosa después de la cristiana y la judía, siguiendo en ese orden los budistas con unos tres millones de miembros. Sin contar los millones de católicos romanos, que aunque profesan ser cristiano, sabemos que la mayoría nunca han tenido un encuentro genuino de Cristo. El reto es enorme para la iglesia. Pues movimientos como el islam, están saliendo con mucha más energía a todas las partes del mundo, añadiendo convertidos a su fe musulmana, que los que está ganando la iglesia hoy. Debemos, urgentemente, penetrar el corazón del islam con el poder libertador del evangelio. Debemos demostrarles a los musulmanes que el más grande de los profetas no es Mahoma, sino Jesucristo. Y que no es un profeta más, sino el Hijo de Dios, el salvador del mundo que murió y resucitó también por ellos. Finalmente, en la agenda que Jesús proveyó para que la iglesia cumpliera la misión de evangelizar a todo el mundo, leemos: "Recibiréis poder, cuando haya venido sobre vosotros el Espíritu Santo, y me seréis testigos en Jerusalén, en toda Judea, en Samaria, y hasta lo último de la tierra" (Hechos 1:8). En esta última parte estamos incluidos nosotros, pues todavía hay regiones y países que jamás han escuchado el evangelio de nuestro Señor Jesucristo.

Ejercicios de clausura

(1) Clamen al Señor por un derramamiento del Espíritu que impulse las misiones.

(2) Terminen con una oración de consagración para que Dios llame a alguien a las misiones.

PREGUNTAS Y RESPUESTAS

1. ¿Dónde comenzó el plan misionero?

Fue diseñado por el Padre desde la eternidad, prometido a Abraham y ordenado por Jesús.

2. Mencione la estrategia y la extensión del plan misionero de Jesús.

La estrategia es: "Id, y haced discípulos", capacitar a otros, "a todas las naciones".

3. Mencione los tres pasos en el proceso de la formación espiritual de los discípulos.

(1) Identificación por medio del bautismo. (2) Capacitación en la Palabra. (3) Comunión permanente con Cristo.

4. ¿Qué respondió Jesús a sus discípulos respecto al establecimiento del reino en la tierra?

Antes que el reino de Dios llegara tendrían que suceder dos cosas: Ser llenos del Espíritu Santo y llevar el evangelio a todas las naciones.

5. ¿Cuál es el propósito principal del poder del Espíritu Santo?

Es capacitar al creyente para que sea un instrumento útil para la propagación del evangelio y ser un testigo de Cristo.

PARA LA PRÓXIMA SEMANA

Estudiaremos la importancia del "Espíritu Santo en las misiones", quien es el representante de Cristo en la tierra y el promotor de los grandes avivamientos, en respuesta al clamor de la iglesia. Motive a los participantes a estudiar el tema y a buscar más del poder de Dios.

EL ESPÍRITU SANTO EN LAS MISIONES

ESTUDIO BÍBLICO 23

Base bíblica
Hechos 2:1-13, 38-42.

Objetivos

1. Analizar la necesidad del poder del Espíritu Santo en las misiones.
2. Sentir el gozo de la llenura del Espíritu como en Pentecostés.
3. Someter todo conocimiento y todo esfuerzo al poder y la dirección del Espíritu de Dios.

Pensamiento central
El día de Pentecostés el Señor derribó muchas barreras, incluyendo la del idioma, para acelerar la marcha de las misiones mundiales.

Texto áureo
Porque para vosotros es la promesa, y para vuestros hijos, y para todos los que están lejos; para cuantos el Señor nuestro Dios llamare (Hechos 2:39).

Fecha sugerida:___/____/____

LECTURA ANTIFONAL

Hechos 2:4 Y fueron todos llenos del Espíritu Santo, y comenzaron a hablar en otras lenguas, según el Espíritu les daba que hablasen.
5 Moraban entonces en Jerusalén judíos, varones piadosos, de todas las naciones bajo el cielo.
6 Y hecho este estruendo, se juntó la multitud; y estaban confusos, porque cada uno les oía hablar en su propia lengua.
7 Y estaban atónitos y maravillados, diciendo: Mirad, ¿no son galileos todos estos que hablan?
8 ¿Cómo, pues, les oímos nosotros hablar cada uno en nuestra lengua en la que hemos nacido?
9 Partos, medos, elamitas, y los que habitamos en Mesopotamia, en Judea, en Capadocia, en el Ponto y en Asia,
10 en Frigia y Panfilia, en Egipto y en las regiones de África más allá de Cirene, y romanos aquí residentes, tanto judíos como prosélitos,
11 cretenses y árabes, les oímos hablar en nuestras lenguas las maravillas de Dios.
38 Pedro les dijo: Arrepentíos, y bautícese cada uno de vosotros en el nombre de Jesucristo para perdón de los pecados; y recibiréis el don del Espíritu Santo.
39 Porque para vosotros es la promesa, y para vuestros hijos, y para todos los que están lejos; para cuantos el Señor nuestro Dios llamare.

DATOS GENERALES ACERCA DEL TEMA

- **Enseñanza:** El Espíritu Santo vino a morar en la iglesia para completar la misión que el Padre planeó, el Hijo ejecutó y los creyentes deben terminar.
- **Autor:** Lucas
- **Personajes:** El Apostol Pedro, los discípulos, los ciento veinte y una gran multitud de judios.
- **Fecha:** Año del suceso 30 d.C.
- **Lugar:** Jerusalén.

BOSQUEJO DE LA LECCIÓN

I. El Espíritu Santo es el agente de la comunicación en las misiones (Hechos 2:1-13)
   A. El Espíritu Santo es el fuego que da vida a la misión (2:1-4)
   B. Las lenguas restauraron la comunicación que se perdió en Babel (2:5-8)
   C. En Pentecostés estaban representadas todas las naciones (2:9-13)

II. El Espíritu Santo es el que conmueve y convence en las misiones (Hechos 2:37-42)
   A. Unge la predicación para que las almas sean compungidas (2:37,38)
   B. Hace realidad la promesa de Dios para los de cerca y los de lejos (2:39)
   C. Consolida los frutos evangelísticos y los multiplica (2:40-42)

LECTURAS DEVOCIONALES DIARIAS

Lunes: Una iglesia que persevera en oración (Hechos 1:12-14)
Martes: Una iglesia que se preocupa en la organización (Hechos 1:15-26)

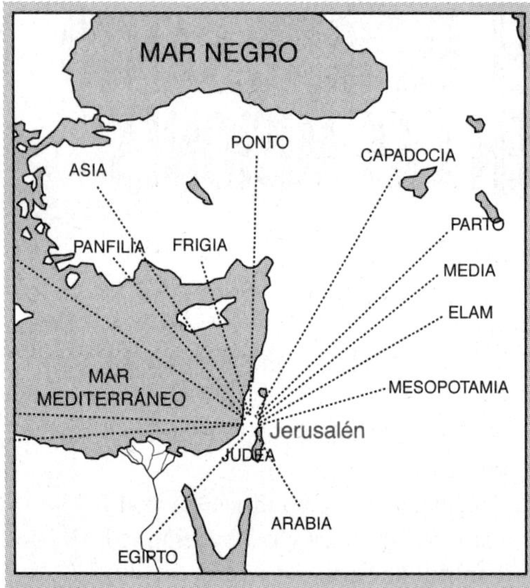

Regiones de donde venían judíos para participar en la fiesta del Pentecostés.

Miércoles: El avivamiento que todos necesitamos (Hechos 2:1-4)
Jueves: El poder pentecostal en las misiones mundiales (Hechos 2:5-13)
Viernes: Primeros frutos del avivamiento misionero (Hechos 2:37-42)
Sábado: Conducta social de una iglesia espiritual (Hechos 2:42-47)

INTRODUCCIÓN

El Bautismo del Espíritu Santo, con la evidencia de hablar en lenguas y otras manifestaciones, tal y como lo describe el libro de los Hechos, se han dado durante toda la historia de la Iglesia, pero en la segunda mitad del siglo diecinueve, comenzó a suceder con mayor frecuencia. Casos en Inglaterra, Carolina del Norte o en Corea, fueron los antecedentes de la famosa madrugada del 31 de diciembre de 1900, cuando un ministro metodista apasionado del Espíritu Santo y sus manifestaciones, dirigía un sencillo instituto bíblico en Topeka, Kansas. En aquel modesto lugar en el que se enseñaba a cuarenta alumnos se derramó el bautismo del Espíritu Santo con la evidencia inicial de hablar en otras lenguas. En 1904, tuvo lugar un Avivamiento en Gales, Gran Bretaña durante el cual aproximadamente 100,000 se unieron al movimiento, siendo miles llenos del Espíritu Santo, tomando este evento como una señal del cumplimiento de la profecía Joel 2:28,29. Durante este tiempo, otros avivamientos en pequeña escala estaban sucediendo en Tennesee, Minnesota, Kansas , Missouri y Texas. En 1905, informes de hablar en lenguas, sanidades sobrenaturales, y cambios significativos de estilos de vida acompañaban esta experiencia. Cuando se corrió la noticia, los evangélicos por todos los Estados Unidos comenzaron a orar por avivamientos similares en sus propias congregaciones. El movimiento se extendió como el fuego en un caluroso medio día de verano. Pero la iglesia representativa sería la de la calle Azusa, en un modestísimo barrio de Los Ángeles, donde se comenzó a experimentar un gran avivamiento pentecostal, que sacudió la ciudad e hizo que la prensa de todo el país se interesara por ello. El mensaje que atrajo multitudes era considerado nuevo, novedoso, y revolucionario. Allí se celebraban cultos tres veces al día, los siete días de la semana durante sus días gloriosos, desde 1906 hasta 1909. Los cristianos recibían el bautismo en el Espíritu Santo como lo habían recibido los apóstoles en el día de Pentecostés, con la evidencia bíblica de las lenguas. Dios estaba soplando nuevos vientos de avivamiento, a su iglesia. Así como el día del pentecostés, marcó el inicio de la iglesia y de las misiones, el avivamiento de la calle Azusa, despertó a la iglesia. Analizaremos en este estudio que es necesario el poder del Espíritu Santo para continuar expandiendo las buenas nuevas a todas las naciones.

DESARROLLO DE LA LECCIÓN

I. EL ESPÍRITU SANTO ES EL AGENTE DE LA COMUNICACIÓN EN LAS MISIONES (HECHOS 2:1-13)

Ideas para el maestro o líder

(1) Comente que las manifestaciones del Espíritu de Dios no son cosa del pasado, sino que son para hoy.
(2) Hable del avivamiento a principios del siglo diecinueve.
(3) Explique que Dios usó "el estruendo" (Hechos 2:2,6) para atraer a la numerosa multitud desde los alrededores del templo para ver qué había sucedido en el aposento alto. Dios utiliza los medios que cree correctos para atraer a los pecadores a escuchar el mensaje de salvación.

Definiciones y etimología

* *El día de Pentecostés* (Hechos 2:1). Esto era el día *pentekostos*, "quincuagésimo" después de la Pascua.

* *Un estruendo* (2:2,6). El término que se usa en griego es ecos, "eco" como de *pnoes biaías*, "viento violento".

* *Otras lenguas* (2:4). La expresión *etérais glossais* describe la multiplicidad de idiomas que los creyentes llenos del Espíritu Santo pudieron hablar para comunicar el mensaje a todos los presentes.

A. El Espíritu Santo es el fuego que da vida a la misión (2:14)

El derramamiento del Espíritu Santo inauguró una nueva época y una nueva estrategia para la evangelización. Las lenguas que el Espíritu "les daba que hablasen" fue el medio de comunicación con todos los que acudieron al aposento alto. Varios fenómenos celestiales se manifestaron en la segunda planta de la casa de María, la madre de Juan Marcos, que según los estudiosos fue el "aposento alto" de la iglesia primitiva. Ya antes, Jesús y sus discípulos habían usado este acogedor recinto para sus reuniones durante las fiestas; de ahí que se conociera también como "el cenáculo". Antes de dejarlos, Jesús les había mandado "que no se fueran de Jerusalén, sino que esperasen la promesa del Padre" (Hechos 1:4). Después del inolvidable momento de la ascensión del Señor, desde el monte de los Olivos, todos regresaron a la ciudad de Jerusalén, al aposento alto, donde "perseveraban unánimes en oración y ruego" (1:14). La espera pudo haber durado entre siete y diez días, según como concibamos el programa de tres puntos: Desde la muerte de Jesús hasta su resurrección (tres días); desde la resurrección hasta su ascensión (cuarenta días); más los días de espera hasta el día "quincuagésimo" (pentekostos), después de la Pascua.

Llegado el momento, Jesús cumplió lo que había anticipado: "Os conviene que yo me vaya; porque si yo no me fuere, el Consolador no vendría a vosotros; mas si me fuere os lo enviaré" (Juan 16:7). Por su parte, los 120 que formaban aquella congregación "estaban todos unánimes juntos" (2:1). De parte de Dios aquel sitio fue escenario de varios fenómenos celestiales que cambiaron radicalmente el curso de acción de la iglesia. (1) El estruendo (2:2,6). El término que se usa en griego es ecos, "eco", un ruido pnoes biaías, "como de un viento violento". Los que han oído el eco de un huracán pueden formarse una idea del sonoro ruido que "llenó toda la casa donde estaban sentados". Pero dicho eco no sólo se oyó dentro de la casa; su objetivo era, más bien, que se oyera hasta los alrededores del templo, donde se encontraba esa mañana (como a las 9 a.m.), una numerosa multitud de peregrinos. (2) Fuego (2:3). Las llamas parecían lenguas de fuego que se asentaban "sobre cada uno de ellos". Tanto el "viento" como el "fuego" simbolizan al Espíritu Santo y son elementos que siempre han acompañado a las manifestaciones del poder de Dios, como sucedió en el monte Sinaí y en el caso de Elías. (3) Las lenguas (2:4). La expresión etérais glossais, "otras lenguas", describe la variedad de idiomas que los creyentes llenos del Espíritu Santo pudieron hablar para comunicar el mensaje a todos los presentes. Jesús había anunciado el hablar "nuevas lenguas" (Marcos 16:17) como parte de la preparación para el desempeño del ministerio misionero mundial. Lo que los discípulos no imaginaban era que en un solo día, el milagro de las lenguas fuera a alcanzar a tantas razas y culturas con las buenas nuevas de Cristo.

B. Las lenguas restauraron la comunicación que se perdió en Babel (2:5-8)

En una de las primeras lecciones de este curso estudiamos el caso de la confusión de lenguas en la torre de Babel en la Mesopotamia. El propósito de aquel acontecimiento fue confundir y separar a los pueblos primitivos, obligándolos a reunirse en grupos del mismo lenguaje para el establecimiento de las naciones. Todo lo contrario sucedió con las kainaisglossais, "nuevas lenguas" (Marcos 16:17), de Pentecostés, cuando "comenzaron a hablar en otras lenguas como el Espíritu les daba que hablasen" (Hechos 2:4). Esto sirvió para unir el corazón de los que venían "de todas las naciones bajo el cielo" (2:5). El estruendo atrajo a "la multitud", y todos estaban confusos "porque cada uno les oía hablar en su propia lengua" (2:6). Lucas usa los adjetivos "atónitos" y "maravillados" para describir el estado de ánimo de los millares de peregrinos que se juntaron alrededor del aposento alto (2:7).

Lo que asombraba a estos religiosos, tanto judíos como prosélitos, era que todos los discípulos de Cristo, llenos del Espíritu Santo que hablaban "otras lenguas" eran "galileos". Casi siempre se pensaba de los galileos como gente de poca educación, incapaces de dominar varios idiomas extranjeros. Los de sangre judía, pero de nacionalidad extranjera, se preguntaban: "¿Cómo, pues, les oímos nosotros hablar cada uno en nuestra lengua en la que hemos nacido?" (2:8). Lo que ignoraban todos estos era que Dios había enviado el derramamiento del Espíritu Santo predicho por Isaías 42:15 y 44:3. Más tarde habría de levantarse Pedro para explicarles bajo inspiración divina que esto no era otra cosa sino el avivamiento que había sido descrito anticipadamente por Joel (2:28-32). Otra cosa que ignoraban era que esta vez ellos no estaban allí sólo para cumplir un rito anual; la costumbre de venir a Jerusalén para la Pascua y quedarse hasta Pentecostés. En esta ocasión Cristo los necesitaba allí para que vieran y escucharan por sí mismos, lo que estaba dando la primera campanada mundial de las misiones cristianas. El Espíritu Santo estaba dando, por medio de los labios de los cristianos ungidos, el mensaje que ellos mismos tendrían que llevar a cada rincón de la tierra de donde vinieran.

C. En Pentecostés estaban representadas todas las naciones (2:9-13)

El día de Pentecostés, en el que se derramó el poder del Espíritu Santo, es uno de los momentos más importantes en la historia de las misiones. Fue el día en que el Señor reunió representaciones de "todas las naciones bajo el cielo" para que escucharan en su propia lengua "las maravillas de Dios". Si usted toma un mapa del mundo del Nuevo Testamento y sigue la lista de regiones mundiales de 2:9-11, se dará cuenta de la enormidad de territorio cubierto en esa ocasión. (1) Región del Medio Oriente. Allí había gente de Partia, Media, Elam y Mesopotamia (2:9). Estos países corresponden a los antiguos imperios de Asiria, Babilonia, Medo-Persia y otras regiones a donde los judíos fueron expatriados en el tiempo del Imperio asirio. (2) Región del Asia Menor. De esta zona se mencionan las naciones de Capadocia, Ponto, Asia, Frigia y Panfilia (2:10), donde residía un enorme número de judíos y prosélitos. (3) Región de África. Egipto, Cirene y África, a donde había emigrado gran número de judíos desde los tiempos de los ptolomeos. (4) Región de Roma y Europa. En Roma había una colonia judía tan numerosa y fuerte que se convirtió en foco de intrigas para los romanos. (5) Creta al oeste del Mediterráneo; y (6) Arabia al sudeste de Palestina, eran los extremos del mundo del Nuevo Testamento.

En total, unas quince naciones son mencionadas en este recorte periodístico de Lucas. Los medios radiales y electrónicos de comunicación masiva aparecerían diecinueve siglos más tarde, pero por el momento, Dios disponía de medios humanos y divinos para la propagación de su glorioso evangelio. De entre esta gran multitud congregada alrededor del lugar del avivamiento pentecostal, muchos estaban "atónitos y perplejos, diciéndose unos a otros: ¿qué quiere decir esto?" (2:12). Pero también hubo algunos que, a juzgar por las reacciones de los creyentes llenos del Espíritu Santo, los dieron por "llenos de mosto" (2:13). ¿No cree usted que tenían razón los que veían y oían de lejos todo lo que estaba sucediendo en aquella sala? ¿No dicen lo mismo los vecinos de una iglesia pentecostal cuando se manifiesta el poder de Dios en los creyentes? Lo que ignoran es el profundo gozo y la inexplicable paz que hay en el corazón de cada creyente lleno del Espíritu. Tampoco saben que el gozo y el ruido que hacemos no son los últimos objetivos de esa unción. Lo maravilloso es que eso nos capacita para llevar el mensaje a otros que pueden estar muy lejos de imaginar lo que Dios tiene en reserva para ellos.

Afianzamiento y aplicación

(1) Explique que en un caso como el del día de Pentecostés, "las lenguas son por señal, no a los creyentes sino a los incrédulos" (1 Corintios 14:22).

(2) Explique que algunas veces las lenguas son entendidas por algunos de los presentes (como cuando hay extranjeros entre nosotros), pero otras veces se debe pedir al Señor que nos dé la interpretación del mensaje.

(3) Comente que los grandes avivamientos han surgido por las manifestaciones especiales del Espíritu Santo, como los mencionados en la introducción.

II. EL ESPÍRITU SANTO ES EL QUE CONMUEVE Y CONVENCE EN LAS MISIONES (HECHOS 2:37-42)

Ideas para el maestro o líder

Relacione brevemente los resultados del sermón de Pedro en 2:37 con lo que Jesús dijo del Espíritu Santo en Juan 16:8-11. Compare la pregunta de la multitud (2:37) y la respuesta de Pedro (2:38), con la pregunta del carcelero de Filipos 16:30) y la respuesta que dio el apóstol Pablo (16:31).

Definiciones y etimología

* *"Se compungieron de corazón"* (2:37). El término "compungir" es una traducción de *katenugesan,* "quedaron punzados", y *dekatanusomai,* "golpear" o "pinchar". El Espíritu Santo usa la Palabra de Dios, que es "más cortante que toda espada de dos filos" (Hebreos 4:12), para punzar el corazón de los incrédulos.

A. Unge la predicación para que las almas sean compungidas (2:37,38)

El efecto del poder del Espíritu Santo se notó inmediatamente en Pedro. Antes de ser lleno del Espíritu se había distinguido por su volubilidad y por decir cosas un tanto desatinadas y contrarias a la voluntad de Dios. Véanse, por ejemplo, la ocasión en que habló en contra de que Jesús diera su vida en la cruz (Mateo 16:22) y la triste experiencia de la negación (Mateo 26:69-75). En cambio, después de la unción de lo alto, este hombre se convirtió en el primer portavoz del evangelio. Desde Hechos 2:14 hasta 2:36, Lucas presenta un resumen del poderoso sermón que Pedro predicó desde el aposento alto a toda aquella multitud atónita y perpleja. Primero les refutó la falsa acusación de que los 120 creyentes estaban "ebrios". Les dijo que la experiencia del bautismo en el Espíritu Santo era el fiel cumplimiento de la promesa de Dios dada en Joel 2:28-32. Seguidamente, abordó el tema de la resurrección de Jesús, predicha en la profecía de David (Salmo 16:8-11).

"Al oír esto, se compungieron de corazón y dijeron a Pedro y a los otros apóstoles: Varones hermanos, ¿qué haremos?" (2:37). Si pusiéramos esto en términos más literales, diríamos que todos los oyentes de Pedro "sintieron una punzada en el corazón". Eso no es otra cosa sino la obra que hace el Espíritu Santo en el corazón humano cuando es expuesta la Palabra de Dios con vehemencia y convicción. Un predicador pusilánime e indeciso, que casi no recuerda los pasajes bíblicos ni coordina las ideas que está tratando de exponer, difícilmente logrará hacer impacto en el corazón de sus oyentes. Pero cuando el poder del Espíritu de Dios usa al mensajero, las verdades de la Palabra son como proyectiles espirituales que iluminan la inteligencia, conmueven los sentimientos e impulsan la voluntad del que escucha. La pregunta: "¿qué haremos?" revela el estado de crisis espiritual en que se encontraban. Se habían alejado de Dios, a pesar de su religión, y no habían puesto atención al gran ofrecimiento de Cristo, al cual se refería el apóstol. La única solución a su problema en ese momento estaba en 2:38 y consistía de cuatro pasos: (1) "Arrepentíos", lo cual denota un abandono total de la vida de pecado e incredulidad. (2) "Bautícese cada uno [...] en el nombre de Jesucristo", lo cual significaba una aceptación incondicional de Jesús como Señor y Salvador. (3) "Perdón de pecados", que es lo mismo que la justificación por la fe para tener paz para con Dios (Romanos 5:1). (4) "Recibiréis el don del Espíritu Santo", el cual incluye la gracia de la salvación, el fruto de la santificación y el poder del Espíritu para el servicio.

B. Hace realidad la promesa de Dios para los de cerca y los de lejos (2:39)

El don del Espíritu Santo, en el cual están incluidas las tres obras divinas en el corazón arrepentido, como se acaba de señalar, es para "todo aquel que invocare el nombre del Señor" (Joel 2:32; Romanos 10:13). El alcance de esta promesa es de proporciones universales, como se visualiza en el plan misionero. Hay cuatro grupos mencionados en Hechos 2:39, los cuales integran los segmentos humanos en que opera el ministerio de las misiones. (1) "Para vosotros es la promesa". Los millares de personas allí reunidas, por decidirse a recibir a Cristo Jesús como su Salvador y Maestro se convertirían en los primeros recipientes del cumplimiento de las promesas de Dios. (2) "Para vuestros hijos". El segundo grupo bendecido serían los más cercanos a ellos: sus hijos, familiares, amigos y vecinos. Al regreso a sus lugares de origen, estos primeros testigos del evangelio y del derramamiento del poder de Dios habrían de empezar a propagar las buenas nuevas entre los suyos. (3) "Para todos los que están lejos". La salvación y el don del Espíritu Santo no eran bendiciones que se limitaran a los de más cerca. Desde el llamamiento divino citado por el profeta vemos esta disposición de Dios de alcanzar a los de lejos: "Mirad a mí, y sed salvos, todos los términos de la tierra" (Isaías 45:22). (4) "Para cuantos el Señor nuestro Dios llamare". En esta frase tan inclusiva se está extendiendo la promesa de Dios a todos los seres humanos en todos los confines de la tierra. Todo esto es consistente con la visión misionera de no dejar ni un solo pueblo sin que tenga la oportunidad de oír el evangelio.

C. Consolida los frutos evangelísticos y los multiplica (2:40-42)

Lo que entendemos del versículo 40 es que el sermón de Pedro fue extenso y contundente. El llamado era terminante: "Sed salvos de esta perversa generación". Luego que el Espíritu Santo efectúa la obra que Jesús dijo que haría en el corazón humano lo que resta es dar orientación para acercarse a Dios. Jesús dijo: "Cuando él (Espíritu Santo) venga, convencerá al mundo de pecado, de justicia y de juicio" (Juan 16:8-11). Eso se vio en esta ocasión, como respuesta a la predicación ungida del evangelio de Jesucristo. Es el Espíritu Santo el que "convence" al pecador en el aspecto intelectual, para luego "compungirlo" en el aspecto sentimental y finalmente impulsarlo a recibir al Señor como un acto de la voluntad. En esa ocasión hubo en primer lugar un resultado numérico: "Los que recibieron su palabra fueron bautizados; y se añadieron aquel día como tres mil personas" (2:41). ¿No es cierto que todos deseamos este tipo de frutos, ya sea en nuestra iglesia local, o en las misiones en el extranjero?

En segundo lugar, la otra clase de frutos que se produjo inmediatamente después del avivamiento pentecostal fue de carácter espiritual. Las tres mil personas que se arrepintieron de sus pecados, aceptaron a Jesús como su Salvador, se bautizaron en agua y se añadieron a la iglesia, "perseveraban". ¿De qué sirven las campañas masivas de evangelización si las personas alcanzadas y ganadas no perseveran en el Señor? ¿No es verdad que muchas veces el único crecimiento que se tiene es numérico, en los libros y las estadísticas de la iglesia local y la denominación?

Lo que debe preocuparnos es adoptar las medidas bíblicas para que los frutos de la obra evangelística y misionera puedan ser conservados. En la iglesia de los apóstoles en Jerusalén se dieron, por lo menos cuatro pasos para que la gente perseverara. (1) Los creyentes recibían "doctrina" bíblica directa, sencilla y consistente. Sin la enseñanza de la Palabra, todo el esfuerzo se esfuma y se pierde. (2) Tenían "comunión unos con otros". La gente va a donde la invitan y se queda donde la tratan bien. La comunión con los demás creyentes es básica para el desarrollo de los recién convertidos y también para los demás. (3) Participaban "en el partimiento del pan". Los dos aspectos de este servicio eran: saciar el hambre y las necesidades del pueblo cristiano y conmemorar el amor y la vida de Cristo en su iglesia. (4) Persistían "en las oraciones". La oración es el recurso eficiente del cristiano para mantenerse vivo y fuerte espiritualmente. La iglesia que no ora termina siendo un club religioso más.

Afianzamiento y aplicación

(1) Haga un recuento de la personalidad y comportamiento del apóstol Pedro antes y después de la experiencia del Pentecostés.

(2) Reflexionen sobre la calidad de vida que se comenzó a experimentar en los primeros cristianos que fueron llenos del Espíritu Santo y compárela con la experiencia de hoy.

RESUMEN GENERAL

Las misiones mundiales se han visto impulsadas por el Espíritu Santo desde el día de Pentecostés. Grandes avivamientos en diferentes momentos de la historia de la iglesia han tenido lugar, impulsado la obra misionera y cumpliendo la "Gran Comisión". Como el producido en Gran Bretaña y Estados Unidos a mediados del siglo dieciocho cuando se enfatizó en la necesidad urgente de predicar el evangelio. En ese momento Dios usó a hombres como John Wesley, George Whitefield, Jonathan Edwards, entre otros, este avivamiento influyó por casi medio siglo, los historiadores creen que este mover del Espíritu salvo a Inglaterra de vivir lo ocurrido a Francia en la Revolución.

El gran Avivamiento del Espíritu Santo a finales del siglo diecinueve y comienzos del siglo veinte, ocurrido en Estados Unidos, Australia, Nueva Zelanda, Gran Bretaña, Corea, y muchos otros lugares. Considerado el "avivamiento evangélico más extendido de todos los tiempos", después del Pentecostés y la reforma protestante de 1517, llamado incluso la "tercera fuerza". Grandes hombres de Dios impactaron al mundo a través de sus ministerios, ungidos y saturados del poder del Espíritu de Dios.

Sin dejar de mencionar los "avivamientos de evangelismo misionero", en África, Asia y América Latina, en la segunda mitad del siglo veinte, que sacudió a la iglesia en el mundo, usando Dios a hombres como Billy Graham, T.L. Osborn y otros.

Dios continúa moviéndose en el mundo con poder y gloria como el avivamiento sucedido en Pensacola Florida, donde la presencia de Dios es tan fuerte, que cuatro millones de personas de todo el mundo han venido para estar en ese lugar. Igualmente, en otros lugares del mundo donde Dios se está moviendo poderosamente como, Australia, Toronto, México, Guatemala, Argentina, por citar algunos. El Espíritu Santo se está moviendo, pero aún tiene mucho más por hacer, lo que viene será más poderoso y Dios está buscando hombres y mujeres que se dispongan para ser usados por Él, para llevar el último avivamiento a todas las naciones. ¡El próximo, puedes ser tú! Sólo, depende que le creas a Dios. Una vez más el mundo necesita desesperadamente un despertar espiritual. Que el Señor nos llene con su Espíritu y nos dirija en todo lo que hagamos en la extensión de su reino.

Ejercicios de clausura

(1) Oren al Señor por un nuevo avivamiento pentecostal que impulse la evangelización y las misiones.

(2) Consagren su vida al Señor para ser útiles en la iglesia local o en cualquier otra parte del mundo.

PREGUNTAS Y RESPUESTAS

1. Si la experiencia de Babel, trajo confusión, división y separación, ¿Qué trajo Pentecostés?

Pentecostés trajo unión, entendimiento, armonía, sirvió para unir el corazón de los que venían "de todas las naciones bajo el cielo".

2. Mencionen los cuatro pasos para la solución del problema del pecador según Hechos 2:38.

(1) Arrepentimiento (2) Bautismo (3) Perdón de pecados (4) El don del Espíritu Santo. Lo cual incluye la gracia de la salvación, el fruto de la santificación y el poder del Espíritu para el servicio.

3. Enumeren los cuatro grupos que integran el ministerio de las misiones según Hechos 2:39.

(1) Para vosotros es la promesa, (2) para vuestros hijos, (3) para todos los que están lejos; (4) para cuantos el Señor nuestro Dios llamare.

4. ¿De qué manera opera el Espíritu Santo en la totalidad de la vida del inconverso?

El Espíritu Santo convence al pecador en el aspecto intelectual, luego lo compunge en el aspecto sentimental y finalmente lo impulsa a recibir al Señor como un acto de la voluntad.

5. ¿Qué cree que le falta a la iglesia hoy para experimentar un nuevo avivamiento y completar la "Gran Comisión"?

Hombres y mujeres que se dispongan para ser usados por Él, para llevar el ultimo avivamiento a todas las naciones.

PARA LA PRÓXIMA SEMANA

Nuestro próximo estudio se basa en el primer viaje misionero de Pablo y sus acompañantes, enviados y respaldados por la primera iglesia misionera. Analizaremos la importancia del trabajo en equipo en el cumplimiento de la misión. Motive a la clase a leer Hechos 13 y las lecturas devocionales.

LA IGLESIA LOCAL ES LA BASE DE LAS MISIONES

ESTUDIO BÍBLICO 24

Base bíblica
Hechos 13:1-52.

Objetivos

1. Investigar el potencial de la iglesia local a favor de las misiones.
2. Comprender los sentimientos y las fallas de los misioneros.
3. Obedecer el impulso y la dirección del Espíritu Santo.

Fecha sugerida:___/____/____

Pensamiento central
La voluntad de Dios es que la iglesia local sostenga el programa misionero con su oración, apoyo estratégico y sostenimiento económico.

Texto áureo
Habiendo ayunado y orado, les impusieron las manos y los despidieron. Ellos, enviados por el Espíritu Santo, descendieron a Seleucia, y de allí navegaron a Chipre (Hechos 13:3,4).

LECTURA ANTIFONAL

Hechos 13:1 Había entonces en la iglesia que estaba en Antioquía, profetas y maestros: Bernabé, Simón el que se llamaba Niger, Lucio de Cirene, Manaén el que se había criado junto con Herodes el tetrarca, y Saulo.

2 Ministrando éstos al Señor, y ayunando, dijo el Espíritu Santo: Apartadme a Bernabé y a Saulo para la obra a que los he llamado.

3 Entonces, habiendo ayunado y orado, les impusieron las manos y los despidieron.

4 Ellos, entonces, enviados por el Espíritu Santo, descendieron a Seleucia, y de allí navegaron a Chipre.

5 Y llegados a Salamina, anunciaban la palabra de Dios en las sinagogas de los judíos. Tenían también a Juan de ayudante.

45 Pero viendo los judíos la muchedumbre, se llenaron de celos, y rebatían lo que Pablo decía, contradiciendo y blasfemando.

46 Entonces Pablo y Bernabé, hablando con denuedo, dijeron: A vosotros a la verdad era necesario que se os hablase primero la palabra de Dios; mas puesto que la desecháis, y no os juzgáis dignos de la vida eterna, he aquí, nos volvemos a los gentiles.

47 Porque así nos ha mandado el Señor, diciendo: Te he puesto para luz de los gentiles, a fin de que seas para salvación hasta lo último de la tierra.

48 Los gentiles, oyendo esto, se regocijaban y glorificaban la palabra del Señor, y creyeron todos los que estaban ordenados para vida eterna.

49 Y la palabra del Señor se difundía por toda aquella provincia.

52 Y los discípulos estaban llenos de gozo y del Espíritu Santo.

DATOS GENERALES ACERCA DEL TEMA

- **Enseñanza:** Una iglesia local llena y dirigida por el Espíritu Santo es el punto de donde surge todo esfuerzo misionero.
- **Autor:** El historiador Lucas
- **Personajes:** Pablo, Bernabé y Juan Marcos
- **Fecha:** Año del suceso 47 d.C.
- **Lugar:** Antioquía de Siria, isla de Chipre y Antioquóa de Pisidia

BOSQUEJO DE LA LECCIÓN

I. Lo que debe hacer la iglesia para captar la visión misionera (Hechos 13:1-12)
   A. Ocuparse en la Palabra, la oración y el ayuno (13:1,2)
   B. Someterse a la voluntad del Espíritu Santo (13:3,4)
   C. Ejercer autoridad sobre el enemigo (13:5-12)

II. Lo que deben hacer los misioneros para tener éxito en su labor (Hechos 13:13-52)
   A. Mantenerse firmes ante el desánimo de otros (13:13,14)
   B. Tener un conocimiento sólido de la Palabra (13:15-22)
   C. Proclamar un mensaje que señale a Cristo (13:23-41)
   D. Ante el rechazo de algunos debemos ir a los que desean oír (13:42-52)

Antioquía de Siria desde donde Pablo inició su primer viaje misionero viajando a la isla de Chipre y Asia Menor.

LECTURAS DEVOCIONALES DIARIAS

Lunes: Cómo se prepara una iglesia para enviar misioneros (Hechos 13:13)
Martes: Encuentro con la magia en el campo misionero (Hechos 13:4-12)
Miércoles: Los gentiles reciben la Palabra con gozo (Hechos 13:44-52)
Jueves: La persecución es parte del ministerio misionero (Hechos 14:1-7)
Viernes: Las emociones confunden a la gente (Hechos 14:8-18)
Sábado: La iglesia local como base de las misiones (Hechos 14:19-28)

INTRODUCCIÓN

Como ya lo señalamos, Jesús ministró a otras etnias y visitó regiones extranjeras. También el Espíritu Santo dio el mensaje en otras lenguas a gente de todas las naciones el día de Pentecostés. Sin embargo, no es sino hasta Hechos 13 donde se nos informa del primer viaje misionero para llevar el mensaje del evangelio más allá del mar Mediterráneo. Como miembros de la iglesia de Cristo, comprometidos con la misión de ir a todo el mundo con todo el evangelio para toda criatura, debemos conocer la estrategia misionera de Hechos. Lucas, el inspirado historiador de la iglesia, dedicó la primera parte de su libro (Hechos 1-12) al desarrollo de la iglesia primitiva en Jerusalén, Judea y Samaria. Pero luego su atención se concentra en describir el avance del evangelio desde Antioquía de Siria hasta Roma, la capital del imperio (Hechos 13-28). Dos datos interesantes saltan a la vista cuando observamos lo que dice Hechos 13 acerca de la primera parte del primer viaje misionero por el Mediterráneo. (1) La base de las misiones es la iglesia local. Lo primero que vemos es que Dios usó la iglesia de Antioquía de Siria como plataforma de lanzamiento para las misiones. Allí, y no en Jerusalén, se concentró un número de siervos de Dios: profetas y maestros del evangelio. Se ha señalado que esta lista simboliza el llamado universal del evangelio: Bernabé, era un judío procedente de Chipre; Simón llamado Níger (el negro), oriundo de África; Lucio provenía de Cirene también en el norte de África; Manaén era de la aristocracia y amigo personal de la familia de Herodes; y Pablo de Tarso de Cilicia, un fanático fariseo convertido a Cristo. Este pequeño grupo ejemplifica la influencia unificadora del cristianismo. Personas de diferentes estratos sociales, raciales y culturales han descubierto el secreto de estar juntos porque, porque han descubierto el secreto de estar en Cristo. Desde allí, en ese ambiente, el Espíritu Santo, separó y envió al primer equipo de misioneros con el apoyo espiritual, moral y económico de aquella floreciente congregación (13:15). (2) Los misioneros tuvieron éxito porque siguieron la dirección del Espíritu Santo. En Pafos, en la isla de Chipre, el Señor manifestó su poder en Pablo contra la farsa del mago judío Elimas. Este milagro represivo demostró que el diablo estorba la predicación del evangelio, pero puede ser reprendido con la autoridad que da Jesús a sus siervos (13:6-12). En Antioquía de Pisidia, después de que los judíos rechazaron a Cristo, los misioneros evangelizaron con mucho éxito a los gentiles (13:13-44). Tanto allí como en Iconio, la Palabra prosperó y los recién convertidos fueron "llenos de gozo y del Espíritu Santo" (13:45-52).

DESARROLLO DE LA LECCIÓN

I. LO QUE DEBE HACER LA IGLESIA PARA CAPTAR LA VISIÓN MISIONERA (HECHOS 13:1-12)

Ideas para el maestro o líder

(1) Use el mapa del primer viaje misionero de Pablo para señalar el recorrido desde Antioquía de Siria hasta Antioquía de Pisidia.
(2) Explique que los misioneros no salen de una "oficina" sino que el Espíritu Santo los llama de una "iglesia", para que el comité de misiones los envíe a su campo indicado.

Definiciones y etimología

* *Profetas y maestros* (Hechos 13:1). Los primeros proclamaban el mensaje de Dios, ya sea en forma de profecía, o en forma de sermones. Los maestros se dedicaban a la enseñanza pastoral.

* *A Bernabé y a Saulo* (13:2). Se cree que se nombra a Bernabé en primer lugar porque era ya un líder en esa iglesia, en tanto que Saulo (como era su nombre hebreo, llamado también Pablo, el nombre griego) apenas llevaba allí un poco más de un año (Hechos 11:25,26).

A. Ocuparse en la Palabra, la oración y el ayuno (13:1,2)

En Hechos 11:19, Lucas nos informa que el Señor permitió la persecución de los creyentes después de la muerte de Esteban para que estos salieran de Jerusalén. Así fue como se esparcieron por Fenicia, Chipre y Antioquía. En 12:1 vemos que Herodes Agripa I, nieto de Herodes el Grande, dio muerte a Jacobo hermano de Juan y tenía a Pedro en la mirilla. Esta presión en Jerusalén obligó a los creyentes a ir y establecer iglesias en otros países. Antioquía de Siria fue una de las ciudades más receptivas y prósperas. Esta ciudad, fundada por Seleuco Nicator en honor a su padre Antíoco en 301 a.C., era la capital del reino seléucida. Bajo el Imperio romano llegó a ser la tercera ciudad en importancia después de Roma y Alejandría. Antioquía, situada junto al río Orontes, a 26 kilómetros del Mediterráneo, era muy importante en el intercambio comercial entre el Medio Oriente, Asia Menor y Egipto. Aunque quedaba a casi 500 kilómetros al norte de Jerusalén muchos viajaban entre ambas ciudades.La iglesia de Antioquía vino a ser número uno en misiones por razones obvias. Los creyentes que llegaron a Antioquía llevaban en su corazón la llama viva del evangelio. Inmediatamente empezaron a ganar almas para Cristo y vivir la vida que su Señor había enseñado. Por eso, se les dio el nombre de "cristianos" allí por primera vez (11:26). Esta iglesia creció en número y en fervor espiritual, de tal modo que fue la primera en captar la visión misionera. En 13:1,2 se destacan dos factores que hicieron de la iglesia de Antioquía un centro dinámico no sólo para la evangelización local, sino también para las misiones extranjeras. (1) Se enfatiza la presencia activa de varios "profetas" en esa congregación multiétnica. El ministerio de los profetas mantenía en alto la proclamación del mensaje de Dios, ya fuera en lenguas, interpretación de lenguas o profecía. También se predicaba la Palabra en el idioma común. (2) El ministerio didáctico de los "maestros" tenía el objetivo de enseñar la doctrina cristiana y preparar a la iglesia contra las herejías del judaísmo y tantas ideas paganas que circulaban entre los que no habían tenido un encuentro personal con el Señor. Estando en plena campaña de predicación, oración y ayuno, El Espíritu Santo mandó que dos de ellos: Bernabé y Saulo fueran apartados para las misiones.

B. Someterse a la voluntad del Espíritu Santo (13:3,4)

Por el informe que se nos da aquí deducimos que lo más importante en la iglesia de Antioquía era la búsqueda de la voluntad de Dios. Estos creyentes dependían de la oración y el ayuno, además de la instrucción bíblica, para su desarrollo en el Señor. Cuando una iglesia dedica tiempo para estos ejercicios espirituales su estado de sensibilidad y sumisión al Espíritu Santo se hace evidente. De iglesia como esa, es de donde el Señor está llamando a sus siervos para enviarlos a otros países. Qué satisfacción y alegría deben de haber sentido los creyentes de Antioquía cuando oyeron que el Espíritu Santo les dijo: "separadme a Bernabé y a Saulo para la obra a que los he llamado". Enterados de la voluntad divina, se pusieron a orar y ayunar aún más. Luego, "les impusieron las manos y los despidieron". Este servicio de ordenación ligaba oficial y espiritualmente a los dos misioneros con la iglesia madre. Esta fue la razón por la que al finalizar el recorrido volvieron a ella para rendir un informe de su misión, como lo veremos en otro estudio. Esta era una iglesia bastante generosa. Por lo tanto, lo más seguro es que hayan levantado una buena ofrenda para ponerla en las manos de estos dos grandes maestros y predicadores del evangelio. Ellos, después de la debida preparación personal, sin preocuparse por llevar demasiadas provisiones, tomaron al joven Juan Marcos y se dirigieron al puerto de Seleucia. De Antioquía a este famoso puerto no había más que unos 25 kilómetros, a unos 10 kilómetros al norte de la desembocadura del río Orontes. Desde allí navegaron a la isla de Chipre la cual dista de Seleucia unos 150 kilómetros. Bernabé era el líder del equipo misionero, y lo más lógico fue que escogiera como primera estación ministerial su propia tierra, pues él era "natural de Chipre" (Hechos 4:36). En esta isla había una población judía numerosa y muy fuerte. Los chipriotas ya habían recibido el evangelio, pues en 11:19,20 leemos que muchos cristianos salieron de Jerusalén y se establecieron en Chipre al mismo tiempo que otros se trasladaban a Antioquía y Fenicia. De manera que los misioneros deben de haber encontrado mucho apoyo allí.

C. Ejercer autoridad sobre el enemigo (13:5-12)

1. Invasión misionera de todo un país. Después de un día de navegación deben de haber llegado a Salamina, el principal puerto de la isla. Allí iniciaron una campaña de predicación evangelística "en las sinagogas", pues existían varias en esa ciudad. Chipre era una península proconsular, bajo el senado romano, no bajo el emperador como Judea. Era gobernada por un "procónsul" mientras que una provincia imperial estaba bajo un propretor o presidente y era militarizada.

La isla tiene más de 200 kilómetros de largo por una anchura promedio de 60 kilómetros. Desde Salamina, Bernabé, Pablo y Juan Marcos caminaron a lo largo de la isla predicando el evangelio. Al fin llegaron a la gran ciudad de Pafos, al occidente de la isla, donde residía el procónsul, la autoridad local máxima. También existía en Pafos un gran templo dedicado a la diosa Venus Cipriana, que según ellos se había aparecido en la playa.

2. Victoria del Espíritu Santo contra Satanás. A su llegada a Pafos, los evangelistas tuvieron que enfrentarse a algo inesperado. El procónsul, Sergio Paulo, un escritor romano, muy interesado en todo lo religioso, deseaba escuchar el mensaje del evangelio que anunciaban los misioneros. Pero estaba con él, probablemente, a su servicio como consejero un mago de origen judío, llamado Barjesús que literalmente significaba "hijo de Jesús"; pero que realmente era un hijo del diablo. Este trataba de estorbar al procónsul para que oyera el evangelio, pues temía que se convirtiera (tal como sucedió), y prescindiera de sus servicios. Pero este ocultista farsante, no distraía al gobernador de manera inofensiva sino que "resistía" a los siervos de Dios directa y atrevidamente, así como, "Janes y Jambres resistieron a Moisés" (2 Timoteo 3:8). Entonces, Saulo, cuyo nombre griego es Pablo, "lleno del Espíritu Santo, fijando en él los ojos le dijo: ¡Oh, lleno de todo engaño y de toda maldad, hijo del diablo, enemigo de toda justicia! ¿No cesarás de trastornar los caminos rectos del Señor?" (Hechos 13:10). Después de tan severa reprensión verbal, el apóstol le anunció a este engañador que quedaría ciego por un tiempo, lo cual sucedió inmediatamente.

3. Conversión de un gobernante en una nueva criatura. La gran enseñanza que adquirimos aquí es que el Espíritu Santo puede desarmar todas las barricadas del diablo a fin de que la Palabra de Dios llegue al corazón que la necesita. El procónsul romano, “viendo lo que había sucedido, creyó, maravillado de la doctrina del Señor” (13:13). Lo que sucedió después con el mago no tenía ninguna importancia para nuestro historiador sagrado. Quizás recuperó la vista después de algunos días. Lo interesante fue que un alma, un gobernante romano, la figura principal de todo un país, entregó su corazón al Señor. La finalidad de todo milagro es facilitar a los incrédulos el paso más importante de su vida: ser salvos por la fe en Jesucristo.

Afianzamiento y aplicación

(1) Comenten si su iglesia se parece a la de Antioquía, en cuanto a su consagración, su sensibilidad y su celo misionero.

(2) Descubran a alguien o algo que esté estorbando la llegada del mensaje a algunos corazones.

II. LO QUE DEBEN HACER LOS MISIONEROS PARA TENER ÉXITO EN SU LABOR (HECHOS 13:13-52)

Ideas para el maestro o líder

(1) Explique que Juan Marcos, el que se regresó del camino, después de madurar en el Señor fue un gran ayudante de Pedro, escribió el segundo evangelio y volvió al lado de Pablo.

(2) Use el mapa para señalar el regreso de Pablo y Bernabé a su iglesia local en Antioquía de Siria.

Definiciones y etimología

* *Pero Juan, apartándose de ellos* (13:13). No se sabe exactamente la causa de la deserción de Juan Marcos. (1) Probablemente se resintió de que ya Bernabé no era el líder de la misión. (2) Pudo haber tenido temor de ir a Antioquía de Pisidia cuyos caminos eran uno de las más difíciles y peligrosos del mundo. (3) Por ser judío dudaba de predicar a los gentiles. (4) Era demasiado joven y había iniciado movido por emociones sin calcular el costo. (5) Extrañaba su familia. Pero años después se ha redimido a sí mismo, se encuentra acompañando a Pablo en su encarcelamiento (Colosenses 4:10). Y al final cuando escribe a Timoteo, poco antes de morir, dice: “Toma a Marcos y tráele contigo, porque me es útil para el ministerio” (2 Timoteo 4:11). Es el autor del evangelio Según San Marcos.

* *Entonces Pablo, levantándose* (13:16). Aquí tenemos un informe de uno de los más completos sermones del apóstol Pablo. Comparándose cuidadosamente con el sermón de Pedro de Hechos 2, los elementos principales son similares.

A. Mantenerse firmes ante el desánimo de otros (13:13,14)

No cabe duda de que la jornada misionera a lo largo de la isla de Chipre no fue nada fácil. Con la información que tenemos acerca de la tenacidad del apóstol Pablo nos basta para suponer que aquel no fue un viaje turístico ni nada por el estilo. Juan Marcos y el tío Bernabé tuvieron que someterse a la disciplina del incansable apóstol quien había sido un fariseo celoso, un impulsivo líder y quien, además, había sido llamado a un ministerio enérgico y sacrificial (Hechos 9:16). Sin duda, tuvieron fatigosos días de camino, largos períodos de ayuno y oración y mucho esfuerzo por buscar y ganar almas para el reino de los cielos. Todo esto podía soportarlo Bernabé quien ya tenía bastante experiencia en la obra y había buscado el compañerismo de Pablo (11:25). Hasta este punto el orden de liderazgo fue siempre “Bernabé y Saulo” (Hechos 13:2). Al inicio de la misión Bernabé era el jefe, pero a partir de ahora será “Pablo y Bernabé”. Este ha asumido el liderazgo del grupo. Es interesante notar que Bernabé no se quejó, al contrario, estuvo dispuesto a ocupar un segundo lugar, siempre en beneficio de la obra del Señor. Pero para el joven Juan Marcos esto era demasiado. Por eso, después de navegar desde Pafos a Perge de Panfilia, y sabiendo que les esperaba un camino largo y peligroso por regiones montañosas, el tercer miembro de la expedición simplemente decidió regresarse a casa. Este abandono de ministerio causó disgusto a ambos evangelistas y cierta preocupación por lo que le pudiera suceder al desertor.

No obstante, los dos veteranos se pusieron de acuerdo, por el momento, volvieron a ponerse en las manos del Señor y siguieron adelante. Personas menos maduras espiritualmente habrían cancelado el viaje y armado un escándalo a medio camino, lo cual hubiera disgustado al que los envió y defraudado a los de su iglesia local. Como si nada hubiera sucedido, "pasando de Perge, llegaron a Antioquía de Pisidia" (13:14). Esta ciudad, situada en el centro de Asia Menor fue construida por el mismo que estableció la Antioquía de Siria. Entre Perge y Antioquía, caminaron territorios inhóspitos, infestados de bandas de ladrones, y visitaron pueblos extraños y paganos. Pero nada los hizo desistir de su misión. Qué gran ejemplo nos dejaron estos pioneros de las misiones; dignos de ser imitados y honrados por los que ahora nos movilizamos vía aérea y con todas las comodidades.

B. Tener un conocimiento sólido de la Palabra (13:15-22)

Una vez en la importantísima ciudad de Antioquía, capital de Pisidia, como era su costumbre, los misioneros Pablo y Bernabé empezaron a predicar en las sinagogas de los judíos. Aquí aprendemos otros detalles muy significativos de la metodología del campeón de los misioneros en la proclamación del evangelio. Este sabio maestro de la Palabra sabía muy bien que se debe enseñar lo nuevo basándose en lo ya conocido. Por eso, cuando los principales de la sinagoga le dieron la oportunidad de hablar a la concurrencia, empezó hablando cosas que ellos ya sabían y les gustaba escuchar. (1) Les recordó la victoriosa salida de Israel de la esclavitud egipcia y la peregrinación por el desierto (13:17,18). (2) Hizo mención del estruendoso triunfo de Israel sobre las siete naciones cananeas y la posesión de la tierra prometida (13:19).(3) Aludió a los 450 años de los jueces desde Josué hasta Samuel (13:20). (4) Se refrió a los cuarenta años del reinado de Saúl con quien tenía en común su nombre hebreo, Saulo y la tribu a la cual pertenecía, Benjamín (13:21).(5) Como último elemento de su introducción habló lo mejor que pudo del gran rey David, un varón conforme al corazón de Dios (13:22).

Lucas nos da sólo el bosquejo de aquella magistral disertación, tal como se la describieron a él; pero el sermón en sí debe de haber sido elocuente y muy agradable para sus oyentes. Lo que les iba a decir pronto era algo nuevo y asombroso para ellos, pero ya se había ganado su atención y confianza. ¡Qué gran maestro de homilética y didáctica cristiana era este excepcional predicador!

C. Proclamar un mensaje que señale a Cristo (13:23-41)

El tema de David era un buen punto de enlace para que Pablo empezara a presentar el mensaje de Cristo Jesús y el evangelio. Primero en los versículos 23-25 él declara que Jesús es "de la descendencia" y linaje de David, que su nombre es "Jesús" y que Dios lo levantó por "Salvador a Israel". Segundo, recurrió también al testimonio de Juan el Bautista (24,25), pues la mayoría de los judíos reconoció a Juan como un profeta enviado por Dios. Este llamó al pueblo al arrepentimiento, y cuando "terminaba su carrera" dijo: "No soy yo él; mas he aquí viene tras mí uno de quien no soy digno de desatar el calzado de sus pies".

Tercero, declaró que Jesús fue crucificado en cumplimiento de las profecías (13:26-29). La parte esencial de todo el sermón está basada en el acto redentor de la muerte de Jesucristo, predispuesta por el Padre desde la eternidad, revelada por los profetas y ejecutada por los judíos que ni siquiera entendían lo que hacían. Cuarto, enfatizó que Cristo Jesús resucitó en cumplimiento de muchas profecías del Antiguo Testamento (13:30-37). Hablar de la muerte de Jesús sin proclamar su gloriosa resurrección es presentarlo como un mártir o una víctima del odio y la ignorancia de los judíos. El punto explosivo de todo sermón evangelístico incluye la muerte del Cordero de Dios y su resurrección para dar vida a todo aquel que cree.

Quinto, les presentó la oferta de salvación para los que quieran recibir lo que la ley no puede dar. La aplicación del mensaje siempre será un llamado vehemente a aceptar a Jesucristo como Salvador. Los sacrificios de la ley sólo ocultaban temporalmente el pecado, pero Cristo es el "Cordero de Dios que quita el pecado del mundo". Sin embargo, las buenas nuevas para unos, son malas para otros. Es peor la condenación para aquellos que, habiendo visto y oído, han rechazado y desobedecido el llamado a creer y aceptar a Jesucristo. Existen excusas para aquellos que nunca tuvieron la oportunidad de oír, pero no las hay para aquellos que han visto y oído el llamado de Dios y lo han rechazado. Aquello, que es un don de amor para los que lo aceptan, es una condena para quienes lo rechazan.

D. Ante el rechazo de algunos debemos ir a los que desean oír (13:42-52)

El llamado a recibir a Jesús y la salvación que Él ofrece pone a los oyentes en un punto crítico. Se puede decir que no ha escuchado el evangelio el que no se ha visto obligado a tomar una decisión: recibirlo o rechazarlo. Cuando salieron de la sinagoga aquel día de reposo, "muchos de los judíos y de los prosélitos piadosos siguieron a Pablo y a Bernabé, quienes hablándoles, les persuadían a que perseverasen en la gracia de Dios" (13:43). La conversión de algunos de sus oyentes constituye el mayor trofeo y el mejor diploma de reconocimiento para cualquier misionero y evangelista. La misión evangelística consiste en echar la red al mar y luego sacarla a la orilla para ver cuántos peces buenos y cuántos malos han quedado en ella (Mateo 13:47,48). La respuesta positiva de algunos, no importa cuántos sean, nos demuestra que la palabra del Señor nunca vuelve vacía sino que siempre hace lo que Él quiere (Isaías 55:11). Nuestro deber como mensajeros de Dios es presentar el mensaje de la manera más clara y bíblica posible; lo demás lo hace el Señor.

El siguiente sábado "se juntó casi toda la ciudad para oír la palabra de Dios" (13:44). Sin embargo, junto con el interés de la gente de acercarse a Dios también surgió el ataque de los enemigos del evangelio. Estos "se llenaron de celos, y rebatían lo que Pablo decía, contradiciendo y blasfemando" (13:45). Entonces los misioneros hicieron lo que todo sembrador sabio debe hacer: buscar tierra más fértil para no estar trabajando en vano. ¿Para qué enfrascarnos en discusiones y contiendas con los necios cuando hay multitudes pidiendo a gritos que les llevemos el mensaje de salvación?

Por otra parte, los misioneros de Antioquía reconocieron que ya habían cumplido su deber de ir "a las ovejas perdidas de la casa de Israel". Cuando los judíos cerraron su corazón a Cristo por no juzgarse "dignos de la vida eterna" era el momento de volverse "a los gentiles". Pablo había recibido un mandato claro: "Te he puesto para luz de los gentiles, a fin de que seas para salvación hasta lo último de la tierra" (13:47). Por su parte, "los gentiles, oyendo esto, se regocijaban y glorificaban la palabra del Señor".

Guardemos en mente que es más importante la salvación de los perdidos que entretenernos en detalles religiosos o culturales.

Afianzamiento y aplicación

(1) ¿Cómo le puede ayudar esta sección para hacer una presentación más eficaz del mensaje de Cristo?

(2) ¿Qué debemos hacer cuando algunos rechazan el evangelio tomando en cuenta lo que hicieron los apóstoles al volverse a los gentiles?

RESUMEN GENERAL

En las memorias de Hudson Taylor, primer misionero a China, se cuenta el siguiente incidente: Al fin de un servicio de predicación del evangelio, se levantó un importante nativo y puesto en pie dijo con voz triste: "Durante años y años he buscado la verdad, al igual que mi padre, quien la buscó sin descanso. He viajado mucho, he leído todos los libros de Confucio, Buda, Lao-Tsé, y no he logrado hallar descanso. Y hoy, por lo que acabo de oír, siento que al fin mi espíritu puede descansar. Desde esta noche me declaro un seguidor de Cristo". Después dirigiéndose al misionero, con voz solemne le preguntó: ¿Desde cuándo conocen las Buenas Nuevas en Inglaterra? Por centenares de años, contestó Taylor. ¿Cómo es posible que hayan conocido a Jesús el Salvador por tanto tiempo y hasta ahora nos lo han hecho saber a nosotros?... Mi pobre padre buscó la verdad por muchos años y murió sin encontrarla. ¿Por qué no vinieron antes, por qué no llegaron más pronto? Taylor agachó la cabeza y con profunda tristeza contestó: Al parecer no habíamos entendido la orden de Jesús cuando dijo: "Id por todo el mundo y predicad el evangelio".

Debemos aprender cuatro cosas muy importantes de este primer viaje misionero de los apóstoles: (1) La iglesia local es el punto de donde debe surgir todo esfuerzo misionero. Desde allí, el Espíritu Santo separó y envió al primer equipo de misioneros con el apoyo espiritual, moral y económico de aquella floreciente congregación (13:15). Necesitamos más iglesias dispuestas a pagar el precio para enviar misioneros (2) Era una iglesia que dependía de la oración y el ayuno, además de la instrucción bíblica, para su desarrollo en el Señor. Cuando una iglesia dedica tiempo para estos ejercicios espirituales su estado de sensibilidad y sumisión al Espíritu Santo se hace evidente. (3) En la predicación y enseñanza hay que empezar con lo fácil y conocido para poder llevar a los oyentes a hasta la revelación de Jesucristo como Señor y Salvador. Necesitamos misioneros preparados en el conocimiento de toda la verdad de Dios. (4) Debemos orar para que el "Señor de la mies", nos muestre los lugares a los cuáles debemos dirigir nuestros esfuerzos para completar lo que falta de la "Gran Comisión". ¡No sea que se nos haga demasiado tarde!

Ejercicios de clausura

(1) Oren al Señor por más sensibilidad al Espíritu Santo y por las naciones aun no evangelizadas.
(2) Aprendan a no desalentarse ni por los ataques del enemigo ni por la indiferencia de la gente.

PREGUNTAS Y RESPUESTAS

1. ¿Qué factores hicieron de la iglesia de Antioquía un centro dinámico para las misiones extranjeras?

(1) Un fuerte ministerio profético mantenía en alto la proclamación del mensaje. (2) Un ministerio didáctico de los maestros, mantenía la sana doctrina contra las herejías e ideas paganas.

2. Además de la presencia de profetas y maestros ¿de qué más dependía esta iglesia?

Además de la instrucción bíblicas, para su desarrollo espiritual, estos creyentes dependían de la oración y el ayuno buscando la voluntad de Dios.

3. ¿Cuáles pudieron haber sido las razones por las cuales Juan Marcos abandonó la misión?

Lo largo y difícil de la jornada; la tenacidad y disciplina del apóstol Pablo; su tío Bernabé ya no era el líder; era demasiado joven; extrañaba su familia, otros.

4. ¿Qué características notamos en el estilo de predicación del apóstol Pablo?

Pablo sabía muy bien que se debe enseñar lo nuevo basándose en lo ya conocido y así llevar a los oyentes a la verdad.

5. Siempre que se predica el evangelio, ¿qué es lo que podemos esperar?

Que muchos respondan con arrepentimiento y gozo por la salvación recibida, pero también muchos con rechazo y furia contra el mensaje y los mensajeros.

PARA LA PRÓXIMA SEMANA

La próxima semana veremos la segunda parte del primer viaje misionero de Pablo, donde analizaremos "Las actitudes correctas de un misionero", cuando se enfrentan a situaciones difíciles. Pida a la clase leer Hechos 14 y las lecturas devocionales.

ACTITUDES CORRECTAS DE UN MISIONERO

ESTUDIO BÍBLICO 25

Base bíblica

Hechos 14:1-28.

Objetivos

1. Analizar el comportamiento y madurez de los siervos de Dios en el campo misionero.
2. Ver cómo las emociones hacen que la gente cambie su manera de pensar.
3. Actuar con valor y firmeza ante la persecución anticristiana que se ha desatado en los últimos tiempos.

Fecha sugerida:___/____/____

Pensamiento central

Un buen cristiano no se enaltece con las alabanzas de sus admiradores ni se deprime por los vituperios de sus enemigos.

Texto áureo

Es necesario que a través de muchas tribulaciones entremos en el reino de Dios (Hechos 14:22)

LECTURA ANTIFONAL

Hechos 14:1 Aconteció en Iconio que entraron juntos en la sinagoga de los judíos, y hablaron de tal manera que creyó una gran multitud de judíos, y asimismo de griegos.

2 Mas los judíos que no creían excitaron y corrompieron los ánimos de los gentiles contra los hermanos.

3 Por tanto, se detuvieron allí mucho tiempo, hablando con denuedo, confiados en el Señor, el cual daba testimonio a la palabra de su gracia, concediendo que se hiciesen por las manos de ellos señales y prodigios.

8 Y cierto hombre de Listra estaba sentado, imposibilitado de los pies, cojo de nacimiento, que jamás había andado.

9 Este oyó hablar a Pablo, el cual, fijando en él sus ojos, y viendo que tenía fe para ser sanado,

10 dijo a gran voz: Levántate derecho sobre tus pies. Y él saltó, y anduvo.

11 Entonces la gente, visto lo que Pablo había hecho, alzó la voz, diciendo en lengua licaónica: Dioses bajo la semejanza de hombres han descendido a nosotros.

19 Entonces vinieron unos judíos de Antioquía y de Iconio, que persuadieron a la multitud, y habiendo apedreado a Pablo, le arrastraron fuera de la ciudad, pensando que estaba muerto.

20 Pero rodeándole los discípulos, se levantó y entró en la ciudad; y al día siguiente salió con Bernabé para Derbe.

23 Y constituyeron ancianos en cada iglesia, y habiendo orado con ayunos, los encomendaron al Señor en quien habían creído.

DATOS GENERALES ACERCA DEL TEMA

- **Enseñanza:** Es en el campo misionero donde está el fuego cruzado del enemigo para probar a los que son enviados; por tanto, es importante contar con la presencia del Señor y la actitud y madurez correctas.
- **Autor:** El historiador Lucas
- **Personajes:** Pablo, Bernabé, judíos y gentiles.
- **Fecha:** Año del suceso 47 d.C.
- **Lugar:** Ciudades de Iconio, Listra, Derbe y Antioquía

BOSQUEJO DE LA LECCIÓN

I. I. Cuando el diablo ataca la obra (Hechos 14:1-7)
   A. Proteger y fortalecer a los recién convertidos (14:1-3)
   B. Actuar con precaución y seguir adelante con Cristo (14:4-7)

II. Frente a la ignorancia y la emoción de la gente (Hechos 14:8-18)
   A. Dejar que se manifieste el poder de Dios ante el sufrimiento (14:8-12)
   B. Dar al Señor toda la gloria y no tomarla para sí (14:13-18)

III. Frente a las pruebas y luchas del ministerio (Hechos 14:19-28)
   A. Poniendo nuestra vida en las manos del Señor (14:19,20)
   B. Actuando con valor y firmeza para afirmar a otros (14:21-28)

Ciudades visitadas por Pablo y Bernabé en la región de Galacia en Asia Menor.

LECTURAS DEVOCIONALES DIARIAS

Lunes: Los milagros confirman la Palabra de Dios (Hechos 14:1-7)
Martes: Es fácil detectar a los que tienen fe en Dios (Hechos 14:8-10)
Miércoles: La ignorancia conduce al error (Hechos 14:12-14)
Jueves: La gloria es para Dios, no para el evangelista (Hechos 14:15-18)
Viernes: Recién convertidos oran por Pablo y éste se levanta (Hechos 14:19-22)
Sábado: Importancia de la organización en la iglesia (Hechos 14:13-28)

INTRODUCCIÓN

En el campo misionero, como en las demás áreas de la vida cristiana, nos enfrentamos a situaciones en que es muy importante saber qué actitud asumir o qué respuesta dar. A veces suceden cosas tan buenas y halagadoras que pueden emocionarnos mucho. En otras ocasiones lo negativo e inesperado nos puede confundir y frustrar. Lo ideal es que aprendamos a actuar con firmeza, madurez y serenidad, sea cual fuere la situación en la que nos encontremos. En este estudio se presta atención a lo que les sucedió a Pablo y Bernabé en las ciudades de Iconio y Listra, en la segunda parte de su primer viaje misionero. Los de Iconio recibieron el evangelio con entusiasmo: una gran multitud de judíos y griegos creyó en Cristo.

No obstante, los judíos incrédulos "excitaron y corrompieron los ánimos de los gentiles contra los hermanos". El enemigo nunca cruza los brazos cuando ve que una comunidad acepta a Cristo como su Salvador. Al ver esto, los misioneros decidieron quedarse allí "mucho tiempo" para afirmar a los creyentes en el Señor. Es cierto que después tuvieron que salir huyendo de una muerte segura, pero lograron fortalecer a los creyentes.En Listra la situación se complicó por la forma emotiva y desatinada en que actuó la gente al ver el milagro de la sanidad de un cojo. Los supersticiosos de la ciudad querían adorar y ofrecer sacrificios a Pablo y Bernabé, pensando que eran "dioses en forma de hombres"; sin embargo, los evangelistas actuaron con madurez y serenidad, explicándoles que ellos no eran más que siervos de Jesucristo, y que la gloria se debía dar solamente a Dios. Horas más tarde, los mismos judíos que los habían atacado en Iconio inquietaron a los de Listra, quienes se volcaron contra los apóstoles. Apedrearon a Pablo y lo arrastraron fuera de la ciudad por muerto, pero el Señor lo levantó. Lo noble y ejemplar del apóstol es que ni se emocionó cuando lo querían adorar ni se desalentó cuando lo apedrearon por causa del evangelio.

Hoy día, ese mismo odio y rechazo a la verdad del evangelio se ve reflejada en países donde miles de creyentes están siendo perseguidos y asesinados, sencillamente por declararse seguidores de Cristo.

DESARROLLO DEL ESTUDIO

I. CUANDO EL DIABLO ATACA LA OBRA (HECHOS 14:1-7)

Ideas para el maestro o líder

(1) Muestre las ciudades de Iconio y Listra en el mapa del primer viaje misionero.

(2) Indique que la clave de un comportamiento ideal es no emocionarse demasiado ante las alabanzas de los admiradores ni desalentarse ante los ataques de los enemigos del evangelio.

(3) Comente que muchos países que fueron evangelizados por el apóstol Pablo, hoy en día son enemigos acérrimos del cristianismo.

Definiciones y etimología

* *Y hablaron de tal manera* (14:1). Al parecer hubo algo extraordinario en el modo como predicaron allí. Sin duda hablaron de forma clara, convincente, ferviente y amorosa. Lo que hablaron les salía del corazón, y por eso, era de esperarse que llegara a los corazones de sus oyentes.

* *Por tanto, se detuvieron allí mucho tiempo* (14:3). Es interesante notar el contraste con el versículo anterior (14:2), que, a pesar de la oposición, permanecieron "mucho tiempo" predicando el evangelio. Cuanto mayor era la oposición que se les hacía, mayor era el denuedo con que predicaban.

A. Proteger y fortalecer a los recién convertidos (14:1-3)

Ya al final del capítulo 13 nos dimos cuenta de que el evangelio estaba avanzando con fuerza en Antioquía de Pisidia antes de que los misioneros salieran de allí. Pero los judíos instigaron a mujeres influyentes de entre los prosélitos para que acusaran a los predicadores ante las autoridades. Así fue como Pablo y Bernabé se vieron forzados a salir de esa ciudad y dirigirse a Iconio. No obstante, iban satisfechos de lo que habían logrado, y les alegraba saber que habían dejado allí a un buen grupo de discípulos "llenos de gozo y del Espíritu Santo" (13:49-52). Iconio quedaba a unos 100 kilómetros al SE de Antioquía. A su llegada a esta ciudad, nuevos desafíos les estaban aguardando. En la sinagoga, los evangelistas predicaron con tanto ánimo y poder espiritual que "creyó una gran multitud de judíos, y asimismo de griegos" (14:1). La persecución que habían sufrido en Antioquía no causó desaliento en ellos; por el contrario, su predicación se hacía cada vez más contundente y eficaz. Cuando le hacemos frente al ataque del enemigo y ponemos toda nuestra confianza en el poder del Señor, Él nos da la victoria. Todo lo que hacen las pruebas es obligarnos a buscar y depender más del Espíritu Santo, lo cual nos da más éxito. El crecimiento de la iglesia en Iconio despertó el celo y las intrigas de los enemigos de Dios. "Los judíos que no creían excitaron y corrompieron los ánimos de los gentiles contra los hermanos" (14:2), como suele suceder. Esta situación hizo que los misioneros decidieran quedarse en Iconio "mucho tiempo, hablando con denuedo, confiados en el Señor" (14:3). Esta actitud de Pablo y Bernabé nos da un bello ejemplo del cuidado pastoral. Cuando las doctrinas falsas y los ataques del enemigo atentan contra la paz y el bienestar de los creyentes, es deber de sus líderes tomar en serio la enseñanza de la Palabra. Otro punto clave en el desarrollo de la joven iglesia de Iconio fue la manifestación del poder de Dios. El Señor concedió "que se hiciesen por las manos de ellos señales y prodigios" (14:3). Hay personas que creen solamente por la Palabra; otras, en cambio, necesitan ver milagros y hechos no comunes para distinguir el evangelio de cualquier otra religión. Pero, gracias al Señor, nosotros contamos con esos recursos y mucho más (Marcos 16:15-20).

B. Actuar con precaución y seguir adelante con Cristo (14:4-7)

La estrategia que Satanás utilizó en Iconio era como para acabar con la congregación; pero eso no lo logró. Lo que sí sucedió fue que la gente se dividió en dos bandos: "unos estaban con los judíos, y otros con los apóstoles" (14:4).

Eso no sorprendió a los evangelistas, porque casi siempre hay una respuesta dividida: unos obedecen al Señor mientras que otros le dan la espalda. Es más, si leemos los evangelios nos enteramos que ni siquiera Jesús obtuvo una respuesta unánime y total de parte de sus oyentes. En Jerusalén y Judea fueron muy pocos los que aceptaron su ministerio. Él mismo dijo en cierto momento: "Hay algunos de vosotros que no creen. Porque Jesús sabía desde el principio quiénes eran los que no creían [...]. Desde entonces, muchos de sus discípulos volvieron atrás, y ya no andaban con Él" (Juan 6:64-66).

No obstante, aun los que se van ya llevan en su conciencia la responsabilidad de haber oído el mensaje y haberlo rechazado. En todo caso, nosotros, como mensajeros del Señor, no debemos desalentarnos porque algunos abandonen el camino de la fe.

El segundo paso que dio Satanás para golpear y tratar de destruir lo que hasta ese momento se había logrado en Iconio fue agredir directamente a los siervos de Dios. "Los judíos y los gentiles, juntamente con sus gobernantes, se lanzaron a afrentarlos y apedrearlos" (14:5). Muchos han sido los mártires (palabra que en griego significa "testigos") que han sellado con su sangre el mensaje que proclamaron. Ejemplos de ello fueron Esteban, Jacobo, los apóstoles, y cientos de millares a lo largo de la historia de la iglesia. Y aun en el día de hoy, miles que siguen siendo perseguidos y asesinados solamente por mantener una fe viva y real en Jesús. Sin embargo, el Señor libró a los misioneros en Iconio, los cuales recibieron información de lo que la turba planeaba hacer. Esto les permitió huir "a Listra y Derbe, ciudades de Licaonia, y a toda la región circunvecina, y allí predicaban el evangelio" (14:6,7). Aquí aprendemos que hay momentos en que a pesar de la lucha, debemos quedarnos y seguir adelante. Pero llega el momento en que es más sabio salir de un lugar en el que el diablo se quiere gloriar en la muerte o prisión de los siervos del Señor. Jesús anticipó esto al decir: "Cuando os persigan en esta ciudad, huid a la otra" (Mateo 10:23).

Afianzamiento y aplicación

(1) ¿Ha sufrido alguien de la clase la experiencia de ver que de su iglesia se ha ido un grupo de personas, o se ha dividido la gente en dos bandos?

(2) Cuando se levanta una ola de persecución, ¿Qué es lo más sabio? Orar para que el Señor diga qué debemos hacer, o ¿quedarnos en ese lugar o irnos a otro?

II. FRENTE A LA IGNORANCIA Y LA EMOCIÓN DE LA GENTE (HECHOS 14:8-18)

Ideas para el maestro o líder

(1) Use el mapa para describir los pasos de esta gira: de Antioquía a Iconio, 100 kilómetros al SE; de Iconio a Listra, 30 kilómetros al SO.

(2) Comente sobre la religiosidad de los pueblos, cómo sus tradiciones y creencias pueden ser tan fuertes, que asumen comportamientos irracionales y fanáticos.

(3) Hable del fanatismo religioso que se ha suscitado en los últimos tiempos, principalmente por parte de la religión musulmana.

Definiciones y etimología

* *Dioses bajo la semejanza de hombres han descendido a nosotros* (14:11). En la región de Listra se contaba que Júpiter y Mercurio una vez habían bajado a la Tierra de incógnitos. Nadie en todo el territorio quiso brindarles hospitalidad. Finalmente, dos viejos campesinos los acogieron y fueron gentiles con ellos. El resultado fue que los dioses destruyeron a toda la población con excepción del matrimonio al que hicieron guardián de un templo espléndido. De modo que cuando Pablo curó al lisiado, la gente de Listra decidió no cometer el mismo error, ignorando a los dioses.

A. Dejar que se manifieste el poder de Dios ante el sufrimiento (14:8-12)

El título de esta lección, "actitudes correctas de un misionero" nos permite considerar, desde un punto de vista práctico, los momentos críticos en que se vieron Pablo y Bernabé en Listra. En primer lugar, está el milagro por el cual el Señor sanó al "cojo de nacimiento, que jamás había andado" (14:8). La predicación de Pablo despertó fe en él, como dice el mismo apóstol en otro pasaje: "la fe es por el oír, y el oír, por la palabra de Dios" (Romanos 10:17). Aquí el historiador Lucas no transcribió el sermón de Pablo; pero viendo los demás sermones que proclamó en diversos lugares, podemos imaginar que se empeñó en presentar a Jesús según las Escrituras. Siempre que nuestro mensaje tenga como tema central la persona y obra de nuestro Señor Jesucristo, y esté basado en la Palabra de Dios, los resultados serán óptimos. El pecador necesita conocer a Jesús, no al predicador; urge que oiga la Palabra de Dios, no tanto las experiencias, los testimonios ni las ilustraciones del mensajero. Jesús dijo: "El espíritu es el que da vida; la carne para nada aprovecha; las palabras que yo os he hablado son espíritu y son vida" (Juan 6:63).Cuando Pablo fijó la mirada en el incapacitado de Listra notó "que tenía fe para ser sanado" (14:9). Sobre esta base, y sabiendo que Jesús había dicho: "al que cree todo le es posible" (Marcos 9:23), le dijo "a gran voz: Levántate derecho sobre tus pies". El hombre no se levantó como normalmente se para una persona; éste "saltó, y anduvo" (14:10,11). Este milagro hizo impacto en la gente de la ciudad. Lo primero que pensaron fue que los misioneros eran "dioses bajo la semejanza de hombres" (14:11). Su ignorancia los llevó a creer en una leyenda falsa que venía recordándose entre ellos. Según su mitología, en el pasado, los dioses griegos Júpiter y Mercurio se habían aparecido en la ciudad en forma de hombres y hacían milagros. Por eso, les dieron a los apóstoles los nombres de dichas deidades legendarias. Esto nos demuestra cómo la gente, en su ignorancia, interpreta las cosas a su manera. Así es como muchos les atribuyen a sus dioses, al Sol, la Luna, los astros, los demonios y aún a algunos seres humanos, los hechos y milagros que Dios obra. Otros atribuyen las obras de Dios a sus propias habilidades o a la casualidad. Es nuestro deber enseñarles por la Palabra que "toda buena dádiva y todo don perfecto desciende de lo alto, del Padre de las luces" (Santiago 1:17).

B. Dar al Señor toda la gloria y no tomarla para sí (14:13-18)

Lo interesante en este relato es la manera en que actuaron los siervos de Dios. Ellos pudieron haberse aprovechado de la ignorancia y superstición de la gente de Listra. Otros le hubieran sacado ventaja a la situación y habrían tomado para sí parte de la gloria y la honra que aquel hecho trascendente provocó en la multitud. Uno de los más emocionados y ciegos era el mismo "sacerdote de Júpiter". Este trajo "toros y guirnaldas" y quería "ofrecer sacrificios" a los evangelistas (14:13). No cabe duda de que Satanás esperaba que Pablo y Bernabé se hicieran los inocentes y dejaran que todo aquello se llevara a cabo. Él sabía que si los misioneros se dejaban adorar como "dioses" todo lo que habían hecho hasta ese momento se convertiría en blasfemia, burla y egolatría. El mismo Satanás fue derribado de la posición que ocupaba en el cielo porque se llenó de soberbia e intentó ser "semejante al Altísimo" (Isaías 14:14). Eso no sucedió con los pioneros de las misiones en Asia Menor. Por el contrario, cuando se dieron cuenta de lo que iban a hacer los idólatras de Listra, "rasgaron sus ropas, y se lanzaron entre la multitud, dando voces y diciendo: Varones, ¿por qué hacéis esto? Nosotros también somos hombres semejantes a vosotros, que os anunciamos que de estas cosas os convirtáis al Dios vivo, que hizo el cielo y la tierra, el mar, y todo lo que en ellos hay" (14:15). En el versículo 18 leemos que "difícilmente lograron impedir que la multitud les ofreciese sacrificios". Varias cosas aprendemos aquí: (1) La gente actúa por emoción, más que por su razonamiento. (2) Las emociones son manipuladas por la ignorancia, la superstición y las tradiciones falsas. (3) Los milagros sin la enseñanza de la Palabra pueden convertirse en una fuerza ciega y contraria a la voluntad de Dios. (4) Un siervo de Dios, lleno del Espíritu Santo y consciente de que no es más que un instrumento en las manos del Señor jamás tomará para sí la gloria que le pertenece solamente a Dios. (5) Los evangelistas y líderes que se aprovechan del ministerio para ganar aplausos, beneficios personales y señorío sobre la grey de Dios, pronto serán abatidos como lo fue Satanás.

Afianzamiento y aplicación

(1) ¿Qué lección aprendemos del comportamiento de Pablo y Bernabé en con-

tra de las prácticas del catolicismo de rendir culto a "los santos", como "¿San Pablo", "San Bernabé" y otros?

(2) ¿Podría referirse a casos de evangelistas y pastores que han fracasado por tomarse para sí la gloria y la honra que sólo a Dios le pertenecen?

III. FRENTE A LAS PRUEBAS Y LUCHAS DEL MINISTERIO (HECHOS 14:19-28)

Ideas para el maestro o líder

(1) Hable de la volubilidad y la inestabilidad de los inconversos, como los de Listra que, pocos minutos después de querer adorar a los evangelistas, estaban apedreándolos a muerte.

(2) ¿Qué comparación se puede hacer entre este acontecimiento de Listra y la "entrada triunfal" de Jesús cuando los mismos que le cantaban hosannas el día domingo, cuatro días más tarde estaban crucificándolo?

Definiciones y etimología

* *Le arrastraron fuera de la ciudad, pensando que estaba muerto* (14:19). Al que hace un momento veíamos "deificado", ahora lo vemos apedreado y dejado por muerto. El rápido cambio de actitud de las personas al pasar de un extremo a otro manipulados por los intereses de otros es increíble.

* *Se levantó y entró en la ciudad* (14:20). No se trata de un milagro de resurrección, pero si de una intervención milagrosa del poder de Dios. Pues ante esa situación pudo haber pasado meses curándose de las heridas.

A. Poniendo nuestra vida en las manos del Señor (14:19,20)

Al fin los misioneros lograron evitar que los de Listra les ofrecieran sacrificios; no obstante, la gente aún seguía perpleja y asombrada. Pero todo eso cambió repentinamente, y la admiración hacia los siervos de Dios se convirtió en un odio diabólico y asesino contra ellos. La razón de ese súbito cambio fue la llegada de "unos judíos de Antioquía y de Iconio" que engañaron y confundieron a la multitud con falsas acusaciones contra los evangelistas. La gente del mundo es muy voluble y cambiadiza; se deja manejar por meras emociones y carece de solidez y serenidad. Tan pronto como estos agentes de Satanás que habían corrompido los ánimos de los gentiles en Iconio (14:2) lograron confundir a los de Listra, la alegría de estos se transformó en ira feroz. "Y habiendo apedreado a Pablo, le arrastraron fuera de la ciudad, pensando que estaba muerto" (14:19). Sin duda, apedrearon también a Bernabé, pero su objetivo era matar a Pablo, que "era el que llevaba la palabra". Que hayan arrastrado a Pablo "fuera de la ciudad" significa que ya no daba muestras de estar vivo. Es de suponer que Pablo, mientras recibía aquella lluvia de piedras, recordaba la muerte de Esteban, en la cual él mismo había participado (Hechos 7:54-60). Ahora la víctima era él, pero estaba dispuesto a morir por el evangelio que Jesús le había encomendado. Esta penosa situación era como para que los que terminaban de aceptar a Cristo por la predicación y el milagro que habían recibido huyeran y no quisieran identificarse con la causa de los predicadores. No obstante, el grupo de "discípulos" siguió a la turba, y llegando al lugar donde dejaron a Pablo por muerto, lo rodearon, y no cabe duda de que oraron por él en compañía de Bernabé. Para sorpresa y bendición de ellos, el Señor levantó al apóstol, quien después de recobrar el conocimiento y las fuerzas volvió a entrar con ellos a la ciudad. Según los judíos, habían lapidado a un falso profeta, como lo mandaba la ley (Deuteronomio 13:5), pero el Señor quería que este siguiera dando testimonio de la verdad. Esto animó mucho a los recién convertidos, pues vieron la mano de Dios obrando en su siervo. Es muy probable que entre estos "discípulos" se encontrara el joven Timoteo, quien en el segundo viaje de Pablo decidió ser su ayudante y compañero inseparable (16:1-3). Este mismo odio y rechazo a la verdad del evangelio se ve reflejada hoy en países donde miles de creyentes están siendo perseguidos y asesinados, sencillamente, por declararse seguidores de Cristo.

B. Actuando con valor y firmeza para afirmar a otros (14:21-28)

La última ciudad que visitaron en este viaje fue la pequeña población de Derbe, a casi 90 kilómetros al oriente de Listra. Allí, a pesar de todo lo que sufrieron en la ciudad anterior, los misioneros trabajaron con ánimo, y parece que no tuvieron más interrupciones. El resultado se ve en el versículo 21, donde se dice que hicieron "muchos discípulos". El incansable espíritu de Pablo no podía permitir que los vituperios y las pruebas de Listra acabaran con el vigor espiritual que había recibido de su Señor. Esta actitud del apóstol debe inspirarnos a no dejar que las circunstancias menoscaben la fe y la visión de nuestro corazón. La obra es del Señor; nosotros sólo somos sus siervos y testigos de lo que Él ha hecho en nuestra propia vida y en la de otros. En momentos así es cuando se aprecia la fuerza que produce la convicción del llamamiento divino y la misión que hayamos recibido del Señor. Si fue Él quien nos llamó y nos envió al campo, ya sea, en un país lejano o al lado de nuestra casa, Él nos ayudará hasta el final. La actitud de los evangelistas, ya para finalizar su jornada misionera, también es digna de consideración. Desde Derbe "volvieron a Listra, a Iconio y a Antioquía, confirmando los ánimos de los discípulos, exhortándoles a que permaneciesen en la fe" (14:21,22). ¿Se ha puesto usted a pensar en el doble esfuerzo que tienen que hacer los ministros, misioneros y líderes? En primer lugar, tienen que sacar fuerzas de la debilidad y sobreponerse a las dificultades para presentarse siempre con una actitud de fe y optimismo. En segundo lugar, tienen que infundir valor y aliento a otros para encaminarlos al triunfo en la fe. Lo hermoso en todo esto es que cuanto más aliento demos a otros, tanta mayor consolación nos da a nosotros el Espíritu Santo. Sabiendo que parte del éxito en la iglesia es la organización y el orden de los apóstoles, "constituyeron ancianos en cada iglesia, y habiendo orado con ayunos, los encomendaron al Señor en quien habían creído" (14:23). Desde Antioquía de Pisidia, después de evangelizar a Perge en Panfilia, los misioneros volvieron a su iglesia local en Antioquía de Siria. Allí se reunió la iglesia que meses atrás los había despedido para la obra misionera. Esa iglesia que los envió con manos llenas y un corazón fortalecido ahora deseaba recibir un informe detallado de la primera gira internacional de la iglesia apostólica (14:26-28). ¡Qué hermoso es servir a un Dios de orden, y mantenernos dentro de su plan divino!

Afianzamiento y aplicación

(1) Basados en esta última sección, expliquen qué tenemos que hacer para sobreponernos a las pruebas sin perder el liderazgo cristiano.

(2) Según esta parte del estudio, ¿qué relación hay entre el avivamiento y la organización?

RESUMEN GENERAL

Según un estudio publicado anualmente por la organización sin ánimo de lucro "Puertas Abiertas", que analiza el nivel de persecución religiosa a la que se ven sometidos los cristianos en el mundo; durante el período (2015-2016), hubo más de 7000 cristianos muertos en el mundo por causas relacionadas con su fe, 3000 más respecto al periodo anterior (2014-2015). El número de fallecidos no incluye la situación en Corea del Norte, considerado el régimen más opresivo en los tiempos contemporáneos, ni Siria e Irak, países donde no existe información precisa al respecto. Las estadísticas también muestran que cerca de 2300 iglesias fueron destruidas o dañadas, número que dobla las cifras de la lista del año pasado. La lista de los diez países donde es más difícil para los cristianos practicar su fe son en su orden: Corea del Norte, Irak, Eritrea, Afganistán, Siria, Pakistán, Somalia, Sudán, Irán y Libia. En Eritrea una nación situada al noreste de África, cualquier cristiano que alce la voz para protestar sobre el trato por su fe es encarcelado o detenido sin importar su estatus. Según un informe, el 22% de todos los refugiados que llegan a Italia en balsas son eritreos. En Pakistán es común el abuso diario de niñas cristianas, frecuentemente raptadas, violadas y forzadas a casarse y convertirse al islam. Hay 3,8 millones de cristianos que se sienten cada vez más amenazados en su vida diaria. En Nigeria, la brutalidad de las milicias islámicas radicales de "Boko Haram", han asesinado más de 5000 cristianos y más de 30000 han sido desplazados. Hemos visto al grupo "Estado Islámico" (Isis), ajusticiando cristianos en vivo y en directo en los medios de comunicación. Estos son los mártires de hoy, que al igual que el apóstol Pablo fue perseguido y al final sacrificado por su fe. Si Dios nos ha permitido vivir en lugares donde nos es posible practicar nuestra fe, debemos orar e interceder y clamar por aquellos que no lo pueden hacer libremente. Recordemos las palabras del insigne apóstol Pablo con las cuales animaba a los creyentes después de ser apedreado: "Es necesario que a través de muchas tribulaciones entremos en el reino de Dios" (Hechos 14:22).

Ejercicios de clausura

(1) Oren para que cada iglesia establezca un plan de misiones, que incluya metas, recursos, un plan de intercesión por diferentes lugares donde es urgente llevar las buenas nuevas.

(2) Reflexionen sobre la situación de la iglesia perseguida en el mundo ¿Qué podemos y qué debemos hacer?

PREGUNTAS Y RESPUESTAS

1. ¿Qué opinión merece la actitud de Pablo y Bernabé en Iconio, que al encontrar oposición permanecieron "mucho tiempo allí"?

Es un buen ejemplo del cuidado pastoral que deben tener los lideres cuando el enemigo atenta contra la paz y el bienestar de los creyentes.

2. ¿Qué es lo que no debe sorprendernos de la respuesta que dan los oyentes ante la predicación del evangelio?

Saber que casi siempre habrá una respuesta dividida: unos obedecen al Señor mientras que otros le dan la espalda y muchas veces se convierten en enemigos.

3. Describa el proceso de la sanidad del cojo de nacimiento en la ciudad de Listra.

(1) El cojo oyó la palabra de labios de Pablo, (2) creyó a la Palabra de fe, (3) actuó, se levantó y anduvo.

4. Mencione los peligros a que están expuestos los predicadores o misioneros cuando son usados con poder de parte del Señor.

Muchos pueden ser tentados a aprovecharse del ministerio para ganar aplausos, beneficios personales y señorío sobre la grey, pero estos pronto serán abatidos como lo fue Satanás.

5. ¿Cuál debe ser nuestra actitud frente al incremento de persecución contra la iglesia en países anticristianos?

Debemos mantenerles en oración e interceder por ellos, para que el Señor les forlalezca y buscar estrategias para llevar el evangelio a aquellas naciones en tinieblas.

PARA LA PRÓXIMA SEMANA

El apóstol Pablo dijo: ¿Y cómo predicaran si no fueren enviados? En el último estudio se abordará el tema "El sostenimiento de las misiones"; es decir, la responsabilidad que tiene la iglesia de respaldar económicamente a los que llevan las "buenas nuevas".

EL SOSTENIMIENTO DE LAS MISIONES

ESTUDIO BÍBLICO 26

Base bíblica
Hechos 18:1-5; 20:3135;
2 Corintios 8:1-7

Objetivos

1. Concientizar acerca de la situación económica de las misiones.
2. Plantear estrategias financieras para la obra misionera.
3. Hacer un compromiso para apoyar las misiones.

Pensamiento central
Los grandes proyectos en la obra de Dios son sostenidos por los esfuerzos de personas e iglesias de escasos recursos, pero con abundante amor.

Texto áureo
Trabajando así, se debe ayudar a los necesitados, y recordar las palabras del Señor Jesús, que dijo: Más bienaventurado es dar que recibir (Hechos 20:35).

Fecha sugerida:___/____/____

LECTURA ANTIFONAL

Hechos 18:2 Y halló aun judío llamado aquí, natural del Ponto, recién venido de Italia con Priscila su mujer, por cuanto Claudio había mandado que todos los judíos saliesen de Roma. Fue a ellos,
3 y como era del mismo oficio, se quedó con ellos, y trabajaban juntos, pues el oficio de ellos era hacer tiendas.
4 Y discutía en la sinagoga todos los días de reposo, y persuadía a judíos y a griegos.
5 Y cuando Silas y Timoteo vinieron de Macedonia, Pablo estaba entregado por entero a la predicación de la palabra, testificando a los judíos que Jesús era el Cristo.
20:33 Ni plata ni oro ni vestido de nadie he codiciado.
34 Antes vosotros sabéis que para lo que me ha sido necesario a mí y a los que están conmigo, estas manos me han servido,
35 En todo os he enseñado que, trabajando así, se debe ayudar a los necesitados, y recordar las palabras del Señor Jesús, que dijo: Más bienaventurado es dar que recibir.
2 Corintios 8:1 Asimismo, hermanos, os hacemos saber la gracia de Dios que se ha dado a las iglesias de Macedonia;
2 que en grande prueba de tribulación, la abundancia de su gozo y su profunda pobreza abundaron en riquezas de su generosidad.
3 Pues doy testimonio de que con agrado han dado conforme a sus fuerzas, y aun más allá de sus fuerzas.

DATOS GENERALES ACERCA DEL TEMA

- **Enseñanza:** Dios tuvo un plan para la creación, para la redención del hombre, para establecer la iglesia, también ha diseñado un plan financiero para el sostenimiento de las misiones.
- **Autor:** Lucas y el Apóstol Pablo.
- **Personajes:** Pablo, Aquila y Priscila, hermanos de Efeso y Corinto.
- **Fecha:** Hechos, escrito en Roma en el año 61 d.C; 2 Corintios en Filipos en el tercer viaje misionero en el año 57 d.C.
- **Lugar:** Ciudad de Corinto y Mileto

BOSQUEJO DE LA LECCIÓN

I. Por medio del esfuerzo del trabajo secular (Hechos 18:1-5)
   A. Como un recurso para la obra misionera (18:1-4)
   B. Dando prioridad a la predicación de la Palabra (18:5)

II. Por medio de una buena administración de los recursos (Hechos 20:31-35)
   A. Manteniendo una conciencia limpia en cuanto a lo económico (20:31-34)
   B. Sabiendo que es más bienaventurado dar que recibir (20:35)

III. Por medio de un espiritu generoso (2 Corintios 8:1-7)
   A. Como manifestación de una genuina experiencia cristiana (8:1-5)
   B. Como una expresión visible de la gracia divina (8:6,7)

Ciudad griega de Corinto donde Pablo trabajó con sus manos elaborando tiendas y su paso por Mileto en Asia en el regreso de su tercer viaje.

LECTURAS DEVOCIONALES DIARIAS

Lunes: Si es necesario, hay que trabajar mientras ministramos (Hechos 18:15)

Martes: No hay que ministrar por intereses materiales (Hechos 20:31-35)

Miércoles: Por qué algunas iglesias dan más allá de sus fuerzas (2 Corintios 8:17)

Jueves: No debe haber para unos holgura y para otros estrechez (2 Corintios 8:8-15)

Viernes: Se debe dar por generosidad, no por exigencia (2 Corintios 9:1-5)

Sábado: Cada uno dé como propuso en su corazón (2 Corintios 9:6-15)

INTRODUCCIÓN

El aspecto económico de la obra de Dios es de suma importancia. Algunos se sienten cohibidos y evaden el tema porque piensan que la gente los va a tomar por materialistas o interesados en el dinero. Pero la verdad es que el ministerio siempre ha tenido que disponer de algún sistema de recaudación y desembolso de fondos. Jesús nombró un tesorero (Judas Iscariote), el cual se encargaba de recibir, guardar y desembolsar el dinero que amigos del Maestro aportaban. El problema estuvo en que este "era ladrón, y teniendo la bolsa, sustraía lo que se echaba en ella" (Juan 12:6). Pero esta clase de gente siempre termina por eliminarse a sí misma. La iglesia de Jerusalén manejó mucho dinero, el cual era donado por los creyentes y distribuido por los apóstoles y diáconos para suplir las necesidades de la iglesia (Hechos 4:34,35; 6:1-7).

La obra misionera también necesitó recursos económicos para la movilización de los evangelistas y la ayuda a iglesias menos solventes. Una mayordomía clara y honesta es esencial para la buena marcha de la iglesia. Los creyentes se sienten más motivados a diezmar y ofrendar cuando saben que las finanzas están a cargo de personas santificadas y cuidadosas en el manejo de los recursos. Podemos decir que "la iglesia es una empresa administrable, porque consta de (1) Personas, (2) Recursos y (3) Sistemas. Las personas somos todos los creyentes; los recursos son el dinero y las propiedades, muebles e inmuebles; los sistemas son la Palabra de Dios y los manuales de cada organización".

DESARROLLO DEL ESTUDIO

I. POR MEDIO DEL ESFUERZO DEL TRABAJO SECULAR (HECHOS 18:1-5)

Ideas para el maestro o líder

(1) Explique que este episodio tuvo lugar en Corinto, el sur de Grecia, al final del

segundo viaje misionero de Pablo.

(2) Destaque el bello ejemplo de Pablo, quien, en lugar de pedir dinero de Antioquía o de cualquier otra iglesia, trabajó para sostenerse mientras establecía la iglesia en Corinto.

Definiciones y etimología

* *Y como era del mismo oficio* (18:3). Pablo era un rabí y de acuerdo a la práctica judía, todo rabí debía tener una profesión. Por lo menos en teoría debían evitar recibir dinero por enseñar o predicar, debían ganarse la vida con su propio trabajo. Los judíos glorificaban el trabajo. Decían, aquel que no le enseña a su hijo un oficio le enseña a robar.

* *El oficio de ellos era hacer tiendas* (18:3). En la provincia de Tarso había rebaños de cierta clase de cabras que tenían una lana especial, que se llamaba *cilicio,* que se utilizaba para hacer carpas, cortinas y colgantes. Pablo debió haber sido un hábil artesano que trabajaba el cuero.

A. Como un recurso para la obra misionera (18:1-4)

La especialidad número uno de un ministro, evangelista o misionero debe ser predicar con poder de lo alto y enseñar con gran habilidad la Palabra de Dios. Su segunda tarea ministerial lo presenta como pastor y líder de la comunidad en que ministra. Sin embargo, hay momentos en que la falta de fondos y recursos para el inicio de un proyecto misionero lo puede llevar a realizar temporalmente algunas tareas seculares. Si está seguro de que es el Señor quien lo está dirigiendo, haga lo que hizo el apóstol en la ciudad de Corinto. Esta ciudad, capital de Acaya en el sur de Grecia, no tenía ni cien años de existencia. La construyó Julio César en el año 44 a.C., en el mismo sitio donde estaba la antigua ciudad de Epira, la cual fue destruida por los romanos un siglo antes. Por ser tan nueva, Corinto no contaba con las tradiciones religiosas y filosóficas de otras ciudades de su época. Quizás, por eso, los corintios fueron más receptivos al evangelio que otras comunidades, como Atenas.

El apóstol Pablo llegó desde Atenas a Corinto, y desde su llegada se encontró con Aquila y Priscila. Estos judíos, originarios del Ponto, habían sido expulsados de Roma por orden de Claudio y residían temporalmente en Corinto. Como eran fabricantes de tiendas, igual que Pablo, él se unió a ellos y trabajaron en sociedad mientras el infatigable evangelista proclamaba la Palabra en la sinagoga los días de reposo. No sabemos por cuánto tiempo recurrió a sus habilidades seculares para sostenerse en ese nuevo campo, pero debe de haber durado varios meses. En total, él estuvo año y medio en Corinto. Es interesante destacar aquí la disposición de Pablo a realizar trabajos materiales para generar fondos y no vivir en la miseria o a merced de la caridad pública. Una vida carente de medios, por meras razones de pereza e inercia, es inaceptable para un cristiano ejemplar. Es inspirador ver misioneros que no le tienen miedo al trabajo manual, siempre y cuando sea para el bien de la obra. Cuántos centros médicos, educativos y de adoración han sido construidos en países de escasos recursos por hombres y mujeres activos como Pablo. Valen mucho los líderes que son tan aptos para manejar una computadora como para tomar la pala y unirse al pueblo en los proyectos de acción.

B. Dando prioridad a la predicación de la Palabra (18:5)

Las actividades seculares del apóstol Pablo se fueron reduciendo a medida que la obra prevalecía y los medios de subsistencia eran provistos de otra manera. No es correcto persistir en un trabajo secular cuando la obra del Señor está demandando más actividad, ni cuando se hace sólo por adquirir cosas materiales. Una de las grandes responsabilidades del líder cristiano es enseñar a la iglesia sus deberes financieros. El sostenimiento de la obra del Señor ofrece una de las más bellas oportunidades de darle a Dios algo de lo que Él nos provee. En el templo de Salomón había depósitos, llamados gazofiláceos, en los cuales se almacenaban los recursos materiales para el servicio ceremonial y para el sostenimiento de los sacerdotes. Es urgente que los creyentes aprendan a diezmar, ofrendar y servir al Señor tan pronto como empiezan a desarrollarse en la vida cristiana. Por lo que sabemos acerca de los creyentes de Corinto podemos suponer que desde el principio fueron enseñados a dar para la obra. Cuando Silas y Timoteo regresaron de las iglesias de Tesalónica y Berea en Macedonia al sur y llegaron a Corinto, Pablo estaba "entregado de entero a la predicación de la palabra" (18:5). Esto nos demuestra que el trabajo material no era prioritario en la vida del apóstol; lo más importante para él era la misión de anunciar el evangelio a los perdidos. Corinto, siendo una ciudad porteña y comercial, adonde llegaban marineros y gente de negocio de muchas partes del mundo, era un centro de corrupción y vicios. Hasta la religión era depravada; en el templo de la diosa del amor, Afrodita, centenares de sacerdotisas practicaban ceremonias sexuales con los sacerdotes para honrar a la deidad pagana. Pablo sufrió mucho los primeros meses de su estadía en Corinto. Más tarde, él escribió a los corintios: "Me propuse no saber entre vosotros cosa alguna sino a Jesucristo, y a éste crucificado. Y estuve entre vosotros con debilidad, y mucho temor y temblor" (1 Corintios 2:3), No obstante, el Señor lo fortaleció en una visión nocturna, diciéndole: "No temas, sino habla, y no calles; porque yo estoy contigo" (Hechos 18:9,10). Es evidente que cuando un siervo de Dios está en la voluntad de su Señor, Él le provee protección, valor, mensaje y provisiones materiales.

Afianzamiento y aplicación

(1) Mencionen los nombres de algunos misioneros y líderes que no se limitaron a hablar, sino que trabajaron con sus propias manos para sostenerse y realizar proyectos para los cuales no había fondos disponibles.

(2) ¿Saben los alumnos de algunos ministros que tuvieron que trabajar secularmente para poder sostenerse mientras abrían obras nuevas, pero que luego dejaron lo material para dedicarse totalmente al ministerio?

II. POR MEDIO DE UNA BUENA ADMINISTRACIÓN DE LOS RECURSOS (HECHOS 20:31-35)

Ideas para el maestro o líder

(1) Pablo manejaba tan bien el aspecto económico de su vida que aun después de tres años de estadía en Efeso, al salir de allí sentía su conciencia limpia en cuanto al dinero.

(2) ¿Pueden mencionar nombres de líderes que han fracasado a causa del mal manejo de los fondos de su iglesia o por lucrar con las cosas de Dios?

Definiciones y etimología

* *Estas manos me han servido* (20:34). Pablo podía haberse ganado la vida predicando el evangelio, tenía derecho a vivir de él (1 Corintios 9:14), pero prefirió trabajar con sus manos, más aún lejos de dejar que otros ganaran para él, procuraba sustentar a los que estaba con él.

* *Más bienaventurado es dar que recibir* (20:35). Este dicho no aparece en los evangelios canónicos, probablemente, lo conocía Pablo de labios de los mismos apóstoles, o por trasmisión de forma oral. Pero trasmite una verdad preciosa de la experiencia cristiana.

A. Manteniendo una conciencia limpia en cuanto a lo económico (20:31-34)

Pablo llegó a Éfeso en su tercer viaje misionero, "después de recorrer las regiones superiores" de Asia Menor. Se encontró con algunos que enseñaban la doctrina del arrepentimiento, pero no conocían más que el bautismo de Juan. Cuando los bautizó en el nombre de Jesús y les impuso las manos, estos recibieron el bautismo en el Espíritu Santo (Hechos 19:1-7). A partir de ese momento, Dios empezó a usar al apóstol de una manera especial, y toda la región occidental del Asia Menor recibió un gran avivamiento espiritual. Sabiendo que la ciudad de Efeso era un punto importante para el avance de la obra misionera en el occidente del Asia Menor, Pablo se quedó allí por tres largos años. Su trabajo evangelístico fue maravilloso. Se logró establecer la obra en casi todas las ciudades de la región. Después de tres años de infatigable ministerio, salió para Macedonia y Grecia, al otro lado del mar Egeo.

Tres meses más tarde decidió regresar a Jerusalén, pero no pudo embarcarse directamente de Grecia a Siria porque los enemigos del evangelio planeaban hacerle mal (20:3). Entonces, realizó su viaje de regreso a Judea vía Macedonia, pasando por Efeso. En Hechos 20 se describe la inolvidable reunión que tuvo con los líderes de la iglesia de Efeso en Mileto (20:17). Allí hizo un resumen de su ministerio entre ellos. En una parte de su discurso, les dijo: "Velad, acordándoos que por tres años, de noche y de día, no he cesado de amonestar con lágrimas a cada uno" (20:31). Más adelante, tocó el tema de las finanzas, donde se expresa con toda satisfacción en cuanto a la manera en que se había conducido. (1) Su actitud personal. "Ni plata ni oro ni vestido de nadie he codiciado" (20:33). Qué mala impresión deja un ministro que anda siempre hablando de sus sueños y anhelos en cuanto a las cosas que posee. Hay personas cuya codicia de dinero para adquirir propiedades, carros, ropa y otras cosas innecesarias echan a perder las virtudes que habían recibido como siervos de Dios. (2) Su presupuesto ministerial. "Vosotros sabéis que para lo que me ha sido necesario a mí y a los que están conmigo, estas manos me han servido" (20:34). Aquí volvemos al tema de la sección anterior: Pablo no buscaba recompensa material para su ministerio; él sabía usar sus manos para producir los recursos necesarios para la obra misionera. Esto no significa que el ministro no reciba sostenimiento cuando haya quienes lo puedan proveer; pues la Biblia dice: "Digno es el obrero de su salario" (1 Timoteo 5:18). Pero nunca debemos condicionar nuestro servicio a Dios por el dinero que recibimos.

B. Sabiendo que es más bienaventurado dar que recibir (20:35)

Por el otro lado, no podemos acusar al apóstol de creerse autosuficiente o de no cultivar en los hermanos la gracia de dar. Él enseñaba, con palabras y con su ejemplo, que había que generar recursos para la obra. "En todo os he enseñado que trabajando así, se debe ayudar a los necesitados" (20:35). Pero también insistía en que todo cristiano se acostumbrara a dar con generosidad para la causa del evangelio. Para apoyar este mandato apostólico práctico, Pablo recurre a algo que los efesios ya sabían de antemano. Les había enseñado a "recordar las palabras del Señor Jesús, que dijo: Más bienaventurado es dar que recibir" (20:35). Estas palabras de Jesús no aparecen en ninguno de los evangelios canónicos, pero, igual que muchas otras cosas, podían venir de otros evangelios que se escribieron y circulaban por las iglesias. Podía ser también algo que los cristianos recordaban por tradición oral. Esta enseñanza del Señor, por el hecho de haber sido corroborada por Pablo y escrita por Lucas en Hechos, es aceptada como auténtica. Por otra parte, la verdad que propugna está tan arraigada en toda la Biblia que no es difícil admitir que este dicho de Jesús forma parte de la herencia literaria de inspiración divina de la iglesia primitiva.

Con la mención de estas palabras divinas, el apóstol Pablo estaba enfatizando la importancia que tiene para la vida cristiana la práctica de dar para la obra del Señor. Tratando de aplicar este mensaje a la vida diaria, podemos deducir que "es más bienaventurado dar que recibir" porque el que da, sabe que de alguna manera le será recompensado; en cambio, el que recibe está consciente de que algo se le demandará. En armonía con el tema de esta lección, "el sostenimiento de las misiones", debemos considerar como un privilegio poder aportar algo para la expansión del reino de Dios. El Señor ha dado distintos dones y habilidades a su iglesia. Algunos han sido privilegiados con dotes para la predicación, otros para la enseñanza, otros para la música y otros para diseñar y producir cosas muy creativas. Hay personas muy hábiles para el evangelismo personal, otros se dedican a la oración por la obra en general, otros, en cambio, sienten que su parte consiste en dar todo lo que puedan para el avance de la obra misionera.

Cómo cierto hermano, contratista de la construcción, que empezó a dar, además de sus diezmos, el diez por ciento de sus ingresos para misiones. Años más tarde, decidió dar el veinte por ciento; ahora está dando el cuarenta por ciento. Dios lo ha hecho prosperar de una manera especial. Al principio compraba un lote, construía una casa y la vendía. Ahora compra terrenos extensos y construye en serie, como una compañía moderna y millonaria. "Dios bendice al que da con alegría."

Afianzamiento y aplicación

(1) ¿Qué clase de administrador de finan-

zas era el apóstol, considerando lo que revela esta sección?

(2) ¿Podría usted mencionar nombres de personas a quienes por su generosidad hacia la obra evangelística y misionera, Dios ha prosperado?

III. POR MEDIO DE UN ESPIRITU GENEROSO (2 CORINTIOS 8:1-7)

Ideas para el maestro o líder

(1) Explique que Pablo escribió esta segunda epístola a los Corintios después de que se trasladó de Efeso a Macedonia alrededor del año 56, en respuesta a las buenas noticias que Tito le llevó acerca de la iglesia de Corinto.

(2) Esta segunda epístola se divide en tres secciones: (a) Análisis de su ministerio (1:1-7:16); (b) la ofrenda para los santos (8:1-9:15); (c) defensa de su apostolado (10:1-13:14).

Definiciones y etimología

* *La gracia de Dios* (8:1). La liberalidad de los macedonios es una expresión visible de la gracia divina que habían recibido, pues es el Espíritu Santo quien inspira a los creyentes, no solo a dar espontáneamente; sino aún más abundantemente de lo que sus medios podían garantizar, además están dando a personas a quienes nunca habían visto, demostrando que todos los creyentes son "uno en Cristo".

A. Como manifestación de una genuina experiencia cristiana (8:1-5)

Los capítulos 8 y 9 de 2 Corintios es la sección en que Pablo se refiere a la ofrenda especial que las iglesias de Macedonia y Grecia estaban recaudando para las de Judea. Cuatro cosas hace aquí el apóstol: (1) Elogia el ejemplo de los macedonios al dar su ofrenda (8:17). (2) Exhorta a los corintios usando una enseñanza de Jesús acerca de dar (8:8-15). (3) Respalda a Tito y a sus compañeros para que promuevan la ofrenda en Grecia (8:16-24). (4) Apela a la generosidad de los corintios (9:1-5). (5) Exalta la recompensa divina a los que dan para misiones (9:6-15). Concentremos nuestra atención en el primer punto, en el cual destacan el amor y la determinación con que ofrendaron los hermanos de Macedonia. Esto puede inspirarnos y fortalecer nuestro concepto sobre la gracia de dar, especialmente, porque aquí vemos a una parte del campo misionero ofrendando a favor de otra. En este caso las iglesias de Judea, que se suponía fueran más fuertes, estaban pasando por un tiempo de crisis. Ante esa situación, los cristianos gentiles del occidente del Mediterráneo tuvieron el privilegio de ofrendar para ayudar a sus hermanos judíos. De esa manera se estaba demostrando el amor y la unidad que deben reinar en el pueblo del Señor alrededor del mundo. Pablo empieza elogiando a las iglesias de Macedonia, las cuales, a pesar de encontrarse en "prueba de tribulación" y en "profunda pobreza" demostraron "la abundancia de su gozo" y "su generosidad" (8:1,2). Esas son expresiones muy hermosas y significativas cuando se aplican a una iglesia. Estos frutos espirituales sólo se ven en creyentes que han tenido un cambio radical en su vida por haberse convertido al evangelio. No había egoísmo, racismo ni clasismo en esos corazones. Sabían que la ofrenda era para ayudar a los judíos, quienes siempre se expresaban negativamente de los gentiles. Pero la obra que Cristo había hecho, tanto en unos como en los otros, los había puesto a un mismo nivel. Según la observación de Pablo, en esas iglesias tan limitadas de recursos y rodeadas de tribulaciones, los creyentes habían dado "conforme a sus fuerzas, y aún más allá de sus fuerzas" (8:3). Y no era cuestión de que él los hubiera presionado para que dieran; ellos pidieron "con muchos ruegos" que se les diera "el privilegio de participar en este servicio para los santos" (8:4). La clave de todo parece estar en que "a sí mismos se dieron primeramente al Señor" (8:5). Si le entregamos nuestra vida al Señor, lo que tenemos también se lo daremos con suma alegría.

B. Como una expresión visible de la gracia divina (8:6,7)

Esta táctica de Pablo dio muy buen resultado. Su propósito no era despertar celos en los corintios en contra de los macedonios. Tampoco quería sobreestimar a unos y menospreciar a los otros. Lo que deseaba era compartir con estos últimos el testimonio de las bendiciones que habían recibido sus hermanos del norte al abrir su corazón para la obra de Dios. Por eso creyó oportuno enviar a Tito para que preparara el ánimo y diera instrucciones a las iglesias griegas acerca de la colecta para Judea. Ya Tito había estado en Corinto meses atrás, cuando fue a representar a Pablo ante los grupos que se estaban dividiendo y levantando contra la autoridad del apóstol. En esta ocasión iba para coordinar el programa que se desarrollaría cuando Pablo pasara por allí. Por eso les dice: "Tal como comenzó antes, asimismo acabe también entre vosotros esta obra de gracia" (8:6). En el versículo 7, Pablo los estimula al enumerar los cinco frutos que ya se veían en ellos "En todo abundáis (1) en fe, (2) en palabra, (3) en ciencia, (4) en toda solicitud, y (5) en vuestro amor para con nosotros". De estas virtudes se podía dar testimonio fehaciente, de otra manera, él no las hubiera mencionado; pues no era su intención halagarlos para pedirles que ofrendaran. Lo que aprendemos aquí es que siempre debemos empezar con un sincero reconocimiento de lo bueno que ha hecho una persona o iglesia. Esto puede darle la motivación necesaria para emprender o hacer algo mejor. Para cerrar el párrafo, el apóstol exhorta a los hermanos de Corinto, diciéndoles: "abundad también en esta gracia". En otras palabras: si ya estaban produciendo frutos tan especiales como los mencionados antes, lo más probable era que también sobresaliera el de "esta gracia de dar". Bellas lecciones encontramos en todo esto para dar suficiente motivación a nuestra iglesia para que dé "según sus fuerzas, y aun más allá de sus fuerzas". Debemos reconocer que los que dan más no son los más ricos sino los que sienten más amor hacia el Señor y su obra. En nuestros servicios de misiones hemos visto cómo las ancianas, las viudas, los más pobres y aun los niños se comprometen con una pequeña ofrenda cada mes. Con estas pequeñas promesas es con lo que se van recaudando los millares y hasta millones de dólares para los proyectos evangelísticos. Que el Señor nos ayude a reconocer y agradecer estos esfuerzos de puro amor y sacrificio.

Afianzamiento y aplicación

(1) ¿Cómo ve usted esta táctica del apóstol de usar el testimonio de unas iglesias para motivar y dar ánimo a otras?

(2) Según el versículo 7, ¿cuáles otros frutos son necesarios para que se produzca en el cristiano "la gracia de dar"?

RESUMEN GENERAL

Es conocido el ejemplo inspirador del amor por la misiones de dos hermanos quienes pertenecían a un pequeña iglesia evangélica en su comunidad. Desde niños se les había inculcado la pasión por los perdidos y el compromiso por las misiones. Después de haber terminado sus estudios secundarios, sintieron el deseo de salir al campo misionero, pero existía el obstáculo económico; la pequeña congregación no tenía recursos para enviarles. Después de orar y buscar la voluntad del Señor, uno de ellos habló a su hermano y le animó a que fuera al campo misionero a servir en la obra, mientra él se quedaría en la ciudad trabajando y esforzándose duro para apoyar su ministerio. Con el apoyo económico de su hermano este misionero ganó cientos de almas y levantó varias congregaciones en otros países para la gloria de Dios. Este es un testimonio de una labor conjunta, entre el que se dedica a tiempo completo a la obra y los que apoyan el ministerio con el fruto de sus labores.

Hay cierto tipo de creyentes que están en la iglesia, pero que no se sienten con la responsabilidad de contribuir para la obra misionera: (1) Están los que creen que el mundo no está perdido y que, por lo tanto, los hombres no necesitan de un salvador. (2) Los que no le dan importancia a las palabras de Jesucristo cuando dijo: "Id por todo el mundo y predicad el evangelio a toda criatura". (3) Los que creen que el evangelio no es poder de Dios y que no es el remedio eficaz para la salvación de los hombres. (4) Los que creen que es mejor que cada hombre se las arregle a sí mismo, lo mejor que pueda y que se disponga, como Caín, a responderle a Dios: "¿Soy yo guarda de mi hermano?". (5) Los que creen que no tendrán que darle cuenta a Dios del dinero que Él mismo les ha confiado. (6) Y los que creen que podrán contestar a la sentencia final de Jesús cuando Él les diga: "Por cuanto no lo hicisteis a uno de estos pequeñitos, tampoco a mí me lo hicisteis". Pero, gracias a Dios, el sostenimiento económico de su obra, especialmente, las misiones, no sale de las grandes tesorerías del mundo, ni a veces de los que más tienen. Los recursos que Dios usa para la expansión del evangelio han venido y seguirán viniendo de los esfuerzos de creyentes de recursos limitados y de grupos humildes, pero que tienen un corazón lleno de amor por el Señor, como los hermanos de Macedonia.

Ejercicios de clausura

(1) Terminen con una oración, pidiendo mejores trabajos y muchos recursos materiales para los hermanos, a fin de que todos puedan contribuir al plan económico de la obra.
(2) Aporten ideas para obtener fondos para las misiones.
(3) Pidan al Señor una visión nueva de las misiones locales e internacionales.

PREGUNTAS Y RESPUESTAS

1. ¿A quiénes encontró el Apóstol Pablo a su llegada a Corinto? y ¿a qué se dedicaban?

Encontró a Aquila y Priscila un matrimonio de origen judío venido de Roma, y se dedicaban a la fabricación de tiendas.

2. ¿Por qué el apóstol Pablo trabajó juntamente con ellos en esta labor?

Porque estaba comenzando una nueva obra y requería de recursos económicos para su sostenimiento, esto hacía, sin descuidar su ministerio.

3. ¿Habría descuidado Pablo su ministerio por trabajar secularmente?

No, para Pablo la predicación era su prioridad, el trabajo secular era solo un apoyo en los momentos de necesidad, de lo cual se sentía orgulloso.

4. Mencione el testimonio que dio el Apóstol a los hermanos de Efeso acerca de su actitud hacia el dinero y su presupuesto ministerial.

(1) Su actitud: Ni plata ni oro ni vestido de nadie he codiciado. (2) Su presupuesto ministerial: Vosotros sabéis que para lo que me ha sido necesario a mí y a los que están conmigo, estas manos me han servido"

5. ¿Por qué los creyentes de Macedonia tenían una actitud tan generosa hacia los hermanos de Judea?

Porque como dice Pablo, "a sí mismos se dieron primero al Señor" y luego a los demás. Si le entregamos nuestra vida al Señor, lo que tenemos también lo daremos con suma alegría.

PARA LA PRÓXIMA SEMANA

La próxima semana se iniciará un nuevo trimestre; procure que todos hayan adquirido su "expositor". Dé una introducción a la nueva temática, de manera que motive a los presentes a participar.

DISTRIBUIDORES EN ESTADOS UNIDOS

CALIFORNIA

005-00128
LIBRERÍA CRISTIANA EMMANUEL
ARLETA, CALIFORNIA
Tel. 818-893-8044

005-00150
DISTRIBUIDORA NUEVA JERUSALEM
CUDAHY, CALIFORNIA
Tel. 323-771-6405

005-00158
LIBRERÍA CRISTIANA JOSUÉ 1:9
MONTCLAIR, CALIFORNIA
Tel. 323-273-2418

005-00159
ASAMBLEA DE IGLESIAS CRISTIANAS
RIALTO, CALIFORNIA
Tel. 909-275-0549

005-00188
LIBRERÍA EMMANUEL
CAMPTON, CALIFORNIA
Tel. 435-919-7169

005-00214
LIBRERÍAS EBENEZER
HUNTINGTON PARK, CALIFORNIA
Tel. 323-581-6463

005-00214
LIBRERÍAS EBENEZER
LOS ANGELES, CALIFORNIA
Tel. 213-382-0777

005-00331
ALABADLE, CHRISTIAN STORE
LONG BEACH, CALIFORNIA
Tel. 562-436-0590, 562-591-7691

005-00376
DISTRIBUIDORA PALABRA DE DIOS
SAN PABLO, CALIFORNIA
Tel. 510-236-8282

005-00376
LIBRERÍA PALABRA DE DIOS
SAN FRANCISCO, CALIFORNIA
Tel. 415-821-9710

005-00377
DISTRIBUIDORA LLAMADA FINAL
DOWNEY, CALIFORNIA
Tel. 562-231-4660

005-00386
GUATEMALA MARKET
SAN DIEGO, CALIFORNIA
Tel. 619-282-2327

005-00418
DISTRIBUIDORA CELESTIAL
BELL, CALIFORNIA
Tel. 213-479-1912

005-00427
LIBRERÍA CRISTIANA EL JORDÁN
LANCASTER, CALIFORNIA
Tel. 661-723-0123

045-00270
DISTRIBUIDORA FUENTE DE VIDA
COMMERCE, CALIFORNIA
Tel. 888-944-2404

CONNECTICUT

007-00102
BREAD OF LIFE, BOOKSTORE
BRIDGEPORT, CONNECTICUT
Tel. 203-371-9951

007-00185
LIBRERÍA CRIST. MANÁ DEL CIELO
NEW BRITAIN, CONNECTICUT
Tel. 860-816-3724

DELAWARE

008-00101
SOLDIER OF THE LORD BOOKSTORE
WILMINGTON, DELAWARE
Tel. 302-777-7177

008-00107
LIBRERÍA EL FARO
MILFORD, DELAWARE
Tel. 302-422-6044

FLORIDA

010-00132
LIBRERÍA INTERAMERICANA
MIAMI, FLORIDA
Tel. 305-642-1079

010-00138
LIBROS LUCIANO
OPA LOCKA, FLORIDA
Tel. 305-687-0087

010-00158
LIBRERÍA A.I.C.
BRADENTON, FLORIDA
Tel. 941-751-6292

010-00167
IGLESIA DE DIOS PENTECOSTAL M.I.
ORLANDO, FLORIDA
Tel. 407-856-7997

010-00194
LIBRERÍA CRISTO LA ROCA
ORLANDO, FLORIDA
Tel. 407-438-5097

010-00194
LIBRERÍA CRISTO LA ROCA
KISSIMMEE, FLORIDA
Tel. 407-518-5593

010-00325
LIBRERÍA CRISTIANA HOSANNA
FORT MYERS, FLORIDA
Tel. 239-936-2433

010-00336
JOSTOM DISTRIBUTORS
MIAMI, FLORIDA
Tel. 305-233-5699

010-00412
REJOICE CHRISTIAN BOOKSTORE
KISSIMMEE, FLORIDA
Tel. 407-931-1100

010-00433
LIBRERÍA MANÁ
WINTER HAVEN, FLORIDA
Tel. 863-294-8588

010-00442
THE GUIDE POST BOOKSTORE
PALATKA, FLORIDA
Tel. 386-325-5786

010-00445
LIBRERÍA CRISTIANA EMMANUEL
WEST PALM BEACH, FLORIDA
Tel. 561-963-4533

010-00447
SPANISH EVANGELICAL DISTRIBUTORS
TAMPA, FLORIDA. Tel. 813-231-2350

010-00454
ASAMBLEA DE IGLESIAS CRISTIANAS
BRADENTON, FLORIDA
Tel. 941-301-5115

010-00455
DISTRIBUIDORA VIDA Y LUZ
PALM HARBOR, FLORIDA
Tel. 727-443-2061

010-00482
LUCIANO'S BOOKSTORE
OPA LOCKA, FLORIDA
Tel. 305-769-3103

010-00487
SPIRIT AND TRUTH CHRISTIAN BOOK
FRUITLAND PARK, FLORIDA
Tel. 352-728-3777

010-00500
CLARAMENTE CRISTIANOS, INC
JASPER, FLORIDA
Tel. 386-792-1400

010-00502
ZOE CHRISTIAN BOOKSTORE
MIAMI, FLORIDA. Tel. 305-275-8353

GEORGIA

011-00133
LIBRERÍA CRISTIANA BETHESDA
ATLANTA, GEORGIA
Tel. 404-996-6290

011-00134
LIBRERÍA CRISTIANA GENESIS
GAINESVILLE, GEORGIA
Tel. 770-402-8682

ILLINOIS

014-00148
ASAMBLEA DE IGLESIAS CRISTIANAS
CICERO, ILLINOIS. Tel. 779-537-6284

014-00156
IGL. DE DIOS PENTECOSTAL M.I. M.O.
CHICAGO, ILLINOIS. Tel. 779-276-7013

014-00162
LIBRERÍA MANÁ
YORKVILLE, ILLINOIS
Tel. 773-301-8985

ISLAS VÍRGENES

049-00113
ALL SEASON GOSPEL CRAFT & MORE
SAINT CROIX, VIRGIN ISLANDS
Tel. 340-778-0383

MARYLAND

021-00101
RINCÓN CRISTIANO BOOKSTORE
TAKOMA PARK, MARYLAND
Tel. 301-431-2633

021-00111
CENTRO CRISTIANO VIDA NUEVA
ADELPHI, M ARYLAND
Tel. 301-422-2029

021-00119
LIBRERÍA ESPERANZA DE GLORIA
NEW CARROLLTON, MARYLAND
Tel. 301-552-8293

MASSACHUSETTS

022-00150
LUIGIS STORE
HOLYOKE, MASSACHUSETTS
Tel. 413-539-6965

022-00181
AVILA'S LIBRERÍA CRISTIANA
LAWRENCE, MASSACHUSETTS
Tel. 978-691-2762

022-00194
HERITAGE HOUSE BOOKSTORE
BROCKTON, MASSACHUSETTS
Tel. 508-587-7705

022-00209
LIBRERÍA SALVACIÓN CRISTIANA
LYNN, MASSACHUSETTS
Tel. 781-586-0545

NEW JERSEY

031-00114
BETSAIDA CHRISTIAN BOOKS
UNION CITY, NEW JERSEY
Tel. 201-866-2126

031-00149
RAMOS CHRISTIAN MUSIC B/S
VINELAND, NEW JERSEY
Tel. 856-794-3001

031-00213
LIBRERÍA EL MESÍAS
NEW BRUNSWICK, NEW JERSEY
Tel. 908-812-0850

031-00218
PUERTA DE SALVACIÓN BOOKSTORE
UNION CITY, NEW JERSEY
Tel. 201-864-4799

031-00220
HOSANNA CHRISTIAN BOOKSTORE
UNION CITY, NEW JERSEY
Tel. 201-562-9677

031-00223
JÓVENES CRISTIANOS MUSIC CENTER
ELIZABETH, NEW JERSEY
Tel. 908-558-1430

031-00227
EVERBIND MARCO BOOK CO.
LODI, NEW JERSEY
Tel. 973-458-0485

031-00233
LIBRERÍA DIOS BENDICE SIEMPRE
PLEASANTVILLE, NEW JERSEY
Tel. 609-645-1702

031-00244
P. O. ENTERPRISES, LLC.
KENILWORTH, NEW JERSEY
Tel. 908-671-1784

NEW YORK

033-00108
LIBRERÍA BETHEL
BROOKLYN, NEW YORK
Tel. 718-388-3195

033-00120
PALABRA DE DIOS CHRISTIAN BOOKSTORE
BRONX, NEW YORK
Tel. 718-364-3633

033-00127
LIBRERÍA NUEVA JERUSALÉN
HAVERSTRAW, NEW YORK
Tel. 845-300-0036

033-00129
ASAMBLEA DE IGLESIAS CRISTIANA
BRONX, NEW YORK
Tel. 718-219-6462

033-00201
CHRIST IS THE ANSWER BOOKSTORE
ELMHURST, NEW YORK
Tel. 718-565-0902

033-00273
DIST.RIBUIDORA CRISTIANA INTERNACIONAL
BRONX, NEW YORK
Tel. 718-788-2484

033-00288
LIBRERÍA ASAMBLEA BUFFALO
BUFFALO, NEW YORK
Tel. 716-440-4790

NORTH CAROLINA

034-00139
LIBRERÍA CRISTIANA LOGOS
CHARLOTTE, NORTH CAROLINA
Tel. 704- 712-1299

OHIO

036-00111
LIBRERÍA CRISTIANA MARANATHA
CLEVELAND, OHIO
Tel. 216-631-4922

PENNSYLVANIA

039-00104
LIBRERÍA EBENEZER
LANCASTER, PENNSYLVANIA
Tel. 717-295-7539

039-00183
LIBRERÍA EL ARCA
ALENTOWN, PENNSYLVANIA
Tel. 610-820-9010

039-00198
HOSANNA SHOPPE BOOKSTORE
ALENTOWN, PENNSYLVANIA
Tel. 610-351-3414

039-00200
J.O.Y BOOKSTORE
SCHAEFFERSTOWN, PENNSYLVANIA
Tel. 717-949-6569

039-202 GUARDIÁN ÁNGEL B/S
RICHFIELD, PENNSYLVANIA
Tel. 717-694-3901

SOUTH CAROLINA

042-00115
LIBRERÍA CRISTIANA LA ANTORCHA
MYRTLE BEACH, SOUTH CAROLINA
Tel. 843-222-2123

TENNESSEE

044-00109
LIBRERÍA CRISTIANA LEÓN DE JUDÁ
NASHVILLE, TENNESSEE
Tel. 615-256-7667

TEXAS

045-00113
THE GOSPEL BOOKSTORE
LAREDO, TEXAS
Tel. 956-722-4047

045-00116
VIVA LIFE CHRISTIAN BOOKSTORE
MCALLEN, TEXAS
Tel. 956-631-2291

045-00167
LIBRERÍA PALABRA DE VIDA
HOUSTON, TEXAS
Tel. 832-287-5536

045-00230
LIBRERÍA LA VOZ DEL EVANGELIO
SAN ANTONIO, TEXAS
Tel. 210-521-1111

045-00270
DISTRIBUIDORA FUENTE DE VIDA
GARLAND, TEXAS.
Tel. 214-341-8949

045-00310
LIBRERÍA ESTRELLA DE BELÉN
BROWNSVILLE, TEXAS
Tel. 956-542-1717

045-00347
LIBRERÍA JABES
DALLAS, TEXAS.
Tel. 214-398-2339

045-00350
ASAMBLEA DE IGLESIAS CRISTTIANAS
MEXIA, TEXAS
Tel. 909-827-0817

010-00447
SPANISH EVANGELICAL DISTRIBUTORS
MCALLEN, TEXAS
Tel. 956-682-9895

VIRGINIA

048-00132
LIBRERÍA CRISTIANA PLENITUD
FALLS CHURCH, VIRGINA
Tel. 703-746-8516

WASHINGTON

050-00103
CÁNTICOS ALABANZA BOOKSTORE
UNION GAP, WASHINGTON
Tel. 509-453-3369

WASHINGTON D.C.

009-00106
LIBRERÍA CRISTIANAS DIOS ES AMOR
WASHINGTON D.C.
Tel. 202-541-9888

WISCONSIN

052-00117
LIBRERÍA CRISTIANA P.D.V.
MILWAUKEE, WISCONSIN
Tel. 414-336-5999

052-00118
ELOHIM CHRISTIAN BOOKSTORE
MILWAUKEE, WISCONSIN
Tel. 414-595-4985

052-00119
LIBRERÍA CRISTIANA RAFA, INC.
MILWAUKEE, WISCONSIN
Tel. 414-234-0347

DISTRIBUIDORES EN PUERTO RICO

040-00103
LIBRERÍA CASA ISERN
BAYAMÓN, PUERTO RICO
Tel. 787-759-6390

040-00107
LIBRERÍA EVANGÉLICA DE CAROLINA
CAROLINA, PUERTO RICO
Tel. 787-769-4069

040-00108
LIBRERÍA CRISTIANA CIELOS
CAYEY, PUERTO RICO
Tel. 787-714-3222

040-00128
LIBRERÍA EVENGÉLICA EL MILAGRO
CAGUAS, PUERTO RICO
Tel. 787-743-8988

040-00131
LIBRERÍA EL SEMBRADOR
CAROLINA, PUERTO RICO
Tel. 787-757-9798

040-00135
LIBRERÍA RHEMA
ARECIBO, PUERTO RICO
Tel. 787-878-1617

040-00138
AWAKENING LA TIENDA
CEIBA, PUERTO RICO
Tel. 787-885-1797

040-00139
MOVIMIENTO MISIONERO MUNDIAL
SAN JUAN, PUERTO RICO
Tel. 787-761-8806

040-00140
LIBRERÍA DAMASCO
HUMACAO, PUERTO RICO
Tel. 787-850-1011

040-00204
LIBRERÍA TU REGALO
AGUADILLA, PUERTO RICO
Tel. 787-882-2779

040-00208
LIBRERÍA GETSEMANÍ
GUAYAMA, PUERTO RICO
Tel. 787-864-7449

040-00211
LIBRERÍA MORADA DE PAZ
PUERTO NUEVO, PUERTO RICO
Tel. 787-782-2002

040-00224
ASAMBLEAS DE IGLESIAS CRISTIANAS
SAN JUAN, PUERTO RICO
Tel. 787-396-2445 / 787-726-8365

040-00236
LIBRERÍA CRISTIANA SHEKINA
PONCE, PUERTO RICO
Tel. 787-284-1169

040-00238
LIBRERÍA APOSENTO ALTO
DORADO, PUERTO RICO
Tel. 787-796-2976

040-00238
LIBRERÍA APOSENTO ALTO
AGUADILLA, PUERTO RICO
Tel. 787-406-1515

040-00240
CASA ISERN-RÍO PIEDRA
SAN JUAN, PUERTO RICO
Tel. 787-759-6360

040-00242
LIBRERÍA CRISTIANA SHALOM
GUAYANILLA, PUERTO RICO
Tel. 787-835-4102

040-00265
DIST. DE LITERATURA QUE EDIFICA
CANÓVANAS, PUERTO RICO
Tel. 787-559-5156 / 787-564-0722

040-00304
DIFFERENT VISION
MANATÍ, PUERTO RICO
Tel. 787-854-6000

040-00305
LIBRERÍA CANAÁN
RÍO GRANDE, PUERTO RICO
Tel. 787-887-4939

040-00320
LIBRERÍA MINISTERIO CRISTO VIENE
CAMUY, PUERTO RICO
Tel. 787-484-0025

040-00321
LIBRERÍA MUNDO MUSICAL CRISTIANO
HATILLO, PUERTO RICO
Tel. 787-898-0407

040-00331
LIBRERÍA CRISTIANA RENACER
BAYAMÓN, PUERTO RICO
Tel. 787-288-1300

040-00334
LIBRERÍA CRIST. LA ROSA DE SARÓN
CAROLINA, PUERTO RICO
Tel. 787-776-7760

040-00336
LIBRERÍA CRISTIANA KERIGMA
FAJARDO, PUERTO RICO
Tel. 787-860-6387

040-00338
LIBRERÍA CASA DEL ALFARERO
GUAYAMA, PUERTO RICO
Tel. 787-864-1163

040-00368
LIBRERÍA UNIVERSAL DE JESUCRISTO
CANÓVANAS, PUERTO RICO
Tel. 787-256-4510

040-00369
SOCIEDAD BÍBLICA DE PUERTO RICO
SAN JUAN, PUERTO RICO
Tel. 787-754-4460

040-00373
PURA VIDA BOOKSTORE
MAYAGÜEZ, PUERTO RICO
Tel. 787-831-7466

040-00376
LIBRERÍA HUERTO ALABANZAS
AGUADILLA, PUERTO RICO
Tel. 787-546-8806

040-00382
LIBRERÍA CRISTIANA HUELLAS
CAROLINA, PUERTO RICO
Tel. 787-276-0158

040-00384
LIBRERÍA JEHOVÁ ES MI PASTOR
YABUCOA, PUERTO RICO
Tel. 787-733-4454

040-00387
LIBRERÍA CRISTIANA WOW
BAYAMÓN, PUERTO RICO
Tel. 787-219-7345

040-00390
LIBRERÍA CRISTIANA SONIDO DE FE
CAROLINA, PUERTO RICO
Tel. 787-908-0549

040-00391
PURA VIDA BOOKS
GUAYNABO, PUERTO RICO
Tel. 787-998-4611

040-00394
LIBRERÍA SHEKINAH
TOA ALTA, PUERTO RICO
Tel. 787-993-5565

OFICINAS DE SENDA DE VIDA EN PUERTO RICO
Teléfonos: 787-565-1330

DISTRIBUIDORES INTERNACIONALES

CANADÁ

070-00103
ALFA Y OMEGA BOOKSTORE
TORONTO, CANADA. Tel. 416-614-7492

070-00118
PRÍNCIPE DE PAZ BOOKSTORE
HAMILTON, CANADA

Tel. 905-573-6621

CHILE

071-00101
CRUZADA DE LITERATURA CRISTIANA
SANTIAGO DE CHILE
Tel. 562-2-697-7786

071-00110
DISTRIBUIDORA E.I.R.L. PAPIROS
SANTIAGO DE CHILE
Tel. 562-2-725-3027

COSTA RICA

073-00111
BIBLIAS EXPRESS
SAN JOSÉ, COSTA RICA
Tel. 506-235-8865
Tel. 506-356-9131

L SALVADOR

077-00110
INST. CULTURAL MINIST. BAUTISTA
SAN SALVADOR, EL SALVADOR
Tel. 503-2-260-1730

ESPAÑA

097-00114
CASA CRISTIANA EMANUEL
MADRID, ESPAÑA
Tel. 786-436-6774

GUATEMALA

084-00130
EDITORIAL SENDA DE VIDA
GUATEMALA, GUATEMALA
Tel. 502-2308-3688
Tel. 502-2440-7678
Tel. 502-5825-9166

084-00102
LIBRERÍA CENTROAMERICANA
GUATEMALA, GUATEMALA
Tel. 502-2471-1201

LIBRERÍA BETHEL
QUETZALTENANGO,
GUATEMALA
Tel. 502-4100-5915

LIBRERÍA AMIGOS
CHIQUIMULA, GUATEMALA
Tel. 502-7942-0005

LIBROS RESTAURACION
JUTIAPA, GUATEMALA
Tel. 502-7821-5069 / 502-7968-6444

LIBRERÍA BIBLIA EXPRESS
COBAN, ALTA VERAPAZ
GUATEMALA
Tel. 502-7951-1806 / 502-5022-9985

ABC MINISTERIO DE NIÑOS Y JOVENES
QUETZALTENANGO,
GUATEMALA
Tel. 502-5340-0026 / 502-5971-7481

LA PALABRA BOOKSTORE
QUETZALTENANGO,
GUATEMALA
Tel. 502-7763-7210 / 502-7767-4494

LIBRERÍA CRISTIANA
TORRE FUERTE
PUERTO BARRIOS, IZABAL
GUATEMALA
Tel. 502-7948-6659
Tel. 502-5656-9007

LIBRERÍA CRISTIANA PEPE-LAPIZ
CHIMALTENANGO
GUATEMALA
Tel. 502-7839-3652 / 502-7840-4690

LIBRERÍA CENTROAMERICANA
QUETZALTENANGO,
GUATEMALA
Tel. 502-2462-5858 Ext.103 / 2471-9626

LIBRERÍA LUZ Y VIDA
HUEHUETENANGO, GUATEMALA
Tel. 502-7769-1475

LIBRERÍA OASIS
GUATEMALA, GUATEMALA
Tel. 502-4047-8145

HONDURAS

087-00107
LIBRERÍA CRISTIANA GÉNESIS
SAN PEDRO SULA, HONDURAS
Tel. 504-2-550-0573

ITALIA

089-00101
MARCO CIRPIANI AIC
ROMA, ITALIA
Tel. 393-343-7842

MÉXICO

091-00113
DISTRIBUIDORA ARIEL
MÉXICO D.F., MÉXICO
Tel. 52-555-132-5500

091-00124
DIST. BÍBLICA RECURSOS SA. CV
YUCATAN, MÉXICO
Tel. 999-912-1840

091-00125
REVERENDO SIXTO JIMÉNEZ
TABASCO, MÉXICO
Tel. 993-139-5527

NICARAGUA

093-00107
ASAMBLEAS DE IGLESIAS
CRISTIANAS
MANAGUA, NICARAGUA
Tel. 505-2249-3136

PANAMÁ

094-00107
IMPEX GLOBAL TR.
PANAMÁ, PANAMÁ
Tel. 507-229-3158

REPÚBLICA DOMINICANA

075-00108
REVERENDO MARCIAL REYES
SAN CRISTOBAL,
REPÚBLICA DOMINICANA
Tel. 809-279-0158 casa
Tel. 809-366-1868 celular
Tel. 829-914-5441 celular
Tel. 809-713-8806 Arelis

075-00121
LIBRERÍA EL MAESTRO
SANTO DOMINGO,
REPÚBLICA DOMINICANA
Tel. 809-681-8029

LIBRERÍA MARANATHA
SANTIAGO,
REPÚBLICA DOMINICANA
Tel. 809-582-2309

REV. JOAQUÍN SUERO
SANTO DOMINGO,
REPÚBLICA DOMINICANA
Tel. 809-536-2585

VENEZUELA

099-00103
DÉBORA RUIZ
CARACAS, VENEZUELA
Tel. 58-212-251-3405

OFICINAS DE SENDA DE VIDA EN GUATEMALA
Teléfono: 502-2440-7678